LA MORT DANS LES BOIS

Tana FRENCH

LA MORT DANS LES BOIS

Traduit de l'anglais (Irlande)
par François Thibaux

Titre original :
In the Woods

7-13, bd Paul-Émile Victor – 92521 Île de la Jatte-Neuilly-sur-Seine.
www.michel-lafon.com

Pour mon père, David French,

Et ma mère, Elena Hvostoff-Lombardi

C'était sans doute un vilain caniche noir. Pourtant, je me suis toujours demandé... Et si c'était vraiment Lui, s'Il avait décidé que je n'en valais pas la peine ?

Tony Kushner
Une chambre claire qu'on appelle le jour

Prologue

Imaginez une petite ville en pleine fournaise, telle qu'on en voit dans de vieux films des années 1950. Le ciel est d'un bleu aveuglant, à mille lieues de celui des étés irlandais habituels dont les nuages reflètent toutes les nuances de la lumière et qui, agrémenté parfois d'une petite pluie fine, fait le bonheur des aquarellistes. C'est une saison torride au goût d'herbe mâchée, de sueur, de biscuits tartinés dont le beurre dégouline, de citronnade dégustée dans la fraîcheur des cabanes. Elle vous brûle la peau tandis que, des coccinelles s'accrochant à vos bras, vous filez sur votre VTT, grisé par le parfum des pelouses fraîchement tondues et qu'au fond des jardins les cordes à linge oscillent dans la brume de chaleur. Elle est remplie de chants d'oiseaux, d'abeilles, de feuilles, de ballons qui rebondissent et d'exclamations rythmées qu'on pousse en sautant à la corde : « Un, deux, trois ! » Cet été-là ne finira jamais. Il commence chaque matin par une pluie de recommandations et la voix de votre meilleur ami qui sonne à votre porte, se termine par un long crépuscule éclairant la silhouette des mères qui, dans l'encadrement des portes, vous demandent de rentrer en bravant les chauves-souris dont le cri aigu résonne dans la dentelle sombre des arbres. C'est l'été tel qu'on le rêve, l'été dans toute sa gloire.

Imaginez une série de maisons bien alignées sur une colline, à quelques kilomètres de Dublin. Un jour, a déclaré le gouvernement, ce lotissement deviendra l'éblouissante illustration de la vitalité des banlieues, la solution parfaite et planifiée à la surpopulation, à la pauvreté et aux maux de la ville. Pour l'heure, il ne comporte que quelques maisons jumelles, toutes identiques, encore assez récentes pour paraître incongrues au sommet de leur colline. Alors que le gouvernement s'extasiait sur les McDonald's et les multiplexes à venir, quelques jeunes couples, fuyant les immeubles insalubres aux toilettes extérieures dont il ne fallait surtout pas parler dans l'Irlande des années 1970, rêvant d'un jardin et d'espace pour que leurs enfants puissent jouer à la marelle, investissant dans un logement neuf assez proche de leur lieu de travail leur salaire de maître d'école ou de conducteur de bus, entassèrent leurs maigres biens dans des sacs-poubelle et, au volant de leurs guimbardes, empruntèrent le chemin encombré de pâquerettes et de mauvaises herbes, symbole pour eux d'un nouveau départ.

Dix ans ont passé. Les grandes surfaces et les centres sociaux, baptisés « infrastructures », ne sont encore qu'un mirage (des politiciens de cinquième ordre dénoncent parfois dans la presse, sous le sceau du secret, des tractations véreuses). Les fermiers font toujours paître leurs vaches de l'autre côté de la route et les seules lueurs qui scintillent, la nuit, sur la colline, sont celles, clairsemées, des voisins. Derrière le lotissement, là où le grand projet tant de fois vanté prévoit l'installation d'un centre commercial et l'aménagement d'un parc, s'étend un bois de cent hectares, dont on ne sait depuis combien de siècles il est là.

Approchez-vous, suivez ces trois enfants qui escaladent le petit mur de brique et de ciment séparant le bois du lotissement. Leurs gestes sont souples, presque aériens. Les tatouages qu'ils se sont faits avec du sparadrap découpé en forme d'éclairs, d'étoiles ou de lettres, puis décollé après des heures passées au soleil, parsèment leur peau hâlée de taches d'un blanc immaculé. Leurs cheveux blonds flottent à contre-jour. Un pied sur les briques, un genou au sommet du mur et les voilà partis.

Le bois n'est que murmures, illusions. Son silence brasse des millions de bruits minuscules : froissements, souffles, cris tronqués. Il grouille d'une vie secrète qui, à peine entrevue, disparaît. Attention : des abeilles surgissent des fissures du chêne contre lequel vous vous adossez. La moindre pierre retournée révèle des larves étranges qui frétillent tandis que des fourmis affairées grimpent en file indienne sur votre cheville. Dans la tour en ruine, vestige d'une ancienne forteresse, des orties plus grosses que votre poignet jaillissent entre les pierres et, à l'aube, les lapins sortis des fondations emmènent leurs petits jouer sur les tombes abandonnées.

Ces trois enfants sont les maîtres de l'été. Ils connaissent le bois aussi bien que les paysages miniatures dessinés par les écorchures qui strient leurs genoux. Bandez-leur les yeux au fond de n'importe quel vallon, de n'importe quelle clairière ; ils retrouveront leur chemin sans mettre un pied de travers. Ils sont ici sur leur territoire, y règnent comme de jeunes animaux. Ils grimpent aux arbres sans crainte, se cachent dans leurs creux tout au long de la journée et puis la nuit dans leurs rêves.

Ils se forgent des légendes. Couchant les uns chez les autres, ils imaginent entre leurs draps des contes terrifiants, sombrent dans des cauchemars que leurs parents ignorent. Le long de sentiers perdus que vous ne trouveriez jamais, ils sèment derrière eux leurs appels et leurs lacets, comme des étoiles filantes. Mais qui les guette au bord de la rivière, les mains sur la branche d'un saule ou bien tapi tout en haut, invisible, quel est ce rire qui descend en cascade jusqu'à eux, à qui appartient ce visage qui, dissimulé dans les broussailles, se confond avec le clair-obscur et le frémissement des feuilles puis, en un clin d'œil, s'évanouit ?

Ces enfants ne grandiront pas, ni cet été-là, ni au cours des suivants. Jamais ils ne deviendront adultes. Cet été a pour eux d'autres projets.

Chapitre premier

Souvenez-vous que je suis avant tout inspecteur de police. Notre relation avec la vérité est essentielle mais se fissure sans cesse, comme un reflet sur du verre brisé. Cette vérité est au cœur de notre métier et détermine le moindre de nos gestes. Nous la traquons en élaborant des stratégies laborieuses faites de bobards, de dissimulations, de duperies. Elle est la femme la plus désirable du monde. Amants jaloux, nous dénions à quiconque le droit de la convoiter ne fût-ce qu'un instant. Pourtant, nous la trahissons chaque jour, nous embourbant dans nos mensonges avant de nous réfugier dans ses bras pour chuchoter à son oreille : « Je n'ai agi ainsi que parce que je t'aime. »

Même si j'ai un faible pour les clichés, je vous épargnerai celui des preux chevaliers galopant derrière dame Vérité sur son palefroi blanc. Ce que nous faisons est sale, répugnant et grossier. Une fille fournit à son petit ami un alibi pour le soir où nous le soupçonnons d'avoir dévalisé une supérette des quartiers nord après avoir poignardé le caissier. Tout d'abord, je lui fais du gringue. Je lui susurre que je comprends tout à fait pourquoi un type qui a la chance de lui plaire préfère passer ses nuits près d'elle. Contemplant ses cheveux gras teints en blond, ses traits mornes et son air hébété, héritage de siècles de malnutrition, je pense à part moi que, si j'étais son copain, je serais soulagé de l'échanger contre n'importe quel compagnon de cellule, même cannibale. Sans transition, je lui annonce que nous avons trouvé, dans les poches arrière du survêtement flambant neuf de son concubin, des billets qui portent les empreintes du caissier et proviennent donc de la boutique en question. J'ajoute qu'il jure ses grands dieux qu'elle est sortie ce soir-là et lui a remis l'argent en rentrant.

Je m'exprime avec une telle sincérité, un mélange si convaincant de gêne et de compassion pour cette femme trahie par celui qu'elle adorait, que sa foi en quatre ans de vie commune s'effondre comme un château de sable. Alors, sanglotant et ravalant sa morve, tandis que son homme, assis face à mon collègue dans la salle d'interrogatoire d'à côté, ne martèle rien d'autre que : « Merde, j'étais chez moi avec Jackie », elle me déballe tout, depuis le moment où il a quitté la maison jusqu'à ses défaillances sexuelles. Ensuite, je lui tapote l'épaule avant de lui proposer un mouchoir, de lui offrir une tasse de thé et de lui tendre une feuille blanche pour sa déposition.

Tel est mon métier. On ne le choisit pas sans avoir une affinité naturelle avec ses priorités et ses exigences. Ou bien on ne dure pas. Ce que j'essaie de vous dire, avant que vous commenciez à lire mon histoire, c'est ceci – deux choses : j'ai une soif inextinguible de vérité ; et je mens.

C'est ce que j'ai lu dans le dossier le lendemain du jour où je suis devenu inspecteur. Je reviendrai sur cette histoire de différentes manières. Une pauvre histoire, sans doute, mais c'est la mienne : la seule que nul autre que moi ne pourra jamais raconter.

L'après-midi du mardi 14 août 1984, trois enfants, Germaine (Jamie) Elinor Rowan, Adam Robert Ryan et Peter Joseph Savage, tous âgés de douze ans, s'amusaient sur la route que bordaient leurs maisons, dans la petite ville de Knocknaree, à la périphérie de Dublin. Comme il faisait beau et chaud, la plupart des résidents étaient dans leur jardin. Nombre d'entre eux aperçurent les trois compères à plusieurs reprises au cours de l'après-midi, jouant les funambules sur le mur du bout de la route, faisant les zouaves sur leurs vélos ou tournoyant sur un pneu-balançoire accroché à une branche.

À l'époque, Knocknaree était encore peu développé. Un bois assez vaste jouxtait le lotissement, séparé de lui par un mur d'un mètre cinquante de haut. Vers 15 heures, les gosses laissèrent leurs bicyclettes dans le jardin des Savage. Ils dirent à Mme Angela Savage, qui étendait du linge, qu'ils allaient dans le bois. Ils le connaissaient bien. Mme Savage ne s'inquiéta pas : ils ne risquaient en aucun cas de se perdre. Peter possédant une montre, elle lui ordonna d'être de retour à 18 h 30 pour le thé, ce que confirma sa plus proche voisine, Mme Mary Therese Corry. Plusieurs témoins virent les garnements escalader le mur au bout de la route et disparaître sous les arbres.

À 18 h 45, Peter Savage n'était pas rentré. Sa mère se rendit au domicile des deux autres enfants, pensant qu'il se trouvait chez l'un d'eux. Aucun n'était là. D'ordinaire, Peter se montrait toujours ponctuel. Toutefois, les parents ne s'inquiétèrent pas ; absorbés par leurs jeux, leurs rejetons avaient sans doute oublié l'heure. Vers 18 h 55, Mme Savage gagna le bois par la route, s'y enfonça de quelques pas et les héla. Pas de réponse. Elle ne perçut aucun bruit, aucun mouvement susceptible de signaler une présence dans les parages.

Elle retourna chez elle et servit le thé à son mari, M. Joseph Savage, ainsi qu'à ses quatre autres enfants, plus jeunes que Peter. Après le thé, M. Savage et M. John Ryan, le père d'Adam Ryan, pénétrèrent un peu plus avant dans le bois. Eux non plus ne reçurent aucune réponse. À 20 h 25, alors que la nuit tombait, les parents se mirent à redouter que les gamins ne se soient perdus. Mlle Alicia Rowan, la mère célibataire de Germaine, qui avait le téléphone, appela la police.

Le ratissage commença. On craignait, à ce moment-là, que les enfants n'aient fait une fugue. Mlle Rowan avait décidé de mettre sa fille en pension à Dublin, où elle passerait la semaine, rentrant à Knocknaree le samedi. La petite devait partir quinze jours plus tard, et l'idée de cette séparation prochaine attristait beaucoup les trois amis. Mais une première fouille de leurs chambres révéla que rien n'avait disparu : ni vêtements, ni argent, ni effets personnels. La tirelire de Germaine, en forme de poupée russe, contenait 5,85 livres et était intacte.

À 22 h 20, un policier muni d'une lampe torche tomba sur Adam Ryan dans une zone touffue proche du centre du bois, debout, le dos et les paumes pressés contre le tronc d'un grand chêne. Ses ongles s'y enfonçaient si profondément qu'ils s'étaient brisés dans l'écorce. Il devait être là depuis un certain temps. Pourtant, il n'avait pas réagi aux appels des sauveteurs. On l'emmena à l'hôpital. Venus à la rescousse, les maîtres-chiens lancèrent leurs bêtes sur la piste des deux autres enfants. Les chiens s'arrêtèrent non loin de l'endroit où l'on avait retrouvé Adam Ryan puis, désorientés, perdirent leur odeur.

Lorsqu'on me découvrit, j'étais vêtu d'un short en jean bleu, d'un tee-shirt de coton blanc et de chaussures de sport à lacets, blanches elles aussi. Elles étaient fortement imbibées de sang, tout comme mes chaussettes, un peu moins souillées. Une analyse ultérieure montra que ce sang avait traversé les souliers de l'intérieur vers l'extérieur et les chaussettes, de façon moins abondante, de l'extérieur vers l'intérieur. Cela impliquait qu'on m'avait enlevé mes chaussures et que le sang s'y était répandu. Quelques instants plus tard, alors qu'il commençait à coaguler, on me les avait remises aux pieds, maculant ainsi mes chaussettes. Quatre déchirures parallèles de quinze à vingt centimètres de long traversaient en diagonale le dos de mon tee-shirt, depuis le milieu de l'omoplate gauche jusqu'aux côtes droites.

Je n'étais pas blessé, mis à part des éraflures sans gravité sur les mollets, des échardes sous les ongles provenant, on le constata plus tard, du bois du chêne et, sur les rotules, deux écorchures profondes, presque encroûtées. On se demanda si elles avaient été faites dans le bois ou ailleurs, d'autant qu'une fillette de cinq ans, Aideen Watkins, qui jouait sur la route, affirma m'avoir vu chuter du mur plus tôt dans la journée et m'affaler sur les genoux. Finalement, sa déclaration changeant chaque fois qu'elle la répétait, on ne la considéra pas comme fiable.

J'étais dans un état proche de la catatonie. Je ne fis aucun mouvement volontaire pendant près de trente-six heures et fus incapable de prononcer une parole pendant quinze jours. Lorsque je pus enfin articuler quelques mots, je ne me souvenais de rien entre le moment où j'avais quitté la maison cet après-midi-là et mon admission à l'hôpital.

On analysa le sang de mes chaussures et de mes chaussettes – en 1984, en Irlande, on ne disposait pas de tests ADN. Il était du groupe A positif, tout comme le mien. Néanmoins, on estima peu probable que mes écorchures aux genoux, quoique profondes, aient pu saigner assez pour provoquer un écoulement aussi massif dans mes baskets. Le sang de Germaine Rowan, analysé deux ans plus tôt avant une appendicectomie, était lui aussi, ce qu'indiquait son dossier médical, du groupe A. On n'avait aucun dossier sur Peter Savage. Mais le sang ne pouvait être le sien : ses deux parents étaient du type O, ce qui rendait impossible son appartenance à un autre groupe. En l'absence d'identification concluante, on pouvait donc envisager, selon les enquêteurs, que le sang fût celui d'un quatrième individu, ou même de plusieurs.

Les recherches se poursuivirent toute la nuit du 14 août et au cours des semaines suivantes. Des équipes de volontaires passèrent au peigne fin les champs et les collines des environs, explorèrent le moindre trou d'eau; des plongeurs fouillèrent la rivière qui traversait le bois. Sans résultat. Quatorze mois plus tard, M. Andrew, un résident qui y promenait son chien, remarqua une montre-bracelet au milieu des broussailles, à une trentaine de mètres de l'arbre contre lequel j'avais été adossé. Le dessin d'un footballeur en pleine action ornait son cadran et sa grande aiguille se terminait par un petit ballon de foot. M. et Mme Savage furent formels : il s'agissait bien de celle de leur fils Peter. Mme Savage confirma qu'il la portait l'après-midi de sa disparition. Le bracelet de plastique avait été arraché d'un côté avec une certaine force, peut-être retenu par une branche basse alors que Peter courait. Les services techniques y décelèrent, ainsi que sur le cadran métallique, des empreintes digitales partielles. Toutes correspondaient à celles relevées sur les affaires de Peter.

En dépit de nombreux appels de la police et d'une intense campagne médiatique, on ne découvrit jamais d'autres traces de Peter Savage et de Germaine Rowan.

Je suis entré dans la police parce que je voulais m'occuper d'affaires criminelles. Ma période de formation et mes débuts d'agent en uniforme – école de Templemore, interminable entraînement physique, enquêtes dans des bourgades perdues affublé d'une veste fluorescente digne d'un personnage de dessin animé et traquant l'un des trois voyous locaux ayant forcé la fenêtre de la maison de jardin de Mme McSweeney, tout cela reste flou dans ma mémoire, comme une initiation aussi absurde qu'une pièce de Ionesco, un examen que j'ai dû passer pour d'obscures raisons bureaucratiques avant d'avoir le droit d'exercer vraiment mon métier. Au cours de ces années, je ne me suis fait aucun ami. Mon indifférence à l'égard de mes collègues, tout au long de cette période, me paraissait involontaire et inévitable, comme l'effet secondaire d'un sédatif. Les autres flics y virent un dédain affiché, un mépris non dissimulé pour leurs origines campagnardes et leurs ambitions misérables. Peut-être avaient-ils raison. J'ai récemment relu le début du journal que j'ai tenu à l'école. J'y décris mes camarades comme « une bande de connards au cerveau ramolli, puant le bacon, le chou, le cierge et la bouse de vache ». Même si j'étais dans un mauvais jour, je dois admettre que ce commentaire traduit un certain manque de considération pour les différences culturelles.

Lorsque j'intégrai la brigade criminelle, mes nouveaux vêtements de travail, costumes au tissu si fin qu'il semblait vivant entre mes doigts, chemises à rayures bleues ou vertes, douces écharpes de cachemire, attendaient déjà dans ma garde-robe depuis près d'un an. J'adore ce code vestimentaire et ce qu'il implique. Voici ce qui, dans mon métier, m'a fasciné dès le début : le non-dit, et les notes en sténo prises à la hâte – indices, pistes possibles, résultats d'autopsie. Une des petites villes à la Stephen King où je me retrouvai en poste fut le théâtre d'un meurtre : un cas banal de violence domestique qui alla bien au-delà de ce qu'avait prévu le mari et aurait été considéré comme un simple homicide involontaire si la précédente compagne de l'homme n'avait péri dans des circonstances suspectes. On dépêcha sur les lieux, pour cette raison, deux inspecteurs de la brigade criminelle. Pendant la semaine qu'ils passèrent sur place, je gardai, depuis mon bureau, les yeux braqués sur la machine à café, m'arrangeant pour m'en servir un quand ils buvaient le leur, prenant mon temps pour ajouter du lait, histoire de prêter l'oreille à leurs conversations saccadées qui portaient sur des sujets aussi divers que le taux d'alcoolémie du meurtrier ou le rapport du médecin légiste sur les causes du décès. Je me remis à fumer pour pouvoir les suivre jusqu'au parking et en griller une à quelques pas d'eux, les yeux au ciel et l'oreille aux aguets. Ils me souriaient distraitement, m'offraient parfois du feu avec un vieux Zippo avant de se détourner en me gratifiant d'un bref haussement d'épaules et de se replonger dans leurs stratégies aussi subtiles que tordues : interroger d'abord la mère de la victime puis laisser le mari mariner chez lui pendant une heure ou deux, se demandant ce qu'elle avait bien pu dire, avant de le cuisiner ; le confronter alors à une reconstitution de la scène, mais sans lui laisser le temps de reprendre ses esprits.

Contrairement à ce que vous pourriez croire, je ne suis pas devenu policier pour résoudre, tel le héros d'un roman victorien confronté à son passé, le mystère de mon enfance. J'ai lu le dossier une fois, ce premier jour, seul dans la salle commune de la brigade, à la lueur de la lampe de mon bureau. Les noms oubliés virevoltaient en écho autour de ma tête comme des chauves-souris, tandis que je déchiffrais les dépositions écrites au stylo d'une encre presque effacée et où les témoins affirmaient que Jamie avait donné un coup de pied à sa mère parce qu'elle ne voulait pas aller en pension, que des adolescents « à la mine patibulaire » passaient leurs soirées à l'orée du bois, que la mère de Peter avait eu un jour un bleu sur la pommette... Ensuite, j'ai refermé le dossier pour toujours. Ce qui me passionnait, c'était ce qu'on pouvait lire entre les lignes, tel un texte en braille accessible aux seuls initiés, à l'image de ces deux inspecteurs de la brigade criminelle qui interprétaient les dépositions à leur manière et s'en servaient pour confondre leur suspect, ne cessant de lui renvoyer la balle afin de le piéger. En agissant ainsi, ils risquaient gros. Mais ils restaient les maîtres du jeu.

Ce qu'ils faisaient était cruel. L'homme est brutal, sans pitié. Relier froidement un détail anodin à un autre jusqu'à ce que celui qu'on interroge craque et abandonne tout instinct de survie n'est que la forme la plus élaborée, la plus raffinée de la sauvagerie.

Nous avons entendu parler de Cassie bien avant qu'elle rejoigne notre équipe et sans doute bien avant qu'on le lui ait proposé. Notre téléphone arabe, que nous envierait un club de commères centenaires, est remarquablement efficace. Composée d'une vingtaine de personnes, la brigade, constamment sous pression (qui s'en va, qui arrive, trop ou pas assez de boulot), bruisse de multiples rumeurs, fruit d'alliances de circonstance et aussi hystériques les unes que les autres. D'ordinaire, je m'en tiens éloigné. Mais les commentaires sur Cassie Maddox furent tellement insistants qu'il me fut impossible de les ignorer.

D'abord, c'était une femme. Or, même si tout, aujourd'hui, nous incite à nous libérer de nos préjugés, l'Irlande garde encore, y compris au sein de la nouvelle génération, la nostalgie des années 1950, période qui se prolongea jusqu'au moment où, en 1995, le pays plongea avec quinze ans de retard dans l'ère thatchérienne. En ce temps-là, les flics pouvaient déstabiliser un suspect en le menaçant de tout révéler à sa maman, les seuls étrangers étaient étudiants en médecine et les hommes n'échappaient au harcèlement de leurs épouses que sur leur lieu de travail. Cassie n'était que la quatrième femme admise dans la brigade. Aucune n'avait laissé un bon souvenir, surtout la dernière ; une grosse erreur, délibérée selon certains, qui avait failli causer sa propre mort et celle son coéquipier quand elle avait joué les cow-boys, pointant son flingue sur la tête d'un dangereux délinquant.

En plus, Cassie n'avait que vingt-huit ans et n'était sortie de Templemore que quelques années plus tôt. La brigade criminelle est une unité d'élite. On n'y admet aucun individu de moins de trente ans, à moins que son père ne soit politicien. Généralement, tout candidat doit faire ses preuves pendant deux ans comme stagiaire affecté aux tâches les moins gratifiantes, puis servir dans au moins deux autres unités. Or Cassie avait moins d'un an à son actif au sein de la brigade des stupéfiants. La rumeur, bien sûr, affirmait tour à tour qu'elle couchait avec une huile, qu'elle était la fille illégitime d'un gros bonnet ou, ce qui était plus original, qu'elle avait surpris quelqu'un de haut placé en train d'acheter de la drogue et que sa promotion était le prix de son silence.

Son arrivée ne me gênait en rien. Je n'avais intégré la brigade que depuis quelques mois. Je ne m'étais pas encore habitué aux conversations de vestiaires, aux considérations subtiles sur les bagnoles ou les lotions après-rasage. Par-dessus tout, je détestais l'humour préhistorique de mes collègues, leurs remarques graveleuses qu'ils qualifiaient d'« ironiques ». En fait, je préfère les femmes aux hommes. D'un autre côté, mon rôle au sein de la brigade n'allait pas encore de soi. J'avais presque trente et un ans. Après deux années de stage, j'avais passé deux ans dans le service des violences domestiques. Ma position était moins fragile que celle de Cassie et le patron me considérait a priori comme un bon élément, sans y avoir regardé de trop près, un peu comme un homme qui trouve toutes les femmes ravissantes, même celles dotées d'une tête de dinde. Il faut dire que j'avais toutes les qualités requises. Je m'exprime avec un accent outrageusement anglais, cultivé au collège pour passer inaperçu. On ne se débarrasse pas de ces vestiges de la colonisation du jour au lendemain. Or, même si les Irlandais trépignent et applaudissent lorsque leurs équipes sportives coiffent au poteau des adversaires britanniques et si je connais un certain nombre de pubs où il m'est impossible de commander une bière sans risquer de recevoir un verre à l'arrière du crâne, on a encore tendance à croire, en Irlande, qu'un homme à la bouche en cul de poule est plus intelligent, mieux éduqué et plus compétent que les autres. Par-dessus le marché, grand et mince, je peux paraître distingué dans un costume convenablement coupé. En plus, dans le style non académique, je suis plutôt beau gosse. D'où les préjugés favorables de mes supérieurs, qui m'assimilaient à un de ces anticonformistes brillants n'hésitant pas à risquer leur peau et attrapant leur homme sans coup férir.

Je n'ai rien de commun avec ce personnage et je me demandais parfois si mes collègues ne s'en étaient pas aperçus. Il m'arrivait, après avoir bu trop de vodka, d'imaginer des scénarios paranoïaques où le patron découvrait que je n'étais que le fils d'un petit fonctionnaire de Knocknaree et me mutait dans un obscur service administratif. Finalement, la nomination de Cassie ne pouvait que m'être bénéfique. Accaparés par elle, mes collègues passeraient moins de temps à se poser des questions à mon sujet.

Lorsqu'elle apparut enfin, je me sentis déçu. L'abondance des rumeurs m'avait fait imaginer une héroïne de feuilleton télévisé, avec des jambes de call-girl, une coiffure digne d'une publicité pour un shampoing de luxe et un tailleur-pantalon dernier cri. O'Kelly, notre patron, nous la présenta lors de la réunion du lundi matin. Elle se leva et prononça quelques mots convenus sur la joie que lui procurait son entrée dans la brigade et son espoir de se montrer à la hauteur de sa réputation. Les épaules carrées, elle était d'une taille à peine moyenne, avec un casque de boucles noires et une mince silhouette de garçonne. Elle n'était pas mon type – j'ai toujours aimé les filles vraiment féminines, si frêles que je peux les enlacer d'un seul bras – mais il y avait en elle quelque chose de particulier : peut-être sa façon de se tenir, appuyée sur une hanche, très droite et très souple, comme une gymnaste ; ou peut-être, tout simplement, son mystère.

– J'ai appris qu'elle comptait des francs-maçons dans sa famille et qu'ils ont menacé de faire dissoudre la brigade si on ne la prenait pas, déclara Sam O'Neilly dans mon dos.

Sam est un type de Galway, râblé, pondéré et bienveillant. Jamais je n'aurais cru qu'il se laisserait aller à de tels racontars.

– La ferme ! répondis-je.

Il me gratifia d'un large sourire, passa devant moi et alla s'asseoir. Je regardai de nouveau Cassie, qui elle aussi s'était assise et, un pied appuyé contre la chaise placée devant elle, étalait son carnet de notes sur sa cuisse.

Son allure n'évoquait en rien un membre de la criminelle. On attend de nous une tenue stricte, élégante et discrètement onéreuse, avec une légère touche d'originalité. Pour satisfaire le contribuable sensible à ce stéréotype, nous nous habillons pour la plupart chez Brown Thomas pendant les soldes, au point qu'on pourrait parfois nous confondre. Jusque-là, le seul canard boiteux de la brigade avait été ce crétin de Quigley qui, non content de parler avec l'accent nasillard de Donegal, portait sous sa veste des tee-shirts barrés de slogans (« Enfoiré ») qu'il croyait provocateurs. Quand il finit par se rendre compte qu'il ne choquait ni n'intéressait personne, il alla, en compagnie de sa mère, acheter comme tout le monde ses chemises chez Brown Thomas.

Ce premier jour, je classai Cassie dans la même catégorie. Elle portait un pantalon treillis, un chandail de laine lie-de-vin aux manches trop longues et de vieilles chaussures de sport. J'y vis une forme d'affectation, une hostilité affichée : « Je suis trop décontractée pour des barbons dans votre genre. » Cette animosité accentua mon attirance pour elle. Une part de moi ne résiste pas aux femmes qui m'exaspèrent.

Je ne lui prêtai aucune attention au cours des quinze jours suivants, hormis celle que suscite une femme pas trop laide dans un environnement exclusivement masculin. Tom Costello, notre vétéran grincheux et pleurnichard, lui faisait découvrir les ficelles du métier. Quant à moi, j'enquêtais sur le meurtre d'un SDF battu à mort au fond d'une ruelle. Affaire aussi misérable, aussi sordide que le destin de la victime, cas désespéré dès le départ. Pas d'indices, aucun témoignage : personne n'avait rien vu, rien entendu. Quant au meurtrier, il était sans doute tellement saoul ou tellement camé au moment des faits qu'il ne se souvenait de rien. À tel point que mon zèle de néophyte commençait à s'émousser. Je faisais équipe avec Quigley, ce qui n'arrangeait pas les choses. Son humour de bateleur m'accablait et son rire à la Woody Woodpecker m'écorchait les oreilles. Je finis par comprendre qu'on nous avait réunis non parce qu'il se montrerait amical avec le nouveau, mais parce que personne ne voulait de lui. Je n'eus ni le temps ni l'énergie de me lier avec Cassie. Cette situation aurait très bien pu s'éterniser. Même dans une équipe réduite, il existe toujours des gens qu'on se contente de saluer dans les couloirs avec un bref sourire, uniquement parce que leur chemin ne croise jamais le nôtre.

Nous sommes devenus amis à cause de son scooter, une antique Vespa beige de 1981 que, pour la faire bisquer, j'appelle le « chariot de golf ». En retour, elle qualifie ma Land Rover cabossée et blanche de « caisse pourrie », plaignant ouvertement mes petites amies, assez héroïques pour s'installer à la place du mort.

Le chariot de golf choisit un après-midi pluvieux et venteux de septembre pour tomber en panne. Sortant du parking de la brigade, j'aperçus cette fille ruisselante dans sa veste de pluie rouge à capuche, claquant des dents près de son scooter trempé et insultant un bus qui venait de l'asperger. Je m'arrêtai, baissai ma vitre.

– Vous voulez un coup de main ?

Elle me fixa et répliqua :

– Qu'est-ce qui vous faire croire ça ?

Puis, me prenant totalement par surprise, elle éclata de rire.

Pendant cinq minutes, alors que je tentais de faire démarrer la Vespa, je tombai amoureux d'elle. Toute petite dans son ciré, elle ressemblait à une gamine de huit ans qui aurait porté des bottes de caoutchouc parsemées de coccinelles. Sous son capuchon s'écarquillaient de grands yeux sombres aux cils dégoulinants, au milieu d'un visage de chaton. J'avais envie de la sécher doucement avec une serviette chaude, devant un feu d'enfer. Alors, elle s'écria :

– Hé, il faut que vous trituriez correctement le bidule !

Je levai un sourcil et répliquai bêtement :

– Le bidule ? Ah, les femmes !

Je regrettai immédiatement ma remarque. Je n'ai aucun sens de la repartie. Et puis, comment savoir ? J'avais peut-être affaire à une de ces féministes agressives qui vous récitent, en guise de marivaudage, un discours de Kate Millet. Elle n'en fit rien. Me jetant un regard en coin, elle frappa dans ses mains mouillées et minauda d'une voix suave, imitant Marilyn Monroe :

– Oh, j'ai toujours rêvé d'un chevalier en armure étincelante volant à mon secours ! Mais, dans mes rêves, il est beau !

Mon amour naissant reflua aussitôt, remplacé par une immense affection.

– Mon Dieu, m'écriai-je, votre coursier va attraper une pneumonie !

Je hissai sa Vespa dans le coffre de ma Land Rover et la raccompagnai chez elle.

Elle habitait une ancienne garçonnière transformée en studio, dans une rue paisible, au dernier étage d'une maison XVIIIe délabrée de Sandymount. Dominant les toits, les grandes fenêtres à guillotine donnaient sur la plage du même nom. Le mobilier se réduisait au strict minimum : des étagères de bois croulant sous de vieux livres de poche, un canapé victorien d'un bleu criard, un grand futon recouvert d'une couette écossaise. Ni gravures, ni posters ; aucune décoration en dehors des coquillages, des pierres et des marrons alignés sur le rebord des fenêtres.

Les détails de cette soirée, pourtant si importante, restent flous dans ma mémoire et, à en croire Cassie, elle aussi n'en garde qu'un souvenir vague. Je partageai avec elle un dîner sommaire : pâtes fraîches en sauce et whisky chaud dans des chopes de porcelaine. Je me souviens d'elle ouvrant le grand placard qui occupait presque toute la largeur d'un mur et en extirpant une serviette avec laquelle j'essuyai mes cheveux. J'eus le temps de remarquer, au fond de cet antre, d'autres étagères encombrées d'objets hétéroclites : casseroles en émail, calepins cartonnés, chandails de couleurs claires, liasses de feuilles griffonnées. Ce fouillis me fit penser à une illustration de livre de contes pour enfants.

Alors que nous venions d'évoquer son travail parmi nous, je finis, presque incidemment, par lui poser la question qui me taraudait.

– Comment t'es-tu retrouvée à la brigade ?

Avec un petit sourire malicieux, comme si jouions aux dames et que j'avais tenté de la distraire au moment où elle s'apprêtait à me damer le pion, elle me lança :

– Ça t'étonne parce que je suis une femme, c'est ça ?

– Non. Parce que tu es si jeune, répondis-je alors que, bien sûr, je pensais aux deux.

– Hier, Castello m'a appelée « fiston ». « Beau travail, fiston. » Puis il est devenu tout rouge. Je crois qu'il a eu peur que je lui fasse un procès.

– De sa part, c'était sans doute un compliment.

– C'est ainsi que je l'ai pris. Il est très gentil, vraiment.

Elle coinça une cigarette entre ses lèvres et tendit la main. Je lui lançai mon briquet.

– Quelqu'un m'a raconté que, déguisée en pute, tu avais épinglé un gros bonnet.

Elle sourit d'une oreille à l'autre, me renvoya mon briquet.

– Quigley, c'est ça ? Il m'a juré que tu étais une taupe du MI6.

– Quoi ? m'écriai-je, outragé et pris à mon propre piège. Quigley est un con.

– Tu en es sûr ?

Elle éclata de rire. Je m'esclaffai à mon tour. Dans un sens, passer pour une taupe, anglaise de surcroît, me rendait furieux.

Si mes collègues le croyaient vraiment, personne ne me dirait plus jamais rien. D'un autre côté, m'imaginer en James Bond me réjouissait au plus haut point.

– Je suis de Dublin, martelai-je. Mon accent vient de mes années de collège en Angleterre. Et ce demeuré le sait.

Je ne mentais pas. Au cours de mes premières semaines dans la brigade, il m'avait tellement harcelé en ne cessant de me demander ce qu'un Rosbif faisait dans la police irlandaise, tel un gamin qui, vous tirant la manche, répète à longueur de journée : « Pourquoi ? Pourquoi ? Pourquoi ? », que j'avais fini, d'une voix excédée, par tout lui expliquer. Apparemment, j'aurais dû employer un ton plus mesuré.

– Comment se passe ta collaboration avec lui ? reprit Cassie.

– Je perds la boule, lentement mais sûrement.

Quelque chose, j'ignore quoi, l'avait décidée. Elle se pencha de côté et, sa chope dans une main (elle jure que, ce soir-là, nous n'avons bu que du café, mais je me rappelle très bien le goût âcre du whisky sur ma langue), releva de l'autre son chemisier jusqu'à la naissance de ses seins. J'en restai hébété, au point qu'il me fallut un moment pour distinguer ce qu'elle me montrait : une longue cicatrice qui, encore rouge et parsemée de points de suture, suivait la ligne d'une de ses côtes.

– J'ai été poignardée, murmura-t-elle.

Évidemment ! Comment, à la brigade, n'y avions-nous pas pensé ? J'en eus presque honte. Tout inspecteur blessé en service commandé est ensuite libre de choisir son affectation. Nous avions sans doute négligé cette possibilité parce qu'elle aurait définitivement étouffé les ragots. Et personne ne nous avait mis au courant.

– Mon Dieu ! Que s'est-il passé ?

– J'ai infiltré l'université de Dublin, dit-elle.

Cela expliquait à la fois sa façon de s'habiller et l'absence d'informations. Par définition, les missions secrètes le restent jusqu'au bout.

– Voilà pourquoi je suis si vite devenue inspecteur. Un gang vendait de la drogue sur le campus. La brigade des stups voulait savoir qui était derrière ce trafic. Il lui fallait, pour cela, des agents susceptibles de se faire passer pour des étudiants. Je me suis inscrite en troisième cycle. J'avais fait quelques années de psychologie au Trinity College, avant Templemore. Je connaissais donc le sujet. En plus, j'ai l'air jeune.

C'était vrai. Son visage dégageait une fraîcheur que je n'avais jamais vue chez personne d'autre. Sa peau était aussi lisse que celle d'un enfant. Sa grande bouche, ses hautes pommettes rondes, son nez légèrement busqué et ses longs cils recourbés rendaient ternes et fades les traits de quiconque. Elle ne se maquillait jamais hormis, sur les lèvres, un léger baume qui sentait la cannelle et la rajeunissait encore. Peu de gens l'auraient trouvée belle au sens traditionnel du terme, mais j'ai toujours eu un faible pour les êtres hors normes. J'éprouvais infiniment plus de plaisir à la regarder qu'à reluquer une de ces blondes qui exhibent leurs seins de silicone dans les magazines people et qu'on voudrait faire passer pour désirables, ce que j'estime insultant pour moi.

– Et tu t'es fait gauler ?

– Non ! s'exclama-t-elle, outrée. J'ai identifié le dealer en chef, un richard débile de Blackrock, étudiant en droit des affaires, bien entendu. Il m'a fallu des mois pour m'en faire un pote, riant à ses blagues à la noix et corrigeant son mémoire. Je lui ai ensuite proposé de me charger moi-même de l'approvisionnement des filles, qui se sentiraient plus en confiance si elles traitaient avec une nana. L'idée lui a plu. Tout marchait comme sur des roulettes. Je lui ai suggéré qu'il serait peut-être plus simple de rencontrer moi-même le fournisseur au lieu de passer par lui pour me procurer la dope. Malheureusement, à ce moment-là, le golden boy a commencé à sniffer un peu trop sa propre came. Ça l'a rendu parano. Convaincu que je cherchais à le doubler, il m'a poignardée. Ne raconte rien à Quigley, ajouta-t-elle en buvant une gorgée de scotch. L'opération continue et je n'ai pas le droit d'en parler. Laissons ce crétin à ses illusions.

Sa confession m'impressionna au plus haut point, non pas à cause de l'acte meurtrier en lui-même : après tout, elle n'avait rien fait de particulièrement courageux ni d'extraordinairement intelligent ; elle avait simplement oublié d'esquiver le coup à temps. Ce qui me bluffa, ce fut l'angoisse liée au secret de sa mission et, surtout, le flegme avec lequel elle m'en parlait.

Ayant toujours cultivé une indifférence de façade, je suis bien placé pour reconnaître le vrai calme quand je me trouve face à lui.

– J'imagine, ajoutai-je, qu'il a dérouillé quand on l'a embarqué !

Je n'ai jamais tabassé un suspect. Il suffit, à mon sens, de lui faire croire que cela pourrait se produire. Mais d'autres ne s'en privent pas et quiconque a poignardé un flic est presque sûr d'arriver au commissariat dans un piteux état.

– Non, répliqua-t-elle, amusée. Personne n'a touché à un seul de ses cheveux. Cela aurait ruiné toute l'opération. Les stups avaient besoin de lui pour remonter jusqu'au fournisseur. Ils m'ont simplement remplacée par un autre agent.

– Mais tu n'as pas envie qu'il se fasse dégommer ? m'écriai-je, vexé par sa placidité et par ma naïveté. Il t'a poignardée !

Elle haussa les épaules.

– Après tout, quand on y pense, il avait ses raisons. Je n'ai fait que feindre d'être son amie pour pouvoir le coincer. Et puis il était en manque. Les dealers intoxiqués finissent toujours par sortir leur couteau.

À partir de là, mes souvenirs s'estompent à nouveau. Comme je n'avais été ni poignardé ni impliqué dans le moindre échange de coups de feu, je lui racontai, pour l'impressionner en retour, un épisode confus et partiellement authentique au cours duquel j'avais empêché un forcené de se jeter avec son bébé du balcon de son appartement, à l'époque où je m'occupais des violences domestiques. Je devais être un peu éméché, preuve que nous sirotions bien du whisky chaud. Je me souviens d'une conversation passionnante sur, je crois, Bob Dylan. À genoux sur le canapé, Cassie s'exprimait avec de grands gestes, laissant sa cigarette se consumer dans le cendrier. Échanges vifs, spirituels mais prudents, chacun s'efforçant de ne pas heurter l'autre dans ses opinions. Elle me fit ensuite écouter de la musique country, notamment les Cowboy Junkies, dont elle fredonnait les airs en sourdine, d'une voix rauque et douce.

– La came de ton golden boy, hasardai-je ensuite, tu l'as vraiment vendue à des étudiants ?

– Parfois, chuchota-t-elle en se levant pour aller brancher la bouilloire électrique.

– Ça ne te perturbait pas ?

– Tout ce qui concerne les opérations d'infiltration me perturbe. Tout.

Lorsque nous sommes arrivés au travail, le lendemain matin, nous étions amis. Ce fut aussi simple que cela. Au moment de la pause, je captai son regard et fis mine de tirer sur une cigarette. Nous sommes sortis pour aller nous asseoir à chaque extrémité d'un banc, comme deux serre-livres. À la fin de la journée, elle m'attendit, pestant contre le temps qu'il me fallait pour rassembler mes effets personnels (« J'ai l'impression d'avoir affaire à Paris Hilton. N'oublie pas ton rouge à lèvres, mon ange. Je ne voudrais pas obliger le chauffeur à faire demi-tour »), puis me lança, alors que nous descendions l'escalier :

– Une bière ?

Je m'émerveille encore de l'alchimie qui nous avait si rapidement rapprochés. Après une seule soirée, nous avions le sentiment de nous fréquenter depuis des années. Sans doute avions-nous reconnu tout de suite, sans même nous en rendre compte, que nous étions faits du même bois.

Dès la fin de sa période d'initiation sous la houlette de Costello, nous avons fait équipe. Tout d'abord, O'Kelly ronchonna : l'idée de deux bleus opérant ensemble ne lui souriait guère, d'autant qu'il devrait trouver un autre partenaire pour Quigley. Mais, plus par hasard que grâce à mon enquête, j'étais tombé sur quelqu'un qui avait entendu un type se vanter d'avoir tué le SDF. J'étais donc dans les petits papiers de O'Kelly et j'en profitai. Il tint quand même à nous avertir : il ne nous confierait que les affaires les plus simples, celles qui n'exigeaient « aucun véritable travail de police ». Nous hochâmes humblement la tête en le remerciant encore, sachant que les assassins se soucient comme d'une guigne de savoir si leur cas est complexe ou non. Cassie déménagea ses affaires vers le bureau proche du mien et Costello hérita de Quigley, ce qui nous valut de sa part, pendant des semaines, des regards chargés de reproche, plus déchirants que ceux d'un labrador martyrisé.

Au cours des deux années suivantes, notre réputation au sein de la brigade s'accrut sensiblement. Après l'avoir arrêté, nous interrogeâmes le suspect du meurtre de la ruelle pendant six jours, jusqu'à ce qu'il avoue. En fait, si l'on ne tient pas compte des « Ah, merde, putain ! » non mentionnés dans la déposition, l'interrogatoire ne dura guère plus de quarante minutes. Il s'agissait d'un junkie nommé Wayne.

– Tu te rends compte, dis-je à Cassie alors que étions allés lui chercher un soda et que nous le regardions gratter ses boutons devant le miroir sans tain : Wayne ! Comme John ! Ses parents auraient mieux fait d'écrire sur son front, à sa naissance : « Débile congénital ».

Il avait battu à mort le sans-abri, surnommé Eddie le Barbu, pour lui voler sa couverture. Il demanda, après avoir signé sa déposition, s'il pourrait la récupérer. Nous l'avons confié aux flics en uniforme, en lui affirmant qu'ils allaient s'en occuper. Ensuite, je raccompagnai Cassie chez elle, avec une bouteille de champagne. Nous avons parlé jusqu'à 6 heures du matin. Nous sommes arrivés au travail en retard, un peu penauds et pouffant pour un rien.

Il nous fallut, pendant cette période, affronter les allusions inévitables de Quigley et de quelques autres. Ils voulaient savoir si je me l'envoyais et si elle valait le coup. Quand ils admirent enfin que je n'étais pas son amant, ils en conclurent qu'elle était lesbienne. J'ai toujours trouvé Cassie très féminine. Toutefois, sa coupe de cheveux, son absence de maquillage et ses pantalons de velours pour homme pouvaient induire en erreur certains esprits obtus ou mal tournés. Cassie finit par se lasser et mit les choses au point en apparaissant, lors du pot de Noël, dans une robe du soir outrageusement échancrée, au bras d'un joueur de rugby beau comme un dieu, nommé Gerry. C'était un de ses cousins, marié et heureux en ménage. Très protecteur avec elle, il avait accepté sans rechigner, si cela pouvait l'aider dans sa carrière, de passer la soirée à la couver des yeux d'un air énamouré.

Cet épisode fit taire les rumeurs, ce qui nous soulagea l'un et l'autre. Dès lors, nos collègues nous laissèrent tranquilles. Contrairement aux apparences, Cassie, tout comme moi, n'est pas particulièrement sociable. Rapide et vive, dotée d'un sens aigu de la repartie, elle peut parler à n'importe qui, mais a toujours préféré, si on lui laissait le choix, ma compagnie à celle des membres de l'équipe. J'ai souvent dormi sur son canapé. Nos résultats nous firent bien voir d'O'Kelly. Il cessa de nous menacer de nous muter au service de la paperasse chaque fois que nous arrivions en retard. Nous assistâmes au procès de Wayne, reconnu coupable de meurtre (« Ah, merde, putain ! »). Sam O'Neilly nous croqua tous les deux en Mulder et Scully. Cassie colla son dessin, que j'ai toujours quelque part, sur son ordinateur.

Je reste persuadé que notre rencontre eut lieu pour moi au bon moment. L'idée romantique que je m'étais faite de la brigade criminelle n'incluait pas des calamités comme Quigley, les ragots ou les interminables interrogatoires en boucle de junkies dotés d'un vocabulaire de six mots que leurs chicots rendaient incompréhensibles. Sans rapport avec l'existence palpitante dont j'avais rêvé, cette réalité mesquine m'avait laissé ahuri et consterné, comme un enfant qui, ouvrant un superbe paquet-cadeau le matin de Noël, ne découvre à l'intérieur qu'une paire de chaussettes. Sans Cassie, je crois que je serais devenu la copie conforme de l'inspecteur de *New York District*, celui qui accumule les ulcères et voit dans tout ce qui lui arrive un complot du gouvernement.

Chapitre 2

L'affaire Devlin entra dans notre vie un mercredi matin du mois d'août. Il était, si j'en crois mes notes, 11 h 48. Tous les membres de l'équipe étaient sortis boire leur café. Cassie et moi disputions une partie de Worms sur mon ordinateur. Au moment où elle envoyait valdinguer un de mes vers d'un grand coup de batte de base-ball, O'Kelly déboula dans la salle commune et beugla :

– Où sont passés les autres ?

– Mort subite, annonça Cassie.

– Des archéologues ont découvert des restes humains, dit O'Kelly. Qui s'en charge ?

– Nous, répliqua Cassie en ôtant son pied de ma chaise, ce qui fit basculer la sienne contre son bureau.

– Pourquoi nous ? grommelai-je. Est-ce qu'on ne peut pas laisser ça au médecin légiste ?

La loi exige que les archéologues préviennent la police chaque fois qu'ils découvrent des restes humains à moins de trois mètres de profondeur. Cela au cas où un petit génie aurait eu l'idée, pour maquiller un meurtre, d'enfouir sa victime dans un cimetière du XVIe siècle, avec l'espoir qu'on la prendrait pour un cadavre d'époque. Cela implique que, s'il a eu l'énergie de creuser un trou plus profond sans se faire remarquer, l'assassin pourra dormir sur ses deux oreilles. Quoi qu'il en soit, les flics et les légistes reçoivent régulièrement des coups de téléphone dès qu'un affaissement de terrain ou l'érosion ramènent un squelette à la surface. Le plus souvent, il ne s'agit que d'une formalité : il est relativement facile de faire la différence entre de vieux ossements et des restes récents. On ne s'adresse à la brigade criminelle que dans des circonstances exceptionnelles, quand une tourbière a conservé la chair et les os de façon si parfaite que la dépouille présente toutes les caractéristiques d'un cadavre de fraîche date.

– Pas cette fois, répondit O'Kelly. La mort remonte à peu de temps. Jeune, sexe féminin. Ça a tout l'air d'un meurtre. La police locale demande notre aide. C'est à côté, à Knocknaree. Vous ne serez donc pas obligés de loger sur place.

Mon cœur bondit dans ma poitrine. Cassie cessa de fourrer ses affaires dans sa sacoche et je sentis brièvement ses yeux sur moi.

– Monsieur, je suis navrée, mais nous ne pouvons nous occuper à plein temps d'une nouvelle enquête. Nous sommes en plein dans l'affaire McLoughlin et...

– Ça ne vous posait aucun problème quand vous ne pensiez qu'à profiter d'un après-midi de plein air, rétorqua O'Kelly.

Il n'aime guère Cassie, pour toutes sortes de raisons évidentes : son sexe, sa façon de s'habiller, ses antécédents presque héroïques. Ces préjugés la choquent bien plus que son antipathie elle-même.

– Si vous trouvez le temps d'aller passer une journée à la campagne, ajouta-t-il, vous en trouverez aussi pour une enquête sérieuse. La police scientifique est déjà là-bas.

Et il sortit. Cassie se tourna vers moi.

– Merde ! Quel saligaud ! Ryan, je suis désolée. Je ne pensais pas...

– Ne t'en fais pas, Cassie.

Une des qualités qui me plaisent le plus chez elle, c'est qu'elle sait se taire quand il le faut.

C'était son tour de conduire. Elle désigna pourtant un de mes véhicules banalisés favoris, une Saab d'une souplesse de rêve, et me lança les clés. Une fois dans la voiture, elle extirpa son lecteur de CD de sa sacoche et me le tendit. Il appartient au conducteur de choisir la musique, mais j'ai tendance à oublier d'en apporter. J'optai pour le morceau le plus tonitruant et poussai le son à fond.

Je n'étais pas retourné à Knocknaree depuis cet été-là. On m'avait expédié en pension quelques semaines après la date initialement prévue pour le départ de Jamie, mais dans un autre internat. Celui où je me morfondais se trouvait dans le Wiltshire, aussi loin que le permettaient les moyens de mes parents. Lorsque je revins pour Noël, nous habitions Leixlip, de l'autre côté de Dublin.

Quand Cassie et moi eûmes atteint la voie rapide, elle dut sortir la carte pour trouver la sortie, avant de me guider à travers des routes de campagne aux innombrables nids-de-poule, avec de l'herbe en guise de bas-côtés et des haies non entretenues qui griffaient nos vitres.

J'ai toujours souhaité me souvenir de ce qui s'est passé dans le bois. Les rares personnes qui connaissent mon histoire me poussent avec insistance à la revivre sous hypnose. Cette idée me révulse. Tout ce qui rappelle le new age me laisse sceptique, non à cause des pratiques elles-mêmes, dont je ne nie pas le bien-fondé, mais par répugnance pour ceux qui les ont expérimentées et qui, lors de soirées bobos, vous attirent dans un coin pour vous raconter d'un air exalté comment ils ont eu la révélation d'être des survivants et à quel point ils méritent d'être heureux. J'ai peur d'émerger d'une séance d'hypnose aussi illuminé qu'eux, tel un adolescent boutonneux qui, venant de découvrir Jack Kerouac, aborde de parfaits inconnus dans les pubs pour leur prêcher la bonne parole.

Le site de Knocknaree était un grand champ s'étirant en pente douce au pied d'une colline. On l'avait retourné jusqu'à l'humus, y laissant d'indéchiffrables traces archéologiques, tranchées, gigantesques tas de terre, baraques de chantier, fragments de fortifications aux pierres mal taillées. Ce paysage aussi fantomatique que les vestiges d'une guerre nucléaire était bordé d'un côté par une ligne d'arbres, de l'autre par une muraille plantée de pignons qui courait des arbres jusqu'à la route. Au sommet de la pente, près du mur, les membres de la police scientifique entouraient un espace ceinturé par un cordon de sécurité blanc et bleu. Je les connaissais. Pourtant, avec leur combinaison, leurs mains gantées manipulant des instruments mystérieux et fragiles, ils avaient l'aspect menaçant d'extraterrestres ou d'agents clandestins de la CIA. Heureusement, dans le lointain, une maison blanche et basse, un chien de berger somnolant devant le portail, une tour dont le lierre ondulait sous la brise et les reflets de la lumière sur la surface sombre d'une rivière qui coupait une des extrémités du champ apportaient une touche rassurante, paisible, à cette scène sinistre.

C'était sur ce champ que, vingt ans plus tôt, s'étendait le bois. Il n'en restait que la rangée d'arbres. J'avais vécu dans une des maisons situées de l'autre côté du mur.

Je ne m'attendais pas à cela. Je ne regarde jamais les journaux télévisés irlandais, où des politiciens aux yeux de psychopathes débitent jusqu'à la nausée leurs discours de bonnes sœurs. Je savais vaguement, par ouï-dire, qu'il existait aux alentours de Knocknaree un site archéologique qui suscitait des controverses. Mais j'ignorais les détails de la polémique et l'emplacement exact des fouilles. Non, je ne m'attendais pas à cela.

Je me garai face aux baraques de chantier, entre le van de la police scientifique et la grosse Mercedes noire de Cooper, le médecin légiste. Je sortis de la voiture, inspectai mon arme : propre, chargée, cran de sécurité bloqué. Je la dissimule dans un holster accroché à l'épaule. Cassie, elle, arbore la sienne à la ceinture. Pour une femme fragile, assure-t-elle, ce signe d'autorité ne peut pas faire de mal. Ce contraste entre nos deux attitudes nous sert souvent. Les gens se demandent qui ils doivent redouter, la petite brune au flingue bien en évidence ou le grand type apparemment désarmé. Cette incertitude les déstabilise.

Cassie s'adossa à la voiture, prit ses clopes dans sa sacoche.

– Tu en veux une ?

– Non, merci.

Je vérifiai mon holster, en resserrai les lanières, m'assurant qu'aucune n'était tordue. Mes doigts me paraissaient gourds, maladroits, détachés de mon corps. Je m'empressai de refermer ma veste. Je ne tenais pas à ce que Cassie souligne avec ironie que, quelle que fût cette gamine et l'heure à laquelle elle avait été tuée, il y avait peu de chances pour que l'assassin se cache derrière une des baraques de chantier et que nous ayons à brandir nos armes pour le capturer. Elle leva la tête, souffla de la fumée vers les branches qui frissonnaient au-dessus de nous. C'était un jour d'été irlandais ordinaire, hésitant entre le soleil et la pluie, le coup de vent ou l'arc-en-ciel.

– Allons-y, dis-je.

Elle éteignit sa cigarette contre son talon, remit le mégot dans le paquet. Nous traversâmes la route.

Un homme d'âge mûr nageant dans un chandail effiloché errait entre les baraques, l'air perdu. Il se reprit en nous apercevant.

– Vous devez être les gens de la brigade criminelle. Inspecteurs, non ? Professeur Hunt. Je veux dire... Ian Hunt. Directeur du site. Par où voudriez-vous... Enfin, le bureau, le corps, ou... ? Je ne suis guère au courant, vous savez. Le protocole et tout ça...

Il évoquait irrésistiblement un personnage de bande dessinée : un oiseau triste, ou le frère cadet du professeur Tournesol.

– Inspecteur Maddox. Et voici l'inspecteur Ryan, dit Cassie. Si cela vous convient, professeur Hunt, un de vos collègues pourrait faire découvrir le site à l'inspecteur Ryan pendant que vous me montrerez la dépouille.

Petite peste, pensai-je. Même si je me sentais étrangement vaseux, comme après une cuite, je n'avais nul besoin d'être protégé. Mais nous avons pour règle non écrite, Cassie et moi, de ne jamais nous contredire en public. Parfois, l'un de nous en profite.

– Euh... oui, bégaya Hunt en clignant des yeux derrière ses lunettes.

Alors qu'il n'avait rien entre les mains, il donnait l'impression de toujours laisser tomber quelque chose, pages noircies de notes, mouchoirs en papier chiffonnés, pastilles pour la gorge à demi enveloppées.

– Oui, bien sûr... Ils sont tous... Enfin, d'habitude, Damien et Mark font visiter le site, mais, voyez-vous, Damien est... Mark !

Il désigna la porte ouverte d'une baraque. Autour d'une table nue, des gens en veste militaire tapaient le carton. Sandwiches, chopes fumantes, mottes de terre sur le plancher. Un des joueurs posa ses cartes et se faufila tant bien que mal entre les chaises de plastique.

– Je leur ai demandé à tous de ne pas bouger de là, précisa Hunt. Je n'étais pas sûr... Les indices, les traces de pas et... les échantillons de tissu...

– Vous avez bien fait, professeur Hunt, approuva Cassie. Nous allons essayer d'examiner très vite le site, pour vous permettre de retourner le plus tôt possible à votre travail.

– Il ne nous reste que quelques semaines, déclara le type devant la porte de la baraque.

Petit et maigre, il avait une silhouette presque enfantine, des muscles noueux sous les manches du tee-shirt noir qu'il portait au-dessus d'un pantalon de treillis maculé de boue, tout comme ses rangers.

– Alors, vous feriez mieux de vous dépêcher de montrer les lieux à mon collègue, dit Cassie.

– Mark, bredouilla Hunt, cet inspecteur doit examiner les fouilles. Faites-lui faire le tour habituel...

Mark dévisagea Cassie un instant, puis hocha la tête. Sans doute avait-elle réussi un examen personnel. Il s'avança vers moi. Âgé d'environ vingt-cinq ans, il avait une longue queue-de-cheval claire dans le dos, un face étroite de renard et des yeux inquisiteurs, d'un vert profond. Les hommes de ce genre, qui s'intéressent uniquement à leur propre opinion sur autrui et non à ce qu'on pense d'eux, m'ont toujours mis mal à l'aise. Leur arrogance me laisse désarmé, avec la désagréable impression d'être de trop.

– Il vous faudra des bottes, ironisa-t-il avec un fort accent du Nord en jetant un coup d'œil sur mes souliers. Vous en trouverez dans la cabane à outils.

– Je suis très bien comme je suis.

Je sais que les archéologues passent le plus clair de leur temps à creuser des tranchées dans la gadoue, mais il n'était pas question que je passe la matinée à patauger derrière ce godelureau, mon pantalon flottant de façon ridicule dans des bottes bonnes pour le rebut. Mark eut l'air surpris.

– À votre aise. Par ici.

Il se mit en marche entre les baraques, sans même s'assurer que je le suivais. Cassie me décocha un sourire espiègle, ce qui me revigora.

Mark me précéda à l'intérieur du site, le long d'un sentier qui serpentait entre de mystérieuses excavations et des amas de pierres. Il se déplaçait à grandes enjambées, comme un braconnier.

– Fossé de drainage médiéval, me dit-il en pointant le doigt.

Deux corneilles s'envolèrent brutalement d'une brouette pleine de terre puis, ayant décidé que nous ne présentions aucun danger, revinrent.

– Et ça, c'est un campement du néolithique. Ce site n'a cessé d'être habité depuis l'âge de pierre. Il l'est toujours. Vous voyez ce cottage ? Il date du XVIIIe siècle. C'est là, entre autres, qu'on a préparé la rébellion de 1798.

Il me jeta un coup d'œil par-dessus son épaule. Mû par une impulsion absurde, je faillis lui expliquer l'origine de mon accent, lui préciser que j'étais non seulement irlandais mais aussi originaire d'ici, à deux pas.

– Son actuel propriétaire descend de celui qui l'a bâti, ajouta-t-il.

Nous avions atteint la tour de pierre, au milieu du site. Des archières apparaissaient dans les trouées du lierre. Une portion de mur effondrée partait d'un de ses côtés. Elle me parut vaguement familière, mais je n'aurais su dire si c'était parce que je m'en souvenais vraiment ou parce que je savais que j'aurais dû l'avoir gardée en mémoire.

Mark exhuma un paquet de tabac de la poche de son pantalon et entreprit de rouler une cigarette. Partant de la base de ses doigts, des bandes de sparadrap dissimulaient ses mains.

– Le clan des Walsh a érigé ce donjon au XIVe siècle et y a adjoint un château deux cents ans plus tard. Toute cette région leur appartenait. Leur territoire allait des collines boisées que vous discernez dans le lointain jusqu'à une courbe de la rivière, de l'autre côté de cette ferme grise. C'étaient des rebelles, des *raiders*. Au XVIIe siècle, ils effectuaient des coups de main dans Dublin, attaquaient les cantonnements anglais de Rathmines, volaient quelques mousquets, fracassaient le crâne des soldats qu'ils rencontraient et puis foutaient le camp. Avant que les Anglais aient eu le temps de s'organiser pour se lancer à leur poursuite, ils étaient à mi-chemin de chez eux.

Il racontait bien. Martèlements de sabots, torches, rires barbares, tambours de guerre : je m'y serais cru. Là-bas, près du cordon de sécurité, Cassie parlait à Cooper et prenait des notes.

– Je m'en veux de vous interrompre, dis-je, mais j'ai bien peur que nous n'ayons pas le temps de faire un tour complet. Une vue d'ensemble me suffira.

Il lécha le papier de son clope, le colla, dénicha un briquet dans sa poche.

– Comme vous voudrez, répondit-il, le doigt de nouveau pointé. Village du néolithique, pierre rituelle datant de l'âge du bronze, rotonde de l'âge du fer, maisons vikings, donjon du XIVe siècle, cottage du XVIIIe.

Pierre rituelle de l'âge du bronze... C'était là qu'officiaient Cassie et la police scientifique.

– Le site est-il gardé la nuit ?

Ma question le fit rire.

– Non. Bien sûr, nous fermons la baraque où nous entreposons les objets exhumés, ainsi que le bureau, mais tout ce qui a vraiment de la valeur part immédiatement pour le bureau central. Nous avons également décidé de fermer l'abri à outils il y a un mois ou deux. Certains ustensiles disparaissaient. Nous nous sommes rendu compte que les fermiers utilisaient nos tuyaux pour arroser leurs champs par temps sec. De toute façon, pourquoi prendre des précautions ? Dans un mois, tout aura disparu, sauf ça.

Du plat de la main, il frappa le flanc de la tour. Au-dessus de nous, un mouvement furtif anima le lierre.

– Pourquoi ?

Il me fixa avec une sorte de mépris incrédule.

– D'ici à un mois, articula-t-il lentement, comme s'il s'adressait à un illettré, notre putain de gouvernement va raser ce site au bulldozer et l'ensevelira sous une autoroute de merde. Il a eu la bonté d'épargner le donjon, qui subsistera au milieu d'une aire de repos pour pouvoir se glorifier d'avoir préservé notre héritage.

À présent, cette histoire d'autoroute me revenait. J'avais dû en entendre parler à la télévision. Un politicien narquois se moquait de ces archéologues qui voulaient soutirer des millions au contribuable pour redessiner les plans du site. J'avais sans doute changé de chaîne à ce moment-là.

– Nous essaierons de vous retarder le moins possible, assurai-je. Le chien du cottage, est-ce qu'il aboie quand des gens pénètrent sur le site ?

Mark haussa les épaules et alluma sa cigarette.

– Pas après nous. Il nous connaît. Nous lui donnons nos restes de nourriture. Il le ferait si quelqu'un s'approchait un peu trop de la maison, surtout la nuit, mais pas si l'intrus sautait le mur. Ce n'est pas son territoire.

– Et les voitures ? Est-ce qu'il aboie après elles ?

– L'a-t-il fait lorsque vous êtes arrivés ? répliqua-t-il en soufflant un jet de fumée entre ses dents. C'est un chien de berger, pas un chien de garde.

Le tueur avait donc pu s'introduire sur le site de toutes les façons possibles : par la route, depuis le lotissement, et même en longeant la rivière s'il aimait la difficulté.

– C'est tout ce que nous avons besoin de savoir, dis-je. Merci pour votre temps. Si vous attendez avec les autres, nous vous ferons part de nos conclusions dans quelques minutes.

– Tâchez de ne piétiner aucun vestige archéologique, lâcha Mark.

Il reprit le chemin des baraques. J'escaladai la pente, en direction du corps.

La pierre rituelle datant de l'âge du bronze était un bloc massif et plat d'environ trois mètres de long pour un mètre de large et un mètre de haut, extrait d'un seul rocher. Le terrain qui l'entourait avait été grossièrement nettoyé au bulldozer peu de temps auparavant, à en juger par la terre qui s'enfonçait sous mes semelles. Toutefois, on avait laissé intact un cercle autour du monument, qui se dressait telle une île au milieu du chaos. À son sommet, entre les orties et les mauvaises herbes, du bleu et du blanc sautaient aux yeux.

Ce n'était pas Jamie. Je le savais déjà : sinon, Cassie serait venue me prévenir. Pourtant, je me sentais toujours aussi mal. La fille avait de longs cheveux noirs, dont une natte barrait son visage. Ce fut d'abord tout ce que je remarquai : les cheveux noirs. Il ne me vint même pas à l'esprit que le corps de Jamie n'aurait pas été dans le même état.

J'avais raté Cooper. Il regagnait la route, secouant les pieds à chaque pas, comme un chat. Un membre de la police scientifique prenait des photos ; l'autre, pour relever des empreintes, parsemait la table de pierre de poudre révélatrice. Des flics locaux bavardaient avec les types de la morgue debout devant leur civière. Accroupies devant l'édifice, Cassie et Sophie Miller examinaient quelque chose sur la table. Impossible de ne pas reconnaître Sophie, son dos très droit dans sa combinaison. De tous les experts de la police scientifique, c'est elle que je préfère. Mince, brune, d'aspect réservé, elle ressemble, avec son bonnet blanc, à une infirmière qui, penchée au chevet de soldats blessés, indifférente au fracas des canons, les apaiserait et leur donnerait à boire. En fait, elle est vive, impatiente, et peut remettre à sa place, d'un mot acide, n'importe quel commissaire ou procureur. J'aime cette impudence.

– Je passe par où ? criai-je devant le cordon de sécurité.

On ne pénètre pas sur les lieux d'un crime sans l'autorisation des spécialistes.

– J'arrive, Rob ! rétorqua Sophie en se redressant et en abaissant son masque.

Cassie la devança.

– La victime n'est morte que depuis vingt-quatre heures ou un peu plus, m'annonça-t-elle calmement, avant que Sophie nous rejoigne.

Elle avait le pourtour de la bouche très pâle. Les enfants font cet effet à la plupart d'entre nous.

– Merci, Cass, répondis-je. Salut, Sophie.

– Salut, Rob. Vous me devez toujours un verre, tous les deux.

Nous lui avions promis, deux mois plus tôt, de lui offrir d'innombrables cocktails si elle réussissait à convaincre le labo d'effectuer pour nous, en urgence, une analyse de sang. Depuis lors, nous ne cessions de nous rappeler cette invitation, qui n'avait pas encore eu de suite.

– Aide-nous à résoudre cette affaire et nous te paierons un festin, dis-je. Qu'est-ce qu'on a ?

– Race blanche, sexe féminin. Aucun papier. Une clé dans la poche, sans doute celle de son domicile. C'est tout. On lui a défoncé le crâne, mais Cooper a repéré une hémorragie cutanée et quelques traces de ligature sur son cou. Nous devrons donc attendre l'autopsie pour connaître les causes de la mort. Elle est entièrement habillée, mais a sans doute été violée. Il y a quelque chose de bizarre, Rob. Cooper affirme que le décès remonte à environ trente-six heures. On ne dénote pourtant aucune activité d'insectes, et je ne vois pas comment les archéologues ont pu ne pas la remarquer si elle a passé ici toute la journée d'hier.

– Ce n'est pas le lieu du crime ?

– Impossible. Il n'y a aucune éclaboussure sur la roche, pas même la moindre trace de sang provenant de la blessure à la tête. On l'a tuée ailleurs, avant de la déplacer au bout d'un ou deux jours.

– Tu as trouvé des éléments significatifs ?

– En quantité. Trop. On dirait que les ados du coin ont élu cet endroit comme lieu de rendez-vous. Mégots, canettes de bière et de Coca, chewing-gums, trois bouts de joints... deux capotes usagées. Si on coince un suspect, le labo pourra tenter de le relier à tout ce bazar, ce qui sera un vrai cauchemar. Toutefois, pour être honnête, je crois qu'on a affaire à un dépotoir d'adolescents classique. Des traces de pas partout. Une barrette à cheveux. Je ne pense pas qu'elle appartienne à la victime. Elle était enterrée au pied de la pierre et tout laisse à penser qu'elle y était depuis un bon moment. Tu voudras peut-être y jeter un œil. À mon avis, il y a peu de chances pour que cette barrette vienne d'un des ados. Elle est entièrement en plastique avec, au bout, une fraise elle aussi en plastique : une barrette de petite fille.

Je vacillai. J'entendis, comme dans un brouillard, la voix de Cassie :

– En tout cas, elle n'appartenait sûrement pas à la victime. Tout ce qu'elle porte est blanc ou bleu, jusqu'aux élastiques de ses cheveux. Nous vérifierons quand même.

– Tu vas bien ? me lança Sophie.

– Très bien. Il me faudrait juste un café.

– Je vais lui offrir un goutte-à-goutte rempli de caféine pour son anniversaire, plaisanta Cassie qui, elle aussi, s'entend à merveille avec Sophie. Il est encore plus empoté sans sa dope. Parle-lui du caillou.

– Oui. Nous avons découvert deux indices intéressants. D'abord, un caillou de vingt centimètres de large. Je suis presque certaine qu'il s'agit d'une des armes du crime. Il était dans l'herbe, près du mur. Une de ses extrémités est couverte de cheveux, de sang et de fragments d'os.

– Des empreintes ?

– Non. Deux salissures, mais elles semblent provenir de gants. Ce qui est curieux, c'est l'endroit où on l'a trouvé et qui pourrait indiquer que l'assassin est arrivé depuis le lotissement ou voudrait nous le faire croire, et le fait qu'il ait pris la peine de l'apporter avec lui. Logiquement, il aurait dû le rincer et le jeter dans son jardin, au lieu de le transporter jusqu'ici en même temps que le corps.

– Est-ce que ce caillou n'aurait pas pu se trouver déjà là ? objectai-je.

– Cela me paraît peu probable, dit Sophie.

Elle dansait sur un pied comme si elle cherchait à m'attirer vers la pierre rituelle. Elle brûlait de reprendre son travail. Je regardai ailleurs. La vue de cadavres ne m'a jamais traumatisé, pas même les plus horribles, comme celui de ce nourrisson que son père avait massacré à coups de pied au point de le couper en deux. Mais je me sentais encore cotonneux, à peine lucide, comme si mes yeux refusaient de se concentrer sur ce qui m'entourait. « Peut-être ai-je vraiment besoin d'un café », pensai-je.

– La face tachée de sang était contre le sol, reprit Sophie. Et l'herbe, en dessous, est encore fraîche. Ce caillou n'était pas là depuis longtemps.

– De plus, la victime ne saignait plus quand on l'a transportée jusqu'ici, renchérit Cassie.

– Ah, oui, l'autre élément intéressant, dit Sophie. Viens voir.

Je ne pouvais plus reculer. Je me baissai pour passer sous le cordon de sécurité. Les deux assistants de Sophie, un jeune homme et une jeune fille guère plus âgés que des stagiaires, levèrent les yeux. Marchant du même pas vers le corps, épaule contre épaule, nous devions leur paraître distants, sûrs de nous, impénétrables ; éminemment professionnels.

La victime gisait recroquevillée sur la pierre, comme si elle s'était endormie sur un canapé, engourdie par le murmure paisible d'une conversation d'adultes. Son bras gauche dépassait du rebord de la pierre. Le droit, avec la main repliée de façon étrange, reposait sur sa poitrine. Elle portait un pantalon à la mode, bleu clair, portant des franges et plusieurs fermetures Éclair, un tee-shirt orné de dessins de bleuets et des chaussures de sport blanches. Cassie avait raison. Elle avait pris grand soin de sa tenue. La tresse qui barrait sa joue était nouée par un bleuet de soie. Toujours le bleu. Elle était petite, très mince, mais une jambe retroussée de son pantalon dévoilait un mollet musclé. Saillant à peine sous son tee-shirt, sa poitrine naissante révélait son âge : entre dix et treize ans. Du sang séché souillait son nez, sa bouche et le bas de ses dents de devant. La brise remuait doucement la racine bouclée de ses cheveux. Des sacs de plastique transparent, liés aux poignets, emprisonnaient ses mains.

– On dirait qu'elle s'est débattue, expliqua Sophie. Deux de ses ongles ont été arrachés. Je doute que nous trouvions de l'ADN sous les autres. Ils ont l'air très propres. Mais nous récolterons peut-être des fibres et des indices sur ses vêtements.

Un instant, j'eus envie de l'abandonner là, de chasser les assistants de Sophie et les employés de la morgue. Elle nous avait payé son dû. Tout ce qui lui restait, c'était sa mort. Je voulais au moins lui laisser cela. Je rêvais de l'envelopper dans des couvertures douces, de relever ses cheveux maculés de sang coagulé, de la recouvrir d'un lit de feuilles ; de la laisser dormir avec son secret, bercée par la succession des saisons, baignée par la lune, caressée par les flocons de neige. Elle avait si chèrement défendu sa vie...

– J'ai le même tee-shirt, déclara calmement Cassie. Penney, rayon enfants.

Je l'avais déjà vu sur elle, mais je savais qu'elle ne le porterait plus jamais. La voix sèche de Sophie me ramena à la réalité.

– Voilà ce que je voulais te montrer, me dit-elle en indiquant le rebord de la pierre. Tu veux des gants ?

– Je ne toucherai à rien.

Je m'accroupis dans l'herbe. Ma position me permit de remarquer que la fillette avait un œil entrouvert, comme si elle faisait simplement semblant de dormir, attendant le moment où elle se redresserait en criant : « Bouh ! Je vous ai bien eus ! » Un scarabée luisant se frayait méthodiquement un chemin le long de son avant-bras.

Une rainure de la largeur d'un doigt courait autour du sommet de la pierre, à quelques centimètres du rebord. Le temps et les intempéries l'avaient rendue lisse, presque lustrée. À un endroit, le ciseau de celui qui avait creusé la rainure avait glissé, brisant un bout de roche et créant une minuscule aspérité où l'on distinguait, jurant avec la couleur de la pierre, une tache sombre, presque noire.

– C'est Helen qui l'a vue, dit Sophie.

Son assistante me sourit avec fierté.

– Nous en avons prélevé un échantillon. C'est du sang. Je vous ferai savoir s'il s'agit de sang humain. Je doute qu'il provienne du corps. Celui de la victime avait séché quand on l'a déposée ici. De toute façon, je suis prête à parier que celui-là remonte à des années. Ce pourrait être celui d'un animal, ou la trace d'une bagarre entre adolescents. En tout cas, il est intéressant.

Je songeai au creux délicat de l'os du poignet de Jamie, à la nuque bronzée de Peter, bordée de blanc après une coupe de cheveux. Cassie évitait de me regarder.

– Je ne vois pas quel rapport il pourrait avoir avec la victime, conclus-je.

Rester en équilibre sur les talons devenait pénible. Je me redressai et ressentis un léger vertige.

Avant que nous nous en allions, je montai sur la petite corniche qui dominait la dépouille et jetai un coup d'œil à l'ensemble du site, pour en graver les détails dans ma mémoire : les tranchées, les maisons, les champs, les voies d'accès. Le long du mur du lotissement, une mince rangée d'arbres avait été laissée intacte, sans doute pour éviter aux résidents le spectacle peu esthétique du chantier. Sur l'un d'eux, solidement nouée autour d'une grosse branche, une corde de plastique bleu, au bout cassé, pendait à un mètre du sol. Effilochée et moisie, elle évoquait de lugubres scènes nocturnes : lynchages, suicides. Mais je savais ce que c'était : les restes d'un pneu-balançoire.

L'enfant que j'avais été jadis s'était enfui depuis longtemps. J'en étais arrivé à considérer les événements de Knocknaree comme s'ils avaient été vécus par quelqu'un d'autre. Pourtant, une part de moi-même n'était jamais partie. Alors que je peinais sur mes cours à Templemore ou que, vautré sur son futon, je me lançais dans de grandes conversations avec Cassie, cet enfant n'avait jamais cessé de tournoyer sur le pneu, d'escalader le mur derrière la tignasse éclatante de Peter avant de disparaître au fond du bois, en riant aux éclats.

J'avais cru pendant longtemps, tout comme la police, les médias ou mes parents, que j'étais le miraculé, le rescapé épargné par la vague qui avait englouti Peter et Jamie.

Je n'y croyais plus. Ce bois, je ne l'avais jamais quitté.

Chapitre 3

Je ne parle à personne des événements de Knocknaree. Je ne vois pas pourquoi je le ferais. Cela n'entraînerait que d'interminables questions sur mon amnésie, ou des spéculations inquiètes sur mon état mental. Je ne tiens à affronter ni les unes ni les autres. Mes parents savent, bien évidemment, et aussi Cassie, sans compter Charlie, un ami de pensionnat aujourd'hui banquier à Londres et que je vois de temps à autre, plus Gemma, une fille avec qui je suis sorti quand j'avais dix-neuf ans, très portée, comme moi à l'époque, sur la boisson et à qui j'ai tout raconté pour me rendre intéressant. Personne d'autre.

Lorsque je suis allé en pension, j'ai laissé tomber Adam pour me faire appeler par mon second prénom. J'ignore si l'idée venait de mes parents ou de moi, mais c'était une bonne idée. Si le seul annuaire de Dublin compte cinq pages de Ryan, Adam n'est pas un prénom très répandu et l'affaire avait eu un énorme retentissement, même en Angleterre. Je parcourais furtivement les journaux dont j'étais censé me servir pour allumer les poêles dans les chambres des élèves des grandes classes. Je déchirais tout ce qui avait trait aux événements et le mémorisais dans les toilettes, avant de jeter les articles dans la cuvette et de tirer la chasse. Tôt ou tard, quelqu'un aurait fait le rapprochement. Pour l'heure, personne n'aurait songé à établir un lien entre l'inspecteur Rob à l'accent anglais et le petit Adam Ryan de Knocknaree.

Bien sûr, j'aurais dû tout dire à O'Kelly, maintenant que je travaillais sur une affaire en rapport étroit avec la mienne. Pour être franc, je ne l'ai pas envisagé une seconde. Dans la mesure où il est formellement interdit de s'occuper d'un cas où l'on se trouve émotionnellement impliqué, on m'aurait exclu de l'enquête. Et l'on m'aurait de nouveau questionné sans relâche sur cette journée, ce qui aurait été parfaitement inutile, autant pour l'enquête que pour la brigade. Je garde encore un souvenir traumatisant de mon premier interrogatoire : des voix d'hommes impatientes, baissant le ton puis chuchotant à mon oreille alors que, dans ma tête, des nuages blancs défilaient sans fin dans un grand ciel bleu et que le vent soupirait à travers de vastes étendues d'herbe. Au cours des deux premières semaines, je ne vis ni n'entendis rien d'autre. Chaque fois que les enquêteurs revenaient et faisaient une nouvelle tentative, les mêmes images m'envahissaient. Ils essayèrent encore, d'abord tous les deux ou trois mois, pendant les vacances scolaires, puis une fois par an. Mais je n'avais rien à leur dire. Lorsque je quittai l'école primaire, ils renoncèrent enfin, à mon grand soulagement.

Je dois avouer, pour être franc, que l'idée de garder au fond de moi un secret si lourd, d'être le héros d'une affaire qui resterait toujours un mystère flattait à la fois mon ego et mon sens du romanesque.

Je téléphonai au service des personnes disparues, qui me communiqua immédiatement une identité possible : Katharine Devlin, douze ans, un mètre quarante-neuf, mince, longue chevelure noire, yeux noisette, déclarée disparue du 29, Knocknaree Grove (subitement, je me souvins de ceci : toutes les rues du lotissement baptisées Knocknaree Grove, Close, Place ou Lane, et le courrier de tous les résidents qui s'égarait) la veille à 10 h 15 du matin, lorsque sa mère, entrant dans sa chambre pour la réveiller, avait trouvé son lit vide.

Une gamine de douze ans peut être considérée comme fugueuse, et elle avait apparemment quitté la maison de son plein gré. Le service lui accordait donc une journée pour rentrer chez elle avant de dépêcher des agents sur place. On avait déjà rédigé le communiqué destiné à la presse, prêt pour les nouvelles du soir.

Disposer d'un nom, même si ce n'était pas le bon, me rassura. Je savais qu'une fillette disparue, surtout à la mise aussi soignée que celle-là, ne pouvait, dans un pays aussi petit que l'Irlande, être retrouvée morte sans que quelqu'un vienne aussitôt la réclamer. Pourtant, cette affaire me donnait la chair de poule. Je devenais superstitieux, au point de croire que cette enfant resterait pour toujours anonyme, comme si elle était tombée du ciel et que son ADN allait coïncider avec celui du sang trouvé sur mes baskets, et autres délires dignes de *X-Files*...

Sophie nous fit parvenir, à l'intention de la famille, une photo de la victime prise au Polaroïd sous l'angle le moins choquant. Nous regagnâmes aussitôt le site.

En nous apercevant, Hunt sortit en flageolant d'une des baraques de chantier.

– Avez-vous... Je veux dire... C'est vraiment un meurtre, n'est-ce pas ? Pauvre petite... C'est affreux.

– Nous considérons le cas comme suspect, répondis-je. Nous aurions besoin, à ce stade de l'enquête, de nous entretenir rapidement avec votre équipe. Nous aimerions ensuite parler à la personne qui a découvert le corps. Les autres peuvent retourner travailler, à condition de rester éloignés du lieu du crime. Nous les interrogerons plus tard.

– Comment pourront-ils... Y a-t-il quelque chose qui leur indiquerait jusqu'où aller ? Un périmètre interdit, ce genre de chose ?

– Un cordon de sécurité a été mis en place autour du lieu du crime. S'ils restent en dehors, ce sera parfait.

– Il nous faudrait, intervint Cassie, un endroit où établir nos quartiers provisoires, pour le reste de la journée et peut-être plus longtemps. Quel serait, à votre avis, le meilleur emplacement ?

– Le local où nous entreposons nos découvertes, lança Mark, surgi de nulle part. Le bureau nous est indispensable et toutes les autres baraques sont sens dessus dessous.

Il n'eut pas besoin d'en rajouter. Un coup d'œil aux portes ouvertes des baraques suffit à me convaincre. Plaques de boue marquées d'empreintes de semelles, bancs branlants, pioches et pelles en vrac, vieux vélos, vestes fluorescentes jaunes qui me rappelaient mes début d'agent en uniforme... ce fouillis me fournit une explication satisfaisante.

– Dans la mesure où il y a une table et quelques chaises, ce sera parfait, opina Cassie.

– Va pour le local des vestiges, dit Mark en désignant une baraque d'un geste du menton.

Cassie se tourna vers Hunt.

– Quel est le problème avec Damien ?

La bouche grande ouverte, il cligna des yeux d'un air désespéré.

– Quoi ? Quel Damien ?

– Celui de votre équipe. Vous nous avez dit que lui et Mark faisaient habituellement visiter le chantier, mais que Damien ne pourrait pas guider l'inspecteur Ryan. Pourquoi ?

– Damien est l'un de ceux qui ont découvert le corps, dit Mark tandis que Hunt tentait de reprendre ses esprits. Ça leur a fait un choc.

– Damien comment ? murmura Cassie en ouvrant son calepin.

– Donnely, clama joyeusement Hunt, enfin revenu sur terre. Damien Donnely.

– Et il était avec quelqu'un quand il a trouvé le corps ?

– Mel Jackson, répondit Mark. Melanie.

– Allons leur parler, dis-je.

Les archéologues, une vingtaine, tous vêtus comme des étudiants attardés, étaient toujours assis autour de la table, dans leur cantine de fortune. D'un même mouvement, ils se tournèrent vivement vers nous lorsque nous entrâmes, tels des oisillons, nous présentant leurs visages innocents. Aucun n'avait atteint la trentaine. Les cheveux nattés ou noués en queue-de-cheval, les filles n'arboraient aucun maquillage. Les garçons avaient une barbe de trois jours et des coups de soleil. Certains pelaient. L'un d'eux, aux traits candides, la tête couverte d'une casquette de laine, faisait fondre divers objets sur un CD à la flamme de son briquet pour tromper son ennui. Le résultat, cuillères tordues, papier de cellophane extrait de paquets de cigarettes, deux chips cramées, évoquait de façon plaisante ce qu'on appelle l'art moderne. Je faillis lui suggérer de plonger son œuvre dans le micro-ondes installé non loin de lui, pour voir.

Cassie commença par mêler sa voix à la mienne. Je pris rapidement le dessus, peut-être pour lui montrer, alors qu'elle était officiellement l'« inspecteur principal », puisque c'était elle qui avait la première accepté de prendre l'affaire en main, que j'étais capable de mener cette enquête aussi bien qu'elle.

– Bonjour, dis-je.

Ils répliquèrent par un murmure, sauf le sculpteur, qui s'écria, ce qui était la réalité :

– Bon après-midi !

– Je suis l'inspecteur Ryan. Et voici l'inspecteur Maddox. Ainsi que vous le savez, on a trouvé, tôt ce matin, le corps d'une jeune fille sur le site.

Un des garçons laissa échapper un soupir, puis inspira profondément. Il se tenait dans un coin, blotti entre deux filles qui semblaient le protéger, agrippant à deux mains une chope fumante. Il avait les cheveux bouclés, bruns et coupés court, un visage candide piqué de taches de rousseur. C'était Damien Donnely, j'en aurais mis ma main à couper. Les autres, quoique stupéfaits, hormis le sculpteur, ne paraissaient pas traumatisés. Lui, par contre, était livide sous ses taches de rousseur et serrait trop fort sa chope.

– Il faut que nous ayons une conversation avec chacun d'entre vous, poursuivis-je. Veuillez ne pas quitter le site avant de nous avoir parlé. Cela risque de prendre du temps. Ne nous en veuillez pas si nous vous retenons un peu tard.

– Sommes-nous suspects ? hasarda le sculpteur.

– Non. Mais vous pourriez détenir des informations utiles.

– Ah, murmura-t-il, déçu, en se renversant sur sa chaise.

Il commença à faire fondre un carré de chocolat sur son CD, croisa le regard de Cassie et écarta son briquet. Je l'enviais : j'ai souvent rêvé d'être un de ces hommes qui voient dans le moindre événement, même la pire catastrophe, une aventure inattendue.

– Autre chose, insistai-je. Les journalistes vont probablement arriver d'une minute à l'autre. Ne répondez pas à leurs questions. Je suis sérieux. Tout ce que vous pourriez leur confier, y compris le détail le plus anodin, risquerait de nuire à l'enquête. Nous vous laisserons nos cartes, au cas où l'un d'entre vous se rappellerait un détail qui nous serait utile. Des questions ?

Le sculpteur leva la main.

– Et si les journalistes nous offrent des millions ?

La baraque servant d'entrepôt aux objets collectés pendant les fouilles se révéla moins impressionnante que je ne l'avais cru. Malgré ce qu'avait dit Mark sur l'évacuation des pièces les plus précieuses, je m'attendais à tomber sur des vases en or, des squelettes ou des parures d'argent. Au lieu de quoi, je ne vis que deux chaises, une grande table où s'étalaient des feuilles de papier à dessin et un fouillis de poteries brisées qui, enveloppées dans des sacs de plastique, s'entassaient sur des étagères métalliques perforées.

– Nos trouvailles, s'exclama Hunt en tapotant l'une d'elles. Voudriez-vous... ? Enfin, non, peut-être une autre fois... Cependant, nous avons là, entre autres, de belles broches datant de...

– Nous serons ravis de les admirer un autre jour, professeur Hunt, répondis-je. Pourriez-vous nous accorder dix minutes, puis nous envoyer Damien Donnely ?

– Damien, répéta Hunt. Entendu.

Il s'en alla. Cassie ferma la porte derrière lui.

– Comment peut-il diriger un chantier de fouilles ? marmonnai-je.

Je repoussai les croquis : des dessins au crayon, fins, délicatement ombrés, représentant une vieille pièce de monnaie présentée sous des angles divers. La pièce elle-même, ébréchée et incrustée de terre, reposait au milieu de la table, dans un sac transparent clos par une fermeture Éclair. Je la posai au sommet d'un classeur.

– En employant des gens comme Mark, dit Cassie. Lui doit être supérieurement organisé. Quel est le problème avec la barrette ?

Je triturai le rebord d'une des feuilles.

– Je crois que Jamie Rowan en portait une identique.

– Ah... C'est dans le dossier ? Tu le sais ou tu en as un vague souvenir ?

– Quelle différence ? lançai-je, excédé.

– Eh bien, si cette barrette prouve qu'il y a un lien entre les deux affaires, nous ne pourrons pas le garder pour nous. Par exemple, nous allons devoir demander à Sophie de comparer le sang de la victime aux échantillons prélevés en 1984 et il faudra bien lui expliquer pourquoi. Si la barrette figure dans le dossier, cela rendra les choses bien plus faciles.

– Je suis sûr qu'elle s'y trouve.

La table branlait. Cassie dénicha une feuille blanche, la plia en quatre et la cala sous l'un des pieds. J'ajoutai :

– Je vérifierai ce soir. En attendant, abstiens-toi d'en parler à Sophie, d'accord ?

– Bien sûr. Et si elle n'y figure pas, nous trouverons un moyen.

Elle vérifia une nouvelle fois la solidité de la table. C'était mieux.

– Rob, te sens-tu d'attaque pour cette enquête ?

Je regardai par la fenêtre. Les types de la morgue enveloppaient le corps dans du plastique, sous l'œil de Sophie. Ils soulevèrent la civière sans le moindre effort. Elle parut moins lourde encore lorsqu'ils la portèrent jusqu'au van. Un coup de vent fit trembler la vitre devant moi. Je me détournai brutalement. J'avais envie de hurler : « Ferme-la ! », « Au diable ce meurtre, je démissionne ! », ou quelque chose de plus théâtral, de plus définitif. Mais Cassie se contentait d'attendre paisiblement ma réponse, me fixant de ses yeux sombres. Son calme m'aida à retrouver le mien.

– Aucun problème, bougonnai-je. Simplement, secoue-moi si je deviens trop maussade.

– Avec plaisir.

Elle eut un sourire radieux.

– Mon Dieu, regarde tous ces trésors... J'espère que nous aurons l'occasion de les admirer en détail. Je voulais devenir archéologue quand j'étais petite. Te l'ai-je déjà dit ?

– Seulement un million de fois.

– Heureusement que tu as autant de mémoire qu'un poisson rouge. Je passais mon temps à creuser le fond du jardin. Je n'ai jamais trouvé qu'un petit canard de porcelaine au bec cassé.

– L'as-tu remis aux autorités compétentes, ainsi que l'exige la loi ?

– Plutôt mourir, conclut-elle en sortant son calepin.

Damien entra d'une démarche gauche, tirant d'une main une chaise de plastique et serrant toujours sa chope dans l'autre.

– Je me suis permis d'apporter ça, bredouilla-t-il en désignant sa chaise, puis celles que nous occupions. M. Hunt m'a appris que vous vouliez me voir ?

– Oui, répondit Cassie.

Il gloussa, s'assit, fit mine de poser sa chope sur la table puis, se ravisant, la garda sur ses genoux. Il leva vers nous de grands yeux soumis. Je devinai qu'il avait décidé de s'en remettre entièrement à Cassie. Visiblement, il avait l'habitude de se faire materner. Il était déjà en état de choc, et être interrogé par un homme risquait de le plonger dans un désarroi tel que nous n'aurions rien pu tirer de lui. Je sortis discrètement un stylo de ma poche.

– Écoutez, dit doucement Cassie, je sais que vous avez eu un choc. Prenez votre temps pour vous ressaisir. Commencez par ce que vous avez fait ce matin, avant de vous diriger vers la pierre.

Il prit une grande inspiration, se lécha les lèvres.

– Nous, euh... Nous travaillions sur le fossé de drainage médiéval. Mark voulait voir si nous pouvions en suivre la ligne un peu plus loin sur le site. Vous comprenez, nous cherchons à obtenir le plus de données possibles. Les fouilles touchent à leur fin et...

– Quand ont-elles commencé ?

– Il y a deux ans, à peu près. Mais je n'y participe que depuis le mois de juin. Je suis encore étudiant.

– Je voulais devenir archéologue, affirma Cassie.

Je lui donnai un petit coup de pied sous la table. Elle posa le sien sur le mien et ajouta :

– Elles se passent bien ?

Le visage de Damien s'illumina. Il en parut presque idiot, ce qui lui allait bien.

– Ç'a été fabuleux ! Je suis si heureux d'avoir fait partie de l'équipe !

– J'en meurs de jalousie, dit Cassie. Est-ce que vous acceptez des volontaires pour une petite semaine ?

Je l'interrompis sèchement.

– Maddox, pourriez-vous discuter plus tard de votre changement de carrière ?

– Mille excuses, minauda-t-elle en décochant à Damien un sourire enjôleur.

Il le lui rendit au centuple. Il m'inspirait une antipathie mâtinée d'agacement. Je voyais très bien pourquoi Hunt l'avait chargé de faire visiter le site. Avec ses yeux bleus et sa timidité qu'on pouvait confondre avec de la courtoisie, il était le chargé de communication idéal. Toutefois, je n'ai jamais aimé les hommes attendrissants et faibles. Je suppose que Cassie éprouve la même chose pour les femmes infantiles que les hommes adorent protéger : un mélange d'exaspération, de mépris cynique et de jalousie.

– Bien, reprit-elle. Donc, vous êtes allés jusqu'à la pierre...

– Oui. Nous devions remettre en place autour d'elle l'herbe et la terre que nous avions retirées. On avait tout défoncé au bulldozer la semaine précédente, sauf un cercle qu'on avait laissé en l'état pour éviter que le bulldozer ne heurte le monument. Donc, après la pause pour le thé, Mark m'a demandé d'aller effectuer ce travail avec Mel, pendant que les autres s'occupaient du fossé de drainage.

– Quelle heure était-il ?

– La pause prend fin à 11 h 15.

– Et ensuite ?

Il avala sa salive, but une gorgée de sa chope. Cassie se pencha vers lui, l'encouragea du regard.

– Nous, euh... Il y avait quelque chose sur la pierre. J'ai cru que c'était une veste oubliée par quelqu'un et... J'ai dit, euh, j'ai dit : « Qu'est-ce que c'est que ça ? »

Il baissa les yeux vers sa chope. Ses mains tremblaient de nouveau.

– C'était une personne. J'ai cru qu'elle était évanouie. Alors je l'ai secouée, enfin... j'ai secoué son bras et, euh... Elle m'a paru bizarre. Froide et... et raide. J'ai baissé la tête pour vérifier si elle respirait, mais elle ne respirait pas. Elle avait du sang sur elle, j'ai vu le sang. Sur son visage. Alors, j'ai compris qu'elle était morte.

Il déglutit encore une fois.

– Vous vous en sortez admirablement, assura Cassie. Et ensuite ?

– Mel a crié : « Oh, mon Dieu ! » ou quelque chose d'approchant. Nous avons rebroussé chemin en courant pour aller prévenir le professeur Hunt. Il nous a ordonné à tous de nous regrouper à la cantine.

– Bon. Damien, réfléchissez bien. Avez-vous vu quelque chose qui vous a paru étrange, aujourd'hui ou au cours des derniers jours ? Quelque chose d'inhabituel, d'insolite ?

Il contempla le plafond, les lèvres entrouvertes, puis but une autre gorgée de thé.

– Il ne s'agit sans doute pas de ce que vous appelez...

– Tout peut nous aider, insista Cassie. Même le plus petit détail.

– OK. Lundi soir, alors que j'attendais le bus pour rentrer chez moi, j'ai vu ce type qui marchait sur la route et a pénétré dans le lotissement. Je ne sais pas pourquoi je l'ai remarqué, j'ai simplement... Il a regardé autour de lui avant d'entrer, comme s'il s'assurait que personne ne le suivait, ou...

– Quelle heure était-il ?

– Nous terminons à 17 h 30. Donc il devait être, je ne sais pas... 17 h 40. C'était ça, l'autre truc bizarre. Il n'y a aucun endroit, ici, où on puisse se rendre sans voiture, sauf la supérette et le pub. Or la supérette ferme à 17 heures. Je me suis donc demandé d'où il venait.

– À quoi ressemblait-il ?

– Grand, environ un mètre quatre-vingts. Une trentaine d'années, je dirai... Massif. Il me semble qu'il était chauve. Il portait un survêtement bleu foncé.

– Pourriez-vous, avec l'aide d'un dessinateur, faire son portrait ?

Il cligna rapidement des paupières, l'air inquiet.

– Euh... Je ne l'ai pas vu de façon très précise. Il venait du haut de la route, de l'autre côté de l'entrée du lotissement. Je n'y ai pas vraiment prêté attention... Je ne crois pas que je me rappellerais...

– Ça va, coupa Cassie. Ne vous inquiétez pas, Damien. Si des détails vous reviennent, faites-nous-le savoir. D'accord ? En attendant, prenez soin de vous.

Nous notâmes son adresse et son numéro de téléphone, lui tendîmes nos cartes (j'aurais voulu lui offrir une sucette pour avoir été aussi sage, mais ce n'est pas prévu par le règlement) et le renvoyâmes, en lui demandant de faire venir Melanie Jackson.

– Gentil garçon, dis-je d'une voix neutre, pour tester les impressions de Cassie.

– Ouais, rétorqua-t-elle sèchement. Si j'ai un jour besoin d'un toutou, je penserai à lui.

Mel se montra bien plus utile que Damien. Grande Écossaise maigre, elle avait les bras bronzés et musclés, des cheveux très blonds, une queue-de-cheval en bataille et se tenait assise comme un homme, les pieds écartés posés fermement sur le sol.

– Vous le savez peut-être déjà, mais la victime était du lotissement, déclara-t-elle d'entrée de jeu. Ou, en tout cas, des environs immédiats.

– Comment le savez-vous ?

– Les gosses du coin traînent parfois sur le site, me réponditelle. L'été, ils n'ont pas grand-chose à faire. Ils veulent surtout savoir si nous avons découvert un trésor enfoui ou des squelettes. Il m'est arrivé de la croiser.

– Quand l'avez-vous vue pour la dernière fois ?

– Il y a deux ou trois semaines.

– Était-elle avec quelqu'un ?

– Personne en particulier. La bande de gamins habituelle.

Mel me plaisait. Elle était sous le choc, mais refusait de le montrer. Elle triturait un élastique entre ses doigts calleux. Elle nous raconta la même histoire que Damien, mais sans soupirs ni minauderies.

– À la fin de la pause, Mark m'a chargée d'aller rétablir le pourtour de la pierre rituelle. Damien m'a proposé de m'accompagner : généralement, personne ne travaille seul, c'est trop ennuyeux. À mi-pente, nous avons remarqué quelque chose de bleu et de blanc sur la pierre. Damien s'est écrié : « Qu'est-ce que c'est que ça ? » Alors que nous nous approchions, j'ai réalisé que c'était une enfant. Damien lui a secoué le bras et s'est penché pour savoir si elle respirait. En fait, elle était morte. Je n'avais jamais vu de cadavre, mais...

Elle se mordit l'intérieur de la joue.

– Vous connaissez ce cliché grotesque : « Elle avait l'air de dormir. » C'était exactement ça.

Pauvre Mel, confrontée pour la première fois à l'inévitable, que nous nions aujourd'hui et cherchons à fuir de façon hystérique, à coups d'aliments bio et de gymnastique... Je songeai au stoïcisme victorien, à la formule implacable gravée jadis à l'entrée des cimetières : « Passant, souviens-toi. Nous fûmes ce que tu es, tu seras ce que nous sommes. » Mel avait été bien plus traumatisée par la vue de ce corps que ne l'aurait été la jeune fille victorienne la mieux protégée.

– Auriez-vous pu ne pas remarquer la dépouille si elle s'était trouvée sur la pierre hier ? repris-je.

Elle se redressa, les yeux écarquillés.

– Merde ! Vous voulez dire qu'elle était là pendant tout le temps que nous...

Puis elle secoua la tête.

– Non. Mark et le professeur Hunt ont parcouru l'ensemble du site hier après-midi pour établir la liste de ce qui restait encore à faire. Ils l'auraient vue. Si nous ne l'avons pas remarquée ce matin, c'est parce que nous étions tous en bas du site, au bout du fossé de drainage. La pente nous empêchait de distinguer le sommet de la pierre.

Elle n'avait vu personne ni quoi que ce fût de bizarre, y compris le drôle d'oiseau mentionné par Damien.

– De toute façon, je ne l'aurais pas repéré. Je ne prends pas le bus. Ceux d'entre nous qui n'habitent pas Dublin vivent dans une maison louée spécialement pour nous, à trois kilomètres d'ici. Mark et le professeur Hunt, qui sont motorisés, nous y déposent en voiture. Nous ne passons pas devant le lotissement.

Ce « de toute façon » me parut intéressant. Il laissait entendre que Mel, tout comme moi, avait des doutes à propos de l'homme au survêtement bleu sombre. Damien m'avait paru du genre à raconter n'importe quoi pour faire plaisir à ses interlocuteurs. Je regrettai de ne pas lui avoir demandé si l'homme dont il nous avait parlé portait des talons aiguilles.

L'équipe scientifique en avait terminé avec la pierre rituelle et s'apprêtait à quitter les lieux. Je révélai à Sophie que Damien avait touché le corps et s'était penché sur lui. Il nous faudrait ses empreintes et des fibres provenant de ses vêtements pour les éliminer.

– Quel crétin ! s'exclama-t-elle. Heureusement qu'il ne l'a pas recouverte avec sa veste !

Elle transpirait sous sa tunique. Dans son dos, son assistant déchira discrètement une page de son carnet de croquis et s'en alla.

Laissant la voiture sur place, nous contournâmes le lotissement par la route. Des souvenirs, brusquement, m'assaillirent : l'endroit où mes pieds prenaient appui quand je franchissais le mur, le ciment éraflant mes genoux, le choc de l'atterrissage de l'autre côté. Cassie exigea de s'arrêter à la supérette : il était plus de 14 heures et c'était notre dernière chance de manger un morceau. En vrai garçon manqué, elle a un appétit d'ogre et déteste sauter un repas, ce qui, d'ordinaire, me réjouit : je n'éprouve aucune attirance pour les obsédées du régime. Ce jour-là, pourtant, j'avais envie que tout se termine le plus rapidement possible. J'attendis donc devant la boutique, grillant une cigarette. Indifférente à mes réticences, Cassie ressortit du magasin avec deux sandwiches emballés et m'en tendit un.

– Tiens.

– Je n'ai pas faim.

– Mange ce sandwich, Ryan. Je ne te ramènerai pas si tu tombes dans les pommes.

– J'ai dit : je n'ai pas faim.

Je le dépaquetai quand même. Cassie avait raison : la journée risquait d'être longue. Nous nous assîmes sur le bord du trottoir. Censé être au poulet, mon sandwich avait un goût de cellophane. Quant au Coca que Cassie sortit de sa sacoche, il était tiède et trop sucré. Je me sentais légèrement nauséeux.

Je ne voudrais pas donner l'impression que ma vie a été bouleversée par les événements de Knocknaree, que j'ai passé vingt ans à ressasser ma terreur. Je ne fais pas d'abominables cauchemars toutes les nuits, je ne suis pas devenu impuissant, je n'ai aucune phobie particulière. Je peux passer des mois sans y penser. En un sens, mes années de collège ont été mille fois plus traumatisantes que cette scène oubliée. De temps à autre, je tombe, dans le supplément dominical d'un quotidien, sur une vieille photo de Peter et Jamie, perdus parmi des portraits de disparus plus récents, épouses fugueuses, touristes évanouis sans laisser de trace. Je n'éprouve aucune émotion particulière. Et si mes mains tremblent, ce n'est que par réflexe.

Alors pourquoi là, sur ce trottoir, mon cœur battait-il à se rompre ? Pourquoi avais-je tant de mal à respirer ?

– Pauvre gamine, murmura Cassie. Pauvre, pauvre enfant...

Les Devlin habitaient une maison mitoyenne en tout point semblable aux autres. Contrairement à leurs voisins, qui affichaient leur individualité par une touche éminemment personnelle, haies bien taillées ou pots de géraniums, eux se contentaient de tondre leur pelouse et la laissaient sans ornements, ce qui, en soi, témoignait d'une forme d'originalité. Ils vivaient au centre du lotissement, à cinq ou six rues du site : assez loin pour ne pas avoir remarqué les policiers en tenue, la police scientifique, le camion de la morgue, cette terrible agitation qui leur aurait révélé en un instant tout ce qu'ils avaient besoin de savoir.

Cassie sonna à la porte. Un homme d'une quarantaine d'années lui ouvrit. Un peu plus petit que moi, il commençait à s'empâter à la taille. Il avait des cheveux noirs soigneusement coupés et de grandes poches sous les yeux. Vêtu d'un gilet de laine et d'un pantalon kaki, il tenait à la main un bol de cornflakes. Je fus tenté de lui affirmer qu'il n'y avait là rien que de très normal. Je savais déjà ce qu'il allait endurer au cours des prochains mois. Tel est le genre de détail dont les gens se souviennent avec horreur tout au long de leur vie : qu'ils mangeaient des corn-flakes le matin où la police est venue leur annoncer que leur fille était morte. J'ai vu un jour une femme s'effondrer à la barre des témoins, sanglotant avec un désespoir tel qu'on dut interrompre le procès et lui administrer un sédatif, parce que, au moment où son compagnon avait été poignardé, elle était à son cours de yoga.

– Monsieur Devlin ? dit Cassie. Je suis l'inspecteur Maddox. Et voici l'inspecteur Ryan.

Il écarquilla les yeux.

– Du service des personnes disparues ?

Il avait de la boue sur ses chaussures, le bas du pantalon mouillé. Sans doute était-il déjà sorti à la recherche de sa fille, explorant les mauvais endroits, avant de rentrer grignoter quelque chose, décidé à réessayer ensuite, encore et encore.

– Pas exactement, répondit doucement Cassie, à qui je laisse toujours ces entrées en matière, non par lâcheté mais parce qu'elle s'en tire bien mieux que moi. Pouvons-nous entrer ?

Il fixa son bol, le posa maladroitement sur la table du vestibule. Un peu de lait gicla sur un trousseau de clés et une casquette d'enfant rose.

– Qu'est-ce que ça signifie ? cria-t-il sur un ton que la peur rendait agressif. Vous avez vu Katy ?

Un très léger bruit me poussa à regarder par-dessus son épaule. Une fillette se tenait au pied des marches, les deux mains sur la rampe. L'intérieur de la maison était sombre malgré le soleil de l'après-midi. Je distinguai pourtant son visage et ressentis quelque chose qui ressemblait à de l'épouvante. Un bref instant, j'eus la certitude de me trouver face à un fantôme. C'était notre victime, l'enfant morte sur la table de pierre. Un rugissement emplit mes oreilles.

Quelques secondes plus tard, la réalité reprit le dessus et je réalisai ce que je voyais. Nous n'aurions nul besoin d'une identification. Cassie, elle aussi, avait aperçu la fillette.

– Nous n'en sommes pas encore certains, ajouta-t-elle. Monsieur Devlin, est-ce la sœur de Katy ?

– Jessica, rétorqua-t-il d'une voix rauque.

L'enfant fit un pas en avant. Sans quitter Cassie des yeux, Devlin tendit le bras, la prit par l'épaule et la tira jusqu'à l'encadrement de la porte.

– Elles sont jumelles, dit-il. Identiques. Est-ce... Avez-vous... Avez-vous trouvé une petite fille qui lui ressemble ?

Jessica fixait un point entre Cassie et moi. Ses bras pendaient le long de son corps, les manches d'un chandail gris trop grand dissimulaient ses mains.

– Je vous en prie, monsieur Devlin, reprit Cassie. Nous devons vous parler, à vous et à votre femme.

Elle jeta un bref coup d'œil à Jessica. Devlin lâcha l'épaule de sa fille. Sa main resta figée en l'air, comme s'il ignorait quoi en faire.

À présent, il savait. Bien sûr qu'il savait. Si nous avions retrouvé Katy vivante, nous le lui aurions déjà dit. Il s'écarta quand même de la porte, nous indiqua le salon d'un geste vague. Je l'entendis ordonner :

– Va rejoindre tante Vera à l'étage.

Il nous suivit et referma la porte.

Le salon était d'une banalité à pleurer : rideaux de dentelle, canapé et fauteuils au tissu à fleurs, ornés de petits napperons sur les bras et les appuie-tête, théières aux motifs décoratifs alignées sur un buffet, le tout lustré, poli, sans un grain de poussière. Comme toutes les maisons de victimes, ou même les lieux de crime, la pièce paraissait bien trop ordinaire pour une telle tragédie. La femme assise dans un des fauteuils correspondait au décor : déformée par l'embonpoint, avec une permanente et de grands yeux bleus tombants. Des plis profonds couraient de son nez à sa bouche.

– Margaret, dit Devlin, la voix aussi tendue qu'une corde de guitare, ces personnes sont de la police.

Debout près du canapé, les poings serrés dans les poches de son cardigan, il s'écria :

– Que se passe-t-il ?

– Monsieur et madame Devlin, dit Cassie, il n'est jamais facile d'annoncer ce genre de chose. On a retrouvé le corps d'une fillette sur le site archéologique proche du lotissement. J'ai bien peur qu'il ne s'agisse de votre fille Katy. Je suis vraiment navrée.

Margaret expira brutalement, comme si elle avait reçu un coup au creux de l'estomac. Des larmes se mirent à couler le long de ses joues, mais elle ne parut pas s'en rendre compte.

– En êtes-vous sûrs ? aboya son mari, les pupilles dilatées. Comment pouvez-vous en être sûrs ?

– Monsieur Devlin, répondit Cassie, j'ai vu la fillette. Elle est la copie conforme de votre fille Jessica. Nous vous demanderons, demain, d'aller identifier le corps, mais il n'y a aucun doute dans mon esprit. Je suis désolée.

Il vacilla et tituba jusqu'à la fenêtre, un poing contre la bouche, le regard éperdu.

– Mon Dieu, gémit Margaret, Oh, mon Dieu, Jonathan...

– Que lui est-il arrivé ? bafouilla Devlin. Comment est-elle... Comment...

– Tout laisse croire qu'il s'agit d'un meurtre, lâcha Cassie.

Margaret se leva avec peine.

– Où est-elle ?

Les larmes maculaient toujours son visage, mais sa voix était d'un calme inquiétant, presque enjouée.

– Elle est avec nos médecins, précisa Cassie.

Si Katy avait péri de façon différente, nous les aurions peut-être amenés jusqu'à elle. Mais là, avec son crâne défoncé, son visage couvert de sang... Après l'autopsie, les employés de la morgue nettoieraient au moins ces vestiges de sauvagerie.

Margaret tapota machinalement les poches de sa robe.

– Jonathan, je ne trouve pas mes clés.

Cassie posa une main sur son bras.

– Madame Devlin, nous ne pouvons pas vous emmener voir Katy maintenant. Il faut que les médecins l'examinent. Nous vous préviendrons dès qu'il nous sera possible de vous accompagner là-bas.

Margaret la repoussa et se dirigea lentement vers la porte, s'essuyant les joues d'une main maladroite.

– Katy. Où est-elle ?

Cassie se tourna vers Devlin, comme pour l'appeler au secours. Les mains sur le rebord de la fenêtre, il contemplait le jardin sans le voir, respirait trop vite et trop fort. Je m'interposai vivement entre son épouse et la porte.

– S'il vous plaît, madame Devlin. Je vous promets que nous vous emmènerons voir Katy dès que possible. Mais, pour l'instant, vous ne pouvez pas y aller.

Elle me fixa, les yeux rougis, la bouche grande ouverte.

– Ma fille...

Ses épaules s'affaissèrent. Elle sanglotait avec une sorte d'acharnement. Elle n'opposa aucune résistance lorsque Cassie la prit doucement par l'épaule et la reconduisit jusqu'à son fauteuil.

– Comment est-elle morte ? geignit Devlin de manière confuse, comme si ses lèvres étaient engourdies, en contemplant toujours le jardin. De quelle façon ?

– Nous ne le saurons pas avant que les médecins l'aient examinée, répondis-je. Nous vous tiendrons informés de tous les développements.

Je perçus un pas léger dans l'escalier. La porte s'ouvrit devant une jeune fille qui s'immobilisa à l'entrée du salon. Derrière elle, Jessica était toujours dans le vestibule, une mèche dans la bouche, le regard dardé sur nous.

– Que se passe-t-il ? lança la jeune fille, le souffle court. Oh, mon Dieu... C'est Katy ?

Personne ne répondit. Margaret porta une main à sa bouche, transformant ses sanglots en sons étouffés. La jeune fille nous scruta tour à tour. Elle était grande, mince. Ses cheveux noisette s'étalaient en boucles dans son dos. Difficile de lui donner un âge : dix-huit, vingt ans, peut-être. Toutefois, son maquillage était beaucoup plus soigné que celui d'une adolescente, tout comme ses vêtements de prix : pantalon noir très ajusté, chaussures à talons, chemisier blanc, écharpe de soie violette. Sa présence et sa vitalité presque électrique, totalement incongrues dans cette maison, emplissaient la pièce.

– S'il vous plaît ! implora-t-elle.

D'emblée, elle s'était adressée à moi. Elle s'exprimait d'une jolie voix claire, haut perchée, avec un accent distingué qui contrastait avec celui, plus populaire, de Jonathan et Margaret.

– Rosalind, déclara son père en se raclant la gorge, ils ont trouvé Katy. Elle est morte. Quelqu'un l'a tuée.

Jessica poussa un petit cri. Rosalind chancela, s'appuya d'une main contre l'encadrement de la porte. Cassie la prit par la taille, la guida jusqu'au canapé.

La jeune fille renversa la tête contre les coussins, la remercia d'un faible sourire.

– Pourrais-je avoir un peu d'eau ?

– Je m'en occupe, dis-je.

Dans la cuisine au linoléum immaculé, meublée d'une table et de chaises faussement rustiques, j'ouvris le robinet tout en examinant la pièce : rien de particulier, hormis, sur une étagère difficilement accessible, des tubes de vitamines et un flacon de Valium portant une étiquette au nom de Margaret Devlin.

Rosalind but son eau par petites gorgées, puis prit une grande inspiration. Je notai la finesse de sa main posée sur sa poitrine.

– Prends Jess avec toi et monte à l'étage, lui intima Devlin.

– Je t'en prie, papa, laisse-moi rester. Katy était ma sœur... Je peux... Je peux entendre. Je vais bien, maintenant. Je suis désolée d'avoir été si... Ça ira, vraiment.

– Monsieur Devlin, nous aimerions que Rosalind et Jessica restent, approuvai-je. Elles savent peut-être quelque chose qui pourrait nous aider.

Rosalind leva vers moi des yeux semblables à ceux de sa mère, grands et bleus, légèrement tombants.

– Katy et moi étions très proches.

Tout d'un coup, elle tendit les bras.

– Oh, Jessica, viens, ma chérie.

L'enfant pénétra dans la pièce. Elle me contourna d'un air farouche, s'effondra sur le canapé et se serra contre sa sœur.

– Je suis vraiment navré de m'immiscer dans un moment pareil, dis-je, mais nous devons vous poser le plus rapidement possible quelques questions qui nous aideront peut-être à identifier le coupable.

– Faites-le maintenant, chuchota Devlin en s'effondrant dans un fauteuil proche de la table où la famille prenait ses repas.

Lentement, nous les avons amenés à parler. Ils avaient vu Katy pour la dernière fois le lundi soir. Elle avait eu son cours de danse à Stillorgan, près du centre de Dublin, de 17 heures à 19 heures. Rosalind était allée la chercher à l'arrêt du bus vers 19 h 45 et elles étaient rentrées ensemble à la maison.

– Elle m'a raconté que tout s'était merveilleusement passé, poursuivit la jeune fille, la tête baissée sur ses mains jointes, le visage dissimulé par ses cheveux. Elle était tellement douée pour la danse... On venait de l'accepter à la Royal Ballet School. Vous vous rendez compte ? Elle devait partir dans quelques semaines.

Margaret sanglota encore. Les mains de Jonathan serrèrent de façon convulsive les bras de son fauteuil.

Rosalind et Jessica s'étaient ensuite rendues chez leur tante Vera, à l'autre bout du lotissement, pour passer la nuit avec leurs cousins.

Katy, elle, s'était restaurée : haricots blancs à la tomate, toasts et jus d'orange. Puis elle avait promené le chien d'un voisin.

C'était son job d'été, qui lui permettait d'économiser un peu d'argent pour son école de danse. Elle était revenue à 20 h 50, avait pris un bain et regardé la télévision avec ses parents. Elle était montée se coucher à 22 heures, son heure habituelle en été, avait lu quelques minutes avant que Margaret lui ordonne d'éteindre la lumière. Jonathan et sa femme avaient continué à regarder la télévision et s'étaient couchés peu avant minuit. Avant de gagner leur chambre, Jonathan s'était assuré, comme tous les soirs, que la maison était bien fermée : portes et fenêtres verrouillées, chaîne à l'entrée.

À 7 h 30, le lendemain matin, il se leva et partit pour la banque où il travaillait comme caissier principal, sans voir Katy. Il remarqua qu'on avait ôté la chaîne de l'entrée. Il pensa que sa fille, toujours matinale, avait rejoint la maison de sa tante pour prendre son petit déjeuner avec ses sœurs et ses cousins.

– Elle le fait parfois, ajouta Rosalind. Elle aime les saucisses et les œufs au bacon. Or maman... Le matin, maman est trop fatiguée pour faire la cuisine.

Nouveaux sanglots, déchirants, de Margaret...

Les trois filles possédaient chacune une clé de la porte d'entrée, précisa Jonathan, au cas où... À 9 h 20, quand Margaret se leva et monta la réveiller, Katy n'était plus là. Margaret attendit quelque temps, supposant, comme son mari, qu'elle était partie chez sa tante. Ensuite, elle appela Vera, simplement pour s'en assurer. Puis elle téléphona à toutes les amies de Katy, avant de prévenir la police.

Cassie et moi étions perchés de façon très inconfortable sur les deux bras d'un fauteuil. Margaret pleurait, calmement mais de façon continue. Après un moment, Jonathan quitta la pièce et revint avec une boîte de mouchoirs en papier. Une petite femme à tête d'oiseau et aux yeux ébahis, la tante Vera, déduisis-je, descendit l'escalier sur la pointe des pieds, erra quelques instants dans le vestibule en se tordant les mains, avant d'opérer une lente retraite en direction de la cuisine. Rosalind frictionna les mains molles de sa sœur.

Le récit reprit. Katy était une enfant parfaite : bonne élève, passionnée de danse. Elle avait son caractère mais ne s'était disputée, récemment, ni avec des membres de sa famille ni avec des amis. Ses parents nous donnèrent le nom de ses intimes pour que nous puissions vérifier. Elle n'avait jamais fait de fugue. Elle était, ces derniers temps, d'excellente humeur, ravie de son inscription à l'école de danse. Les garçons ne l'intéressaient pas encore, dit Jonathan. Bon Dieu, elle n'avait que douze ans... Rosalind, à ce moment-là, lui jeta un bref coup d'œil, puis me regarda. Je décidai de lui parler seul à seule dès que l'occasion se présenterait.

– Monsieur Devlin, quelles étaient vos relations avec Katy ?

Il me toisa d'un air furieux.

– Nom de Dieu, de quoi m'accusez-vous ?

Jessica laissa échapper un rire hystérique. Rosalind la fit taire d'une moue réprobatrice, puis lui donna une petite tape, accompagnée d'un sourire fugace et tendre. L'enfant baissa la tête et remit sa mèche dans sa bouche.

– Personne ne vous accuse de quoi que ce soit, intervint fermement Cassie. Mais nous devons examiner, avant de les écarter, toutes les possibilités. Si nous en négligeons une, le coupable pourra s'en servir pour sa défense. Je sais qu'il vous sera pénible de répondre à ces questions, mais je vous promets, monsieur Devlin, qu'il serait bien plus douloureux pour vous de voir cet homme acquitté parce que nous ne vous les aurions pas posées.

Jonathan respira profondément, se détendit un instant.

– Mes « relations » avec Katy, comme vous les appelez, étaient merveilleuses. Elle se confiait à moi. Nous étions très proches et... je la chouchoutais peut-être plus que les autres.

Jessica sursauta, Rosalind tourna vivement la tête vers lui. Il ajouta :

– Nous avions des mots, comme tout père avec sa fille, mais c'était une enfant délicieuse. Je l'adorais.

Pour la première fois, sa voix s'étrangla. Cassie s'adressa à sa femme.

– Et vous, madame Devlin ?

Margaret froissait un mouchoir sur ses genoux. Avec une expression de fillette obéissante, elle balbutia :

– Bien sûr... Elles sont toutes les trois délicieuses. Katy était une perle... Toujours de bonne humeur. Qu'allons-nous devenir sans elle ?

Elle tordit la bouche. Nous ne posâmes aucune question à Rosalind et Jessica. Les enfants ne se montrent jamais francs sur leurs frères et sœurs en présence de leurs parents, et si l'un d'eux, surtout aussi jeune que Jessica, ment, il s'obstine dans son mensonge. Plus tard, nous tenterions d'obtenir des Devlin la permission de parler à Jessica et, si elle avait moins de dix-huit ans, à Rosalind, en tête à tête. J'eus l'intuition que ce ne serait pas facile.

– À votre avis, quelqu'un aurait-il pu, pour une raison ou une autre, en vouloir à Katy ?

Silence. Tout d'un coup, Devlin repoussa son siège et bondit sur ses pieds.

– Mon Dieu ! Ces coups de téléphone !

– Quels coups de téléphone ?

– Je le tuerai ! Vous m'avez dit qu'on l'avait trouvée sur un chantier ?

– Monsieur Devlin ! s'exclama Cassie. Asseyez-vous et parlez-nous de ces coups de fil.

Il s'affaissa dans son fauteuil. Je devinai, à son air subitement absent, qu'il réfléchissait au moyen de traquer l'auteur de ces messages anonymes.

– Vous avez sans doute entendu parler de cette autoroute qui doit recouvrir le site archéologique, dit-il enfin. La plupart des habitants du lotissement y sont hostiles. Certains ne pensent qu'à la valeur que prendra leur maison, mais la plupart d'entre nous... Ce site devrait faire partie de notre patrimoine. Il est unique et nous appartient. Le gouvernement n'a pas le droit de le détruire sans même nous consulter. Nous avons monté une campagne, ici, à Knocknaree. J'en ai pris la tête. Nous manifestons devant le siège du gouvernement, nous envoyons des lettres aux politiciens. Autant pisser dans un violon...

Parler de son combat le revigorait. Cela m'intriguait. Il m'avait, au début, fait l'effet d'un petit employé effacé, non d'un homme capable de mener une croisade. Visiblement, il avait des qualités insoupçonnées.

– J'ai cru tout d'abord que je ne me heurtais qu'à l'inertie des bureaucrates. Mais les coups de téléphone m'ont fait réfléchir... Le premier a eu lieu tard dans la nuit. Le type m'a dit quelque chose du genre : « Connard, tu n'as pas idée de la merde dans laquelle tu t'es fourré. » J'ai pensé qu'il s'était trompé de numéro. J'ai raccroché et je suis retourné me coucher. Ce n'est qu'après le deuxième appel que j'ai fait le rapprochement.

– Quand a eu lieu le premier coup de fil ? demandai-je.

Cassie prenait des notes.

Jonathan consulta silencieusement Margaret, qui lui fit signe de poursuivre.

– Fin avril, peut-être... Le second a eu lieu le 3 juin, vers 1 h 30 du matin. J'ai noté l'heure. Katy... Il n'y a pas de téléphone dans notre chambre, l'appareil est dans le vestibule et elle a le sommeil léger... Katy, donc, a décroché. L'homme lui a dit, ainsi qu'elle me l'a raconté : « Es-tu la fille de Devlin ? » Elle a répondu : « Je suis Katy. » Il a ajouté : « Katy, conseille à ton père de ne plus s'occuper de l'autoroute, parce que je sais où vous habitez. » J'ai alors pris la communication. Et j'ai entendu : « C'est une chouette petite fille que tu as là, Devlin. » J'ai crié à l'homme de ne plus jamais appeler chez moi et j'ai raccroché.

– Vous souvenez-vous de sa voix ? demandai-je. Accent, âge... Vous a-t-elle paru familière ?

Jonathan avala sa salive. Il se concentra, s'accrochant à cet incident comme à une bouée de sauvetage.

– Elle ne m'a rien rappelé. En tout cas, elle n'était pas jeune. Aiguë. Un accent prononcé, mais que je n'ai pas pu identifier. Pas de Cork ou du Nord. Elle paraissait... J'ai pensé que le type devait être ivre.

– Y a-t-il eu d'autres appels ?

– Un seul, il y a quelques semaines : le 13 juillet au matin. Le même type a dit : « Est-ce que tu... »

Il regarda Jessica. Un bras autour d'elle, Rosalind la berçait doucement et chuchotait à son oreille.

– « ... est-ce que tu es dur d'oreille, Devlin ? Je t'avais pourtant prévenu. Tu ne m'as pas écouté. Tu le regretteras. Je sais où vit ta famille ».

– Avez-vous contacté la police ?

– Non. J'attendais d'avoir un motif de porter plainte, mais il ne m'en a fourni aucun.

– Étiez-vous inquiet ?

– Pour être honnête, assena-t-il avec un mélange de chagrin et de défi, j'étais ravi. Ces menaces prouvaient que notre campagne avait porté ses fruits. Jamais ce type n'aurait pris la peine de m'appeler si nous ne représentions pas un danger. Mais maintenant...

Il se pencha soudain vers moi, les poings serrés. Je faillis reculer.

– Si vous identifiez l'auteur de ces appels, surtout, faites-le-moi savoir ! Donnez-moi votre parole !

– Monsieur Devlin, je vous promets que nous ferons tout ce qui est en notre pouvoir pour savoir qui il est et s'il a un rapport avec la mort de Katy. Mais je ne peux...

– Il a fait peur à Katy ! gémit Jessica.

Tout le monde tressaillit. Son cri me surprit autant que si un des fauteuils venait de se mêler à la conversation. J'en étais arrivé à me demander si elle était autiste ou handicapée mentale.

– Vraiment ? intervint Cassie. Qu'a-t-il dit ?

Jessica la fixa comme si elle venait de poser une question incompréhensible. Puis elle retomba dans son mutisme. Cassie se pencha vers elle. Et, très doucement :

– Jessica, y a-t-il quelqu'un d'autre dont Katy avait peur ?

La fillette remua faiblement les lèvres, avança la main, pinça la manche de Cassie et murmura :

– Est-ce que tout ça est réel ?

– Oui, ma chérie, souffla Rosalind.

Elle prit le poignet de sa sœur, le ramena vers elle et serra l'enfant contre sa poitrine, caressant ses cheveux.

– Oui, mon ange, c'est la réalité.

La fillette redressa la tête, les yeux écarquillés et vides.

Ils n'avaient pas accès à Internet, ce qui éliminait la possibilité d'un pervers aux aguets n'importe où dans le monde. Ils n'avaient pas non plus de système d'alarme qui, de toute façon, n'aurait servi à rien : Katy n'avait pas été arrachée de son lit par un intrus. On l'avait découverte soigneusement habillée, en vêtements d'extérieur. Oui, elle prenait grand soin de sa tenue, confirma Margaret. Elle tenait cela de son professeur de danse, qu'elle vénérait. Elle avait éteint la lumière et attendu que ses parents s'endorment. Puis, en pleine nuit ou à l'aube, elle s'était levée, s'était habillée et était partie. On avait retrouvé les clés de chez elle dans sa poche. Elle comptait donc revenir.

Nous avons quand même fouillé sa chambre, à la recherche d'éléments qui auraient pu nous indiquer où elle était allée ; et aussi au cas où, possibilité que nous devions envisager, aussi abominable fût-elle, Jonathan et Margaret l'auraient tuée avant de maquiller les lieux pour faire croire qu'elle avait quitté la maison vivante. Elle partageait sa chambre avec Jessica. La fenêtre était trop petite et la lumière trop faible, ce qui accentuait le malaise que suscitait en moi cette maison. Du côté de Jessica, le mur était couvert, bizarrement, de scènes ensoleillées, idylliques : pique-niques impressionnistes, paysages irréels de contes de fées ou du *Seigneur des Anneaux*.

– C'est moi qui lui ai offert tout ça, dit Rosalind. N'est-ce pas, ma chérie ?

Jessica approuva, fixant ses souliers.

De façon moins surprenante, la décoration du mur de Katy tournait uniquement autour de la danse : photos de Margot Fonteyn découpées dans des magazines de télévision, un portrait d'Anna Pavlova découpé dans un quotidien, sa lettre d'admission à la Royal Ballet School, le joli dessin d'un jeune danseur avec la mention, griffonnée dans un coin : « Pour Katy, 21/03/03. Bon anniversaire. Avec tout mon amour. Papa ».

Le pyjama blanc qu'elle avait porté la nuit du lundi s'étalait sur le lit. Nous l'avons enveloppé dans un sac et embarqué par précaution, ainsi que son téléphone portable, éteint et posé sur sa table de chevet. Elle n'avait pas tenu de journal. Elle en avait commencé un, mais s'en était lassée deux mois plus tôt, l'avait « perdu » et avait renoncé à en commencer un autre, précisa Rosalind en insistant sur le mot « perdu » avec, à mon intention, un sourire entendu et triste. Nous avons pris ses cahiers de classe, un vieux cahier de textes, tout ce qui, écrit de sa main, pourrait nous fournir un indice. Chacune des jumelles avait une commode. Sur celle de Katy traînait une petite boîte en fer-blanc pleine d'élastiques à cheveux. Je reconnus, avec un brusque battement de cœur, deux bleuets de soie.

– Ouf ! soupira Cassie en se frictionnant les cheveux quand nous nous retrouvâmes sur la route après avoir quitté le lotissement.

– J'ai vu ce nom quelque part il n'y a pas longtemps : Jonathan Devlin. Dès que nous serons de retour, insérons-le dans l'ordinateur et voyons s'il est fiché.

– Mon Dieu, je souhaiterais presque que ce soit aussi simple. Il règne dans cette maison une atmosphère profondément oppressante.

Je lui fus reconnaissant de s'être exprimée la première. En fait, je me sentis soulagé. De nombreux détails, chez les Devlin, m'avaient perturbé. Jonathan et sa femme ne s'étaient pas touchés une seule fois, n'avaient échangé que de rares regards. Alors qu'on aurait pu s'attendre à la présence de nombreux voisins inquiets et solidaires, nous n'avions rencontré personne, sauf la fantomatique tante Vera. Chaque membre de la famille semblait venir d'une planète différente. Toutefois, mon malaise était tel que je n'étais pas sûr de pouvoir me fier à mon propre jugement. Le fait que Cassie ait éprouvé la même gêne me conforta. Non que j'eusse l'impression de perdre la tête. Je savais que, de retour chez moi, je retrouverais mon calme et pourrais réfléchir à tête reposée. Mais l'apparition de Jessica m'avait quasiment mis au bord de la crise cardiaque. Apprendre qu'elle était la jumelle de Katy ne m'avait rassuré en rien. Cette affaire présentait trop de similitudes avec le drame d'autrefois ; je ne pouvais chasser de mon esprit le soupçon qu'elles étaient, d'une façon ou d'une autre, délibérées. Toutes ces coïncidences m'évoquaient une bouteille à la mer que le ressac aurait déposée à mes pieds sur le sable, avec mon nom gravé sur le verre et, à l'intérieur, un message sardonique rédigé dans un code incompréhensible.

Le jour de mon arrivée en pension, j'avais raconté à mes camarades de dortoir que j'avais un frère jumeau. Bon photographe amateur, mon père nous avait vus, un samedi de cet été-là, essayer une nouvelle cascade sur le vélo de Peter : filer à toute allure, à deux sur la bécane, le long du petit mur du jardin de sa mère puis, arrivés au bout, sauter à pieds joints sur la pelouse, de l'autre côté. Il nous la fit recommencer d'innombrables fois jusqu'à ce que, à plat ventre dans l'herbe et modifiant le zoom, il obtienne le cliché qu'il voulait. Nous volons. Je pédale en danseuse. Debout sur le guidon, Peter ouvre les bras. Les yeux clos, nous hurlons de joie et nos cheveux flottent dans le vent, entre ciel et terre...

Je collai la photo sur un morceau de carton, la plaçai sur ma table de chevet, où nous avions droit à deux photographies personnelles. Je me montrai intarissable, devant les autres élèves, sur les innombrables aventures, les unes authentiques, la plupart inventées et totalement invraisemblables, que mon jumeau et moi vivions pendant les vacances. Il était dans un autre internat, en Irlande, parce que nos parents avaient lu quelque part qu'il était plus sain de séparer deux jumeaux. Là-bas, il apprenait à monter à cheval.

Au moment de réintégrer le collège, au début de l'année suivante, je compris que, tôt ou tard, ce mensonge me mettrait dans une situation impossible. Au cours de la fête de l'école, des camarades ne manqueraient pas de demander à mes parents pourquoi ils n'avaient pas amené Peter avec eux. Je laissai donc la photo chez moi, sous mon matelas, tel un secret honteux, et cessai de mentionner mon jumeau, dans l'espoir que tout le monde l'oublierait. Hélas, un gamin plus curieux et peut-être plus pervers que les autres m'interrogea avec insistance Où était-il ? Que devenait-il ? Je finis par lui dire que mon frère s'était tué net en tombant de cheval. Je passai la plus grande partie de l'année dans la terreur que l'annonce de cette mort ne parvienne aux oreilles de mes professeurs et, par leur intermédiaire, à celles de mes parents. Je suis presque sûr que c'est ce qui se produisit, mais que mes maîtres, qui connaissaient les événements de Knocknaree, décidèrent de se montrer compréhensifs et de laisser la rumeur s'éteindre d'elle-même.

Je regrettai amèrement d'avoir dû me débarrasser de mon jumeau. L'idée que, dans l'esprit d'une dizaine d'enfants, Peter existait bel et bien et caracolait sur son cheval me paraissait valorisante. Si Jamie avait figuré sur la photo, j'aurais sans doute fait de nous des triplés. J'aurais toutefois eu beaucoup plus de mal à l'envoyer, elle aussi, au cimetière.

Lorsque nous regagnâmes le site, les journalistes étaient là. Je leur fis le laïus préliminaire habituel, tâche qui me revient dans la mesure où j'ai plus l'air d'un adulte responsable que Cassie. Corps d'une fillette, identité non communiquée jusqu'à ce que l'ensemble de la famille soit prévenu, décès considéré comme suspect, toute personne disposant d'informations étant priée de nous contacter, pas d'autres commentaires.

– Est-ce l'œuvre d'une secte satanique ? lança une grosse femme que son pantalon de ski ne flattait pas.

Je la connaissais. Elle travaillait pour un tabloïd spécialisé dans les sujets à sensation.

– Aucune présomption de ce côté-là, répliquai-je sèchement.

Il n'y en a jamais. Les meurtres rituels sataniques sont, pour les enquêteurs, l'équivalent du yéti. Personne n'en a jamais vu, rien ne prouve qu'ils existent, mais la moindre rumeur enflamme la presse, nous obligeant à feindre de prendre l'hypothèse au sérieux.

La Walkyrie revint à la charge.

– Mais n'a-t-on pas trouvé la victime sur un autel où les druides procédaient à des sacrifices humains ?

– Pas de commentaires, rétorquai-je.

Je venais tout d'un coup de réaliser ce que la rigole creusée dans la pierre me rappelait : celle des tables d'autopsie par lesquelles s'évacue le sang. Seigneur...

Finalement, les journalistes n'insistèrent pas et commencèrent à se disperser. Assise sur les marches de notre baraque de chantier, Cassie suivait la scène. Lorsque la grosse journaliste se dirigea vers Mark, qui venait de sortir de la cantine, elle se leva et marcha dans leur direction, s'arrangeant pour que Mark la remarque. Ils échangèrent un bref regard. Une minute plus tard, Cassie se détourna et les laissa, amusée, à leur conversation.

– De quoi parlent-ils ? lui demandai-je, cherchant dans ma poche les clés du préfabriqué.

Elle épousseta avec un grand sourire l'arrière de son jean.

– Il lui fait un cours sur le site. Chaque fois qu'elle l'interroge sur le corps, il lui répond : « Je vous arrête » et se lance dans une diatribe contre le gouvernement qui s'apprête à détruire le chantier archéologique le plus important depuis le tombeau de Toutankhamon, ou dans de grandes considérations sur les villages vikings. J'aurais aimé pouvoir assister à la suite. Je crois qu'elle a trouvé son maître.

Les autres archéologues n'eurent pas grand-chose à ajouter, hormis Sean, le sculpteur, qui parla en ricanant d'un crime de vampire. Les photos de la victime lui ôtèrent toute envie de plaisanter. Si lui et ses collègues avaient plusieurs fois croisé Katy et sans doute Jessica sur le site, parfois en compagnie d'enfants de leur âge ou d'une jeune fille correspondant à la description de Rosalind, aucun n'avait noté la présence d'un inconnu l'observant avec insistance. Aucun, en fait, n'avait rien vu de spécial, même si Mark ajouta :

– Sauf ces enfoirés de politiciens qui se pointent ici pour se faire photographier devant leur héritage avant de le raser. Vous voulez leurs noms ?

Nul ne se souvenait du fantôme en survêtement, ce qui confirma mes soupçons : il s'agissait sans doute d'un habitant du lotissement qui se promenait ou d'une invention de Damien. Nous tombons toujours, lors de nos enquêtes, sur des gens comme lui, qui nous font perdre un temps précieux en nous débitant ce qu'ils croient que nous désirons entendre.

Les archéologues habitant Dublin, Damien, Sean et plusieurs de leurs collègues, avaient tous passé chez eux les nuits de lundi et mardi. Les autres avaient rejoint la maison louée pour eux, à trois kilomètres du chantier. Hunt, lui, vivait à Lucan avec sa femme. Il confirma la théorie de la grosse journaliste sur la pierre rituelle.

– Il s'agit, effectivement, d'un autel sacrificiel de l'âge du bronze. Bien sûr, nous ignorons si les sacrifices étaient humains ou animaux, bien que... euh... la forme de la table privilégie l'hypothèse de sacrifices humains. Les bonnes dimensions, vous comprenez ? Un édifice très rare. Il prouve que cette colline était un lieu religieux d'une extrême importance à l'âge du bronze. Quelle honte... Cette autoroute...

– Avez-vous découvert autre chose qui puisse laisser penser cela ?

Si c'était le cas, il nous faudrait des mois pour dissocier notre affaire du délire new age des médias.

Hunt me considéra d'un air douloureux.

– L'absence de preuve n'est pas la preuve de l'absence, murmura-t-il d'une voix pleine de reproche.

Ce fut le dernier entretien. Alors que nous rassemblions nos affaires, le jeune adjoint de Sophie passa la tête par l'entrebâillement de la porte.

– Euh... Salut. Sophie vous fait dire que nous aurons bientôt fini. Elle a encore quelque chose à vous montrer.

Ils avaient ôté les marqueurs, laissant la pierre livrée à elle-même. De prime abord, le site paraissait désert. Les journalistes avaient déguerpi depuis longtemps et tous les archéologues étaient rentrés chez eux, sauf Hunt, qui avançait avec peine dans une Ford Fiesta rouge maculée de boue. Puis, alors que nous émergions du groupe de baraques, j'aperçus un éclat blanc entre les arbres.

La routine des premiers entretiens m'avait presque fait retrouver mon calme (Cassie appelle ces interrogatoires préliminaires le « stade que dalle » : personne n'a vu que dalle, personne n'a entendu que dalle, personne n'a fait que dalle). Pourtant, un frisson me parcourut l'échine alors que nous pénétrions dans le bois. Aucun rapport avec la peur : plutôt un soudain état d'alerte, comme lorsque quelqu'un vous réveille en vous appelant par votre nom ou qu'une chauve-souris vous survole de trop haut pour que vous l'entendiez. Le sol était épais et doux, couvert de feuilles qui, tombées depuis des années, s'enfonçaient sous mes pieds. Les arbres filtraient la lumière, la transformaient en une lueur verdâtre sans cesse en mouvement.

Sophie et Helen nous attendaient dans une minuscule clairière. Sophie se tourna vers moi.

– J'ai laissé les lieux en l'état pour que vous puissiez tous les deux y jeter un œil, mais j'aimerais emballer tout ce bazar avant la nuit.

Quelqu'un avait campé sur place. On avait dégagé un espace de la taille d'un sac de couchage et les feuilles, en cet endroit, étaient aplaties. Deux ou trois mètres plus loin subsistaient les restes d'un feu de camp.

– Serait-ce le lieu du crime ? m'enquis-je sans trop d'espoir car, dans ce cas, Sophie aurait interrompu tous les interrogatoires.

– Aucune chance. Nous avons fait une recherche d'empreintes. Pas de traces de lutte, pas une goutte de sang. Il y a une grande flaque près du feu mais, à en juger par l'odeur, c'est du vin.

– Nous avons affaire à un campeur haut de gamme.

Je m'étais imaginé un sans-abri bucolique. Mais les poivrots irlandais carburent à la bière, au cidre ou à la vodka bon marché. Je songeai brièvement à un couple illégitime n'ayant nulle part où aller. Impossible : la couche était à peine assez large pour une personne.

– Tu as trouvé autre chose ?

– Nous avons fouillé les cendres au cas où on aurait brûlé des vêtements ensanglantés... Rien. Nous avons des empreintes de souliers, cinq mégots de cigarettes et ceci.

Elle me tendit un sac transparent marqué au feutre. Je le soulevai pour l'examiner à la faible lumière. Cassie se hissa sur la pointe des pieds et regarda par-dessus mon épaule : c'était un cheveu, un seul, long, ondulé et blond.

– On l'a trouvé près du feu, précisa Sophie, désignant du pouce un marqueur en plastique.

– Une idée de l'ancienneté du campement ?

– Les cendres n'ont pas reçu d'eau de pluie. Je vérifierai les averses dans le secteur, mais je sais que chez moi, à trois kilomètres d'ici, il a plu tôt lundi matin. Le campement remonterait donc à la nuit dernière ou à celle d'avant.

– Pourrais-je examiner ces mégots ?

– Fais comme chez toi.

Je sortis un masque et des pinces à épiler de ma sacoche, et m'accroupis devant un des marqueurs d'indices proches du feu. Le mégot provenait d'une cigarette roulée, étroite et fumée presque jusqu'au bout. Le fumeur était avare de son tabac.

– Mark Hanly roule ses clopes, dis-je en me redressant. Et il a de longs cheveux blonds.

Je consultai Cassie. Il était plus de 18 heures. O'Kelly allait nous appeler d'un moment à l'autre pour exiger un rapport. Or la conversation qu'il nous faudrait avoir avec Mark risquait de durer longtemps, d'autant que nous devrions d'abord trouver, dans un labyrinthe de routes de campagne, la maison des archéologues.

– Laissons tomber, conclut Cassie. Nous lui parlerons demain. Je voudrais aller voir le professeur de danse sur le chemin du retour. Et je meurs de faim.

– Elle est plus vorace qu'un chiot, lançai-je à Sophie.

Helen parut choquée.

– Oui, mais un chiot de race, répliqua joyeusement ma coéquipière.

Nous traversâmes le site en sens inverse, en direction de la voiture. Mark ne s'était pas trompé : imbibées d'une boue rouge sombre, mes chaussures étaient bonnes à jeter. Je me consolai en songeant que celles du tueur devaient être dans le même état pitoyable, ce qui le trahirait peut-être. Je me retournai vers le bois. De nouveau cet éclat blanc : Sophie, Helen et le jeune assistant allaient et venaient entre les arbres, affairés, aussi silencieux que des fantômes.

Chapitre 4

L'école de danse Cameron se trouvait au-dessus d'une boutique vidéo de Stillorgan. Dans la rue, trois gavroches en pantalon flottant, juchés sur leurs skateboards, montaient et descendaient le long d'un petit mur en poussant des cris aigus. Le professeur adjoint, une ravissante jeune femme nommée Louise, en collant et chaussons noirs, le buste et la taille dissimulés par une longue chemise qui, noire elle aussi, descendait jusqu'aux mollets, vint nous ouvrir. Cassie me gratifia d'un petit sourire moqueur lorsqu'elle nous précéda dans l'escalier. Louise nous annonça que Simone Cameron terminait un cours. Nous attendîmes donc sur le palier.

Cassie étudia un tableau d'annonces accroché au mur pendant que j'examinais les lieux. Il y avait deux studios de danse, aux portes percées de petites fenêtres rondes. Dans le premier, Louise montrait à une ribambelle de bambins comment devenir papillon ou oiseau. Dans l'autre, une dizaine de fillettes en collant blanc ou rose traversaient la pièce deux par deux, effectuant une série de sauts et de pirouettes au son crachotant de *La Valse des fleurs* jouée sur un vieux tourne-disque. Je dirai, pour me montrer charitable, que certaines étaient moins pataudes que d'autres. La femme qui leur faisait la classe avait des cheveux blancs serrés en chignon, mais le corps aussi svelte, aussi droit que celui d'une jeune athlète. Elle portait les mêmes collants noirs que Louise et, avec sa baguette, tapotait les chevilles et les épaules des fillettes en s'accompagnant de la voix.

– Regarde, me dit Cassie.

L'affiche représentait Katy Devlin. Il me fallut une seconde pour la reconnaître dans sa vaporeuse tunique blanche. Une de ses jambes, tendue derrière elle sans effort apparent, dessinait un arc impossible. Au-dessus d'elle s'inscrivait en grosses lettres : « Envoyez Katy à la Royal Ballet School ! Aidez-la à faire notre fierté ! » Suivaient le lieu et le jour de la collecte : « St Alban's Parish Hall, le 20 juin à 19 heures. Spectacle de danse donné par les élèves de l'école Cameron. Entrée : 10 et 7 euros. Les recettes iront à la cagnotte de Katy, pour ses frais d'inscription. » Je me demandai ce que, maintenant, l'argent allait devenir.

On avait épinglé, sous le poster, une coupure de presse agrémentée d'un cliché très étudié de Katy à la barre. Ses yeux, dans le miroir, fixaient le photographe avec une gravité intense. « La petite danseuse de Dublin prend son envol », *The Irish Times*, 23 juin. « Bien sûr, ma famille va me manquer, mais je ne peux plus attendre, affirme Katy. Je veux devenir danseuse depuis l'âge de huit ans. Je n'arrive pas à croire à ma chance. Parfois, je me réveille en me demandant si tout ça n'est pas un rêve. » Nul doute que cet article avait augmenté le nombre de donateurs. Mais il ne nous faciliterait pas la tâche. Les pédophiles lisent eux aussi les journaux du matin. Et la photo, séduisante à souhait, étendait le champ des suspects potentiels au pays tout entier. Je parcourus les autres annonces : « Tutu à vendre, taille 7-8. Un résident de Blackrock serait-il intéressé par un covoiturage pour la classe des minimes ? »

La porte du studio s'ouvrit sur un flot de petites filles toutes semblables, qui passèrent devant nous en criant et en se bousculant.

Simone Cameron apparut.

– Puis-je vous aider ?

Elle avait une voix magnifique, aussi profonde que celle d'un homme mais éminemment féminine. Son visage osseux, sillonné de rides, trahissait son âge. Elle nous prit sans doute pour des parents venus demander des renseignement sur les cours. Je fus un instant tenté de jouer le jeu, de me renseigner sur les horaires et les tarifs avant de m'en aller, lui laissant un peu plus longtemps ses illusions et son élève favorite.

– Madame Cameron ?

– Simone, je vous en prie...

Elle avait des yeux extraordinaires, presque dorés, immenses sous de lourdes paupières.

– Je suis l'inspecteur Ryan. Et voici l'inspecteur Maddox, déclarai-je pour la millième fois de la journée. Pourrions-nous nous entretenir quelques instants avec vous ?

Elle nous fit entrer dans le studio, installa trois chaises dans un coin. Un miroir occupait tout un pan de mur, au-dessus de trois barres fixées à des hauteurs différentes. Je disposai ma chaise de façon à ne pas rencontrer mon reflet.

J'annonçai à Simone le décès de Katy. C'était mon tour. Je m'attendais à des larmes, mais elle ne pleura pas. Elle renversa légèrement la tête et ses rides parurent se creuser. Ce fut tout.

– Vous avez vu Katy lors du cours de lundi soir, n'est-ce pas ? poursuivis-je. Comment était-elle ?

Peu de gens sont capables de prolonger un silence. Simone Cameron, elle, était un être à part. Elle attendit sans bouger, un bras sur le dossier de sa chaise, d'être en mesure de parler. Après un long moment, elle murmura :

– Comme d'habitude. Un peu surexcitée. Il lui a fallu plusieurs minutes pour se concentrer. C'était normal. Elle devait intégrer la Royal Ballet School d'ici à quelques semaines. Son excitation n'avait fait que s'accentuer tout au long de l'été.

Elle se détourna légèrement.

– Hier, elle a manqué la classe. J'en ai simplement déduit qu'elle était encore souffrante. Si j'avais appelé ses parents...

– Hier soir, elle était morte, dit doucement Cassie. Vous n'auriez rien pu faire.

– Encore souffrante ? répétai-je. Avait-elle été malade récemment ?

– Non, pas récemment. Mais ce n'est pas une enfant solide.

Ses paupières s'affaissèrent une seconde, dissimulant ses yeux.

– N'était pas..., chuchota-t-elle.

Puis, s'adressant de nouveau à moi :

– J'ai été son professeur pendant six ans. À partir de l'âge de neuf ans, elle a été très souvent malade. Tout comme sa sœur jumelle. Mais Jessica est simplement fragile et sujette aux refroidissements. Katy, elle, avait des vomissements, des diarrhées, parfois assez graves pour nécessiter une hospitalisation. Selon les médecins, il s'agissait d'une forme de gastrite chronique. Elle aurait dû intégrer la Royal Ballet School l'année dernière, vous savez. Mais elle a eu une violente rechute à la fin de l'été. On l'a opérée pour en savoir davantage. Quand elle s'est enfin rétablie, le trimestre était trop avancé. Elle a dû passer une autre audition au printemps.

– Ces attaques ont donc disparu il y a peu de temps ?

Il nous faudrait le dossier médical de Katy ; et vite.

Simone reprit avec un étrange sourire, comme plongée dans ses souvenirs :

– J'avais peur qu'elle ne soit pas assez robuste pour poursuivre sa formation. Les danseuses ne peuvent se permettre de manquer souvent les cours. Lorsqu'elle a été de nouveau acceptée cette année, je l'ai prise à part après une classe pour la mettre en garde : il fallait absolument qu'elle continue à voir un médecin, pour savoir ce qui n'allait pas chez elle. Elle m'a écoutée, puis m'a répondu, de façon très solennelle, comme si elle prononçait un vœu : « Je ne serai plus malade. » J'ai insisté. Elle ne devait pas prendre cela à la légère, agir comme si sa maladie n'existait pas. Sa carrière en dépendait. Mais je n'ai rien pu obtenir d'autre de sa part. Cela étant, elle n'a plus été malade depuis. J'ai pensé que ses symptômes avaient peut-être disparu avec l'âge. Toutefois, la volonté peut avoir des effets stupéfiants. Et Katy est... était... très volontaire.

La seconde classe sortait. Des voix adultes résonnaient sur le palier, ponctuées de rires d'enfants.

– Avez-vous également enseigné la danse à Jessica ? s'enquit Cassie. A-t-elle passé une audition pour la Royal Ballet School ?

Au début d'une enquête, à moins d'avoir déjà un suspect, on ne peut que rassembler le plus de renseignements possible sur la vie de la victime, en espérant que l'un d'eux débouchera sur une piste. Cassie avait raison : nous devions en savoir plus sur la famille Devlin. Et Simone Cameron avait envie de parler. Nous constatons cela souvent. Certaines personnes continuent désespérément à parler car, quand elles se tairont, nous nous en irons et elles resteront seules face à l'horreur.

Nous écoutâmes Simone avec sympathie, notant tout ce qu'elle nous disait.

– J'ai eu affaire aux trois sœurs, à un moment ou à un autre. Jessica était douée. Elle a travaillé dur, mais n'a pas supporté la difficulté des exercices. J'ai conseillé à ses parents de ne plus lui imposer ce qui semblait être pour elle une torture.

– Et Rosalind ? intervint Cassie.

– Rosalind avait du talent, mais manquait d'application. Elle voulait des résultats immédiats. Au bout de quelques mois, elle a opté, je crois, pour des leçons de violon. Elle m'a affirmé que la décision venait de ses parents, mais j'ai compris qu'elle s'était lassée. C'est souvent le cas chez certaines petites filles. Quand elles ne progressent pas assez vite à leur gré et prennent conscience de la somme de travail qu'elles devront fournir, elles renoncent. Franchement, aucune des deux n'aurait été acceptée à la Royal Ballet School.

– Alors que Katy...

Silence. Puis :

– Katy était... *sérieuse.*

Sérieuse au lieu de *serious*. Voilà ce qui donnait à sa voix sa distinction particulière : elle prononçait certains mots à la française. Ces intonations ne pouvaient que plaire à Cassie. Sa mère était à moitié française. Elle a passé, petite, des étés chez ses grands-parents, en Provence. Même si elle ne parle plus couramment le français, comme autrefois, elle le comprend toujours.

– Professionnelle, corrigea-t-elle.

Simone inclina la tête.

– Oui. Le travail ne lui faisait pas peur. Elle aimait la difficulté, le défi. Le vrai talent est rare. Et la volonté de réussir l'est encore davantage. Trouver les deux chez une même personne... Il lui arrivait, les soirs où on n'utilisait qu'un seul studio, de me demander l'autorisation d'occuper l'autre pour travailler encore.

Dehors, la nuit tombait. Les cris des gamins en skateboard nous parvenaient assourdis, étouffés par les vitres. J'imaginai Katy Devlin seule dans le studio et faisant ses exercices à la barre, devant le miroir, accompagnée par les *Gnossiennes* d'Erik Satie, à la lueur des réverbères dessinant sur le plancher des rectangles de lumière. Simone paraissait elle aussi très *sérieuse*. Je me demandai comment elle avait pu atterrir ici, au-dessus d'une boutique de Stillorgan cernée par les odeurs de graisse du marchand de frites, enseignant la danse à des fillettes dont les mères ne songeaient qu'à rehausser leur propre prestige en faisant admirer à leurs amies la photo de leur fille en tutu accrochée dans leur salon. Je compris soudain tout ce que Katy avait dû représenter pour elle.

– Comment M. et Mme Devlin réagissaient-ils à l'entrée de leur fille à l'école de danse ? demanda Cassie.

– Ils l'approuvaient sans réserve. Cela m'a à la fois soulagée et surprise. Nombre de parents hésitent à envoyer une enfant de cet âge dans une école spécialisée et la plupart, pour de bonnes raisons, ne tiennent guère à ce qu'elle devienne danseuse professionnelle. M. Devlin, surtout, était un chaud partisan de ce projet. Je crois qu'il était très proche de Katy. J'admirais qu'il souhaite le meilleur pour sa fille, même si cela impliquait une séparation.

– Et sa mère ? dit Cassie. Était-elle également proche d'elle ?

– Moins, à mon avis. Mme Devlin est... plutôt vague. Elle semble en permanence sidérée par ses filles. Je la soupçonne de ne pas être très intelligente.

– Avez-vous remarqué quoi que ce soit d'étrange au cours des derniers mois ? Quelque chose qui vous aurait inquiétée ?

Ma question n'avait rien d'anodin. Les écoles de danse, les clubs de natation et les troupes de scouts sont du pain bénit pour les pédophiles.

– Je vois ce que vous voulez dire, mais non. Nous cherchons à repérer ce genre de personne. Il y a une dizaine d'années, un homme passait son temps assis sur un haut mur, à observer le studio à la jumelle. Nous avons prévenu la police. Elle n'a réagi que lorsqu'il a tenté de convaincre une petite fille de monter dans sa voiture. Depuis, nous faisons très attention.

– Quelqu'un a-t-il manifesté pour Katy un intérêt qui vous a semblé trop appuyé ?

Elle réfléchit un instant.

– Non. Tout le monde admirait sa façon de danser. Beaucoup de gens ont soutenu la collecte que nous avons organisée pour l'aider à couvrir ses frais, mais personne plus que les autres.

– Son talent suscitait-il des jalousies ?

Simone eut un petit rire de gorge.

– Nous n'avons pas affaire à des parents carriéristes. Ils veulent que leurs filles apprennent un peu de danse, assez pour avoir une jolie silhouette. Ils ne les poussent pas à y consacrer leur vie. Je suis persuadée que certaines de mes élèves la jalousaient, oui. Mais au point de la tuer ? Jamais !

Tout d'un coup, même si elle conservait l'élégance de son maintien, elle eut l'air épuisée. La fatigue rendait ses yeux presque vitreux.

– Merci de nous avoir accordé un peu de votre temps, déclarai-je. Nous prendrons contact avec vous si nous avons d'autres renseignements à vous demander.

– A-t-elle souffert ? lança-t-elle brusquement.

Elle était la première personne à nous poser cette question. Je commençai à lui débiter la non-réponse habituelle, me retranchant derrière les futurs résultats de l'autopsie. Cassie m'interrompit.

– Nous n'en avons aucune preuve. Nous ne pouvons encore être sûrs de rien. Mais il semble que tout se soit passé très vite.

Avec peine, Simone se tourna vers elle et chuchota :

– Merci.

Elle ne se leva pas pour nous reconduire. Je devinai qu'elle craignait de ne pas en avoir la force. En refermant la porte, je la regardai une dernière fois par la lucarne, toujours très droite sur sa chaise, immobile, les mains sur les genoux : une reine de conte de fées, laissée seule dans sa tour pour pleurer sa princesse perdue.

– « Je ne serai plus malade », dit Cassie une fois dans la voiture. « Et elle ne l'a plus été. »

– Le pouvoir de la volonté, pour reprendre l'expression de Simone ?

– Peut-être.

Elle ne cachait pas son scepticisme.

– Ou alors, elle a elle-même créé ses symptômes, suggérai-je. Les vomissements et la diarrhée sont faciles à provoquer. Peut-être cherchait-elle à attirer l'attention, ce qu'elle n'a plus eu besoin de faire une fois admise à l'école de danse. Les articles dans la presse, la collecte, toute cette notoriété la comblait... Je voudrais une cigarette.

– Une version juvénile du syndrome de Münchausen ?

Cassie tendit le bras vers la banquette arrière, fouilla les poches de ma veste, trouva mes cigarettes. Elle en alluma deux, m'en tendit une.

– Pourrions-nous obtenir le dossier médical de ses deux sœurs ?

– Difficile. Elles sont vivantes. Leur dossier reste donc confidentiel. Il nous faudrait le consentement des parents. Pourquoi ? Qu'as-tu en tête ?

Elle baissa la vitre, laissant le vent la décoiffer.

– Je ne sais pas trop... Jessica, la jumelle, est d'une maigreur affreuse, ce que dissimulait mal son chandail trop grand. Quant à l'autre...

– Rosalind ?

Mon ton faussement détaché m'avait trahi. Cassie me jeta un regard oblique.

– Elle t'a plu ?

– Je crois, oui, murmurai-je, sur la défensive. C'est une fille bien. Elle se montre très protectrice avec Jessica. Et toi, tu ne l'aimes pas ?

– Quelle importance ? répliqua-t-elle froidement. Les faits sont là : elle s'habille comme une femme mûre, se maquille trop...

– Elle est très soignée, c'est tout. Où est le problème ?

– Je t'en prie, Ryan, fais-moi plaisir : tâche de grandir un peu. Tu sais très bien ce que je veux dire. Elle sourit à contretemps et, ta façon de la mater le prouvait assez, elle ne portait pas de soutien-gorge.

Je l'avais remarqué, mais je n'avais pas réalisé que cela n'avait pas échappé à Cassie, dont l'ironie me mit de mauvaise humeur. Elle enfonça le clou.

– C'est peut-être une fille charmante. Pourtant, il y a chez elle quelque chose qui ne va pas.

Je gardai le silence. Cassie jeta sa cigarette par la portière, fourra les mains dans ses poches et se tassa sur son siège, comme une adolescente boudeuse. Aussi exaspéré qu'elle, j'allumai mes codes et accélérai.

Son mobile sonna.

– Pour l'amour du ciel ! gémit-elle en fixant l'écran. Allô, monsieur ? Allô... ? Monsieur ?... Foutu téléphone !

Elle raccrocha.

– Mauvaise réception ? dis-je négligemment.

– Tu parles ! Ça marche foutrement bien ! Il voulait savoir quand nous rentrerions et pourquoi nous étions tellement en retard. Je n'avais aucune envie de lui parler.

J'éclatai de rire, ce qui nous réconcilia. Cassie s'esclaffa à son tour.

– Écoute, je n'ai pas voulu me montrer méchante avec Rosalind. Mettons que je m'inquiète.

– Tu penses à des sévices sexuels ?

L'idée m'avait traversé l'esprit, mais elle me répugnait tellement que je l'avais écartée. Une sœur trop évoluée pour son âge, l'autre presque anorexique et la troisième, après une série de maladies inexpliquées, assassinée... Songeant à Rosalind se penchant tendrement vers Jessica, j'eus subitement envie de la protéger.

– Le père abuse d'elles. Katy se rend malade, par haine de soi ou pour échapper aux assiduités de Devlin. Une fois admise à l'école de danse, elle décide que le cycle doit s'arrêter. Elle affronte peut-être son père, le menace de parler. Alors, il la tue.

– Ça se tient, murmura Cassie.

Elle regardait les arbres défiler dans le rétroviseur extérieur. Je ne voyais que l'arrière de sa tête. Elle ajouta :

– Pourquoi pas la mère ? Elle m'a paru l'image même de la résignation. Elle était peut-être au courant, sans avoir la force de caractère de s'y opposer.

– Schéma presque identique : elle provoque une maladie chez une de ses filles, ou chez les trois. Sur le point d'intégrer l'école de danse, Katy se révolte et la mère la tue.

– Cela expliquerait pourquoi Rosalind s'habille comme une femme de quarante ans. Elle cherche à s'affirmer en tant qu'adulte, pour fuir sa mère.

Mon mobile sonna.

– Et merde ! s'écria Cassie en même temps que moi.

Je feignis, comme de juste, de ne pas recevoir la communication. Nous passâmes le reste du trajet à dresser la liste des diverses orientations possibles de l'enquête. O'Kelly aime les listes. La nôtre lui ferait peut-être oublier que nous nous étions abstenus de le rappeler.

Nous travaillons dans une aile isolée de Dublin Castle, ce qui constitue à mes yeux, en dépit de la connotation coloniale de l'édifice, un des principaux attraits de notre métier. À l'intérieur, les locaux ont été réaménagés de façon fonctionnelle : moquette terne, néons, bureaux paysagers ; mais l'extérieur du bâtiment, classé monument historique, reste intact : brique rouge, marbre, créneaux, tourelles, statues de saints rongées par les intempéries. Les soirs d'hiver, alors que le brouillard étouffe la lueur des réverbères et le son des cloches de la cathédrale toute proche, on a l'impression, en foulant les pavés, de se retrouver plongé dans l'univers de Dickens ou de Jack l'Éventreur.

Ce soir-là, seule la fenêtre d'O'Kelly était éclairée. Il était plus de 19 heures et tout le monde, sauf lui, était parti. Nous nous faufilâmes sans bruit dans l'escalier. Cassie gagna la salle commune pour rechercher dans l'ordinateur des renseignements sur Mark et les Devlin. Je descendis au sous-sol, dans la grande pièce où l'on entrepose les vieux dossiers, ancienne cave à vins qui, encore épargnée par l'équipe de réaménagement, conserve ses piliers, ses dalles et ses fenêtres en ogives.

La boîte en carton (Rowan G., Savage P., 14/8/84) se trouvait exactement à l'endroit où je l'avais laissée plus de deux ans auparavant. Personne n'avait dû y toucher depuis. Je sortis le dossier, cherchai la déposition de la mère de Jamie recueillie par le services des personnes disparues. Grâce à Dieu, elle y était : cheveux blonds, yeux noisette, tee-shirt rouge, shorts de jean, baskets blanches, barrette rouge ornée d'une fraise en plastique.

Je glissai le dossier sous ma veste, au cas où je serais tombé sur O'Kelly. Je n'avais aucune raison de le redouter, surtout maintenant que le lien avec l'affaire Devlin était avéré. Pourtant, je me sentais coupable, craintif, comme si je venais de voler un objet sacré. Je regagnai la salle commune. Cassie était devant l'ordinateur. Elle n'avait pas allumé les lampes, pour que le patron ne puisse nous repérer.

– Mark n'a pas de casier, dit-elle. Margaret Devlin non plus. Jonathan, lui, a été condamné une fois, en février dernier.

– Pour pédophilie ?

– Arrête, Ryan ! Non, pour trouble à l'ordre public. Il manifestait contre l'autoroute et a forcé un cordon de police. Le juge lui a infligé une amende de 100 livres et vingt heures de travaux d'intérêt général, puis lui en a mis vingt de plus lorsque Devlin a éructé qu'on ne l'avait arrêté que pour avoir, précisément, défendu l'intérêt général.

Ce n'était pas là que j'avais vu son nom. Ainsi que je l'ai dit, j'avais à peine entendu parler de la polémique à propos de l'autoroute. Cependant, cela expliquait pourquoi il n'avait pas porté plainte après les coups de téléphone anonymes. Il ne tenait pas à avoir une nouvelle fois affaire aux flics.

– La barrette est dans le dossier, dis-je.

– Bonne nouvelle.

Cassie éteignit l'ordinateur, se tourna vers moi.

– Tu es content ?

– Je n'en sais rien.

Bien sûr, la certitude que je n'avais pas perdu la tête et que je ne m'étais pas laissé emporter par mon imagination me rassurait. D'un autre côté, je me demandais si je me souvenais réellement de cette barrette ou si je l'avais simplement vue dans le dossier, quelle possibilité me déplaisait le plus et pourquoi je ne m'étais pas contenté de la boucler.

Cassie attendait. La faible lumière provenant de la rue faisait ressortir ses grands yeux, les rendant plus interrogateurs encore. Elle me donnait une chance de lui répondre : « Au diable cette barrette ! Oublions que nous l'avons trouvée. » J'hésitai un instant. Puis je me décidai. Tant pis, pensai-je. Autant laisser l'enquête suivre son cours.

– Tu téléphoneras à Sophie à propos du sang ? chuchotai-je.

– Bien sûr. Mais plus tard, d'accord ? Allons faire notre rapport à O'Kelly avant qu'il ait une rupture d'anévrisme. Il m'a envoyé un texto pendant que tu étais au sous-sol. Jamais je n'aurais cru qu'il saurait faire ça. Et toi ?

J'appelai le poste d'O'Kelly et lui annonçai que nous étions rentrés.

– Pas trop tôt, ronchonna-t-il. Qu'est-ce que vous avez fait ? Vous vous êtes arrêtés pour vous en jeter un, ou quoi ?

Il nous ordonna de rappliquer fissa.

En dehors du sien, son bureau n'avait qu'un seul fauteuil, en faux cuir. Le message était clair : personne ne devait abuser de son territoire ni de son temps. Je pris place dans le fauteuil, Cassie se percha sur une table située derrière moi. O'Kelly lui jeta un regard exaspéré.

– Soyez brefs, grommela-t-il. J'ai un engagement à 20 heures.

Sa femme l'avait quitté l'année précédente. Depuis, la rumeur lui prêtait de multiples tentatives de rencontre, dont un bide spectaculaire avec une femme en qui il avait reconnu une ancienne prostituée qu'il avait coffrée plusieurs fois lors de son passage à la brigade des mœurs.

– Katharine Devlin, douze ans, dis-je.

– L'identification est donc définitive ?

– À quatre-vingt-dix-neuf pour cent. Les parents iront reconnaître le corps quand les gens de la morgue l'auront rendu présentable, mais Katharine Devlin avait une sœur jumelle, une vraie, qui ressemble comme deux gouttes d'eau à la victime.

– Des pistes ? Des suspects ?

Il portait une jolie cravate en prévision de son rendez-vous et s'était aspergé d'eau de Cologne. Le nom de la marque me reste sur le bout de la langue. En tout cas, ce n'était pas de la bibine.

– Il va falloir que je donne une conférence de presse demain. Dites-moi que vous avez quelque chose.

– On lui a défoncé le crâne, on l'a étouffée et probablement violée, déclara Cassie.

Le néon rendait son visage livide. Elle avait l'air trop fatiguée, trop jeune pour prononcer ces horreurs avec un tel calme.

– Nous ne saurons rien de définitif avant les résultats de l'autopsie, demain matin.

– Demain ! beugla O'Kelly, furieux. Dites à cet enfoiré de Cooper de traiter cette affaire en priorité.

– C'est déjà fait, monsieur. Il devait se rendre au tribunal cet après-midi. En dépit de toute sa bonne volonté, il ne peut rien faire avant demain matin.

Cooper et O'Kelly se détestent. En fait, Cooper avait dit : « Expliquez gentiment au sieur O'Kelly qu'il existe d'autres cas que les siens. » Cassie reprit :

– Nous avons orienté notre enquête dans quatre directions, et...

– Parfait, lâcha O'Kelly en ouvrant un tiroir à la recherche d'un peigne.

– Nous avons d'abord la famille, continua Cassie. Vous connaissez les statistiques, monsieur : la plupart des enfants assassinés sont tués par leurs parents.

– Et il y a quelque chose d'étrange à propos de cette famille, ajoutai-je.

C'était à moi de jouer. Il nous fallait soulever ce point, au cas où nous aurions besoin d'une certaine liberté d'action pour enquêter sur les Devlin. Toutefois, si Cassie en avait parlé, elle n'aurait eu droit qu'aux sarcasmes habituels sur l'intuition féminine. Notre numéro face à O'Kelly était bien rodé : à elle l'aisance, la vivacité ; à moi le sérieux, la pondération. J'enfonçai le clou.

– Je ne puis encore affirmer quoi, mais il se passe des choses dans cette maison.

– Ne jamais négliger une prémonition, bougonna O'Kelly. On peut s'en mordre les doigts.

Le pied de Cassie, qu'elle balançait innocemment, heurta mon dos.

– En second lieu, dit-elle, nous devrons au moins étudier la possibilité d'une sorte de culte.

– Je vous en prie, Maddox ! Est-ce que *Cosmo* a publié ce moi-ci un article sur le satanisme ?

Le mépris d'O'Kelly pour les élucubrations à la mode est si radical qu'il lui donne presque un certain panache. Ce dédain me stimule ou m'horripile, selon mon humeur, mais il nous aide grandement à concocter notre scénario à l'avance.

– Je pense également qu'il s'agit d'une pure foutaise, monsieur. Toutefois, nous nous trouvons en présence d'une fillette assassinée sur un autel sacrificiel. Les journalistes nous ont déjà posé des questions là-dessus. Nous devrons, preuves à l'appui, éliminer cette piste.

Il est difficile de prouver que quelque chose n'existe pas, et l'affirmer sans éléments crédibles ne fait qu'accentuer le délire des maniaques du complot. Nous passerions donc plusieurs heures à accumuler les raisons rendant impossible tout lien entre la mort de Katy et une secte quelconque : pas de traces de sang, pas de vêtements sacrificiels, pas de symboles occultes, et patati et patata. Ensuite, O'Kelly, qui, grâce à Dieu, n'a aucun sens de l'absurde, développerait tout cela devant les caméras.

– Perte de temps, assena-t-il. Mais bon, faites-le. Interrogez les spécialistes des crimes sexuels, le prêtre de la paroisse, qui vous voudrez, mais débarrassez-moi de cette ânerie. Troisième point ?

– Un crime purement sexuel, justement, répliqua Cassie ; un pédophile qui l'aurait tuée soit pour l'empêcher de parler, soit parce que le meurtre faisait partie du jeu. Dans cette hypothèse, il faudra que nous remontions jusqu'à l'affaire des deux gosses qui ont disparu à Knocknaree en 1984. Même âge, même endroit. De plus, nous avons découvert, tout près du corps, une tache de sang séché que les gens du labo sont en train de comparer avec les échantillons de 1984, et une barrette qui correspond à la description de celle que portait la fillette disparue. Nous ne pouvons écarter une connexion entre les deux affaires.

Seule Cassie était en mesure, à ce stade, de mener la conversation. Je suis, je l'ai dit, un excellent menteur. Mais le fait de l'entendre évoquer le sujet accéléra les battements de mon cœur, et O'Kelly est, dans bien des domaines, beaucoup plus fin qu'il n'en a l'air.

– Quoi ? Un tueur en série ? Après vingt ans ? Et comment avez-vous appris cette histoire de barrette ?

Cassie réagit avec une virtuosité admirable.

– Vous nous avez toujours conseillé d'étudier les cas non résolus, monsieur.

C'était vrai. Il avait, je crois, entendu ça au cours d'un séminaire quelconque et s'était empressé de nous le rapporter. Même si la ficelle était un peu grosse, la flatterie porta. O'Kelly lui fit signe de poursuivre.

– Le type, ajouta-t-elle, a très bien pu passer toutes ces années à l'étranger, ou en prison. Ou alors, il ne tue que sous l'effet du stress.

– Nous sommes tous sous l'effet du stress ! Un tueur en série... Il ne manquait plus que ça. Ensuite ?

– La quatrième possibilité, monsieur, est la plus délicate. Jonathan Devlin, le père, a pris la tête d'une campagne contre le passage de l'autoroute à Knocknaree. Apparemment, ça gêne beaucoup de monde. Il affirme avoir reçu, au cours des deux derniers mois, trois coups de téléphone anonymes menaçant sa famille s'il ne laissait pas tomber. Il nous faut absolument découvrir qui a intérêt à ce que cette autoroute passe par là.

– Ce qui implique d'aller fourrer votre nez chez les promoteurs et les politicards du comté. Bon Dieu...

À mon tour :

– Nous aurons besoin d'effectifs, monsieur, et d'un autre membre de la brigade.

– Tout ce que vous voudrez. Prenez Costello. Laissez-lui un mot sur son bureau. Il arrive toujours très tôt.

– En fait, monsieur, je préférerais O'Neill.

Je n'ai rien contre Costello, mais je ne voulais pas de lui. Il est d'un naturel lugubre, et cette affaire était déjà assez déprimante pour que nous ne nous encombrions pas de ses jérémiades. De plus, il a un côté fouineur. Il n'aurait pas manqué de retrouver, en étudiant à la loupe le dossier de 1984, la trace d'Adam Ryan.

– Je refuse de mettre trois bleusailles sur un cas aussi complexe que celui-là. Vous en avez hérité uniquement parce que, pendant la pause, vous surfiez sur des sites pornos ou Dieu sait quelle autre saloperie au lieu d'aller prendre l'air comme tout le monde.

– O'Neill n'a rien d'une bleusaille, monsieur. Il est membre de la brigade depuis sept ans.

– Nous savons tous pourquoi, ricana O'Kelly.

Sam a intégré notre équipe à vingt-sept ans. Vieux briscard de la politique, son oncle, Redmond O'Neill, a été plusieurs fois ministre. Sam s'en accommode fort bien. Que ce soit par nature ou par stratégie, il est placide, sérieux et se fait apprécier de tous, ce qui coupe court aux insinuations, même si, comme O'Kelly venait de le faire, quelqu'un rappelle parfois ses origines, plus par réflexe que par malveillance.

– C'est exactement pour ça que nous avons besoin de lui, insistai-je. Si nous devons fouiller dans les affaires du County Council sans faire trop de vagues, il nous faudra tout le doigté d'un homme familier de ce milieu.

O'Kelly consulta la pendule, se passa furtivement le peigne dans les cheveux. Il était 19 h 40. Cassie croisa les jambes dans l'autre sens, s'installa plus confortablement.

– Il y a des arguments pour et des arguments contre, dit-elle. Nous pourrions en discuter.

D'un geste excédé, O'Kelly fourra son peigne dans la poche de sa chemise.

– Ça va, prenez O'Neill ! Faites le boulot et ne le laissez pas nous mettre de gros bonnets à dos. Je veux un rapport tous les matins sur mon bureau.

Il se leva, entreprit de ranger les papiers étalés devant lui.

L'entretien était terminé. Nous avions carte blanche.

Cassie prit appui sur les paumes et descendit en glissant de la table. O'Kelly enfila sa veste après avoir vérifié si des pellicules n'en parsemaient pas les épaules. La nuit tombait, assombrissant les vitres. Dans un coin de la pièce faiblement éclairée, une pile de dossiers marqués au feutre menaçait de s'effondrer. Rien de plus anodin. Pourtant, je ressentis comme une bouffée de bonheur. Je songeai à Katy Devlin, à la joie qu'elle aurait éprouvée le premier matin, dans son école de danse. Peut-être aurait-elle, comme moi en cet instant, savouré les détails les plus insignifiants de son existence, la brûlure de ses ampoules, la cloche du petit déjeuner se répercutant dans les couloirs. Moments privilégiés, si rares, où l'on se sent en parfait accord avec soi-même et dont on se souvient par la suite avec une inguérissable nostalgie.

Chapitre 5

Cassie appela Sophie sur son mobile et lui débita son histoire sur la barrette identifiée grâce à sa connaissance encyclopédique des vieilles affaires. Je soupçonne Sophie de ne pas avoir gobé ce bobard dont, de toute façon, elle n'avait que faire. Ensuite, Cassie rentra chez elle pour taper un rapport à l'intention d'O'Kelly, et je fis de même avec le vieux dossier.

Je partage, à Monkstown, un appartement avec une créature ineffable nommée Heather, une fonctionnaire à la voix de petite fille qui donne l'impression, dès qu'elle ouvre la bouche, qu'elle va fondre en larmes. Au début, cela m'attirait. Maintenant, cela me rend nerveux. J'ai emménagé là pour trois raisons : j'aimais l'idée de vivre près de la mer, le loyer était raisonnable et Heather, petite, menue, grands yeux bleus et cheveux descendant jusqu'aux fesses, me plaisait. Notre passion s'éteignit rapidement, comme un feu sous la pluie. Je restai par inertie et aussi parce que, lorsque je découvris sa collection de névroses, mes économies ne me permettaient pas de m'installer dans un appartement à moi et que le sien, même si elle a augmenté ma part de loyer, est le seul, dans tout Dublin, qui me permette de garder encore de l'argent de côté.

J'ouvris la porte, criai : « Salut ! » et filai vers ma chambre. Heather se montra plus rapide. Elle apparut à l'entrée de la cuisine, comme si elle m'attendait depuis des heures, et lança de sa toute petite voix :

– Salut, Rob. Comment s'est passée ta journée ?

– Très bien, répondis-je en déverrouillant la porte de ma chambre, dont j'ai changé la serrure quelques mois après mon installation, officiellement pour empêcher d'éventuels cambrioleurs de filer avec des dossiers confidentiels sous le bras. Et toi, comment va ?

– Le mieux du monde, gémit-elle en serrant contre elle les pans de sa robe de chambre rose.

Son ton de martyre me laissait deux possibilités. J'aurais pu dire : « Tant mieux », ce qui aurait provoqué, pendant des jours, des reproches sur mon manque de considération, ou : « Pas d'ennuis ? », ce qui m'aurait obligé à passer une heure à écouter ses lamentations sur le comportement scandaleux de son patron à son égard, sa sinusite ou toute autre misère transformant sa vie en enfer.

Heureusement, j'avais en réserve une option C, que je garde pour les urgences.

– Vraiment, tu es sûre ? Nous avons une épidémie de grippe au bureau et j'ai bien peur de l'avoir attrapée. J'espère que je ne te l'ai pas refilée.

– Oh, mon Dieu ! Rob, mon chou, je ne voudrais pas être grossière, mais il vaudrait mieux que je t'approche pas trop. Tu sais à quel point je suis fragile.

– Je comprends, murmurai-je d'un ton rassurant.

Elle réintégra précipitamment la cuisine, sans doute pour croquer à la hâte deux capsules de vitamine C. J'entrai dans ma chambre et refermai la porte.

Je garde, derrière mes livres, de la vodka et du soda, pour éviter d'avoir à trinquer avec Heather en rentrant. Je me servis un verre, m'installai à mon bureau et ouvris le dossier. Comme dans tous les logements neufs et bon marché de Dublin, ma chambre est inconfortable, exiguë et trop basse de plafond, ce qui ne favorise guère la concentration. D'autant que les promoteurs n'ont pas pris la peine d'insonoriser notre immeuble, comme pour rappeler à ses occupants qu'ils n'ont pas les moyens de faire la fine bouche. Résultat : le moindre bruit de pas venu de l'étage supérieur se répercute dans tout l'appartement et je connais en détail la vie sexuelle du couple qui vit sur le même palier que moi. En quatre ans, je m'y suis plus ou moins habitué, même s'il me faut un certain temps pour m'abstraire du chahut.

L'encre des dépositions était effacée et baveuse, presque illisible par endroits. Je sentis une fine poussière se déposer sur mes lèvres. Les deux inspecteurs chargés de l'affaire avaient pris leur retraite. Je notai quand même leurs noms, Kiernan et McCabe. Au cas où leur témoignage nous serait utile, Cassie les contacterait.

Avec le recul, un des aspects les plus ahurissants de cette affaire est le temps qui s'écoula avant que les familles s'inquiètent. Aujourd'hui, les parents préviennent la police dès que le téléphone mobile de leurs rejetons ne répond pas. Le service des personnes disparues est devenu blasé à force de recevoir d'innombrables appels sur des enfants traînant après l'école, dans les rues ou dans des boutiques de jeux vidéo. Affirmer que les années 1980 étaient plus innocentes que les nôtres peut paraître naïf. On sait à présent, après la révélation de multiples scandales, que l'Irlande comptait à l'époque autant d'enseignants pervers, de prêtres dévoyés et de pères incestueux que de nos jours. Mais les meurtres d'enfants, les viols, tout cela n'était qu'une rumeur lointaine. Cela se produisait ailleurs et n'arrivait qu'aux autres. Bref, on n'y pensait pas. Et la mère de Peter nous héla depuis l'orée du bois en s'essuyant les mains contre son tablier puis, nous laissant à nos jeux, rentra chez elle pour préparer le thé.

Je tombai sur Jonathan Devlin au milieu de la pile, dans la déposition de Mme Pamela Fitzgerald, du 27, Knocknaree Drive. Une vieille femme, à en juger d'après son écriture démodée et tremblante. Elle avait raconté aux enquêteurs qu'un groupe d'adolescents patibulaires errait à l'orée du bois, buvant, fumant et flirtant, tout en proférant parfois des horreurs contre les gens qui passaient. Les temps, ajoutait-elle, avaient bien changé. On ne se sentait même plus en sécurité près de chez soi. Ces voyous ne méritaient qu'une bonne paire de baffes. Kiernan, ou McCabe, avait griffonné leurs noms au bas de la page : Cathal Mills, Shane Waters, Jonathan Devlin.

Je feuilletai le reste du dossier pour vérifier si on avait interrogé l'un d'eux. De l'autre côté de ma porte, Heather se préparait pour la nuit. Elle se brossa consciencieusement les dents pendant les trois minutes prescrites par les dentistes, se moucha un nombre incalculable de fois. À 22 h 55 tapantes, comme d'habitude, elle frappa doucement à ma porte et chuchota :

– Bonne nuit, Robert.

– Bonne nuit, répondis-je en toussant.

Les trois dépositions étaient brèves et presque identiques, excepté deux notes décrivant Waters comme « très nerveux » et Mills comme « peu copératif » *(sic)*. Devlin n'avait suscité aucun commentaire. L'après-midi du 14 août, ils s'étaient payé, avec leur allocation de chômage, une toile à Stillorgan, où ils s'étaient rendus en bus. Ils étaient rentrés à Knocknaree vers 19 heures, alors que nous étions déjà en retard pour le thé, et étaient allés se saouler jusqu'à minuit dans un champ jouxtant le bois. Oui, ils avaient aperçu les équipes de recherche, mais ils s'étaient accroupis derrière une haie pour ne pas être repérés. Non, ils n'avaient rien remarqué de particulier. Non, ils n'avaient croisé personne qui aurait pu confirmer leur présence dans les parages ce jour-là. Toutefois, Mills avait proposé aux enquêteurs, sans doute pour se moquer d'eux, mais ils l'avaient pris au mot, de les mener jusqu'au champ pour leur montrer les canettes de cidre vides, qui se trouvaient effectivement à l'endroit indiqué. Le jeune caissier du cinéma de Stillorgan se révéla être sous l'influence de substances illicites et ne fut pas sûr de se souvenir des trois ados, même lorsque les policiers fouillèrent ses poches et le sermonnèrent vertement sur les méfaits de la drogue.

À mon sens, ces « jeunes », expression que je déteste, n'étaient pas des suspects sérieux. Ils n'avaient rien de redoutables délinquants. On les avait simplement coffrés plusieurs fois pour ivresse sur la voie publique, et Shane Waters avait été mis à l'épreuve pendant six mois, à quatorze ans, pour vol à l'étalage. C'était tout. Et pourquoi auraient-ils fait disparaître deux enfants de douze ans ? Ils s'étaient simplement trouvés là, avec leur mine un peu louche, Kiernan et McCabe les avaient donc interrogés.

Alors que je ne me rappelle même pas si l'un d'eux possédait une moto, nous les appelions les « motards ». Ils s'en donnaient l'apparence : veste de cuir et bottes cloutées, joues mal rasées, cheveux longs, tee-shirts ornés de noms bizarres : Megadeth, Anthrax. J'ai cru que c'étaient les leurs jusqu'à ce que Peter m'apprenne qu'il s'agissait de groupes pop.

Impossible de deviner lequel était devenu Jonathan Devlin, de faire le lien entre le bureaucrate voûté aux yeux tristes, légèrement bedonnant, et les trois ados dont je n'avais gardé qu'un souvenir flou. En vingt ans, je n'avais pas pensé à eux une seule fois. À présent, comme s'ils avaient attendu tout ce temps pour jaillir devant moi tels des diables hors de leur boîte, leur image se précisait dans ma mémoire.

L'un d'eux portait des lunettes de soleil, y compris quand il pleuvait. Parfois, il nous offrait de délicieux chewing-gums aux fruits que nous acceptions à la dérobée, même si nous savions qu'il les avait volés chez l'épicier. « Ne t'approche jamais d'eux, me disait ma mère sans m'expliquer pourquoi. Ne leur réponds pas s'ils t'adressent la parole. » Peter demanda à Megadeth la permission de tirer sur sa cigarette. Il nous montra comment la tenir et s'esclaffa en nous voyant tousser. Nous restâmes au soleil, légèrement hors d'atteinte, tendant le cou pour reluquer l'intérieur de leurs magazines. Jamie affirma que l'un d'eux était plein de femmes nues. Megadeth et Lunettes noires allumèrent des briquets en plastique, jouèrent à celui qui garderait le plus longtemps son doigt au-dessus de la flamme. Au coucher du soleil, ils s'en allèrent. Prudemment, nous nous avançâmes pour renifler les canettes abandonnées dans l'herbe, nous imprégnant de leur senteur pisseuse, éventée : une odeur de « grands ».

Au milieu de la nuit, un cri me réveilla. Je me redressai brutalement. Mon cœur cognait contre mes côtes. Je venais de rêver de Cassie et de moi. Nous étions dans un bar bondé. Un type en casquette de tweed l'insultait en beuglant et elle lui répliquait sur le même ton. Je crus un instant que je venais d'entendre sa voix. Nuit noire. Et, dehors, un enfant, peut-être une petite fille, hurlait.

Je marchai jusqu'à la fenêtre. Écartant à peine le rideau, je scrutai le « jardin » qu'enserre notre bloc de quatre immeubles : un carré d'herbe, quelques bancs de fer. Personne n'y vient jamais. Les locataires du rez-de-chaussée y ont pris deux ou trois fois l'apéritif avec des amis, jusqu'à ce que les voisins se plaignent du bruit et fassent poser une pancarte par le syndic : « Pelouse interdite ».

Les réverbères baignaient le square d'une lueur fantomatique. Le cri retentit de nouveau. Quelque chose remua dans l'ombre, puis se détacha et surgit au milieu du jardin. C'était un renard. Méfiant, efflanqué dans son pelage d'été, il leva la tête, poussa de nouveau son cri. Une seconde, j'eus l'illusion que son odeur de bête sauvage parvenait jusqu'à moi. Il traversa la pelouse et se faufila entre les barreaux du portail, aussi agile qu'un chat. Ses jappements s'estompèrent dans la nuit.

J'avais soif. Je gagnai la cuisine, me servis un jus de fruits. J'espérais presque que Heather, souvent aussi insomniaque que moi, viendrait me rejoindre pour se plaindre de ses malheurs. Mais aucune lumière ne filtrait sous sa porte. Je restai longtemps contre celle du frigo, mon verre glacé pressé contre ma tempe, vacillant légèrement sous les éclairs clignotants du néon.

Le lendemain matin, il pleuvait des cordes. J'envoyai un texto à Cassie pour lui proposer de passer la prendre : le chariot de golf menace de rendre l'âme à la moindre averse. Lorsque je klaxonnai devant son immeuble, elle se précipita vers ma voiture, le col de son duffle-coat beige relevé et tenant à la main une Thermos de café.

– Heureusement que nous n'avons pas eu ce temps hier, dit-elle. Sinon, adieu les indices.

Je lui passai la déposition sur Jonathan Devlin.

– Jette un œil là-dessus.

Je démarrai. Calée dans son siège, les jambes croisées, elle commença à lire, me tendant parfois la Thermos.

– Tu te souviens de ces types ? demanda-t-elle quand elle eut terminé.

– Vaguement. Difficile de ne pas les remarquer dans un lotissement aussi petit. Ils étaient ce que nous avions de plus représentatif en matière de délinquance juvénile.

– Te paraissaient-ils dangereux ?

Je réfléchis un instant, tandis que nous nous engagions dans Northumberland Road.

– Tout dépend de ce que tu veux dire. Ils nous inquiétaient un peu, surtout à cause de l'image qu'ils donnaient d'eux. En réalité, ils ne nous ont jamais rien fait. Ils étaient plutôt gentils avec nous. Je ne les imagine pas faisant disparaître Peter et Jamie.

– Qui étaient les filles ? Les a-t-on interrogées ?

– Les filles ?

Cassie revint à la déposition de Mme Fitzgerald.

– Elle parle de « flirter ». Il y avait donc des filles.

Bien sûr, elle avait raison. On aurait sacrément jasé si Jonathan Devlin et ses copains avaient batifolé entre eux.

– Elles ne figurent pas dans le dossier, dis-je.

– Et toi ? Tu t'en souviens ?

Nous étions toujours sur Northumberland Road. La pluie fouettait les vitres avec une telle violence que nous nous serions crus au fond de l'eau. Dublin a été conçu pour les piétons et les voitures à cheval, non pour les automobiles. Son centre forme un labyrinthe de minuscules rues médiévales. L'heure de pointe commence à 7 heures du matin, finit à 20 heures et, au premier signe de mauvais temps, la ville entière se retrouve paralysée. Je regrettai de ne pas avoir laissé un mot à Sam.

– Je crois, oui.

Il s'agissait davantage de sensations, de bribes que de souvenirs : poudreux bonbons au citron, fossettes, parfums. *Magadeth et Sandra juchées sur un arbre...*

– L'une d'elles s'appelait peut-être Sandra.

Une émotion subite m'envahit alors que je prononçais ce nom : un curieux mélange de peur et de honte...

Sandra : visage rond, formes généreuses, jupes courtes qui se retroussaient quand elle se perchait sur le mur. Elle nous paraissait sophistiquée, très évoluée. Elle nous laissait piocher dans son paquet de bonbons. Il y avait parfois une autre fille, avec de grandes dents et des boucles d'oreilles. Claire ? Ciara ? Sandra montra un jour à Jamie comment se mettre du mascara devant un petit miroir en forme de cœur. Une fois maquillée, Jamie ne cessa de cligner des yeux, comme si elle les trouvait trop lourds.

– Ça t'embellit, s'extasia Peter.

Ce compliment la rendit furieuse. Elle se débarrassa du fard à la rivière, frottant rageusement ses paupières avec le bas de son tee-shirt.

– C'est vert, dit Cassie.

J'avançai de quelques dizaines de centimètres.

Nous nous arrêtâmes devant un marchand de journaux. Cassie en ressortit avec les quotidiens du matin, pour avoir une idée de ce que nous devrions affronter. Katy Devlin faisait la une partout. Tous les titres tournaient autour de l'autoroute : « La fille de l'instigateur de la campagne de protestation de Knocknaree assassinée ». La grosse journaliste du tabloïd, qui intitulait son article : « La fille d'un ponte du chantier archéologique sauvagement massacrée », amalgame proche de la diffamation, faisait quelques allusions prudentes aux cérémonies druidiques, mais se gardait bien de sombrer dans l'hystérie satanique. Elle attendait de voir de quel côté tournerait le vent. J'espérais qu'O'Kelly s'en tirerait bien devant les caméras. Personne, grâce à Dieu, ne mentionnait Peter et Jamie, mais cela ne tarderait pas.

Arrivés au bureau, nous avons refilé à Quigley et à son tout nouveau coéquipier, McCann, l'affaire McLoughlin, sur laquelle nous travaillions avant de prendre en main le meurtre de Katy : une nuit, un affreux gosse de riche en avait tué un autre à coups de pied pour le punir d'avoir grillé la file d'attente devant une station de taxis. Ensuite, nous nous sommes mis en quête d'une salle des opérations. Mal aérées et trop petites, ces salles sont très disputées. Toutefois, nous n'avons eu aucun mal à en trouver une : les meurtres d'enfants sont toujours prioritaires.

Sam arriva sur ces entrefaites. Lui aussi avait été coincé dans les embouteillages. Il habite à environ deux heures de route de Dublin, à Westmeath, dernière localité de la périphérie où l'immobilier n'a pas encore flambé. Tout en nous installant dans la salle, nous l'avons aussitôt mis au parfum, lui racontant l'affaire en détail, y compris l'histoire officielle de la barrette.

– Mon Dieu ! gémit-il une fois notre laïus terminé. Dites-moi que ce ne sont pas les parents !

Chaque inspecteur déteste un type de crime particulier, qui réduit ses défenses à néant et lézarde profondément son détachement professionnel. Cassie, je suis le seul à le savoir, fait des cauchemars quand elle travaille sur des viols suivis de meurtres. De mon côté, ce qui dénote un singulier manque d'originalité, j'ai de sérieux problèmes avec les meurtres d'enfants. Et, apparemment, les tueries familiales donnent la chair de poule à Sam. L'affaire Devlin était donc parfaite pour nous trois.

– Nous n'avons pas de piste, grommela Cassie, le capuchon d'un feutre entre les lèvres, en inscrivant sur le tableau l'emploi du temps de Katy au cours de son dernier jour. Nous aurons peut-être une idée plus précise lorsque Cooper nous transmettra les résultats de l'autopsie. Mais, pour l'instant, tout reste ouvert.

– Tu n'auras pas à t'occuper des parents, précisai-je en épinglant à l'autre bout du tableau des photos des lieux du crime. Nous voudrions que tu te charges de tout ce qui a trait à l'autoroute : essaie de déterminer d'où venaient les appels anonymes reçus par Devlin, l'identité des propriétaires des terrains qui entourent le site et de tous ceux qui ont intérêt à ce que le projet soit maintenu.

– C'est à cause de mon oncle ?

Sam a tendance à se montrer très direct, ce que je trouve légèrement perturbant, surtout chez un inspecteur.

Cassie recracha le capuchon de son feutre et se tourna vers lui.

– Oui. Ça te pose un problème ?

Le sens de sa question était très clair. Tribale, incestueuse, opaque, tortueuse, la vie politique irlandaise reste incompréhensible, même à ceux qui la côtoient de près. Pour un œil extérieur, il n'existe aucune différence notable entre les deux principaux partis qui se partagent le pouvoir. Pourtant, certains Irlandais se passionnent encore pour l'un ou pour l'autre, en fonction du camp où leur grand-père a combattu pendant la guerre civile, ou parce que papa fait des affaires avec le candidat local et jure que c'est un mec sensas. La corruption va de soi et suscite même l'admiration. L'amour de la clandestinité et de la guérilla hérité de la période coloniale nous colle encore à la peau. L'évasion fiscale et les tractations illicites nous apparaissent comme une survivance de l'esprit de rébellion qui poussait nos ancêtres à cacher des chevaux et à cultiver des pommes de terre au nez et à la barbe des Britanniques.

Pour l'essentiel, cette corruption tourne autour du bien que les Irlandais vénèrent entre tous : la terre. Promoteurs et hommes politiques s'entendent comme larrons en foire et toute opération foncière, ou presque, entraîne des transactions compliquées par l'intermédiaire de comptes offshore. Il aurait été miraculeux que l'autoroute de Knocknaree n'ait pas donné lieu à quelques faveurs entre amis. Edmond O'Neill ne pouvait l'ignorer. Et il n'avait certainement aucune envie de les voir s'étaler au grand jour.

– Non, affirma-t-il. Aucun problème.

Cassie et moi devions avoir l'air dubitatifs. Il nous considéra tour à tour, puis éclata de rire.

– Écoutez, les potes, je le connais depuis que je suis né. J'ai vécu sous son toit pendant deux ans, après avoir débarqué à Dublin. S'il avait trempé dans des affaires louches, je le saurais. Il est blanc comme neige, mon tonton. Il fera tout son possible pour nous aider.

– Parfait, dit Cassie en retournant à l'emploi du temps. Ce soir, dîner chez moi. Viens vers 20 heures. Nous ferons le point.

Dans un coin encore vierge du tableau, elle dessina un petit plan pour l'aider à ne pas se perdre.

Alors que nous achevions d'aménager la salle des opérations, les stagiaires commencèrent à arriver. O'Kelly nous en avait alloué une quarantaine. La crème. Vifs, rasés de près, propres et bien mis, ils s'étaient déjà groupés par équipes. Ils se saluèrent avec de grandes tapes dans le dos, échangèrent de vieilles blagues, ouvrirent leurs carnets de notes et choisirent leurs chaises comme des écoliers le jour de la rentrée. Nous les accueillîmes, Cassie, Sam et moi, avec chaleur, leur serrant la main à tous et les remerciant de leur présence. J'en reconnus deux : McSweeney, un brun taciturne originaire de Mayo, et un type de Cork, replet et sans cou, O'Connors, ou O'Gorman, qui se vengea d'avoir à recevoir des ordres de Dublinois en se lançant dans des commentaires incompréhensibles mais enthousiastes sur la finale de la coupe gaélique de football. D'autres m'étaient familiers, mais leurs noms m'échappaient. Leurs visages attentifs, avides, formaient devant moi une masse confuse, intimidante. C'était la première fois que je me retrouvais à la tête d'une enquête de cette importance. À la fierté, à l'excitation semblable à celle qui précède un lever de rideau, se mêlait une appréhension nouvelle : je n'ai jamais aimé être au centre de l'attention.

O'Kelly fit claquer la porte derrière lui, imposant immédiatement le silence.

– Bonjour, les gars ! clama-t-il. Bienvenue dans l'opération Vestale.

Ce sont toujours les grands chefs qui baptisent les opérations. Les noms vont du plus banal au plus énigmatique, ou au plus extravagant. L'image de la fillette morte sur un ancien autel avait visiblement réveillé chez un de nos pontes une vieille fascination pour la Rome antique.

Cassie fit aux stagiaires un exposé sur l'affaire, glissant rapidement sur la connexion avec 1984, une « possibilité infime » qu'elle étudierait à ses moments perdus. Nous nous partageâmes le travail : faire du porte-à-porte dans l'ensemble du lotissement, installer une ligne téléphonique directe dans la salle des opérations pour regrouper les renseignements obtenus, se procurer la liste de tous les délinquants sexuels vivant près de Knocknaree, vérifier auprès de la police britannique, ainsi que dans les ports et les aéroports, si des individus suspects avaient pénétré en Irlande au cours des derniers jours, se procurer le dossier médical et les résultats scolaires de Katy, effectuer une enquête de proximité poussée sur les Devlin. Les stagiaires se levèrent comme un seul homme, décidés à passer aussitôt à l'action. Sam, Cassie et moi les laissâmes à leur enthousiasme pour aller voir où en était Cooper.

En principe, nous n'assistons pas aux autopsies. Quelqu'un qui se trouvait sur les lieux du crime doit quand même être présent, pour confirmer qu'il s'agit du même corps et éviter qu'après une inversion des étiquettes fixées au gros orteil, ce qui se produit parfois, le médecin légiste n'appelle un inspecteur ahuri pour lui annoncer que la victime est morte d'un cancer du foie. La plupart du temps, nous laissons cette corvée aux policiers en uniforme ou aux membres de l'équipe scientifique, nous contentant d'étudier en compagnie de Cooper, après l'autopsie, ses photos et ses notes. Toutefois, une tradition de la brigade veut qu'un bleu supporte cette cérémonie macabre lors de sa première enquête pour homicide, officiellement pour prendre conscience de l'importance de sa mission. Personne n'est dupe : en fait, on lui impose un rite d'initiation. Je connais un excellent enquêteur qu'on surnomme toujours, après quinze ans à la brigade, le « dératé », à cause de la vitesse à laquelle il quitta la morgue lorsque le légiste enleva le cerveau du cadavre.

J'ai subi cette épreuve sans broncher, devant la dépouille d'une jeune prostituée battue à mort. Je n'ai jamais souhaité renouveler l'expérience. Je m'y suis pourtant résolu à plusieurs reprises, dans les cas les plus déchirants, qui exigeaient de ma part ce dernier hommage. Peu à peu, on s'habitue. Mais je crois que nul ne se remet complètement de la première fois et n'oublie son effroi lorsque le légiste découpe le cuir chevelu et que le visage de la victime se détache du crâne, hideux et flasque, tel un masque de Halloween.

À notre arrivée, Cooper sortait tout juste de la salle, dans sa tenue verte, tenant entre deux doigts la tunique étanche qu'il venait d'ôter.

– Quelle surprise ! Si vous m'aviez annoncé votre venue, je vous aurais attendus.

Façon dédaigneuse de nous faire savoir que nous étions en retard. Il n'était même pas 11 heures du matin, mais Cooper se met au travail entre 6 et 7, termine vers 15 ou 16 heures et tient à ce qu'on s'en souvienne. Tous ses assistants le détestent pour cette raison. Il s'en moque car il les méprise, comme il méprise tout le monde. Heureusement, il a un faible pour Cassie et moi. Sinon, il nous aurait renvoyés en nous enjoignant d'attendre son rapport, toujours écrit à la main et au stylo à plume. Certains jours, je redoute de devenir, d'ici à dix ou vingt ans, aussi imbuvable que lui.

– Déjà fini ? lança Sam d'un air faussement cynique.

Cooper lui jeta un regard glacial. Cassie s'efforça de se montrer diplomate.

– Docteur Cooper, excusez ce contretemps. Le commissaire O'Kelly voulait régler certains détails avec nous, ce qui nous a retenus.

J'acquiesçai d'un air accablé, levai les yeux au plafond.

– Ah, oui, très bien..., dit Cooper.

Son ton signifiait clairement qu'il considérait la seule mention du nom d'O'Kelly comme une faute de goût.

– Si vous disposez encore de quelques minutes, hasardai-je, accepteriez-vous de nous communiquer les résultats ?

– Mais bien sûr, soupira-t-il avec une résignation feinte.

Comme tout spécialiste, il adore mettre son travail en valeur. Il ouvrit pour nous la salle d'autopsie, dont l'odeur répugnante de mort, de froid et d'alcool à 90° me fait chaque fois reculer.

Les cadavres de Dublin vont à la morgue municipale, mais Knocknaree se trouve hors des limites de la ville. Les victimes rurales sont dirigées vers l'hôpital le plus proche, où se déroule l'autopsie. Les conditions varient. Cette salle-là était sans fenêtres, d'une propreté douteuse. Des traces de crasse striaient son carrelage vert, des taches indéfinissables souillaient ses vieux éviers de porcelaine. Seules les deux tables d'acier, dont les rainures reflétaient la lumière, ne remontaient pas aux années 1950.

Katy Devlin était nue sous l'impitoyable éclat des néons. Trop petite pour la table, elle semblait plus morte encore que la veille. Je songeai à cette vieille superstition selon laquelle l'âme erre plusieurs jours autour du corps, ne sachant ce qui lui arrive. Elle était d'un blanc grisâtre, avec des marbrures sombres sur le flanc gauche. Grâce à Dieu, l'assistant de Cooper avait déjà recousu son cuir chevelu et refermait à l'aide d'une grosse aiguille l'incision en Y qui déchirait son torse. Soudain, je me sentis coupable de ne pas être arrivé plus tôt, de l'avoir laissée là, toute seule et si menue, affronter ce viol ultime. Nous aurions dû être à ses côtés, lui tenir la main tandis que les doigts gantés et indifférents du légiste tranchaient et sciaient. À ma grande surprise, Sam, discrètement, se signa.

– Femme pubère de race blanche, déclara Cooper, nous bousculant pour se diriger vers la table et ordonnant d'un geste à son assistant de s'écarter. Douze ans, d'après ce qu'on m'a dit. Taille et poids minimums pour son âge, mais sans anomalie. Cicatrice consécutive à une chirurgie abdominale, sans doute une laparoscopie assez ancienne. Aucune pathologie apparente. Si vous me pardonnez ce paradoxe, elle est morte en bonne santé.

Nous nous groupâmes autour de la table, comme des étudiants dociles. L'assistant s'appuya contre un évier et croisa les bras, mâchant vigoureusement un chewing-gum. L'aiguille plantée dans un rabat de peau, une branche de l'incision en Y était encore grande ouverte, sombre, innommable.

– Une chance d'obtenir une trace d'ADN ? demandai-je.

– Je vous en prie, chaque chose en son temps. Bien. La victime a reçu deux coups sur la tête, tous deux ante mortem... Avant la mort, traduisit-il aimablement à l'intention de Sam, qui acquiesça d'un air solennel. Les deux ont été assenés à l'aide d'un objet dur, lourd, avec des saillies mais sans rebords bien définis, qui correspond au caillou que Mlle Miller m'a demandé d'examiner. Le premier était un coup léger, administré à l'arrière de la tête, près du sommet. Il a créé une petite plaie et entraîné un faible saignement, mais n'a pas entamé le crâne.

Il tourna la tête de Katy sur le côté, nous montra la petite bosse. On avait nettoyé le sang qui avait coulé sur son visage pour rechercher d'autres blessures éventuelles, mais quelques traînées maculaient encore sa joue.

– Donc, elle a esquivé le coup ou s'enfuyait lorsque l'assassin l'a frappée, dit Cassie.

Cooper prit son temps avant de répondre, pour la punir de l'avoir interrompu.

– Cela me paraît peu probable. Si elle avait bougé au moment du coup, on aurait découvert des écorchures périphériques. Or il n'y en a pas. Le deuxième, par contre...

Il tourna la tête de Katy de l'autre côté, retint ses cheveux d'un doigt. Sur la tempe gauche, une parcelle de peau avait été rasée, dénudant une grande déchirure dentelée où perçaient des éclats d'os. Quelqu'un, Sam ou Cassie, avala sa salive.

– Ainsi que vous le constatez, le second coup a été beaucoup plus violent. Il a été porté juste derrière et au-dessus de l'oreille gauche, provoquant une fracture du crâne réduite et un hématome subdural assez important. Ici, et là, poursuivit Cooper en pointant un doigt, vous observerez les écorchures périphériques auxquelles j'ai fait allusion il y a un instant, non loin du point d'impact. Au moment du coup, la victime a détourné la tête. L'arme a donc brièvement dérapé le long de son crâne avant l'impact. Suis-je assez clair ?

J'acquiesçai en même temps que Cassie. Sam avait l'air aussi mal en point que nous.

– Ce coup aurait suffi à entraîner la mort en quelques heures. Cependant, l'hématome a très peu progressé, ce qui nous permet d'affirmer que la victime a succombé à d'autres causes peu de temps après qu'on lui a infligé cette blessure.

– Pouvez-vous dire si elle faisait face à son agresseur ou si elle s'en était détournée ?

– Tout semble indiquer qu'elle était peut-être couchée sur le ventre lorsqu'elle a reçu le coup le plus violent. Il y a eu un flot de sang considérable sur la partie gauche du visage, ainsi qu'autour du nez et de la bouche.

C'était une bonne nouvelle, si je peux employer ce terme dans un tel contexte : il y aurait du sang sur le lieu du crime, si jamais nous le trouvions. Cela signifiait également que nous avions affaire à un gaucher, ce qui constituait déjà un progrès, même infime.

– Il y a eu lutte, avant le deuxième coup qui a entraîné une inconscience immédiate. Outre les trois ongles brisés de la main droite, on note des blessures sur les mains et les avant-bras, des ecchymoses, des écorchures probablement infligées par la même arme alors qu'elle tentait d'éviter les coups.

Il saisit un des poignets de Katy entre le pouce et l'index, tourna son bras pour nous montrer les estafilades. On avait coupé ses ongles très court pour les analyser. Sur le dos de sa main s'épanouissait une fleur dessinée au feutre, ornée en son centre d'un visage souriant.

– J'ai aussi découvert des ecchymoses autour de la bouche et des marques de dents à l'intérieur des lèvres, ce qui correspond à la pression de la main de l'agresseur sur sa bouche.

Dans le couloir, une femme invectivait quelqu'un. Une porte claqua. Dans la salle, l'air s'épaississait, devenait irrespirable. Cooper nous dévisagea tour à tour, mais aucun de nous ne réagit. Il savait que ce n'était pas ce que nous voulions entendre. Dans un cas comme celui-ci, ce qu'on espère par-dessus tout, c'est que la victime ne s'est rendu compte de rien.

– Alors qu'elle était inconsciente, reprit froidement Cooper, un matériau quelconque, probablement du plastique, a été enroulé autour de sa gorge et tordu au sommet de l'épine dorsale.

Il lui releva le menton : il y avait une marque large et ténue autour de son cou, striée là où le plastique s'était plissé.

– Vous constaterez vous-même que la marque de la ligature est très régulière, d'où ma conclusion qu'elle a été mise en place après immobilisation de la victime. On ne discerne aucune trace de strangulation, et j'estime peu probable que la ligature ait été assez serrée pour empêcher la victime de respirer. Toutefois, l'hémorragie pétéchiale dans les yeux et à la surface des poumons indique qu'elle est effectivement morte d'anoxie. J'émettrai l'hypothèse que sa tête a été recouverte d'un sac de plastique, ou quelque chose d'approchant, qu'on l'a serré sur sa nuque et maintenu en place plusieurs minutes. Elle est morte de suffocation, compliquée par son traumatisme crânien.

– Minute ! s'écria Cassie. Elle n'a donc pas été violée ?

– Ah ! patience, inspecteur Maddox. J'y viens. Le viol a été commis post mortem, et perpétré avec un instrument quelconque.

Il s'interrompit, savourant discrètement son effet.

– Post mortem ! bredouillai-je. Vous en êtes sûr ?

Dans un sens, c'était un soulagement, puisque cela éliminait de mon esprit les images les plus atroces. D'un autre côté, cela dénotait un sacré degré de démence. Une grimace qu'il ne contrôlait pas déformait les traits de Sam.

– Nous avons des écorchures fraîches depuis l'extérieur du vagin jusqu'à environ huit centimètres à l'intérieur, plus une déchirure récente de l'hymen, mais il n'y a eu ni saignement ni inflammation. Post mortem, sans le moindre doute.

Je sentis Cassie et Sam submergés par le même mouvement de panique que moi. Aucun de nous ne voulait voir ça ; l'idée même était obscène. Mais Cooper nous jeta un regard amusé et resta où il était, à la tête de la table.

– Quel genre d'instrument ? murmura Cassie en fixant intensément, le visage vide de toute expression, la marque sur le cou de Katy.

– À l'intérieur du vagin, nous avons trouvé des particules de terre et deux minuscules éclats de bois, l'un carbonisé, l'autre recouvert d'un mince vernis de couleur claire. Je pencherai pour un objet d'au moins dix centimètres de long et d'environ trois à cinq centimètres de diamètre, en bois légèrement verni, très usé, avec une trace de brûlure et sans extrémité tranchante : un manche à balai ou de balayette, quelque chose de ce genre. Les écorchures étaient superficielles et bien délimitées, ce qui implique une seule insertion. Je n'ai rien trouvé qui puisse suggérer qu'il y ait eu également pénétration physique. Le rectum et la bouche ne montrent aucun signe d'agression sexuelle.

– Donc, pas de fluides corporels, énonçai-je sombrement.

– Et il n'y avait ni sang ni lambeaux de peau sous ses ongles. Les analyses sont incomplètes, bien entendu, mais, à votre place, je ne placerais pas trop d'espoirs dans la possibilité d'échantillons d'ADN.

– Vous avez aussi recherché des traces de sperme, n'est-ce pas ? hasarda Cassie.

Cooper la toisa froidement et ne prit pas la peine de répondre.

– Après le décès, dit-il, on a étendu la victime dans la position où nous l'avons trouvée, sur le flanc gauche. Il n'y avait pas de lividité secondaire, ce qui prouve qu'elle est restée dans cette position pendant au moins douze heures. L'absence relative d'activité d'insectes m'amène à penser qu'elle se trouvait dans un espace clos, ou a peut-être été enveloppée étroitement dans un matériau quelconque longtemps avant la découverte du corps. Tout cela figurera dans mes notes, bien sûr, mais pour l'instant... Des questions ?

Le congé était poli, mais clair. Il me restait une question à poser.

– Rien de neuf sur l'heure de la mort ?

– Le contenu de l'estomac et de l'intestin m'autorise à me montrer un peu plus précis que sur les lieux du crime. On peut déterminer l'heure de son dernier repas. Elle a mangé un biscuit au chocolat seulement quelques minutes avant sa mort et ingurgité un repas complet approximativement quatre à six heures plus tôt. Sa digestion était déjà avancée. Toutefois, des haricots blancs semblent en avoir constitué un des ingrédients...

Haricots à la tomate et toasts, vers 20 heures... Elle était morte entre minuit et 2 heures du matin. Le biscuit venait soit de la cuisine des Devlin, et dans ce cas elle l'avait chipé en partant, soit du tueur.

– Mon équipe aura achevé de la rendre présentable d'ici à quelques minutes, conclut Cooper en redressant la tête de Katy avec une précision d'artiste. Si vous voulez bien le notifier à la famille.

Une fois dehors, nous restâmes devant l'hôpital, nous dévisageant sans mot dire.

– Il y a longtemps que je ne suis pas venu dans un endroit pareil, finit par murmurer Sam.

– Maintenant, tu sais pourquoi, répondis-je.

– Post mortem, souffla Cassie. Comment ce type a-t-il pu faire une chose pareille ?

Sam s'en alla à la recherche de renseignements supplémentaires sur l'autoroute. J'appelai la salle des opérations et demandai à deux stagiaires d'emmener les Devlin à l'hôpital. Cassie et moi avions déjà subi leur première réaction à l'annonce de la nouvelle et n'avions ni besoin ni envie d'en supporter davantage. De toute façon, il nous fallait, de toute urgence, parler à Mark Hanly.

– Tu veux qu'on l'amène à la brigade ? lançai-je, dans la voiture.

Nous aurions très bien pu l'interroger sur le site. Mais je tenais à l'extraire de son territoire et à lui imposer le nôtre, en partie pour me venger du délabrement de mes chaussures.

– Oh, oui ! approuva Cassie. Il nous a dit qu'il ne leur restait que quelques semaines, non ? Le moyen le plus rapide de le pousser à parler serait de lui faire perdre sa journée de travail.

Nous profitâmes du trajet pour établir à l'intention d'O'Kelly une belle et longue liste des raisons pour lesquelles nous estimions que le club satanique de Knocknaree n'était pas responsable du meurtre de Katy.

– N'oublie pas : « Pas de position rituelle », dis-je.

Je conduisais encore. J'étais toujours sous le choc. Si je n'avais pas eu à me concentrer sur le volant, j'aurais passé tout le chemin jusqu'à Knocknaree à griller cigarette sur cigarette.

– Et pas de... d'animal égorgé, ajouta Cassie tout en écrivant.

– Tu crois vraiment qu'il va affirmer à la conférence de presse : « Nous n'avons trouvé aucun cadavre de coq » ?

– Je te parie une pinte qu'il le fera. Il ne reculera devant rien.

Le temps avait changé. La pluie avait laissé la place à un soleil bienfaisant qui séchait déjà la route. Les dernières gouttes scintillaient sur les arbres. Quand nous sommes sortis de la voiture, l'air sentait bon la terre et les feuilles mouillées. Cassie ôta son chandail et le noua autour de sa taille.

Les archéologues s'activaient en bas du site, à grand renfort de pioches, de pelles et de brouettes. Leurs vestes étaient éparses sur les rochers et certains hommes avaient enlevé leur tee-shirt. Sans doute par réaction contre le choc de la veille, ils étaient d'humeur dissipée. Une radiocassette diffusait à plein tube un air des Scissor Sisters. Tous le reprenaient en chœur, entre deux coups de pioche. Une fille se servait de sa pelle comme micro. Trois d'entre eux s'aspergeaient d'eau avec des bouteilles et un tuyau d'arrosage.

À reculons, Mel tira une brouette pleine jusqu'au sommet d'un gros tas de terre, la fit basculer sur le côté en l'appuyant sur sa cuisse. En redescendant, elle reçut un jet d'eau en pleine figure. Elle hurla, lâcha la brouette et se lança à la poursuite de la petite rousse qui tenait le tuyau. La fille s'enfuit en piaillant, buta sur un rouleau de corde. Mel la rattrapa, la ceintura. Elles se disputèrent la lance, riant sous de grandes gerbes qui jaillissaient dans tous les sens.

– Venez voir ! beugla un des garçons. Lesbos en action !

– Où est l'appareil photo ?

– Qu'est-ce que tu as sur le cou ? clama la rousse. Mais c'est un suçon ! Les gars, Mel a un suçon !

– Va te faire voir ! hurla Mel, souriant de toutes ses dents et rouge comme une pivoine.

Mark rappela sèchement l'équipe à l'ordre. Après s'être remis à l'œuvre, les archéologues, dont j'enviai subitement l'insouciance, la gaieté et la liberté de ton, nous aperçurent. Alors que nous avancions vers Mark, tous nous fixèrent avec étonnement : Mel debout dans une tranchée, les cheveux mouillés et les joues pleines de boue, Damien à genoux au milieu de sa cohorte de filles protectrices, Sean le sculpteur, qui fut le seul à nous saluer en levant sa pelle. Appuyé sur sa pioche, tel un vieux montagnard taciturne, Mark nous fit une moue peu aimable.

– Vous désirez ?
– Nous voudrions nous entretenir avec vous, répliquai-je.
– Nous sommes en plein travail. Ça ne peut pas attendre l'heure du déjeuner ?
– Non. Allez chercher vos affaires. Nous retournons à la brigade.
Ses mâchoires se crispèrent. Je crus une seconde qu'il allait protester, mais il laissa tomber sa pioche, s'essuya le visage avec son tee-shirt et se mit en marche vers les baraques de chantier.
– Salut, dit-il aux autres alors que nous lui emboîtions le pas.
Personne ne répondit, pas même Sean.

Dans la voiture, Mark sortit son paquet de tabac.
– Interdiction de fumer, dis-je.
– C'est quoi, ce bordel ? Vous fumez tous les deux. Je vous ai vus hier.
– Les voitures de service sont considérées comme des lieux de travail, où fumer est illégal.
Je n'inventais rien. Il avait fallu une commission pour aboutir à une réglementation aussi grotesque.
– Allons, Ryan, donne-lui une cigarette, intervint Cassie. Ça nous évitera pendant quelques heures de le faire sortir pour la pause tabac.
Je captai le coup d'œil ahuri de Mark dans le rétroviseur.
– Pourriez-vous m'en rouler une ? ajouta Cassie en pivotant pour se pencher entre les sièges.
– Combien de temps ça va durer ? grommela-t-il.
– Tout dépend, dis-je.
– De quoi ? Je ne sais même pas de quoi il s'agit !
– Vous le saurez bientôt. Calmez-vous et fumez votre tige avant que je change d'avis.
– Comment se passent les fouilles ? s'enquit aimablement Cassie.
Un coin de la bouche de Mark se tordit de façon lugubre.
– Selon vous ? Nous avons quatre semaines pour effectuer un travail d'un an. Nous utilisons même des bulldozers !
– Et ce n'est pas bien ?
Il me jeta un regard furibard.

– Est-ce que nous ressemblons à ces connards de *Time Team* ?

Je ne sus quoi répondre. Pour moi, ses potes et lui ressemblaient en tout point aux hurluberlus de *Time Team*, la célèbre émission de télévision britannique sur l'archéologie. Cassie mit la radio. Mark alluma sa cigarette et souffla d'un air dégoûté sa fumée par la vitre. De toute évidence, la journée serait longue.

Je restai quasi muet pendant tout le trajet. Le tueur de Katy Devlin était peut-être l'homme renfrogné sur la banquette arrière, ce qui suscitait en moi des sentiments mêlés. Bien sûr, j'aurais été ravi que ce fût lui. Il me tapait sur le système depuis le début ; et si c'était lui, cela me débarrasserait de cette affaire oppressante et pleine de danger avant même qu'elle ait commencé. Elle pourrait être bouclée dans l'après-midi. Je remettrais le vieux dossier au sous-sol, considérant que Mark, qui avait cinq ans en 1984 et habitait à l'époque loin de Dublin, n'était pas un suspect vraisemblable, me ferais taper dans le dos par O'Kelly, reprendrais à Quigley l'affaire du cinglé de la station de taxis et oublierais Knocknaree.

D'un autre côté, j'avais passé vingt-quatre heures à essayer de me préparer à ce que me réservait ce meurtre. Je m'étais attendu à un dénouement bien plus dramatique qu'un interrogatoire et une arrestation. Mieux : je crois que je l'espérais. Je ne suis pas superstitieux, mais, après tout, si l'appel s'était produit quelques minutes plus tôt ou plus tard, si Cassie et moi n'avions pas découvert Worms, ou si nous étions sortis fumer une cigarette, l'affaire aurait été confiée à Costello ou à un autre ; jamais à nous, en tout cas. Toutes ces coïncidences avaient forcément un sens. Et, au fond de moi, je brûlais de connaître la suite.

Chapitre 6

Avant notre arrivée à la brigade, Cassie avait appris qu'on ne se servait de bulldozers qu'en cas d'extrême urgence, car ils détruisaient des vestiges archéologiques précieux, et que les présentateurs de *Time Team* n'étaient que des incompétents. Elle avait également gardé le bout de la cigarette que Mark avait roulée pour elle, ce qui nous permettrait, si nécessaire, de comparer son ADN avec celui des mégots de la clairière sans solliciter un mandat. Je fouillai Mark, qui serrait de nouveau les mâchoires, avant de l'introduire dans la salle d'interrogatoire, tandis que Cassie allait déposer notre liste d'indices sataniques inexistants sur le bureau d'O'Kelly.

Avant d'entrer, nous laissâmes Mark mariner quelques instants, exaspéré, affalé sur sa chaise et martelant d'un doigt le rebord de la table.

– Re-bonjour, lança joyeusement Cassie. Désirez-vous du thé, du café ?

– Rien du tout. Ce que je veux, c'est retourner à mon travail.

– Inspecteurs Maddox et Ryan procédant à l'interrogatoire de Mark Hanly, énonça-t-elle en direction de la caméra vidéo accrochée très haut dans un coin.

Mark pivota brusquement, fit une grimace à la caméra, puis retrouva sa position avachie.

Je m'installai devant la table, y déposai négligemment des clichés du lieu du crime.

– Vous n'êtes pas obligé de dire quoi que ce soit si vous n'en avez pas l'intention, mais tout ce que vous direz sera consigné et pourra être utilisé contre vous. Pigé ?

– Qu'est-ce que c'est que ce... Suis-je en état d'arrestation ?

– Non. Buvez-vous du vin rouge ?

Il me fixa d'un air sarcastique.

– Vous m'en proposez ?

– Pourquoi refusez-vous de répondre à ma question ?

– C'est ma réponse. Je bois ce que j'ai sous la main. Pourquoi ?

Je hochai consciencieusement la tête et notai ce qu'il venait de déclarer. Cassie se pencha par-dessus la table, désigna les bandes enveloppant ses mains.

– Pourquoi ces pansements ?

– Pour les ampoules. Quand on manie une pioche sous la pluie, le sparadrap ne tient pas.

– Ne pourriez-vous pas porter des gants ?

– Certaines personnes le font.

Son ton laissait entendre que celles-là, d'une façon ou d'une autre, manquaient de testostérone.

– Verriez-vous une objection à ce que nous examinions ce qui se trouve en dessous ? dis-je.

Impavide, il déroula les bandes en prenant son temps, les posa sur la table. Il leva les mains de façon maniérée et sardonique.

– Satisfaits ?

Cassie se pencha un peu plus, les examina longuement, lui fit signe de les retourner. Elles ne comportaient ni égratignures ni marques d'ongles. On n'y distinguait que les vestiges de grosses ampoules à demi cicatrisées, à la base de chaque doigt.

– Oh, là, là ! s'exclama Cassie. Comment vous êtes-vous fait ça ?

Il haussa les épaules.

– D'habitude, j'ai des cals. Mais j'ai arrêté les fouilles plusieurs semaines. Je me suis esquinté le dos à dresser l'inventaire de nos découvertes. Mes mains se sont ramollies. Quand je suis retourné sur le chantier, j'ai attrapé ces ampoules.

– Ne pas pouvoir travailler a dû vous rendre dingue.

– Je l'ai fait quand même. J'ai dégusté.

Je saisis une bande entre deux doigts, la laissai tomber dans la corbeille à papier. Ensuite, je me levai et allai m'appuyer contre le mur, juste derrière Mark.

– Où étiez-vous dans la nuit de lundi ?

– Dans la maison où loge l'équipe. Je vous l'ai dit hier.

– Êtes-vous membre de « Non à l'autoroute » ? demanda Cassie.

– Bien sûr, comme la plupart d'entre nous. Votre Devlin est venu sur le chantier il y a quelque temps et nous a proposé de nous joindre à son mouvement. Ce n'est pas encore illégal, que je sache.

– Donc vous connaissez Jonathan Devlin ? coupai-je.

– C'est ce que je viens de dire. Nous ne sommes pas comme cul et chemise, mais, oui, je le connais.

Me penchant par-dessus son épaule, j'éparpillai légèrement les photos des lieux du crime. Je trouvai un des clichés les plus choquants, le fis glisser jusqu'à lui.

– Pourtant, vous nous avez affirmé ne pas la connaître.

Il s'empara de la photo et la contempla longuement, sans sourciller.

– Je vous ai dit que je l'avais croisée sur le site, mais que j'ignorais son nom. Je ne le connais toujours pas. Je devrais ?

– Je crois, oui. C'est la fille de Devlin.

Il me dévisagea une seconde, puis revint à la photo. Au bout d'un moment, il secoua la tête.

– Non... J'ai rencontré une fille de Devlin à une manifestation, au printemps dernier, mais elle était plus âgée. Rosemary, Rosaleen, quelque chose d'approchant.

– Qu'avez-vous pensé d'elle ? demanda Cassie.

– Jolie fille. Bavarde. Elle s'occupait de la pétition, faisait signer les gens, mais je ne crois pas qu'elle s'impliquait vraiment dans la campagne. Elle préférait se faire draguer. Elle ne s'est plus jamais montrée.

– Vous la trouviez attirante ? repris-je en marchant le long du miroir sans tain.

– Assez, oui. Pas mon type.

– Vous avez quand même remarqué son absence aux manifestations suivantes. Pourquoi la cherchiez-vous ?

Ses traits se reflétaient dans le miroir. Il se méfiait, et me détestait. Il jeta la photo sur la table, se cala contre le dossier de sa chaise, le menton sur la poitrine.

– Je ne la cherchais pas.

– Avez-vous essayé d'entrer en contact avec elle ?

– Non.

– Comment saviez-vous qu'elle était la fille de Devlin ?

– Je ne m'en souviens pas.

Je commençais à douter. Mark se montrait excédé, impatient, et nos questions décousues le mettaient mal à l'aise. Mais il ne semblait pas vraiment nerveux ou effrayé, comme l'aurait été un coupable.

– Bien, dit Cassie. Racontez-nous la véritable histoire du chantier et de l'autoroute.

Il eut un ricanement amer.

– C'est un merveilleux conte pour enfants. Le gouvernement a lancé le projet en 2000. Tout le monde savait que les alentours de Knocknaree recelaient d'innombrables vestiges archéologiques. Les autorités ont donc envoyé une équipe effectuer un relevé. Ces experts ont déclaré que le site était bien plus important qu'on ne le pensait et que seul un imbécile pourrait décider de le recouvrir. Il fallait faire passer l'autoroute ailleurs. Le gouvernement a répondu que c'était très intéressant, merci beaucoup, et n'a pas bougé d'un iota. Il a fallu faire un raffut d'enfer pour qu'il autorise une simple excavation. Finalement, il nous a fait la grâce de nous accorder deux ans de fouilles, alors qu'il en faudrait cinq pour exploiter vraiment le site. Depuis, des milliers de gens luttent par tous les moyens possibles : pétitions, manifestations, recours devant la justice. Le gouvernement s'en fout.

– Mais pourquoi ? Pourquoi ne modifie-t-il pas le tracé ?

Il eut une mimique de dégoût.

– Ne me le demandez pas. Nous le découvrirons lors d'un procès dans dix ou quinze ans, quand il sera trop tard.

Je changeai brutalement de sujet.

– Et lundi soir ? Où étiez-vous ? insistai-je.

– Dans la maison où loge toute l'équipe ! Je vous ai déjà répondu. Puis-je m'en aller, maintenant ?

– Dans un moment. Quand avez-vous passé la nuit sur le site pour la dernière fois ?

Ses épaules se raidirent.

– Je n'y ai jamais passé la nuit.

– Ne coupez pas les cheveux en quatre. Disons : dans le bois proche du site.

– Qui prétend que j'ai dormi là-bas ?

– Écoutez, Mark, assena soudainement Cassie en haussant le ton, vous vous trouviez dans le bois, soit dans la nuit de lundi, soit dans celle de mardi. Nous pourrons, si nécessaire, le prouver grâce à des tests, mais cela nous fera perdre beaucoup de temps et, soyez-en assuré, une bonne partie du vôtre. Je ne pense pas que vous ayez tué cette fille, mais nous avons besoin de savoir quand vous vous trouviez dans le bois, ce que vous y faisiez et si vous avez vu ou entendu quelque chose d'utile pour nous. Nous pouvons passer le reste de la journée à vous faire cracher le morceau. Ou bien vous parlez maintenant et vous retournez à votre travail. À vous de choisir.

– Quels tests ? répliqua-t-il avec scepticisme.

Cassie lui décocha un petit sourire sardonique. Elle sortit de sa poche, enfermé dans un sac transparent, le bout de la cigarette qu'il avait roulée pour elle, l'agita dans sa direction.

– ADN. Vous avez laissé vos mégots autour de votre campement.

– Nom de Dieu ! lâcha-t-il en fixant le sac, sans savoir s'il devait se montrer furieux ou non.

– Je n'ai fait que mon travail, expliqua gaiement Cassie en le remettant dans sa poche.

– Nom de Dieu, grommela-t-il encore.

Il se mordit la lèvre, sans pouvoir dissimuler le rictus plein de rancune qui faisait trembler sa bouche.

– Je me suis fait avoir comme un enfant de chœur. Vous êtes une sacrée garce.

– C'est ce que je me suis laissé dire. À propos de votre nuit dans les bois...

Silence. Enfin, Mark s'étira, consulta la pendule murale, puis soupira.

– D'accord. J'ai passé la nuit là-bas.

Je repris ma place à la table, ouvris mon calepin.

– Lundi ou mardi ? Ou les deux ?

– Seulement lundi.
– À quelle heure êtes-vous arrivé ?
– Vers 22 h 30. J'ai allumé un feu et je me suis endormi quand il commençait à s'éteindre, vers 2 heures du matin.
Cassie prit le relais
– Faites-vous ça sur chaque chantier ? Ou ne l'avez-vous fait qu'à Knocknaree ?
– Uniquement à Knocknaree.
– Pourquoi ?
Il contempla ses doigts, qui tambourinaient sur la table. Cassie et moi attendions.
– Vous savez ce que signifie Knocknaree ? dit-il enfin. La colline du roi. Nous ne sommes pas certains de l'époque à laquelle remonte ce nom, mais nous sommes sûrs qu'il s'agit d'une référence religieuse antérieure au christianisme. Religieuse et non politique. Il n'y a aucune trace, sur le site, de tombes royales ou d'habitations. En revanche, nous avons trouvé partout des objets religieux : l'autel sacrificiel, des statuettes votives, une coupe d'offrande en or, des restes d'animaux sacrifiés et peut-être de sacrifices humains. Cette colline était un haut lieu sacré.
– Qui y adorait-on ?
Il eut un geste d'ignorance, tambourina de plus belle. J'avais envie d'abattre la main sur ses phalanges.
– Donc vous montiez la garde.
Tout en l'interrogeant, Cassie restait tendue, sur le qui-vive.
– En quelque sorte, répondit-il d'une voix mal assurée.
– Le vin que vous avez répandu...
Il lui jeta un regard noir, puis ferma les yeux.
– C'était une libation ?
– Je suppose.
– Voyons si j'ai bien compris, dis-je. Vous décidez de passer la nuit à quelques centaines de mètres de l'endroit où une fillette se fait assassiner et vous voulez nous faire croire que vous étiez là pour des raisons religieuses.
Tout d'un coup, il explosa, se pencha vers moi si brusquement que je sursautai.
– Écoutez-moi bien, monsieur l'inspecteur. Je ne crois pas en l'Église, vous saisissez ? En aucune Église. La religion n'a été

inventée que pour que les gens restent à leur place et paient leur obole. J'ai fait enlever mon nom des registres de ma paroisse le jour de mes dix-huit ans. Et je ne crois en aucun gouvernement non plus. Tous se comportent comme l'Église. Discours différent, même but : maintenir les pauvres sous leur coupe et soutenir les riches. Les seules choses en lesquelles je crois sont sur ce chantier.

Ses yeux étaient étroits, fiévreux, comme ceux d'un homme au fusil braqué posté sur une barricade sur le point d'être submergée.

– Il y a plus à vénérer sur ce site que dans n'importe quelle putain d'église, où que ce soit dans le monde. Vouloir y faire passer une autoroute est un sacrilège ! Si on s'apprêtait à démolir l'abbaye de Westminster pour construire un parking, blâmeriez-vous ceux qui y monteraient la garde ? Alors, ne ricanez pas parce que je fais la même chose là-bas !

Il se renversa violemment sur sa chaise et croisa les bras.

– Vous niez donc avoir le moindre rapport avec le crime, énonçai-je froidement, lorsque je fus certain de contrôler ma voix.

La diatribe de Mark m'avait ébranlé plus que je n'aurais voulu l'admettre. Il leva les yeux au plafond. Cassie se radoucit.

– Mark, je vois très bien ce que vous voulez dire. Je ressens la même chose à propos de mon propre travail. Mais vous devez admettre le point de vue de l'inspecteur Ryan. Nombre de gens ne comprendront rien à votre comportement. Il leur paraîtra plus que suspect. Il faut que nous vous éliminions de cette enquête.

– Si vous tenez à me soumettre à un détecteur de mensonge, je suis prêt. Mais je n'étais pas là-bas dans la nuit de mardi. J'y étais lundi. Quel rapport avec votre affaire ?

Je ressentis encore le même malaise. À moins d'être beaucoup plus retors que je ne le pensais, il tenait pour acquis que Katy avait été tuée dans la nuit de mardi, qui avait précédé la découverte de son corps sur le site.

– Très bien, dit Cassie. Nous sommes d'accord. Pouvez-vous prouver où vous étiez entre le moment où vous avez quitté votre travail mardi, jusqu'à votre retour, mercredi matin, sur le chantier ?

Il suçota ses dents et se gratta une ampoule, l'air profondément embarrassé. Il me parut soudain beaucoup plus jeune.

– Oui. J'ai regagné la maison, j'ai pris une douche. J'ai dîné avec le reste de l'équipe. Nous avons joué aux cartes, puis bu quelques bières dans le jardin. Demandez-le-leur.

– Et après ? poursuivis-je. À quelle heure êtes-vous allé vous coucher ?

– La plupart des gens sont montés vers 1 heure.

– Quelqu'un peut-il confirmer ce que vous avez fait ensuite ? Partagez-vous une chambre ?

– Non. En tant que directeur adjoint du site, j'ai droit à une chambre individuelle. Je suis resté un peu plus longtemps dans le jardin. Mel me tenait compagnie. Nous avons parlé jusqu'au petit déjeuner.

Il faisait de son mieux pour paraître blasé, mais toute son arrogance s'était évanouie. Il avait l'air penaud, comme un gamin de quinze ans pris en faute. J'avais envie d'éclater de rire. Je m'abstins de regarder Cassie.

– Toute la nuit ? ajoutai-je avec ironie.

– Ouais.

– Dans le jardin ? Il ne faisait pas un peu frais ?

– Nous sommes rentrés aux alentours de 3 heures du matin. Nous sommes allés dans ma chambre, jusqu'à 8 heures. C'est l'heure à laquelle nous nous levons.

– Bien, bien, murmurai-je. Tous les alibis ne sont pas aussi réjouissants.

Je devinai, à sa mine, qu'il avait envie de me tuer. Pour calmer le jeu, Cassie retrouva un ton professionnel.

– Revenons à la nuit de lundi. Pendant que vous étiez dans les bois, avez-vous vu ou entendu quelque chose d'inhabituel ?

– Non. Il fait noir, là-bas. C'est la campagne, pas la ville. Pas de réverbères, rien. Je n'aurais vu personne à vingt mètres. Et je n'aurais rien entendu non plus. La nuit est pleine de bruits.

Les bruits de la nuit, de la forêt... Un frisson me parcourut l'échine.

– Pas forcément dans le bois, reprit Cassie. Sur le chantier, peut-être, ou sur la route ? Y avait-il quelqu'un dans les parages vers 23 h 30 ?

– Attendez ! s'écria-t-il, presque avec réticence. Sur le site. Il y avait quelqu'un.

Une seconde, mon cœur cessa de battre. Cassie ne bougea pas plus que moi, mais je la sentais elle aussi aux aguets.

– Pouvez-vous vous montrer plus précis ?

Il se tourna vers moi. Décidément, il ne m'aimait pas.

– Ouais. C'était une lampe torche. Il faisait nuit !

– Mark ! coupa Cassie. Si vous commenciez par le début ?

– Quelqu'un tenant une torche a traversé le site, venant du lotissement et se dirigeant vers la route. Je n'ai vu que le faisceau de la lampe.

– Quelle heure était-il ?

– Je ne regardais pas ma montre. Vers 1 heure, peut-être ? Un peu moins ?

– Réfléchissez. Pouvez-vous mentionner quoi que ce soit sur cet individu ? La taille, peut-être, d'après la position de la torche ?

Il se concentra un instant.

– Non. Elle semblait assez proche du sol, mais l'obscurité fausse le sens de la perspective, pas vrai ? Il avançait lentement, comme n'importe qui. Vous connaissez le site. Il est parsemé de tranchées et de fragments de murs.

– Grande, la torche, ou petite ?

– Le faisceau était étroit. Il ne s'agissait pas d'une de ces grosses lampes avec une poignée. Une torche électrique ordinaire.

– Quand vous l'avez aperçue pour la première fois, insista Cassie, était-ce près du mur du lotissement, à l'endroit le plus éloigné de la route ?

– Quelque part par là, oui. J'en ai déduit que l'individu en question était passé par le portail du fond, ou peut-être pardessus le mur.

Ce portail se trouvait au bout de la rue des Devlin, à seulement trois maisons de la leur. Mark avait pu voir Jonathan ou Margaret, ralentis et courbés par le poids d'un corps et cherchant un endroit où le déposer. Ou Katy, se faufilant dans l'ombre pour rencontrer quelqu'un, munie seulement d'une lampe de poche et d'une clé de chez elle dont elle ne se servirait jamais plus.

– Et cet individu, ou ces personnes, sont arrivées à la route ?

– Le faisceau a traversé le site en diagonale, mais j'ignore jusqu'où il est allé. Les arbres me bouchaient la vue.

– Pensez-vous que cette ou ces personnes aient aperçu votre feu ?

– Comment le saurais-je ?

– Bien, dit Cassie. Mark, c'est important. Avez-vous vu passer une voiture à peu près à cette heure-là ? Ou s'arrêter sur la route ?

Il prit son temps avant de répondre de façon catégorique :

– Non. Un couple est passé alors que je venais d'arriver, mais plus rien ne s'est produit après 23 heures. On se couche tôt, là-bas. Toutes les lumières du lotissement s'éteignent à minuit.

S'il ne mentait pas, il venait de nous rendre un fier service. Le lieu du crime et l'endroit où l'on avait découvert le corps, quel qu'eût été celui où on l'avait dissimulé entre-temps, se trouvaient à une distance du lotissement qu'on pouvait couvrir à pied, certainement sur le site lui-même. Notre champ de suspects n'incluait plus l'ensemble de la population irlandaise.

– Êtes-vous sûr que vous auriez remarqué une voiture sur la route ? dis-je.

– J'ai remarqué la torche, non ?

– Dont vous venez à peine de vous souvenir.

Il retroussa les lèvres.

– J'ai une mémoire d'éléphant. Je ne pensais pas que c'était important. Ça se passait dans la nuit de lundi, d'accord ? Je n'y ai pas prêté une grande attention. J'ai cru qu'il s'agissait d'un résident quittant la maison d'un ami, ou d'un gosse du coin allant retrouver un copain. La nuit, ils se donnent parfois rendez-vous sur le site. De toute façon, ce n'était pas mon problème. Ils n'en avaient pas après moi.

À ce moment Bernadette, la secrétaire de la brigade, frappa à la porte de la salle d'interrogatoire. J'allai ouvrir. Elle annonça d'un ton pincé :

– Inspecteur Ryan, on vous demande au téléphone. J'ai dit à la personne que vous ne vouliez pas être dérangé, mais elle a affirmé que c'était important.

Bernadette fait partie de la brigade depuis vingt-quatre ans. Elle y a consacré toute sa carrière. Elle a une face irascible de kangourou et possède cinq tenues de travail, une pour chaque jour de la semaine, ce qui nous permet, quand nous sommes trop fatigués, de ne pas nous tromper sur la date. De l'avis général, elle voue à O'Kelly une passion sans espoir. Les autres membres de la brigade font régulièrement des paris sur le temps qu'il leur faudra pour finir par se mettre en ménage.

– Vas-y, dit Cassie. Je peux terminer seule... Mark, il nous faut simplement votre déposition. Ensuite, nous vous reconduirons au chantier.

– Je prendrai le bus.

– Certainement pas, objectai-je. Nous devons vérifier votre alibi auprès de Mel, et il ne s'agira pas d'une vérification si vous avez l'occasion de lui parler avant nous.

– Bordel de merde ! Je ne vous raconte pas de bobards ! Demandez à n'importe qui ! Toute l'équipe était au courant avant même que ça commence !

– Ne vous inquiétez pas, nous le ferons, répliquai-je joyeusement.

Et je le laissai avec Cassie.

Je gagnai la salle des opérations et attendis que Bernadette me passe la communication, ce qu'elle fit sans se presser, pour bien me faire comprendre qu'elle n'était pas standardiste.

– Ryan, dis-je.

– Inspecteur Ryan ?

La voix était essoufflée, intimidée, mais je la reconnus tout de suite.

– C'est Rosalind. Rosalind Devlin.

– Rosalind, répondis-je, ouvrant mon calepin et saisissant un stylo. Comment allez-vous ?

– Oh, bien.

Petit rire crispé.

– En fait, non. Je suis effondrée. Nous le sommes tous. Nous n'avons pas vraiment réalisé. On n'imagine jamais qu'une telle horreur puisse arriver, n'est-ce pas ?

– Je sais ce que vous devez éprouver, murmurai-je. Puis-je vous aider en quoi que ce soit ?

– Je... Pourrais-je venir vous parler à un moment ou à un autre ? Si ça ne vous dérange pas, bien sûr. J'ai quelque chose à vous demander.

J'entendais, en arrière-fond, un moteur de voiture. Elle était donc dehors quelque part, m'appelait de son mobile ou d'une cabine.

– Bien entendu. Cet après-midi ?

– Non ! Non, pas aujourd'hui. Ils vont rentrer d'une minute à l'autre, vous comprenez... Ils sont allés... reconnaître le...

Sa voix se brisa.

– Mais demain ? Dans l'après-midi ?

– Quand vous voudrez. Je vais vous donner mon numéro de mobile. Vous pourrez me joindre à votre convenance, pour fixer une heure.

Elle le nota à la hâte, répétant rapidement chaque chiffre.

– Il faut que j'y aille, souffla-t-elle. Merci, inspecteur Ryan.

Avant que j'aie pu lui dire au revoir, elle avait raccroché.

Je m'arrêtai devant la salle d'interrogatoire. Mark écrivait et Cassie avait réussi à le faire rire. D'un ongle, je heurtai légèrement la vitre. Mark leva brusquement la tête. Cassie m'envoya un minuscule sourire et un signe de connivence : apparemment, ils s'en sortaient très bien sans moi. Cela m'arrangeait. Sophie devait attendre l'échantillon de sang que je lui avais promis. Je collai sur la porte un Post-it où j'avais écrit : « Retour à 5 heures » et descendis au sous-sol.

Dans les années 1980, la méthode de rangement des indices, notamment ceux des affaires classées, était plutôt sommaire. La boîte de Peter et Jamie se trouvait sur une haute étagère. Je ne l'avais jamais descendue auparavant, mais je savais, pour avoir tâté son contenu bosselé lorsque j'en avais retiré le dossier principal, qu'elle renfermait sans doute les indices récoltés par Kiernan, McCabe et leur équipe. Il existait quatre autres boîtes relatives à l'affaire. Toutes étaient étiquetées à l'encre noire, d'une écriture aussi laborieuse que celle d'un enfant : 1) Questionnaires, 2) Questionnaires, 3) Questionnaires, 4) Dépositions, 5) Pistes. L'un des deux enquêteurs, Kiernan ou McCabe, ne savait pas écrire. Je tirai la boîte principale vers moi et, environné d'un nuage de poussière révélé par le néon, la posai par terre.

Elle était à moitié remplie de sacs d'indices en plastique, enrobés eux aussi d'une couche de poussière qui donnait aux objets une teinte sépia. Je les sortis doucement un par un, soufflai dessus puis les étalai sur les dalles.

Pour un cas de cette importance, il n'y en avait pas beaucoup. Une montre d'enfant, un gobelet de verre, un Donkey Kong orange, couverts tous les trois de poudre révélatrice. Des feuilles séchées, des bouts d'écorce. Une paire de chaussettes de sport blanches tachées de brun foncé, dont on avait découpé des morceaux pour les analyser. Un tee-shirt, blanc lui aussi, sale, dont le bas s'effilochait. Et enfin les baskets, usées et maculées de sang séché.

Je m'étais longuement préparé à découvrir ces pauvres vestiges, à être submergé, une fois confronté à eux, par un flot de souvenirs. Au lieu de cela, je me retrouvai en position fœtale sur les dalles. Plus curieusement encore, aucun de ces débris ne me semblait familier, sauf le Donkey Kong de Peter, qui était sans doute là uniquement pour une comparaison d'empreintes. Un instant, tout me revint : Peter et moi assis sur un tapis inondé de soleil et manipulant chacun une touche du jeu vidéo, concentrés, coude à coude, Jamie se penchant par-dessus nos épaules et nous donnant des instructions d'une voix fébrile. Réminiscences si intenses que j'entendais nettement les bips saccadés du jeu. Les vêtements, eux, n'éveillaient en moi aucun écho. J'avais même du mal à imaginer que je m'étais levé un matin pour les enfiler. Seuls me frappaient des détails dérisoires, la petite taille du tee-shirt, le Mickey dessiné au stylo à bille sur la pointe d'une des baskets...

Je saisis le sac contenant le tee-shirt, le retournai. Les déchirures dans le dos, que je n'avais jamais vues, me parurent plus terrifiantes encore que les chaussures. Elle avaient un aspect presque surnaturel : parfaitement parallèles, dessinant des arcs peu profonds et sans défaut. Une impossibilité absolue. « Des branches ? » pensai-je. Avais-je sauté d'un arbre ou traversé des buissons, m'accrochant à quatre ronces à la fois ?

Soudain, je ressentis une brûlure entre les omoplates et une furieuse envie de m'en aller. Le plafond bas me rendait claustrophobe, l'air chargé de poussière me faisait suffoquer. Un silence oppressant régnait dans le sous-sol, troublé seulement par la légère vibration des murs provoquée par les bus qui remontaient la rue. Je remis les objets dans la boîte, la replaçai sur l'étagère et m'emparai des chaussures que j'avais laissées par terre, prêtes à être envoyées à Sophie.

Ce fut seulement en cet instant que je pris réellement conscience de ce que je risquais de déclencher. Les affaires non résolues ne concernent pas uniquement ceux qui y ont été mêlés. Elles peuvent resurgir, des années plus tard, avec d'incalculables conséquences. D'ici à quelques minutes, j'allais remonter ces baskets dans la salle des opérations en pleine effervescence, les glisser dans une grande enveloppe matelassée et ordonner à l'un des stagiaires de les porter à Sophie. Aussitôt, la machine se mettrait en marche. Cela se serait produit de toute façon. Les disparitions d'enfants ne sont jamais vraiment classées. Tôt ou tard, quelqu'un songe à soumettre de vieux indices aux nouvelles techniques d'analyse. Mais si le labo réussissait à prélever sur les chaussures des échantillons d'ADN et, surtout, s'ils correspondaient au sang récolté sur la pierre rituelle, nous n'aurions plus affaire à une piste mineure dans l'affaire Devlin, destinée à rester entre Sophie et nous. L'ancien drame rejaillirait en pleine lumière. Tout le monde, à commencer par O'Kelly, sauterait sur cette occasion unique de vanter l'obstination de la police irlandaise : la Garda ne renonce jamais, les cas non résolus ne sont jamais abandonnés ; le public peut être rassuré, nous agissons dans l'ombre pour garantir sa sécurité. Les médias gloseraient sur un tueur d'enfants tapi dans le brouillard, guettant ses prochaines victimes. Et nous serions forcés de suivre. Il nous faudrait des échantillons d'ADN des parents de Peter, de la mère de Jamie et, oh, mon Dieu, d'Adam Ryan. Je soulevai les chaussures. Une image mentale s'imposa à moi : celle d'une auto dont les freins lâchent au sommet d'une colline et qui bringuebale le long de la pente, lentement tout d'abord, inoffensive, presque comique, avant de prendre de la vitesse et de se transformer en un boulet de démolition écrasant tout sur son passage.

Chapitre 7

Nous avons ramené Mark sur le site. Nous l'avons laissé ressasser sa rancœur dans la voiture, pendant que je parlais à Mel et que Cassie avait un bref entretien avec les autres occupants de la maison. Lorsque je lui demandai ce qu'elle avait fait au cours de la nuit de mardi, Mel devint cramoisie et se détourna. Elle m'avoua que Mark et elle étaient restés longtemps dans le jardin, avaient fini par s'embrasser puis avaient terminé la nuit dans sa chambre. Il ne l'avait quittée qu'une fois, pas plus de deux minutes, pour aller à la salle de bains.

– Nous nous sommes toujours très bien entendus. Les autres n'arrêtaient pas de nous charrier à ce sujet. Ce devait être dans les astres.

Elle me confirma également que Mark dormait parfois hors de la maison : dans le bois de Knocknaree, lui avait-il confié.

– J'ignore si les autres sont au courant. Il est très discret là-dessus.

– Vous ne trouvez pas ça curieux ?

Elle haussa gauchement les épaules, se frotta la nuque.

– C'est un être intense. C'est une des choses que j'aime chez lui.

Dieu, qu'elle était jeune ! J'eus envie de la prendre par l'épaule et de la conjurer de se protéger.

Les autres affirmèrent à Cassie que Mark et Mel avaient été les derniers, le mardi soir, à bavarder dehors, qu'ils étaient sortis ensemble de sa chambre le matin suivant et que tout le monde avait passé les premières heures de la journée, jusqu'à la découverte du corps de Katy, à se moquer d'eux. Ils corroborèrent le témoignage de Mel sur les escapades nocturnes de Mark, mais ignoraient où il allait. Leur version de l'« être intense » allait de : « un peu bizarre » à : « esclavagiste dans l'âme ».

Nous avons déjeuné, toujours de sandwiches sous plastique achetés à la supérette, sur le mur du lotissement. Mark dirigeait le travail des archéologues en faisant de grands gestes, tel un agent de la circulation. Sean râlait, accusait un certain Macker d'avoir planqué sa truelle. Tous les autres se moquaient de lui, le traitaient de parano. Sean répliquait vertement, sans le moindre humour. Au milieu des vociférations, Cassie me demanda :

– Si tu avais douze ans, qu'est-ce qui te pousserait à venir ici au milieu de la nuit ?

Je pensai au faisceau de lumière tressautant parmi les souches déterrées et les pans de mur ; au guetteur silencieux dans le bois.

– Nous l'avons fait deux ou trois fois, répondis-je. Nous couchions dans notre cabane. À l'époque, le bois était immense et descendait jusqu'à la route.

Duvets sur des planches dures, lampes de poche braquées sur des illustrés. Un frôlement. Les lampes pivotent, éclairent deux yeux dorés, sauvages, dans un arbre voisin. Nous hurlons. Jamie se redresse, lance une mandarine à la chose qui bondit et disparaît dans un grand froissement de feuilles.

Cassie but une gorgée de jus de fruits.

– D'accord. Mais tu étais avec tes copains. Pourquoi viendrais-tu ici tout seul ?

– Pour rencontrer quelqu'un. Me lancer un défi. Ou récupérer quelque chose d'important que j'aurais oublié. Nous interrogerons ses amis, pour savoir si elle leur a dit quoi que ce soit.

– En tout cas, ce n'était pas un hasard.

Les archéologues avaient remis le CD des Scissor Sisters. Un des pieds de Cassie se balançait au rythme de la batterie.

– Même s'il ne s'agissait pas des parents. Ce type n'est pas sorti pour agresser le premier gosse venu. Il a prémédité son acte. Il ne cherchait pas simplement à tuer un enfant. Il en voulait à Katy.

– Et il connaissait très bien l'endroit, pour avoir pu trouver la pierre rituelle dans le noir en portant un corps. C'est quelqu'un du coin. J'en suis de plus en plus persuadé.

Le bois était plein de soleil, de chants d'oiseaux, de frémissements de feuilles. Je devinais, derrière moi, les rangées de maisons identiques, coquettes, banales. « Ce putain d'endroit », faillis-je ajouter. Je n'en fis rien.

Après les sandwiches, nous nous rendîmes chez la tante Vera et sa marmaille. C'était un après-midi ensoleillé et chaud. Pourtant, le lotissement était étrangement désert. Fenêtres closes, pas un enfant dehors. Ils étaient tous à l'intérieur, désorientés, agités et surveillés par leurs parents, tendant l'oreille pour saisir quelques bribes des murmures échangés par les adultes et comprendre ce qui se passait.

Les Foley formaient une tribu peu engageante. Installée dans un fauteuil, croisant les bras et remuant le buste par saccades comme une vieille, l'aînée, âgée de quinze ans, nous gratifia d'un regard dédaigneux et las. Sa cadette, de cinq ans plus jeune, ressemblait à un cochon de dessin animé. Tortillant du postérieur sur le canapé, elle mâchait son chewing-gum, le collait parfois sur sa langue qu'elle tirait au tout venant avant de recommencer à mastiquer. Avec son visage dodu et son nez busqué, son petit frère évoquait un bouddha revêche. Assis sur les genoux de Vera, il me considéra un instant puis se détourna, le menton plissé dans le gras du cou. J'eus la conviction que, s'il se mettait à parler, sa voix caverneuse me ferait peur. La maison sentait le chou. Je n'arrivais pas à imaginer pourquoi Rosalind et Jessica s'y rendaient si régulièrement.

Vera et ses deux filles me racontèrent la même histoire : Rosalind, Jessica et parfois Katy passaient la nuit chez elles environ une fois par mois.

– Bien sûr, j'aimerais les avoir davantage, précisa Vera en tripotant nerveusement un coin de tissu, mais c'est impossible. Je manque de patience, voyez-vous...

Moins souvent, Valerie et Sharon couchaient chez les Devlin. Nul ne savait très bien qui avait eu l'idée de ces échanges. Peut-être Margaret, suggéra mollement Vera. Lundi soir, Rosalind et

Jessica étaient arrivées à 20 h 30. Elles avaient regardé la télévision et joué avec le bébé, ce que j'avais du mal à concevoir dans la mesure où il remua à peine pendant toute la durée de l'entretien ; autant jouer avec une grosse pomme de terre. Les deux sœurs étaient montées se coucher vers 23 heures, sur un lit de camp qu'elles partageaient dans la chambre de Valerie et Sharon.

– Comme d'habitude, gémit Vera, ç'a été infernal. Elles n'ont pas arrêté de chahuter. Elles sont adorables, je ne dis pas le contraire, mais les enfants ne se rendent pas compte à quel point ils épuisent les pauvres adultes, ajouta-t-elle en poussant du coude sa fille cadette, qui, remuant toujours son postérieur, se réfugia au fond du canapé. Je suis allée dix fois leur demander de se calmer. Je ne supporte pas le bruit, vous comprenez... Elles ne se sont endormies qu'à 2 h 30 du matin. Vous vous rendez compte ? J'étais tellement épuisée que je me suis fait une tasse de thé. Résultat : je n'ai pas fermé l'œil de la nuit. Le matin, j'étais dans tous mes états. Et quand Margaret a téléphoné, nous étions toutes sur les nerfs. N'est-ce pas, les filles ? Mais je n'aurais jamais imaginé... Je croyais qu'elle était simplement...

Elle pressa une main noueuse et fine contre sa bouche.

Cassie s'adressa à la fille aînée.

– Revenons à la nuit précédente. De quoi, ta sœur et toi, avez-vous parlé avec vos cousines ?

Valerie roula des yeux, comme pour dire : « Quelle question stupide ! »

– De trucs...

– Avez-vous parlé de Katy ?

– J'en sais rien. Ouais... Rosalind était tout excitée parce que sa sœur allait étudier à l'école de danse. Je vois pas en quoi c'est super.

– Et ton oncle et ta tante ? Vous en avez parlé ?

– Ouais. Rosalind a dit qu'ils étaient horribles avec elle. Ils la laissent jamais rien faire.

Vera gloussa.

– Allons, Valerie, ne dis pas ça ! Ne l'écoutez pas, je vous en prie. Margaret et Jonathan feraient tout pour leurs filles. Ils se saignent aux quatre veines pour...

– Ben voyons ! Si Rosalind s'est barrée, c'est parce qu'ils étaient trop gentils avec elles.

Cassie et moi nous apprêtions à saisir la balle au bond, mais Vera fut plus rapide.

– Valerie ! Qu'est-ce que je t'ai dit ? On ne parle pas de ça ! Ce n'était qu'un malentendu ! Rosalind a été bien ingrate de causer du souci à ses malheureux parents, mais tout est oublié et pardonné...

J'attendis qu'elle ait fini avant de revenir à Valerie.

– Pourquoi Rosalind s'est-elle enfuie ?

Nouvelle mimique.

– Elle en avait sa claque que son père soit toujours après elle. Il l'a peut-être cognée...

– Valerie !... Ne tenez pas compte de ce qu'elle raconte. Je ne sais pas d'où elle tient ça. Jonathan ne toucherait jamais à un cheveu de ses filles. Jamais ! Rosalind est une écorchée vive. Elle s'est disputée avec son père et il ne s'est pas rendu compte à quel point il l'avait perturbée...

Valerie se redressa dans son fauteuil, me toisa avec un rictus plein de suffisance. Sa cadette s'essuya le nez contre sa manche et examina le résultat avec intérêt.

– Quand cela s'est-il passé ? demanda Cassie à Vera.

– Je ne m'en souviens pas. Il y a longtemps... L'année dernière. Je crois que c'était...

– En mai ! lança Valerie. En mai dernier.

– Combien de temps a-t-elle fugué ?

– Trois jours. La police est venue et...

– Vous savez où elle est allée ?

– Elle est partie avec un garçon, assena Valerie d'un ton narquois.

– Non ! cria Vera. Elle n'a raconté ça que pour torturer sa pauvre mère. Que Dieu lui pardonne. Elle s'est réfugiée chez une de ses camarades de classe. Comment s'appelle-t-elle, déjà ? Karen... Elle est rentrée à la fin du week-end et on ne lui a fait aucun reproche.

– Ben voyons..., grommela Valerie en haussant les épaules.

– Veux mon goûter, martela le bambin.

Je ne m'étais pas trompé : il avait une voix de basson.

Cet épisode expliquait une bizarrerie qui m'avait intrigué dès le début : la rapidité avec laquelle le service des personnes disparues avait conclu à la fugue. Douze ans est un âge limite. On aurait dû, en principe, accorder à Katy le bénéfice du doute, commencer les recherches et avertir aussitôt la presse au lieu d'attendre vingt-quatre heures. Mais la tentation de la fugue se propage dans les familles, les enfants plus jeunes imitant leurs aînés. Lorsque les enquêteurs avaient recherché l'adresse des Devlin dans leurs fichiers informatiques, ils avaient dû prendre connaissance de la fugue de Rosalind et en conclure que Katy avait fait la même chose : elle avait eu des mots avec ses parents, s'était enfuie chez une amie ; une fois calmée, elle regagnerait son domicile et tout irait bien.

J'étais, cyniquement, ravi que Vera fût restée éveillée toute la nuit de lundi. Même s'il était épouvantable de l'admettre, je m'étais interrogé sur Jessica et Rosalind. Jessica n'était pas bien robuste, mais paraissait assez déséquilibrée. Le cliché selon lequel la folie décuple les forces des plus faibles n'était peut-être pas absurde. Et Jessica avait certainement été jalouse de l'adulation dont jouissait Katy. Quant à Rosalind, elle était étroitement liée à sa sœur et la protégeait au-delà du raisonnable. Si la réussite de Katy avait entraîné Jessica un peu plus loin dans sa démence...

Je savais que Cassie avait pensé à la même chose que moi. Toutefois, elle ne m'en avait pas parlé, ce qui avait accentué mon malaise.

– Je veux savoir pourquoi Rosalind s'est enfuie de chez elle, lui dis-je alors que nous descendions l'allée des Foley, épiés par Sharon, qui, le nez contre la vitre du salon, nous tirait la langue.

– Et où elle est allée, ajouta Cassie. Pourrais-tu lui parler ? Je crois qu'elle se montrera plus prolixe avec toi qu'avec moi.

– En fait, répondis-je, un peu gêné, je l'ai eue au téléphone. Je la vois demain après-midi. Elle a quelque chose à me dire.

Cassie baissa la tête, fourra son calepin dans sa sacoche. Était-elle mortifiée parce que Rosalind s'était adressée à moi alors que, d'habitude, c'est à elle que les familles se confient ? La tendresse fraternelle qui nous lie se muant parfois en rivalité, je ne pus m'empêcher de jouir d'un puéril sentiment de triomphe.

– Très bien, dit-elle. N'en fais pas une montagne.

Nous arrivions sur la route. Les mains dans les poches, elle contemplait les champs. Je lui donnai un léger coup de coude. Elle me laissa la devancer d'un pas puis, sans prévenir, me balança un coup de pied aux fesses.

Nous avons consacré le reste de l'après-midi à faire du porte-à-porte dans l'ensemble du lotissement. Rien de plus ennuyeux. Les stagiaires étaient déjà passés avant nous. Toutefois, nous souhaitions avoir une idée de ce que leurs voisins pensaient des Devlin. Tous les décrivirent comme des gens honorables, bien qu'un peu réservés, ce qui, dans le milieu social des habitants de Knocknaree, pouvait être confondu avec une forme de snobisme. Mais ils aimaient beaucoup Katy. Son admission à la Royal Ballet School en avait fait la coqueluche de tous les résidents. Ils se sentaient fiers d'elle. Même les plus pauvres avaient participé à la collecte en sa faveur. Tous vantèrent son talent, sa grâce. Certains pleurèrent. Plusieurs avaient adhéré à la campagne de Jonathan contre l'autoroute. Quelques-uns, pourtant, ne partageaient pas son indignation. Ils lui reprochaient de s'opposer au progrès et de ruiner l'économie. Ceux-là eurent droit, dans mon calepin, à une petite croix devant leur nom. Jessica, elle, faisait presque l'unanimité : de l'avis du plus grand nombre, elle n'était pas tout à fait normale.

Lorsque nous leur demandâmes s'ils avaient vu quelque chose de suspect, ils nous débitèrent les racontars habituels : un vieillard qui insultait les poubelles, deux adolescents de quatorze ans qui noyaient les chats dans la rivière, des querelles de voisinage, de vieilles rancœurs sans rapport avec le meurtre. Certains évoquèrent les disparitions de 1984 qui, avant l'ouverture du chantier, le projet d'autoroute et l'assassinat de Katy, avaient rendu Knocknaree célèbre. Je crus reconnaître quelques noms, deux ou trois visages. Je m'adressai à eux avec une indifférence toute professionnelle.

Une heure plus tard, nous avons sonné au 27, Knocknaree Drive, chez Mme Pamela Fitzgerald, dont j'avais lu la déposition manuscrite dans l'ancien dossier. Quatre-vingt-huit ans, décharnée, presque aveugle mais vaillante, bavarde comme une pie.

Elle nous proposa du thé, ne tint aucun compte de notre refus. Elle nous demanda, criant depuis la cuisine, si nous avions retrouvé le porte-monnaie qu'un jeune voyou lui avait volé trois mois plus tôt. Tout en se plaignant de ses chevilles gonflées qui, assura-t-elle, lui faisaient souffrir le martyre, elle refusa avec indignation de me laisser porter le plateau.

Originaire de Dublin, elle s'était installée à Knocknaree vingt-sept ans plus tôt, quand son mari, conducteur de train, Dieu ait son âme, avait pris sa retraite. Depuis, rien de ce qui s'y passait ne lui échappait. Elle était au courant du moindre potin, du plus petit scandale. Bien sûr, elle connaissait les Devlin et les aimait beaucoup.

– Une famille merveilleusement unie. Margaret Kelly a toujours été une perle. Elle n'a jamais causé le moindre souci à sa mère jusqu'au jour où...

Elle se pencha vers Cassie et chuchota avec une mine de conspiratrice :

– Jusqu'au jour où elle est revenue enceinte. Et je vais vous dire, ma chérie... Le gouvernement et l'Église ont beau trouver ça choquant, il n'y a aucun mal à ce qu'une jeune fille attende un bébé. Le petit Devlin n'était pas un enfant de chœur mais, à partir du moment où il s'est retrouvé chargé de famille, il a changé du tout au tout. Il a trouvé un emploi, une maison et ils ont eu un très beau mariage. Ce qui leur arrive est affreux. Cette pauvre petite... Qu'elle repose en paix.

Elle se signa, puis me tapota le bras.

– Et vous êtes venu d'Angleterre pour démasquer celui qui a fait ça ? Vous êtes formidable. Dieu vous bénisse, jeune homme.

– La vieille hérétique, dis-je une fois dehors, revigoré par cet intermède. J'aimerais avoir la même pêche à son âge.

Nous avons arrêté le porte-à-porte à 18 heures pour aller regarder le journal télévisé au pub, Chez Mooney, à côté de la supérette. Nous n'avions couvert qu'une petite partie du lotissement, mais nous avions une idée de l'atmosphère générale et la journée avait été longue. J'avais l'impression que deux jours s'étaient écoulés depuis notre entrevue avec Cooper, le médecin légiste. Je mourais d'envie de pousser jusqu'à mon ancienne rue, de voir si la mère de Jamie viendrait nous ouvrir, à quoi ressemblaient à présent les frères et sœurs de Peter, de découvrir qui vivait dans mon ancienne chambre. Je me ravisai. Ce n'était pas une bonne idée.

Nous sommes arrivés pile à l'heure. Alors que je posais nos cafés sur notre table, le barman augmenta le son de la télévision. Une musique synthétique annonça le journal du soir. Katy faisait la une. Les deux présentateurs, un homme et une femme, arboraient une gravité de circonstance. Leur voix vibrait tragiquement à la fin de chaque phrase.

– La jeune fille retrouvée morte hier sur le site archéologique controversé de Knocknaree a été identifiée : il s'agit de Katharine Devlin, âgée de douze ans, annonça le présentateur.

Ou le poste était hors d'usage, ou il s'était mis trop de maquillage. Il avait le visage orange, le blanc des yeux étincelant. Les habitués accoudés au bar se retournèrent lentement, reposant leurs verres sur le comptoir.

– Katharine avait disparu de son domicile depuis mardi, très tôt dans la matinée. La Garda confirme que sa mort est considérée comme suspecte et invite toute personne susceptible de fournir des informations à se faire connaître... Orla Manahan nous parle en direct depuis Knocknaree...

Gros plan sur une blonde aux cheveux laqués et au nez protubérant, debout devant la pierre rituelle, au pied de laquelle des anonymes avaient déjà déposé leurs offrandes : des bouquets de fleurs dans du papier cellophane de couleur, un ours en peluche rose. En arrière-plan, un cordon de sécurité oublié par l'équipe de Sophie tremblotait contre un arbre.

– Voici l'endroit où, hier matin, la petite Katy Devlin a été découverte. Malgré son jeune âge, Katy était une figure connue de Knocknaree. Elle venait d'être admise à la prestigieuse Royal Ballet School, qu'elle devait intégrer d'ici à quelques semaines. Les résidents du lotissement ont appris avec consternation la mort tragique de celle qui faisait leur fierté et leur joie.

Suivirent plusieurs images choisies. Une vieille femme au foulard fleuri filmée devant la supérette sanglotait : « C'est abominable. » Un type à bicyclette s'arrêtait devant la caméra : « C'est épouvantable. Nous prions tous pour la famille. Comment un salaud a-t-il pu s'attaquer à cette merveilleuse petite fée ? » Il y eut un long murmure provenant des clients accoudés au bar.

Retour à la blonde.

– Ce n'est certes pas la première mort violente qui ait frappé Knocknaree. Il y a des milliers d'années, ajouta-t-elle en désignant la pierre comme un agent immobilier vantant une construction neuve, cet autel a peut-être connu des sacrifices humains pratiqués par des druides. Cependant, cet après-midi, la Garda a assuré que rien ne prouvait l'existence d'un culte satanique.

Gros plan sur O'Kelly engoncé dans son costume, devant un imposant panneau orné du sigle de la Garda. Il s'éclaircit la gorge, ânonna notre liste : aucune preuve d'un culte satanique. De nouveau le présentateur peinturluré :

– Knocknaree a été le théâtre d'un nouveau mystère. En 1984, deux enfants...

Apparurent sur l'écran de vieilles photos d'école : Peter souriant méchamment sous sa frange, Jamie, qui détestait les photographes, clignant des yeux devant l'objectif.

– Nous y voilà, dis-je en m'efforçant de paraître le plus léger possible.

Cassie but une gorgée de café.

– Vas-tu en parler à O'Kelly ?

Cette question, je m'y attendais. Et je comprenais toutes les raisons que Cassie avait de me la poser. Cela me toucha quand même au cœur. Je me tournai vers le bar. Les buveurs fixaient intensément l'écran.

– Non, dis-je. Non. On me retirerait l'affaire. Et je veux aller jusqu'au bout, Cass.

– Je sais. Mais s'il le découvre ?

Dans ce cas, nous avions de grandes chances de nous retrouver tous les deux affectés à la circulation ou, à tout le moins, exclus de la brigade. Je m'étais efforcé de ne pas y penser.

– Il ne découvrira rien. Comment le pourrait-il ? Et si cela arrive, nous jurerons tous les deux que tu n'étais au courant de rien.

– Il n'en croira pas un mot. De toute façon, le problème n'est pas là.

Vieille image floue d'un flic tenant en laisse un berger allemand surexcité et s'enfonçant dans le bois. Un plongeur émergeant de la rivière et secouant la tête...

– Cassie, j'ai conscience de ce que je te demande. Mais je t'en prie. Il faut que j'aille jusqu'au bout.

Je réalisai, à son expression, que je m'étais exprimé de façon beaucoup plus implorante que je n'en avais eu l'intention.

– Nous ne savons même pas avec certitude s'il existe un lien, poursuivis-je plus calmement. Et s'il y en a un, je pourrais finir par me souvenir d'un élément utile à l'enquête. S'il te plaît, Cassie. J'ai besoin de ton soutien.

Elle garda le silence un long moment, buvant toujours son café, scrutant l'écran d'un air pensif.

– Y a-t-il une chance pour qu'un journaliste plus têtu que les autres parvienne à... ?

– Non.

J'avais tourné et retourné cette possibilité dans ma tête. Le dossier ne mentionnait même pas mon nouveau nom, ni mon nouveau collège, et lorsque nous avions déménagé mon père avait donné à la police l'adresse de ma grand-mère. À sa mort, alors que j'avais une vingtaine d'années, ma famille avait vendu sa maison.

– Mes parents ne sont pas dans l'annuaire et mon numéro de téléphone est au nom de Heather Quinn.

– Et aujourd'hui, tu t'appelles Rob. Nous passerons entre les gouttes.

Ce « nous » m'alarma. Cette solidarité que je venais de lui demander, Cassie ne risquait-elle pas de la payer très cher ?

– Si la catastrophe se produit, je te laisserai le soin de me protéger des paparazzi, dis-je en riant.

– Marché conclu. Je vais apprendre le karaté.

Sur l'écran, les vieilles images avaient disparu. La blonde revint au premier plan, toujours aussi sentencieuse.

– Pour l'instant, tout ce que peuvent faire les résidents de Knocknaree, c'est attendre... et espérer.

Dernier travelling, long, poignant, sur la pierre rituelle, puis retour au studio, où le présentateur orange donna les derniers développements d'un procès qui s'éternisait depuis des mois.

Après avoir laissé nos affaires chez Cassie, nous sommes allés marcher sur la plage. J'aime Sandymount lors de nos rares après-midi d'été, avec ce ciel bleu de carte postale et toutes ces filles en robe légère, les épaules rougies par le soleil. Mais je la préfère de loin sous notre bon vieux ciel irlandais, quand le vent nous jette au visage des giclées de pluie et que tout se confond dans un dégradé de gris : gris-blanc des nuages, gris-vert de la mer dans le lointain, sable mouillé quand elle se retire, coquillages mis à nu, écume argentée de la marée montante. Cassie portait des espadrilles vertes et son duffle-coat beige. Le vent rougissait son nez. Une fille robuste et concentrée, en short et casquette de base-ball, sans doute une étudiante américaine, faisait son jogging. Sur la promenade, une mère de famille en survêtement poussait un landau pour jumeaux.

– À quoi penses-tu ? dis-je.

Je parlais de l'affaire, bien entendu. Mais Cassie était d'humeur dissipée et avait besoin, après cette journée chargée, de se défouler.

– Voilà bien les hommes ! Si une femme demande à l'un d'eux ce qu'il pense, il s'enfuit en courant. Mais lui...

– Arrête, répondis-je en rabattant sa capuche sur son visage.

– Au secours ! cria-t-elle. On me harcèle !

La mère des jumeaux nous jeta un regard sévère.

– Calme-toi, ajoutai-je. Sinon, tu n'auras pas de glace.

Elle repoussa sa capuche et se lança dans une série de cabrioles, son duffle-coat retroussé jusqu'aux épaules. Enfant, elle a fait de la gymnastique pendant huit ans et en a gardé, quinze ans plus tard, une souplesse ahurissante. Je la rattrapai, la redressai. Elle était hors d'haleine et avait du sable plein les mains.

– Ça va mieux ? demandai-je.

– On ne peut mieux. Tu disais ?

– L'affaire. Le travail. Les victimes.

– Ah oui.

Elle remit de l'ordre dans sa tenue et nous poursuivîmes notre marche le long du rivage, donnant des coups de pied dans des coquillages à demi ensablés. Elle murmura :

– Je me demandais... À quoi ressemblaient Peter Savage et Jamie Rowan ?

À l'horizon, un ferry-boat plus petit qu'un jouet fendait les vagues. Je songeai à mes amis d'autrefois : Jamie grimpant aux arbres, le rire de Peter éclatant au milieu des feuilles. Avaient-ils vraiment existé ?

– Ils étaient de la même taille que moi. Une taille normale. Minces tous les deux. Jamie était d'un blond très clair, avec les cheveux coupés à la Jeanne d'Arc et un nez retroussé. Peter, lui, était châtain foncé, avec cette coiffure irrégulière des enfants à qui leur mère coupe elle-même les cheveux. Ses yeux étaient verts. Je pense qu'il aurait fait des ravages.

– Et leur personnalité ?

Le vent souleva ses cheveux, les poussa en arrière. D'habitude, quand nous marchons, Cassie glisse son bras sous le mien. Cette fois, elle ne le ferait pas.

Au cours de ma première année d'internat, je n'avais cessé de penser à eux. J'éprouvais un épouvantable mal du pays, plus lancinant qu'une rage de dents. Au début de chaque trimestre, on devait m'extraire de la voiture et m'emmener, pleurant toutes les larmes de mon corps, tandis que mes parents s'en allaient. Contrairement à ce qu'on aurait pu croire, je ne devins pas le souffre-douleur de mes camarades. Sans doute savaient-ils que tout ce qu'ils m'infligeraient ne serait rien en comparaison de ce que j'endurais. L'internat, perdu dans la campagne, n'avait rien d'un enfer. Je pense que je m'y serais senti parfaitement heureux sans cette maudite nostalgie qui me torturait.

Comme tous les enfants tristes, je me réfugiais dans un monde imaginaire. Pendant les cours ou l'étude, Jamie se tenait toujours près de moi, avec ses genoux potelés et sa tête sur mon épaule. La nuit, je restais éveillé pendant des heures, au milieu des garçons qui ronflaient ou parlaient dans leur sommeil, me disant : *Si j'ouvre les yeux, Peter sera dans le lit voisin du mien.* Je laissais filer, le long du ruisseau qui traversait la pelouse, des messages enfermés dans des bouteilles de soda : « À Peter et Jamie. Revenez, s'il vous plaît. Je vous aime. Adam. » Je savais bien qu'on m'avait envoyé là parce qu'ils avaient disparu. Et je savais que s'ils surgissaient un soir du bois, crasseux, affamés et dévorés par les orties, on me permettrait de rentrer chez moi.

– Jamie était un garçon manqué, dis-je. Timide vis-à-vis des inconnus, surtout les adultes, mais téméraire en diable. Vous vous seriez bien entendues.

Cassie ne put s'empêcher de sourire.

– En 1984, je n'avais que dix ans. Tes copains et toi, vous ne m'auriez même pas adressé la parole.

J'avais toujours envisagé cette période de mon seul point de vue. Tout d'un coup, je me rendis compte que Cassie avait vécu là, elle aussi, à quelques kilomètres. Lorsque Peter et Jamie avaient disparu, elle jouait avec ses amis, faisait de la bicyclette ou croquait des biscuits, comme nous, insouciante, ignorant ce qui se passait, n'imaginant pas les chemins tortueux qui la conduiraient vers moi et jusqu'à Knocknaree.

– Bien sûr que si, affirmai-je. Nous t'aurions dit : « Donne-nous ton goûter, petit morveuse. »

– C'est ce que tu fais tout le temps. Parle-moi encore de Jamie.

– Sa mère était une espèce de hippie. Robes vaporeuses, longs cheveux. Elle lui donnait des yoghourts aux germes de blé pour son casse-croûte à l'école.

– Quelle horreur !

– À mon avis, Jamie était une enfant illégitime. Personne n'a jamais vu son père. Les gosses la charriaient là-dessus, jusqu'à ce qu'elle démolisse l'un d'eux. J'ai ensuite demandé à ma mère où se trouvait ce fameux père. Elle m'a répondu qu'il ne fallait pas être trop curieux. J'ai également posé la question à Jamie. Elle a haussé les épaules et grommelé : « On s'en fout. »

– Et Peter ?

– Peter était un meneur. Depuis toujours, même quand nous n'étions que des bambins... Il parlait à n'importe qui, nous tirait toujours d'affaire. Il n'était pas si brave que ça, mais il avait confiance en lui et il aimait les gens. En plus, il était gentil. Je me souviens d'un gosse, Willie Little : Willie le Petit. Il avait de grosses lunettes et une bosse dans le dos, qu'il cachait sous des chandails trop grands. Il commençait toujours ses phrases par : « Comme dit ma mère... » Nous l'avons torturé pendant des années, maculant ses cahiers de textes de dessins obscènes, tombant sur ses épaules en sautant des arbres, lui offrant les crottes du lapin de Peter en prétendant que c'était du chocolat. Mais, l'été de nos douze ans, Peter nous a ordonné d'arrêter. « C'est dégueulasse, nous a-t-il dit. Il est ce qu'il est. Ce n'est pas sa faute. » Je me demande ce qu'il est devenu : prix Nobel de physique, peut-être, marié à un top model ; ou laborantin et dissimulant toujours sa bosse sous des chandails trop larges. En tout cas, Peter l'a pris sous son aile.

– C'est rare. La plupart des enfants sont méchants. Moi aussi, je l'étais.

– Peter était un garçon à part, murmurai-je.

Elle s'arrêta pour ramasser un coquillage orange, l'examina avec soin.

– Il y a encore une chance pour qu'ils soient vivants, n'est-ce pas ?

Elle frotta contre sa manche le sable recouvrant le coquillage, souffla dessus.

– Vivants quelque part...

– Peut-être...

Cette idée m'avait hanté pendant des années : Peter et Jamie avaient simplement, ce jour-là, continué à courir, me laissant loin derrière eux, sans même se retourner. Il m'arrive encore, par réflexe, de les chercher dans la foule, les aéroports, les gares. Leur image s'est estompée mais, quand j'étais plus jeune, je tournais la tête dans tous les sens, comme un personnage de dessin animé, paniqué à l'idée qu'ils aient pu me croiser sans me voir.

– Mais j'en doute. Il y avait beaucoup de sang.

Cassie fourra le coquillage dans sa poche.

– Je ne connais pas les détails...

– Je te confierai le dossier, lui proposai-je après un temps d'hésitation, comme si j'allais lui remettre mon journal intime.

La mer commençait à remonter. À Sandymount, elle est si loin, à marée basse, que sa minuscule ligne grise se détache à peine sur l'horizon. Elle revient à toute allure, de toutes les directions à la fois, au point que certaines personnes se retrouvent piégées. Quelques minutes encore et elle nous lècherait les pieds.

– Nous ferions mieux de rentrer, dit Cassie. Sam vient dîner à 20 heures, tu te rappelles ?

– C'est vrai, lâchai-je sans enthousiasme.

J'aime beaucoup Sam. Tout le monde l'apprécie, sauf Cooper. Toutefois, je ne me sentais pas d'humeur sociable.

– Pourquoi l'as-tu invité ?

– Travail, travail...

Son sourire me désarma. Les deux jumeaux collés dans la poussette se cognaient avec des jouets de couleurs vives.

– Britney ! Justin ! cria leur mère en couvrant leurs hurlements. Arrêtez ou je vous tue tous les deux !

Je pris Cassie par le cou et réussis à l'entraîner assez loin avant que nous éclations de rire.

Je finis par m'habituer à l'internat. Lorsque mes parents m'y déposèrent au début de la deuxième année scolaire, je compris, en dépit de mes larmes et de mes cris, que, quoi que je fasse, ils ne me laisseraient jamais rentrer chez moi. Dès lors, je cessai d'avoir le cafard.

Je n'avais guère le choix. Ma première année m'avait amené à la limite de la dépression nerveuse, au point qu'il m'arrivait, en me levant, de ne plus me souvenir du nom de mes camarades, ou d'être incapable de retrouver le chemin du réfectoire. Cette année-là, mon instinct de survie prit le dessus. La première nuit, je sanglotai pendant des heures avant de sombrer dans le sommeil. En m'éveillant, je me jurai de ne plus jamais avoir le mal du pays.

Le reste suivit. En une semaine, mon accent se modifia, prit des intonations typiquement britanniques. Je me liai avec Charlie, mon voisin immédiat en classe de géographie. Il avait un visage rond, solennel, et un petit rire irrésistible. Quelques années plus tard, nous avons partagé une chambre où nous fumions les joints que lui fournissait son frère, étudiant à Cambridge, tout en ayant de longues conversations à propos des filles. J'étais un élève médiocre. Considérant ce collège comme un lieu dont je ne sortirais jamais, je ne voyais pas très bien l'utilité d'étudier. Néanmoins, je devins un très bon nageur et un membre apprécié de l'équipe de natation, ce qui me valut, bien plus que ne l'auraient fait d'hypothétiques performances scolaires, le respect de mes professeurs et de mes camarades. Au cours de la cinquième année, on me chargea même, comme *prefect*, de la discipline interne. Il faut croire que, comme plus tard lorsque j'intégrai la brigade, j'en avais le profil.

Je passais une grande partie de mes vacances chez Charlie, dans le Hertfordshire. J'appris à conduire avec lui la vieille Mercedes de son père sur les routes de campagne, vitres baissées et beuglant à tue-tête les tubes de Bon Jovi dont nous mettions les cassettes sur l'autoradio, tombai amoureux de ses sœurs. Je ne revenais chez moi qu'à contrecœur. Notre maison de Leixlip était exiguë, humide et sombre. Ma mère avait rangé n'importe comment mes affaires dans ma chambre. Je me sentais à l'étroit, étranger dans mon propre pays. Tous les autres adolescents de la rue, affublés d'une coupe de cheveux bizarre qui leur donnait l'air menaçant, n'arrêtaient pas de se moquer de mon accent.

Mon changement déconcerta mes parents. Loin de se réjouir de mon adaptation à ma nouvelle existence, ils se mirent, eux aussi, à me considérer comme un étranger. Marchant vers moi à pas de loup, ma mère me demandait timidement ce que je voulais pour le thé. Mon père tentait d'avoir avec moi des conversations d'homme à homme, mais se heurtait de ma part à un silence obstiné. Je comprenais qu'ils m'avaient envoyé au collège pour me protéger du harcèlement des journalistes, des interrogatoires de la police et de la curiosité malsaine des gamins de mon âge. Sans doute avaient-ils pris la bonne décision. Pourtant, je ne pouvais m'empêcher de penser, ce qui n'était peut-être pas tout à fait faux, qu'ils m'avaient éloigné surtout parce qu'ils me craignaient. Tel un enfant qu'un handicap monstrueux aurait empêché de grandir, ou qui aurait poignardé son jumeau, j'étais devenu, simplement parce que j'avais survécu, un accident de la nature.

Chapitre 8

Sam arriva pile à l'heure, comme un adolescent se rendant à son premier rendez-vous. Il avait même mis du gel dans ses cheveux et apporté une bouteille de vin.

– Voilà pour toi, dit-il à Cassie. Je ne savais pas ce que tu allais nous faire à dîner, mais le marchand m'a assuré que celui-là pouvait se boire avec n'importe quoi.

– C'est parfait, répondit-elle en baissant le son de la musique qu'elle met toujours à fond en cuisinant ou en faisant le ménage, puis en sortant des verres du placard. De toute façon, je ne fais que des pâtes. Le tire-bouchon est dans le tiroir. Rob, mon chou, je te rappelle que tu dois touiller la sauce, et non te contenter de tenir la cuillère dans la casserole.

– Écoute, cordon-bleu, est-ce toi qui la prépares, ou moi ?

– Ni l'un ni l'autre, apparemment. Sam, tu prends du vin, ou tu conduis ?

– Maddox, ce n'est que de la sauce tomate en boîte avec du basilic. Rien à voir avec de la haute cuisine.

– Est-ce qu'on t'a enlevé ton palais à la naissance, ou as-tu cultivé avec obstination ton manque de raffinement ? Sam ? Du vin ?

Il avait l'air un peu éberlué. Cassie et moi oublions parfois l'impression que nous pouvons faire sur les gens, surtout en dehors des heures de travail et lorsque nous sommes de bonne humeur, ce qui était le cas. Je sais que cela peut paraître bizarre après la journée que nous venions de vivre, mais il faut bien prendre ses distances de temps à autre. Si on se laisse aller à trop penser aux victimes, à leurs derniers instants, à tout ce qu'elles ne feront jamais ou à la douleur de leur famille, on finit par se retrouver avec une affaire non élucidée et une dépression nerveuse. J'avais, en l'occurrence, plus de mal à décrocher que d'habitude. Mais participer à la préparation du dîner et taquiner Cassie me faisaient du bien.

– Euh, oui, s'il te plaît, dit Sam.

Il examina timidement la pièce, à la recherche d'un endroit où poser son imperméable. Cassie le lui prit des mains et le posa sur le futon.

– Mon oncle a une maison à Ballsbridge et j'ai toujours la clé sur moi. J'y passe parfois la nuit quand j'ai vidé quelques pintes de trop.

– Tant mieux ! s'écria-t-elle. Je déteste que certaines personnes boivent et d'autres pas. Ça rend les conversations bancales. À propos, qu'est-ce que tu as fait à Cooper ?

Sam s'esclaffa, tout en fouillant dans le tiroir à la recherche du tire-bouchon.

– Je jure que je n'y suis pour rien. J'ai hérité de mes trois premières affaires à 5 heures de l'après-midi. Je lui ai téléphoné juste au moment où il rentrait chez lui.

– Holà ! Mauvais, Sam.

– Tu as de la chance qu'il t'ait adressé la parole, dis-je.

– Il a du mal. Il fait encore semblant de ne pas se souvenir de mon nom. Il m'appelle inspecteur Neary, ou O'Nolan, même à la barre des témoins. Une fois, il a employé six noms pour me désigner. Le juge en a perdu son latin et a failli décréter une suspension d'audience. Heureusement, il vous a à la bonne.

– C'est grâce au décolleté de Ryan, pouffa Cassie en me poussant d'un coup de hanche pour jeter une pincée de sel dans l'eau bouillante.

– Alors, je vais me payer un Wonderbra, décréta Sam.

Il déboucha prestement la bouteille, servit le vin et nous tendit nos verres.

– À la vôtre. Merci de m'avoir invité. Buvons à une résolution rapide de l'affaire. Et à l'absence de mauvaises surprises.

Après le dîner, nous passâmes aux choses sérieuses. Je fis du café. Sam insista pour laver la vaisselle. Cassie s'empara des photos et des notes relatives à l'autopsie, posées sur la table basse, un vieux coffre impeccablement ciré, les étala par terre et les examina en mangeant des cerises, tenant d'une main la coupe de fruits.

– Comment s'est déroulée ta journée ? demandai-je à Sam pendant qu'elle se concentrait, assise en tailleur et tortillant, une main au sommet du crâne, une mèche de cheveux.

– Elle a été longue, dit-il en rinçant les assiettes avec une dextérité de célibataire. Les fonctionnaires m'ont renvoyé d'un service à l'autre. Savoir qui possède les terrains ne sera pas une partie de plaisir. J'ai parlé à mon oncle. Je lui ai demandé si la campagne contre le projet d'autoroute avait le moindre effet.

– Et ? lançai-je en tentant de paraître cynique.

Je n'avais aucun grief personnel contre Redmond O'Neill, bon vivant chaleureux à la tignasse argentée. Mais je me méfie des politiciens.

– Selon lui, non. Elle gêne, sans plus. Je ne fais que le citer. Les contestataires sont allés trois fois devant les tribunaux, pour tenter d'enrayer le projet. Il faudra que je vérifie les dates mais, selon Red, les audiences ont eu lieu à la fin avril, à la mi-juin et à la mi-juillet. Cela correspond aux coups de téléphone anonymes reçus par Jonathan Devlin.

– Apparemment, certains y voient plus qu'une simple nuisance.

– La dernière fois, il y a quelques semaines, « Non à l'autoroute » a obtenu une mise en demeure. Mais, toujours selon Red, elle sera rejetée en appel. Il ne se fait aucun souci.

– Tu me rassures, murmura Cassie.

– Cette autoroute sera très bénéfique, expliqua-t-il patiemment. Elle entraînera de nouveaux logements, de nouveaux emplois...

– Je n'en doute pas. Simplement, je ne vois pas pourquoi tous ces bienfaits disparaîtraient si on la construisait quelques centaines de mètres plus loin.

Il secoua la tête.

– Je n'en sais rien. Je n'y comprends pas grand-chose. Mais Red, lui, connaît le dossier. Et il affirme que ce projet est indispensable.

– Admettons.

Cassie garda le silence tandis que nous apportions le café. Puis elle revint à ce qui la préoccupait.

– Je pense à ce type. Le plus intéressant, à mon sens, c'est qu'il n'avait pas le cœur à ce qu'il faisait.

Je ne pus m'empêcher de bondir.

– Quoi ? Maddox, il l'a frappée deux fois sur le crâne avant de l'étouffer. Il l'a tuée ! S'il n'y avait pas mis du sien...

– Pas si vite, dit Sam. J'aimerais bien savoir de quoi il retourne.

Cassie lui sourit avec reconnaissance.

– Merci, Sam. Ainsi que je m'apprêtais à le dire, le premier coup a été faible et a juste assommé Katy. Elle tournait le dos au tueur, ne bougeait pas. Il aurait pu lui défoncer le crâne. Or il ne l'a pas fait.

– Il n'avait donc aucune idée de la force avec laquelle il devait la frapper, commenta Sam. Il n'avait jamais rien fait de tel auparavant.

Je me tournai vers Cassie.

– Cass, tu crois donc que c'était son premier meurtre ?

Elle croquait toujours ses cerises, les yeux braqués sur les notes.

– Je n'en suis pas sûre. Il n'a pas tué souvent, du moins pas récemment. Sinon, il ne se serait pas montré aussi timoré. Mais il a très bien pu le faire une fois ou deux, il y a quelque temps. Nous ne pouvons éliminer un lien avec l'autre affaire.

– J'ai rarement vu un tueur en série se tenir à carreau pendant vingt ans.

– En tout cas, cette fois-ci, il n'était pas assez fou. Elle se débat, il plaque une main sur sa bouche, il la frappe une nouvelle fois, peut-être quand elle cherche à s'enfuir, et l'assomme. Mais, au lieu de continuer à la frapper avec le caillou, alors même qu'ils luttent et que sa montée d'adrénaline devrait être au maximum, il la lâche et l'étouffe. Il ne l'étrangle même pas, ce qui aurait été beaucoup plus simple. Il se sert d'un sac plastique, et par-derrière, pour ne pas voir son visage. Il cherche à se distancier de son crime, à la rendre moins violent. Plus doux.

Sam grimaça.

– Ou alors, il ne voulait pas de boucherie, suggérai-je.

– D'accord. Mais pourquoi la frapper? Pourquoi ne pas se contenter de la maîtriser et de l'étouffer avec le sac? À mon avis, il souhaitait ne pas la faire souffrir.

– Peut-être ne se croyait-il pas capable de l'immobiliser sans la frapper. Peut-être n'est-il pas très robuste. Ou alors c'est la première fois qu'il fait ça et il ne sait pas comment s'y prendre.

– Bien vu. Il y a peut-être un petit peu des trois. J'admets que nous recherchons quelqu'un qui n'a aucune expérience de la violence, qui ne s'est même pas battu à l'école, n'a jamais été considéré comme querelleur et n'a jamais commis d'agression sexuelle. Je ne crois pas que le viol ressortisse vraiment du crime sexuel.

– Pourquoi? Parce qu'il a utilisé un objet? L'impuissance, ça existe.

Sam tressaillit, but une gorgée de café.

– Bien sûr... Mais cela n'a été que... superficiel. D'après Cooper, il n'y a eu ni sadisme ni frénésie. Juste quelques centimètres. L'hymen a été à peine déchiré. Et tout cela post mortem.

– Peut-être par choix. Nécrophilie...

– Doux Jésus, chuchota Sam en reposant sa tasse.

Cassie chercha ses cigarettes, changea d'avis et prit une des miennes, plus fortes.

– Il l'aurait vraiment violée, beaucoup plus longtemps. Et, encore une fois, on aurait retrouvé des traces de véritable agression sexuelle. Non : il ne le voulait pas. Il l'a fait parce qu'il le fallait.

– Il a mimé un crime sexuel pour nous entraîner sur une fausse piste?

Cassie secoua la tête.

– Je n'en sais rien. Dans ce cas, il l'aurait déshabillée, écarté ses jambes. Au lieu de cela, il a remonté son pantalon, l'a fermé avec la fermeture Éclair. Non. On peut envisager l'acte d'un schizophrène. Il a pu croire, d'une façon ou d'une autre, que Katy devait être tuée et violée, même s'il détestait cette idée.

Cela expliquerait pourquoi il a essayé de ne pas lui faire de mal, pourquoi il a utilisé un objet, pourquoi ce meurtre ne ressemble pas vraiment à un crime sexuel. Il ne voulait pas qu'elle soit exhibée, ni qu'on le prenne, lui, pour un violeur. Cela expliquerait même pourquoi il l'a déposée sur l'autel.

Je tendis le paquet de cigarettes à Sam, qui fit mine d'en accepter une, puis se ravisa. Cassie poursuivit :

– Il aurait pu la déposer dans le bois ou dans un autre endroit, où il aurait fallu un temps fou pour la retrouver. Au lieu de cela, il l'a transportée jusqu'à l'autel. Il s'agit peut-être d'une mise en scène, mais je ne le crois pas. Il ne l'a pas installée dans une posture spéciale. Il l'a simplement allongée sur le côté gauche, pour cacher sa blessure à la tête et tenter, une fois encore, de minimiser le crime. Je crois qu'il voulait la traiter avec soin, avec respect, qu'il tenait à la tenir éloignée des animaux, à faire en sorte qu'on la découvre rapidement. Si nous avons affaire à ce type de schizophrène, ajouta-t-elle en tendant la main vers le cendrier, nous ne devrions avoir aucun mal à le retrouver.

– Et si nous étions en présence d'un tueur à gages ? hasardai-je. Cela expliquerait également son hésitation. Quelqu'un, peut-être l'auteur des appels anonymes, l'a engagé. Peut-être n'aimait-il pas ce travail.

– Un tueur à gages, pas un professionnel, mais un amateur à court d'argent, correspondrait mieux à la situation. Katy Devlin n'était pas du genre à suivre n'importe qui, n'est-ce pas, Rob ?

– Elle est sans conteste la personne la plus équilibrée de la famille. Douée, intelligente, volontaire. Je l'imagine mal se promenant la nuit avec un inconnu.

– Surtout un inconnu inquiétant. Un schizophrène en état de crise n'aurait pas été capable de se comporter normalement, de la convaincre de le suivre. Il est probable que cet individu est avenant, gentil avec les enfants. Il pourrait s'agir de quelqu'un qu'elle connaissait depuis un certain temps, avec qui elle se sentait en sécurité, qui ne représentait pas une menace.

– Combien pesait-elle, au fait ?

Cassie consulta les notes.

– Trente-six kilos. Tout dépend de la distance sur laquelle on l'a transportée. Une femme, oui, aurait pu le faire, mais il aurait fallu que ce soit une femme très robuste. Sophie n'a pas trouvé, près du mur ou de la pierre, de traces indiquant que Katy a été traînée. Je pencherais plutôt pour un homme.

– Nous éliminons donc les parents ? demanda Sam d'une voix pleine d'espoir.

Cassie le détrompa aussitôt.

– Non. Admettons que l'un d'eux ait abusé d'elle et qu'elle l'ait menacé de parler. Le violeur ou l'autre parent aurait pu décider de la tuer, pour protéger l'ensemble de la famille. Peut-être ont-ils essayé de maquiller le meurtre en crime sexuel, sans avoir le courage d'aller jusqu'au bout... En fait, ma seule certitude, c'est que nous n'avons pas affaire à un psychopathe ni à un sadique. Notre homme n'a pris aucun plaisir à la voir souffrir. Nous sommes en présence de quelqu'un qui ne voulait pas le faire, qui n'a agi que par nécessité. Je ne pense pas qu'il se mêlera à l'enquête ou attirera l'attention sur lui. Je ne crois pas non plus qu'il recommencera de sitôt, à moins de se sentir en danger. Et c'est indubitablement quelqu'un du coin. Un véritable profileur arriverait sans doute à des conclusions plus précises, mais...

– Tu as passé une maîtrise de psycho au Trinity College. Exact ? s'enquit Sam.

Elle secoua rapidement la tête, prit d'autres cerises.

– J'ai laissé tomber au cours de la quatrième année.

– Pourquoi ?

Elle fit sauter un noyau dans le creux de sa paume et lui décocha ce sourire que je connais si bien, ce sourire lumineux, exquis.

– Qu'auriez-vous fait sans moi ?

Elle n'en dirait pas davantage. Je le savais. Je lui avais posé plusieurs fois la question. Et j'avais eu droit, chaque fois, à ce sourire. En dépit de sa disponibilité, de sa spontanéité, Cassie tient à ses secrets.

– En tout cas, tu es bonne, diplôme ou pas diplôme, déclara Sam.

– Avant de me faire un compliment, attends de voir si j'ai raison.

Je repris le cours de la conversation.

– Pourquoi le tueur a-t-il gardé Katy toute une journée ?

Cette question me perturbait depuis le début, à cause, bien sûr, de tout ce qu'elle impliquait de hideux, mais aussi d'un soupçon qui ne cessait de me tarauder : si le tueur n'avait pas été obligé, pour une raison ou une autre, de se débarrasser de Katy, il aurait pu la garder plus longtemps, peut-être indéfiniment. Elle aurait pu s'évanouir aussi silencieusement et aussi définitivement que Peter et Jamie.

– Si j'ai raison sur le reste, répondit Cassie, s'il ne s'est pas vraiment impliqué dans le crime, il ne l'a pas gardée de son plein gré. Il aurait dû, en principe, vouloir se débarrasser d'elle le plus rapidement possible. S'il l'a gardée, c'est parce qu'il n'avait pas le choix.

– Il vit avec quelqu'un et il a dû attendre de se retrouver seul ?

– Peut-être. Toutefois, je me demande si le site n'a pas été un choix de circonstance. Peut-être a-t-il été obligé de la déposer là, soit parce que cela faisait partie de son plan, soit parce qu'il ne possède pas de voiture et que le site était le seul endroit possible. Cela correspondrait aux déclarations de Mark, qui n'a pas vu passer d'auto, et cela signifierait que le crime a été perpétré à proximité, probablement dans une des dernières maisons du lotissement. Peut-être le tueur a-t-il tenté de déposer Katy dans la nuit de lundi, mais Mark était dans le bois, avec son feu. L'homme l'a peut-être aperçu et a pris peur. Il a dû dissimuler le corps et essayer de nouveau la nuit suivante.

– Ou alors Mark est le tueur.

– Il a un alibi pour lundi.

– Fourni par une fille qui est folle de lui.

– Mel n'a rien à voir avec le type de femme éthérée dont les hommes raffolent. Elle a un jugement très sûr et elle est assez intelligente pour comprendre toute l'importance de son témoignage. Si Mark avait quitté sa chambre pour aller faire un tour, elle nous l'aurait dit.

– Il a pu avoir un complice. Mel ou quelqu'un d'autre.

– Et puis quoi ? Où auraient-ils caché le corps ?

Sam, qui, jusque-là, nous avait écoutés avec intérêt en mangeant des cerises, intervint.

– Quel serait son mobile ?

– Son mobile ? Il est complètement barjo, assenai-je. Tu ne l'as pas entendu. Il a l'air tout à fait normal, assez pour rassurer une gamine, mais dès qu'on le laisse parler du site, il délire à propos de culte, de sacrilège... Or ce site est menacé par une autoroute. Peut-être s'est-il imaginé qu'un chouette sacrifice humain aux dieux, comme au bon vieux temps, ferait annuler le projet et sauverait les fouilles. Dès qu'on aborde le sujet, il perd la boule.

– S'il s'agit vraiment d'un sacrifice païen, murmura Sam, je préférerais ne pas avoir à l'annoncer à O'Kelly.

– Je propose que nous laissions ce soin à Mark lui-même.

– Mark n'est pas cinglé, martela Cassie.

– Oh, que si !

– Non ! Son travail représente toute sa vie. Il n'y a rien de déjanté là-dedans.

– Tu aurais dû les voir, précisai-je à Sam. Ça ressemblait plus à un rendez-vous qu'à un interrogatoire : Maddox minaudant, jouant des cils, lui affirmant qu'elle savait très bien ce qu'il ressentait...

– Ce qui est vrai, dit-elle en abandonnant les notes de Cooper pour se lover sur le futon après avoir enlevé ses chaussures. Et je ne battais pas des cils. Quand je le ferai, tu t'en apercevras.

– Tu sais ce qu'il ressent ? Ah bon ? Tu pries le dieu du patrimoine ?

– Non, imbécile. Boucle-la et écoute. J'ai une théorie à propos de Mark.

– Dieu du ciel ! gémis-je. Sam, j'espère que tu n'es pas pressé.

– J'ai toujours du temps pour un beau discours. Pourrais-je avoir un verre, si nous avons fini de travailler ?

– Bonne idée, approuvai-je.

Cassie me donna un petit coup de pied.

– Il doit y avoir du whisky quelque part.

Je repoussai son pied et me levai. Je revins m'asseoir avec la bouteille et les verres, prêt à écouter Cassie.

– Nous avons tous besoin de croire à quelque chose, dit-elle. Or, aujourd'hui, personne ne croit plus en rien, à part à l'argent.

Ce n'est pas notre gouvernement, qui n'a aucune idéologie en dehors de celle-là, qui le démentira. Mark, lui, croit en l'archéologie, à notre patrimoine. C'est sa foi. Elle fait partie de son existence, chaque jour que Dieu fait. Il vit pour elle. Cela n'a rien de dément, bien au contraire. C'est sain. Et il y a quelque chose de pourri dans une société qui trouve ce comportement bizarre.

– Ce type a versé une libation pour honorer un dieu de l'âge du bronze ! m'écriai-je. Je ne vois pas ce qu'il y a de mal à trouver ça un peu étrange. Soutiens-moi, Sam.

– Moi ?

Installé sur le canapé, il caressait les coquillages et les pierres alignés sur le rebord de la fenêtre.

– Je dirai simplement qu'il est jeune. Il devrait se dégoter une femme et faire deux ou trois enfants. Ça le stabiliserait.

Cassie me jeta un regard complice. Nous éclatâmes de rire. Sam parut vexé.

– Qu'est-ce qu'il y a ?

– Rien, vraiment.

– J'aimerais vous voir, Mark et toi, devant quelques pintes, commenta Cassie.

– Je lui mettrais rapidement du plomb dans la cervelle, répondit-il sereinement, provoquant de nouveaux rires.

Je me renversai dans le futon et bus une gorgée de whisky. Cette conversation me plaisait. C'était une bonne, une joyeuse soirée. Une pluie discrète tambourinait contre les vitres, Billie Holiday chantait en sourdine et j'étais heureux, finalement, que Cassie ait invité Sam. Je commençais à l'apprécier. Tout le monde, pensai-je, devrait avoir un Sam à portée de la main. Je revins à notre affaire.

– Penses-tu sérieusement que nous puissions éliminer Mark ?

Cassie pressa son verre contre sa poitrine.

– En toute conscience, oui. Comme je l'ai dit, j'ai la forte intuition que l'assassin se sentait hésitant par rapport à son crime. Or j'imagine mal Mark se montrer irrésolu à propos de quoi que ce soit, du moins de quelque chose d'important.

– Heureux homme, conclut Sam avec un grand sourire.

Plus tard, il me demanda comment Cassie et moi nous étions rencontrés. Notre complicité lui donnait l'impression que nous nous connaissions depuis des années, bien avant d'entrer dans la brigade. Depuis l'université, peut-être ?

– Je ne suis pas allé à l'université.

– Vraiment ? J'aurais cru... À cause de ton accent.

Je n'allais pas lui raconter ma vie. Mais je ne lui mentais pas. Je ne suis jamais allé à l'université. À la fin de l'internat, j'annonçai à tout le monde que j'allais prendre une année sabbatique. En fait, je ne voulais rien faire. Absolument rien, le plus longtemps possible, peut-être même jusqu'à la fin de mes jours.

Charlie émigra à Londres pour entreprendre des études d'économie. N'ayant nulle part où aller et n'ayant aucune préférence, je le suivis. Il emménagea dans un appartement somptueux, dont son père payait une partie du loyer. N'ayant pas les moyens de payer l'autre moitié, je louai une chambre meublée dans un quartier malfamé. J'y vécus heureux pendant deux ans, ravi de ma solitude. Je subsistais grâce aux allocations chômage. Lorsqu'on me faisait comprendre que cela ne pourrait durer éternellement ou quand j'avais besoin d'argent pour impressionner une fille, je travaillais quelques semaines comme déménageur ou manœuvre. Je buvais de temps à autre un verre avec Charlie, qui m'emmenait parfois dans des soirées assommantes. Je cultivais ma paresse. Je passais mes journées à lire tout ce qui me tombait sous la main. Je dévorai Tolstoï, Edgar Poe, le théâtre anglais du XVIIe siècle, *Les Liaisons dangereuses*, de Laclos, dans une traduction exécrable. Le reste du temps, je regardais la télévision. Je découvris, captivé, les documentaires sur les crimes de Discovery Channel. Les méthodes des fins limiers du FBI ou des shérifs du Texas, leur façon de rassembler les éléments les plus disparates pour en faire un ensemble cohérent et finir par arriver à une solution lumineuse me fascinaient.

Même si je me doutais que la vie de policier ne serait pas toujours palpitante, ma vocation vient de là. Le même mois, Charlie trouva son premier emploi, les services sociaux m'informèrent qu'on ne me verserait plus la moindre allocation et un amateur de mauvais rap s'installa à l'étage du dessous. Je compris alors que le temps était venu de regagner l'Irlande et d'entrer à l'école de police de Templemore pour devenir inspecteur. Je ne regrettai pas ma chambre meublée, où je commençais à m'ennuyer. Mais je me souviens toujours avec nostalgie de ces deux années merveilleuses et oisives, qui comptent parmi les plus heureuses de mon existence.

Sam s'en alla vers 23 h 30 pour Ballsbridge, à seulement quelques minutes de marche de Sandymount.

– Tu vas de quel côté ? s'enquit-il en attrapant son imperméable.

– Tu as sans doute raté le dernier Dart, me dit Cassie avec un parfait naturel. Tu peux dormir sur le canapé, si tu veux.

J'aurais pu lui répondre qu'avoir manqué mon train ne me gênait pas, que je prendrais un taxi, mais je décidai qu'elle avait eu la bonne attitude. Sam n'était pas Quigley ; nous n'aurions pas droit, le lendemain, à des ricanements et à des sous-entendus graveleux.

– Je crois bien, répliquai-je en consultant ma montre. Ça ne te dérange pas ?

Si Sam fut surpris, il ne le montra pas.

– Alors à demain, lança-t-il joyeusement. Dormez bien.

– Il a le béguin pour toi, dis-je à Cassie après son départ.

– Qu'est-ce que tu racontes ?

– Oh, je veux entendre ce que Cassie a à dire, oh, Cassie, tu es si intelligente...

Elle sortit du placard sa couette de rechange et le tee-shirt que je garde chez elle.

– Ryan, si Dieu avait voulu que j'aie un frère pubère, il m'en aurait donné un.

– Et toi, il te plaît ?

– Si c'était le cas, je lui aurais fait mon numéro.

– Quel numéro ?

– Faire un nœud à une queue de cerise avec ma langue.

– Montre-moi.

– Je blaguais. Maintenant, on se couche.

Je l'aidai à tirer le futon. Elle fouilla de nouveau dans le placard, en sortit le tee-shirt descendant jusqu'aux genoux qui lui sert de chemise de nuit, puis se rendit à la salle de bains. Je me déshabillai, enfilai mon tee-shirt et me faufilai sous la couette. Je reconnus des bruits familiers : Cassie s'aspergeait le visage en fredonnant une chanson folklorique. Elle revint sans bruit, pieds nus, son tee-shirt découvrant ses mollets musclés et lisses de garçon. Je lui posai alors la question que je n'avais pas voulu aborder en présence de Sam.

– Éprouves-tu vraiment pour notre métier le même sentiment que Mark vis-à-vis de l'archéologie ?

Elle me décocha un petit sourire en coin.

– Je n'ai jamais répandu de whisky dans les locaux de la brigade. Croix de bois, croix de fer.

J'attendis. Elle se glissa dans son lit et s'appuya sur un coude, le poing sur la joue. La lampe de chevet l'enrobait de lumière et la rendait translucide, telle une jeune fille sur un vitrail. Je crus qu'elle ne répondrait pas, même en l'absence de Sam. Finalement, elle murmura :

– Nous vivons pour la vérité. Nous la cherchons, nous la trouvons. C'est un travail sérieux.

– Est-ce pour cela que tu n'aimes pas mentir ?

C'est une des excentricités de Cassie, plutôt étrange pour un inspecteur. Elle omet des choses, élude des questions en narguant ouvertement ses interlocuteurs ou avec une telle subtilité qu'on s'en rend à peine compte, induit les gens en erreur avec une habileté d'illusionniste. Mais je ne l'ai jamais vue mentir ouvertement, même à un suspect.

Elle haussa légèrement une épaule.

– Je ne suis pas très douée pour les paradoxes.

– Moi, si...

Elle s'allongea et s'esclaffa.

– Tu devrais mettre ça dans une petite annonce. « Bel homme, un mètre quatre-vingts, doué pour les paradoxes, cherche blonde incendiaire... »

Je ris à mon tour. Elle éteignit la lampe.

– Bonne nuit.

– Fais de beaux rêves.

Cassie s'endort aussi rapidement qu'un chat. Son souffle s'apaisa au bout de quelques secondes. Quant à moi, alors que j'adore me retrouver chez elle, sur son canapé, bercé par sa respiration régulière, je restai longtemps éveillé. Enfin, des pas résonnèrent dans la maison. Un homme et une femme pouffèrent en pénétrant dans l'appartement du dessous. Leurs voix me parvinrent, assourdies, tandis que je me laissais envahir par les images absurdes du demi-sommeil. Sam expliquait comment construire un bateau. Assise sur le rebord d'une fenêtre, entre deux gargouilles de pierre, Cassie riait aux éclats. La mer se trouve à plusieurs rues de chez elle et il m'était impossible de l'entendre. Pourtant, je l'entendais.

Chapitre 9

Dans mon souvenir, nous avons, tous les trois, passé des millions de soirs chez Cassie. L'enquête n'a duré qu'un mois ou à peu près, et il y eut certainement des jours où l'un de nous était occupé ailleurs. Mais ces soirées dominent tout le reste et brillent dans ma mémoire comme une teinture éclatante s'épanouissant lentement dans l'eau. Le temps changea peu à peu, l'automne s'installa. Le vent s'insinuait en gémissant par les interstices du toit, la pluie fouettait les fenêtres à guillotine. Cassie faisait du feu, étalait nos notes par terre et échafaudait d'innombrables théories avant le dîner, composé de multiples variations de pâtes quand elle s'en chargeait, de sandwiches à la viande lorsque venait mon tour. Sam, lui, nous régalait de recettes exotiques : crêpes de maïs farcies, plats thaïlandais au piment. Nous buvions du vin pendant les repas, gardant le whisky pour la suite. Dès que nous commencions à devenir un peu gris, nous fermions nos dossiers, enlevions nos chaussures, mettions de la musique et parlions à bâtons rompus.

Comme moi, Cassie est une enfant unique. Nous écoutions avec ravissement Sam nous raconter ses jeunes années : quatre frères, trois sœurs s'ébattant dans une vieille ferme blanche de Galway, jouant aux cow-boys et aux Indiens, et sortant la nuit pour aller explorer le moulin hanté ; un père imposant et paisible, une mère sortant le pain chaud du four, rythmant ses réprimandes à grands coups de cuillère en bois sur la table et, avant chaque repas, comptant ses rejetons pour être sûre qu'aucun d'entre eux n'était tombé dans la rivière. Cassie n'était pas en reste. Ses parents se sont tués en voiture. Orpheline à cinq ans, elle a été élevée par un vieil oncle délicieux et sa femme, dans une maison victorienne délabrée de Wicklow, très loin du monde. Elle se montrait intarissable sur les livres de leur bibliothèque qu'elle dévorait sans discernement les jours de pluie, depuis les auteurs latins, Ovide en particulier, jusqu'à *Madame Bovary*, qu'elle avait détesté mais lu jusqu'au bout, lovée sur une banquette appuyée contre la fenêtre du salon et croquant des pommes du verger. Un jour, nous dit-elle, elle avait déniché dans une vieille armoire un penny orné de l'effigie de Georges VI, une saucière de porcelaine et deux lettres datant de la Grande Guerre envoyées par un soldat dont nul ne se souvenait, avec des lignes noircies par la censure. Quant à moi, je ne souviens pas de grand-chose avant mes douze ans. Je garde de mornes réminiscences de la suite : les lits de fer du dortoir, l'odeur d'eau de Javel des douches, l'écho des cris tandis que coulait l'eau glacée, les garçons à l'uniforme d'un autre âge entonnant des hymnes protestants sur le devoir et le courage. Pour nous, l'enfance de Sam ressemblait à un conte illustré, avec des bambins aux joues rondes et un chien de berger bondissant joyeusement autour d'eux. Cassie ne s'en lassait pas. « C'était comment, quand tu était petit ? Raconte-nous », répétait-elle, lovée sur le futon et protégeant ses mains avec les manches de son chandail pour ne pas se brûler en serrant son whisky chaud.

Pourtant, en bien des points, Sam restait pour nous l'étranger, ce qui ne me déplaisait pas. Cassie et moi avions passé deux ans à devenir intimes, à mettre au point nos codes, nos signes, notre langage secret. Après tout, Sam n'était là que grâce à nous et il nous paraissait normal qu'il garde ses distances, qu'il soit présent, mais pas trop. Il s'en accommodait fort bien. Alangui sur le canapé, faisant tourner dans son verre les glaçons qui, à la lueur du feu, projetaient sur son chandail des reflets ambrés, il nous observait en souriant tandis que nous discutions de la nature du temps, de T. S. Eliot ou des explications scientifiques sur l'existence des fantômes. Conversations d'adolescents, à n'en pas douter, ponctuées de facéties infantiles. « Mords-moi,

Ryan », implorait Cassie. J'attrapais son bras et plantais mes dents dans son poignet jusqu'à ce qu'elle demande grâce. Jamais je n'avais connu de tels moments dans ma jeunesse ; et j'en raffolais, en savourais chaque seconde.

Bien sûr, j'enjolive, comme toujours. Les soirées étaient peut-être délicieuses, mais les journées, elles, n'étaient qu'une suite de tâches ingrates, frustrantes et macabres. Officiellement, nous respections les horaires réglementaires : arrivée à 9 heures, départ à 17. En fait, nous restions au bureau jusqu'à 20 heures, emportions du travail en partant : interrogatoires à comparer, dépositions à lire, rapports à rédiger. Nos dîners commençaient à 21 heures, voire 22 heures. Il était minuit quand nous cessions de disserter sur l'affaire, 2 heures du matin lorsque nous nous sentions assez détendus pour nous coucher. Résistant grâce au café, nous avions oublié ce que signifiait ne pas être épuisé. Le premier vendredi soir, Corry, un tout nouveau stagiaire, s'exclama : « À lundi, les gars ! » Il eut droit, de la part d'O'Kelly, à un rire sardonique, à une vigoureuse tape dans le dos et à cet avis dénué d'humour : « Non, Machin Chose, je vous verrai demain matin à 8 heures. Ne soyez pas en retard. »

Ce vendredi-là, Rosalind Devlin ne vint pas me voir. Vers 17 heures, las de l'attendre et redoutant qu'il ne lui soit arrivé quelque chose, je l'appelai sur son mobile. Elle ne répondit pas. Pour me rassurer, je me dis qu'elle devait être avec sa famille, aidant ses parents à organiser les funérailles, cherchant Jessica ou pleurant dans sa chambre. Mais mon malaise persista, aussi irritant qu'un caillou dans ma chaussure.

Le dimanche, nous nous rendîmes, Cassie, Sam et moi, aux obsèques de Katy. L'affirmation selon laquelle les assassins ne peuvent s'empêcher d'assister à l'enterrement de leurs victimes a beau n'être qu'une légende, nous n'avions pas le droit de la négliger. D'un autre côté, O'Kelly nous avait affirmé que notre présence serait du meilleur effet. L'église datait des années 1970, à l'époque où le béton passait pour une forme d'art et où Knocknaree était censé devenir sous peu une ville importante. L'église était immense, glaciale et laide, avec un chemin de croix semi-abstrait et un haut plafond qui renvoyait de façon lugubre les pas et les voix des fidèles. Nous sommes restés au fond, dans les vêtements les plus sombres que nous avions pu trouver, sans quitter des yeux la foule qui avançait dans la nef : agriculteurs tenant leurs casquettes plates à la main, vieilles femmes la tête couverte d'un foulard, adolescents branchés essayant de paraître blasés. Le petit cercueil blanc, terrible, au liseré doré, faisait face à l'autel. Rosalind remonta l'allée d'un pas mal assuré, les épaules lourdes, soutenue par Margaret et la tante Vera. Derrière elles, Jonathan, hagard, guidait Jessica vers le premier banc.

La flamme des cierges vacillait dans d'incessants courants d'air. On respirait une odeur d'humidité, d'encens, de fleurs flétries. Tout cela raviva en moi des sensations oubliées : j'étais venu ici à la messe tous les dimanches pendant douze ans. Peut-être avais-je suivi, sur un des bancs de bois bon marché, un service à la mémoire de Peter et Jamie. Subrepticement, Cassie soufflait dans ses mains pour les réchauffer.

Jeune et pompeux, le prêtre tentait péniblement de se hisser à la hauteur des circonstances en ânonnant des formules dérisoires apprises au séminaire. Un chœur de pâles fillettes en uniforme d'écolière, des camarades de Katy dont je reconnus certaines, déchiffraient, épaule contre épaule, une partition unique. On avait choisi des hymnes consolants, qu'elles chantèrent d'une voix frêle, hésitante : « Tu es mon berger, Ô Seigneur, rien ne saurait manquer où tu me conduis. » Certaines ne purent aller au bout. Simone Cameron me remarqua en revenant de la communion et me salua d'un infime signe de tête. Ses yeux dorés étaient injectés de sang, presque monstrueux. Les membres de la famille quittèrent leur banc un à un pour aller déposer des souvenirs sur le cercueil : un livre pour Margaret, un chat roux en peluche pour Jessica et, pour Jonathan, le dessin accroché au-dessus du lit de Katy. Rosalind s'agenouilla et plaça sur la bière une paire de petits chaussons de danse noués par leurs rubans. Puis, le front contre le couvercle, ses boucles brunes répandues sur le bois, elle éclata en sanglots. Un faible gémissement, inhumain, monta d'un des premiers rangs.

La cérémonie prit fin. Dehors, le ciel était gris. Le vent projetait des feuilles mortes dans l'église. Les flashes des photographes de presse appuyés contre les grilles mitraillaient les gens en train de sortir. Réfugiés dans un coin discret, nous scrutions la foule. Comme prévu, personne n'attira spécialement notre attention.

– Y a du monde, grommela Sam, qui, seul de nous trois, était allé communier. Demain, nous nous ferons remettre les clichés pris par les photographes et nous verrons si nous ne repérons pas, dans l'assistance, quelqu'un qui n'aurait pas dû s'y trouver.

– Il n'est pas là, murmura Cassie en plongeant les mains dans la poche de sa veste. À moins d'y avoir été obligé. Ce type ne lira même pas les journaux. Et il changera de sujet si quelqu'un évoque l'affaire devant lui.

Rosalind descendait lentement les marches du porche, un mouchoir pressé contre sa bouche. Elle redressa la tête, nous aperçut. Elle se dégagea des bras qui la soutenaient et traversa la pelouse en courant, sa longue robe noire flottant dans le vent.

– Inspecteur Ryan...

Elle prit ma main entre les siennes. Ses joues ruisselaient de larmes.

– Je ne le supporte pas. Il faut que vous attrapiez l'homme qui a fait ça à ma sœur.

– Rosalind !

Son père la rappelait à l'ordre, mais elle n'en tint pas compte. Elle avait de longs doigts fins, doux et froids.

– Nous ferons tout ce que nous pourrons, répondis-je. Viendrez-vous me parler demain ?

– J'essaierai. Je suis désolée pour vendredi. Je n'ai pas pu...

Elle jeta un rapide coup d'œil par-dessus son épaule.

– Je n'ai pas pu me libérer. Je vous en prie, trouvez-le. Inspecteur Ryan, je vous en supplie...

Je sentis, plus que je ne les entendis, le crépitement des appareils photo. Le lendemain, un des clichés nous représentant tout proches l'un de l'autre fit la une d'un tabloïd, avec ce titre en gros caractères : « Je vous en conjure, rendez justice à ma sœur ! » Quigley en ricana pendant huit jours.

Au cours des deux premières semaines de l'opération Vestale, nous avons fait tout ce qui était imaginable. Tout. Nous trois, les stagiaires et la police locale avons interrogé tous les gens qui vivaient à cinq kilomètres de Knocknaree et tous ceux qui avaient connu Katy. Nous sommes tombés, dans le lotissement, sur un schizophrène avéré, mais il n'avait jamais fait de mal à une mouche, même lorsqu'il perdait la boule, ce qui ne lui était pas arrivé depuis trois ans. Nous avons épluché tous les registres de la paroisse des Devlin, relevé le nom de tous les donateurs de la collecte en faveur de Katy, installé une équipe pour savoir qui déposait des fleurs sur la pierre sacrificielle.

Nous avons questionné les meilleures amies de Katy, Christina Murphy, Elizabeth McGinnis, Marianne Casey, braves gamines aux yeux embués de larmes. Sans fournir d'information intéressante, toutes soulignèrent sa joie de vivre, l'insouciance animale que je ressentais à son âge, comme tous les enfants. Leur perception du monde extérieur était profondément pessimiste, d'une maturité inquiétante.

– Nous nous sommes demandé si Jessica ne souffrait pas de déficience intellectuelle, hasarda Christina, employant le langage d'une femme de trente ans. Est-ce que... Je veux dire... Katy a-t-elle été tuée par un pédophile ?

Non. Telle fut la réponse. En dépit de l'intuition de Cassie sur l'aspect non sexuel du crime, nous avons vérifié l'emploi du temps de tous les délinquants sexuels du sud de Dublin, passé des heures avec les spécialistes qui traquent et piègent les pédophiles sur Internet. Notre interlocuteur favori s'appelait Carl. Jeune, maigre et blême, il nous confia qu'après huit mois de ce travail, il envisageait de renoncer. Père de deux enfants de moins de sept ans, il ne pouvait plus les regarder de la même façon, se sentait trop sale pour les embrasser le soir dans leur lit après une journée de travail.

La Toile, nous apprit-il, regorgeait de commentaires et de spéculations sur Katy Devlin. Je passe sur les détails. Nous avons parcouru des centaines de pages de « chats » aussi ignobles les unes que les autres, sans résultat. Un internaute nous parut sympathiser un peu trop avec le tueur : « Je crois qu'il l'aimait à la folie. Elle ne l'a pas compris, ce qui l'a désespéré. » Mais, au moment de la mort de Katy, il était sur le Net, en train de comparer avec d'autres comparses les mérites physiques des jeunes Asiatiques et des petites Européennes. Ce soir-là, nous nous sommes, Cassie et moi, allègrement saoulés.

Les équipiers de Sophie se présentèrent chez les Devlin avec un peigne fin, officiellement pour recueillir des fibres et autres indices. Ils nous rapportèrent qu'ils n'avaient trouvé aucune tache de sang, ni aucun objet correspondant à la description qu'avait donnée Cooper de l'instrument du viol. J'épluchai les finances des Devlin. Ils vivaient modestement : un voyage familial en Crète quatre ans plus tôt, payé grâce à un emprunt; les cours de danse de Katy et les leçons de violon de Rosalind; une Toyota de 1999. Presque pas d'argent de côté, mais pas de dettes. Leur emprunt logement était presque couvert et ils n'avaient aucun arriéré sur leur facture de téléphone. Aucun mouvement suspect sur leur compte en banque, pas de police d'assurance sur la vie de Katy. Rien.

Notre ligne installée dans la salle des opérations reçut un nombre record d'appels, pour la plupart inutiles : des gens trouvant leurs voisins suspects ou ayant aperçu des individus peu recommandables aux quatre coins du pays, les illuminés habituels ayant eu une claire vision du meurtre, d'autres clamant qu'il s'agissait d'une manifestation de la colère de Dieu contre une société vautrée dans le péché. L'un d'eux clamait que Katy avait été punie pour s'être exhibée dans une tenue légère lors d'une séance de photographies publiées dans l'*Irish Times*, au vu et au su de milliers de lecteurs. Il nous intéressa beaucoup. Était-ce lui ? Il refusa de parler à Cassie, sous le prétexte que les femmes ne devaient pas travailler et que ses jeans le scandalisaient. La seule femme véritablement honorable, me déclara-t-il avec véhémence, était Notre-Dame de Fatima. Malheureusement, son alibi était imparable. Il avait passé la nuit du lundi dans un coin malfamé de Baggot Street, saoul comme un Polonais, jetant des pierres aux putes et notant les numéros d'immatriculation de leurs clients. Les maquereaux avaient tout tenté pour le neutraliser jusqu'à ce que la police s'en charge et l'enferme dans une cellule de dégrisement dont il n'était sorti qu'à 4 heures du matin. Cela lui arrivait au moins une fois par mois. Tous les témoins interrogés le confirmèrent, ajoutant quelques commentaires salaces sur ses déviations sexuelles.

Étranges semaines, parsemées de multiples petits événements apparemment sans rapport les uns avec les autres. Ce ne fut que bien plus tard, à la froide lumière d'une analyse rétrospective, qu'ils s'assemblèrent pour former un canevas que nous aurions dû discerner depuis longtemps.

Pour l'heure, cette affaire nous épuisait et ne nous menait nulle part. Chaque piste aboutissait à une impasse. O'Kelly ne cessait de nous houspiller, nous ordonnait avec de grands gestes de ne pas lâcher la proie pour l'ombre et d'explorer toutes les possibilités. Les journaux réclamaient justice, publiaient des portraits de ce que seraient devenus Jamie et Peter s'ils avaient survécu. Leur visage retouché, affublé d'une ahurissante coupe de cheveux, me hantait. Jamais je ne m'étais senti aussi tendu. Pourtant, même si cela témoigne d'un égocentrisme scandaleux, ces semaines, je les regrette encore.

Bien sûr, nous avons épluché le dossier médical de Katy. Jessica et elle avaient été des prématurées de deux semaines. Katy, au moins, s'était développée normalement et n'avait eu, jusqu'à l'âge de huit ans, que les maladies infantiles habituelles. Et puis, tout d'un coup, sans raison apparente, elle avait commencé à être vraiment malade. Crampes d'estomac, vomissements, diarrhées ininterrompues pendant des jours. Une fois, on avait dû l'emmener aux urgences à trois reprises en un mois. Un an avant sa mort, une attaque particulièrement violente avait poussé les médecins à effectuer une laparotomie exploratoire : l'opération décelée par Cooper, celle qui l'avait empêchée d'intégrer l'école de danse. Ils avaient diagnostiqué une « affection intestinale idiopathique pseudo-obstructive avec un manque atypique de dilatation », ce qui, en clair, signifiait qu'ils n'avaient pas la moindre idée de ce dont elle souffrait.

– Syndrome de Münchausen par procuration ? demandai-je à Cassie, qui lisait par-dessus mon épaule, les bras croisés contre le dossier de ma chaise.

Elle, Sam et moi avions monopolisé un coin de la salle des opérations aussi éloigné que possible de la ligne de téléphone, où nous pouvions profiter d'un minimum d'intimité à condition de ne pas élever la voix.

– Possible, répondit-elle en faisant la moue. Mais quelque chose cloche. La plupart des mères atteintes de ce symptôme vivent dans un environnement paramédical : aides-infirmières, des métiers de ce genre. Or, selon l'enquête de proximité, Margaret a quitté l'école à quinze ans et travaillé dans l'usine de biscuits Jacob jusqu'à son mariage. Et regarde les registres d'admission : la moitié du temps, ce n'est même pas elle qui emmène Katy à l'hôpital. C'est Jonathan, Rosalind, Vera; un jour, même, un de ses professeurs... Pour les mères développant le syndrome de Münchausen, une seule chose compte : l'intérêt, la sympathie des médecins et du personnel hospitalier. Elle n'aurait laissé personne d'autre jouir à sa place de toute cette attention.

– Donc exit Margaret ?

Cassie soupira.

– Elle ne correspond pas au profil. Toutefois, ce n'est pas définitif. Elle pourrait être une exception. J'aimerais jeter un œil au dossier des autres filles. Ces mères, d'habitude, ne se focalisent pas sur un seul enfant en négligeant les autres. Elles passent de l'un à l'autre pour ne pas éveiller les soupçons, ou alors commencent par l'aîné puis passent au suivant quand le premier devient assez âgé pour se rebeller. Si c'est bien Margaret, nous trouverons des éléments bizarres dans le dossier de ses deux autres filles. Le printemps dernier, lorsque Katy a cessé d'être malade, quelque chose est peut-être arrivé à Jessica... Demandons aux parents l'autorisation de consulter les dossiers.

– Non ! tranchai-je, couvrant le chahut des stagiaires qui jacassaient tous en même temps. Jusqu'à présent, les Devlin ne savent pas qu'ils sont suspects. Je préfère les maintenir dans l'ignorance, du moins jusqu'à ce que nous ayons des éléments fiables. Si nous leur demandons les dossiers médicaux de Rosalind et de Jessica, cela leur mettra la puce à l'oreille.

– Des éléments fiables ?

Cassie contempla les documents étalées sur la table, l'amas de photocopies, de déclarations manuscrites, de pages imprimées d'ordinateur, puis le tableau déjà encombré d'un fouillis multicolore de noms, de numéros de téléphone, de flèches, de points d'interrogation, de mots soulignés.

– Ouais, conclus-je. Je sais.

Les dossiers scolaires des filles Devlin ne nous révélèrent pas grand-chose. Katy était bonne élève mais pas exceptionnelle, avec de bonnes notes en gaélique et en éducation physique. Aucun problème de conduite, hormis une tendance à bavarder en classe ; pas d'absences répétées, sauf lorsqu'elle tombait malade. Rosalind était plus intelligente, quoique plus irrégulière. Ses professeurs se plaignaient de son manque d'efforts et de sa tendance à sécher les cours. Sans surprise, le dossier de Jessica était le plus troublant. Scolarité normale jusqu'à neuf ans. Ensuite, Jonathan avait harcelé la direction et les services médicaux pour lui faire passer des tests. Son QI se situait entre 90 et 105, et elle n'avait pas de problème neurologique. « Aucune difficulté d'apprentissage ni tendances autistes », précisait le dossier.

J'interrogeai Cassie.

– Qu'en penses-tu ?

– Cette famille devient de plus en plus étrange. Si l'une des filles a été violée, ce ne peut être que Jessica. Fillette parfaitement équilibrée jusqu'aux environs de sa neuvième année... Ensuite, paf ! Sa scolarité et ses aptitudes sociales dégringolent. Il est trop tard pour parler d'autisme, mais on peut y voir la réaction classique d'une enfant victime d'abus sexuels. Quant à Rosalind, ses hauts et ses bas peuvent être mis sur le compte de la crise d'adolescence, tout en constituant peut-être une réaction à une ambiance bizarre à la maison. La seule qui semble aller bien, du moins psychologiquement, c'est Katy.

Tout d'un coup, une ombre obscurcit mon champ de vision. Je me retournai brutalement, envoyant mon stylo valser sur le plancher.

– Eh, là ! dit Sam, stupéfait. Ce n'est que moi.

– Bon Dieu !

Mon cœur cognait dans ma poitrine. Le visage de Cassie n'exprimait rien. Je ramassai mon stylo.

– Tu m'as fait peur. Qu'est-ce que tu nous apportes ?

– Les relevés téléphoniques des Devlin. Appels reçus et envoyés.

Il posa les feuilles sur la table, les lissa soigneusement. Il avait surligné les numéros de différentes couleurs, strié les pages de lignes très nettes tracées au feutre.

– Depuis quand ? s'enquit Cassie.

– Mars.

– C'est tout ce qu'il y a ? Pour six mois ?

Cette minceur des relevés m'avait, moi aussi, tout de suite intrigué. Une famille de cinq personnes, dont trois adolescentes... La ligne aurait dû être occupée en permanence, tout le monde criant en même temps pour pouvoir téléphoner. Je songeai au silence irréel qui régnait dans la maison le jour de la découverte du corps de Katy, à la tante Vera errant dans le vestibule.

– Je sais, commenta Sam. Ils utilisaient peut-être des mobiles.

– Peut-être, murmura Cassie.

Elle ne paraissait pas convaincue. Je ne l'étais pas non plus. Presque toujours, lorsqu'une famille se coupe du reste du monde, c'est parce qu'il s'y passe quelque chose de très grave.

– Mais c'est cher, reprit Sam. Et il y a deux téléphones dans la maison, un en bas, dans le hall, l'autre à l'étage, sur le palier, avec un fil assez long pour qu'on puisse l'emporter dans n'importe quelle chambre. Nul besoin d'un mobile pour s'isoler.

Nous avions déjà étudié les relevés du mobile de Katy. Elle bénéficiait d'un forfait de dix euros, renouvelable tous les deuxièmes dimanches du mois. Elle l'utilisait principalement pour envoyer des textos à ses amies. Nous avions reconstitué de longs échanges en écriture abrégée sur sa vie chez elle ou les potins de sa classe. Pas un seul numéro non identifié, aucun interlocuteur suspect.

– C'est quoi, toutes ces couleurs ? demandai-je.

– J'ai isolé et relié à leurs destinataires les coups de fil de chaque membre de la famille. Katy téléphonait plus souvent que les autres. Tous les numéros soulignés en jaune sont ceux de ses copines. Les bleus sont ceux des sœurs de Margaret, dont l'une habite Kailkeny et l'autre au bout du lotissement. Les verts sont les appels de la sœur de Jonathan à Athlone, la maison de retraite où vit leur mère, et les numéros des membres du comité de « Non à l'autoroute ». Le violet est celui de Karen Daly, l'amie chez qui Rosalind s'est réfugiée quand elle s'est enfuie de chez elle. Après sa fugue, leurs communications se sont espacées. Je dirai que Karen n'a pas trop apprécié de se retrouver mêlée à ces histoires de famille. Elle a quand même continué à téléphoner pendant quelques semaines. Rosalind, elle, ne l'a pas rappelée.

– On le lui a peut-être interdit, suggérai-je.

Je ne sais si c'était la conséquence de la peur que m'avait faite Sam, mais mon cœur continuait à battre trop vite et j'avais la bouche sèche, comme un animal menacé par un danger imminent.

Sam acquiesça.

– Les parents trouvaient peut-être que Karen exerçait une mauvaise influence sur elle. En tout cas, ce sont les seuls coups de fil entrants, en dehors de ceux d'une compagnie de téléphone proposant aux Devlin une option de transfert d'appel... et de ces trois-là.

Il feuilleta les relevés, désigna trois traits de surligneur rose.

– Les dates, les horaires et leur durée correspondent aux indications fournies par Jonathan. Ils ont été passés depuis des cabines.

– Merde ! s'exclama Cassie.

– Où ? demandai-je.

– Au centre de Dublin. Le premier sur les quais. L'autre dans O'Connell Street. Le troisième à mi-chemin des deux premiers, également sur les quais.

– En d'autres termes, notre correspondant anonyme n'est pas un de ces résidents qui trépignent de joie en anticipant sur l'augmentation du prix de leur baraque.

– À mon avis, non. Si on tient compte des horaires, il appelle en sortant du pub et en rentrant chez lui. J'imagine qu'un résident de Knocknaree pourrait aller picoler à Dublin, mais pas de façon régulière. Je demanderai aux stagiaires de vérifier, par précaution. Toutefois, jusqu'à plus ample informé, j'opterais pour un quidam qui porte au projet d'autoroute un intérêt purement financier, et non personnel. Et je parierais pour quelqu'un habitant près des quais.

– Notre tueur est un type du coin, objecta Cassie.

Sam acquiesça une nouvelle fois.

– Notre homme aurait pu louer les services d'un résident pour faire le travail. J'aurais agi de même à sa place.

Il se prenait au jeu, avec un sérieux qui nous amusait, Cassie et moi.

– Quand j'aurai identifié les propriétaires des terrains, poursuivit-il, je vérifierai si l'un d'eux a été en contact avec un habitant de Knocknaree.

– Tu as des pistes ?

– J'y travaille.

– Dernière chose, lança Cassie. À qui Jessica téléphone-t-elle ?

– À personne, conclut Sam en rassemblant prestement ses feuilles.

Tout cela se passait le lundi, presque une semaine après la mort de Katy. Au cours de ces six jours, ni Jonathan ni Margaret Devlin ne nous avaient appelés pour se renseigner sur l'évolution de l'enquête. Je ne m'en plaignais pas. Certaines familles nous téléphonent quatre ou cinq fois par jour, quémandant désespérément des nouvelles. Rien n'est plus affreux que d'avoir à leur répondre que nous n'en avons aucune. Et pourtant... Cette absence de contact constituait un autre élément perturbant, dans une affaire qui n'en comptait déjà que trop.

Rosalind vint finalement le mardi, à l'heure du déjeuner. Pas de coup de fil préalable. Bernadette m'informa simplement, toujours aussi revêche, qu'une jeune femme voulait me voir. Mais je savais qu'il s'agissait d'elle et que le fait de surgir ainsi sans prévenir impliquait de sa part une forme de désespoir, ou quelque urgence secrète. Je laissai tomber mon travail en cours et descendis au rez-de-chaussée, ignorant le haussement de sourcils interrogateur de Cassie et de Sam.

Rosalind attendait à la réception, enveloppée dans un châle émeraude, le visage tourné vers la fenêtre, l'air mélancolique. Elle formait, en dépit du décor austère et tristement fonctionnel du vestibule, un tableau ravissant. Contre la brique et la pierre de la cour baignées de soleil, ses boucles sombres rehaussées par le vert du tissu évoquaient une œuvre préraphaélite.

– Rosalind..., murmurai-je.

Elle s'écarta vivement de la fenêtre, une main sur la poitrine.

– Inspecteur Ryan ! Vous m'avez fait peur... Merci infiniment de me recevoir.

– Vous serez toujours la bienvenue. Venez à l'étage. Nous trouverons un endroit tranquille pour parler.

– Je ne voudrais pas vous importuner. Si vous êtes trop occupé, dites-le-moi. Je m'en irai.

– Vous ne me dérangez pas du tout. Aimeriez-vous du thé ? Du café ?

– Du café, ce sera parfait. Devons-nous vraiment monter ? Il fait si beau... Je suis un peu claustrophobe. Je ne le dis à personne, mais... Ne pourrions-nous pas sortir ?

Ce n'était pas la procédure habituelle. Toutefois, on ne la soupçonnait encore de rien, et elle n'était pas un témoin.

– Bien sûr, répondis-je. Accordez-moi une seconde.

Je montai l'escalier quatre à quatre pour aller chercher son café. J'avais oublié de lui demander comment elle le préférait. J'y ajoutai donc un peu de lait et fourrai deux sachets de sucre dans ma poche, au cas où...

– Voilà, dis-je, une fois redescendu. Allons dans le jardin.

Elle sirota une gorgée de café, tenta de dissimuler une petite moue. Je m'excusai.

– Je sais, il est infect.

– Non, non, il est très bon. Simplement... Je ne bois jamais de lait.

– Oh, désolé. Souhaitez-vous que j'aille vous en chercher un autre ?

– Surtout pas, inspecteur Ryan ! En fait, je n'en avais pas vraiment envie. Buvez-le. Je ne voudrais pas vous causer le moindre tracas, ni abuser de votre temps. C'est si gentil à vous de me recevoir...

Elle parlait trop vite, d'une voix suraiguë, agitant les mains et me fixant sans ciller, comme hypnotisée. Elle était terriblement nerveuse et faisait un effort pour ne pas le montrer.

– Il n'y a aucun problème, répondis-je doucement. Allons nous asseoir dans un coin agréable. Ensuite, j'irai vous chercher un autre café. Il sera toujours infect mais, au moins, il sera noir. Qu'en dites-vous ?

Elle me sourit avec gratitude. Je devinai que ce petit geste de considération l'avait émue aux larmes.

Je dénichai un banc libre dans le jardin, au soleil. Les oiseaux piaillaient au pied des haies, se disputaient des débris de sandwiches. J'abandonnai Rosalind quelques instants et retournai chercher du café. Je pris mon temps, pour lui permettre de se ressaisir. Lorsque je revins, je la trouvai assise à l'extrémité du banc, se mordant la lèvre et effeuillant une marguerite. Elle me remercia pour le café, essaya de sourire. Je m'installai près d'elle.

– Inspecteur Ryan, avez-vous... avez-vous arrêté l'assassin de ma sœur ?

– Pas encore. Mais l'enquête ne fait que commencer. Je vous jure que nous faisons tout ce qui est notre pouvoir. Absolument tout.

– Vous le confondrez, inspecteur Ryan ! Je l'ai su dès l'instant où je vous ai vu. Je peux dire un tas de choses sur les gens d'après mes premières impressions. J'ai si souvent raison que, parfois, cela m'effraie. Et j'ai eu tout de suite la certitude que vous étiez la personne qu'il nous fallait.

Elle me dévisageait avec une confiance absolue. Bien sûr, cela me flatta, tout en me mettant horriblement mal à l'aise. Elle paraissait si convaincue et, en même temps, si vulnérable... Or, même si je m'efforçais de ne pas y penser, nous risquions de ne jamais résoudre cette affaire. Et ce serait affreux pour elle.

– J'ai fait un rêve à votre sujet, ajouta-t-elle en baissant timidement les yeux. La nuit qui a suivi les funérailles de Katy. Je n'avais pas dormi plus d'une heure par nuit depuis sa disparition. J'étais comme folle. Mais vous voir ce jour-là m'a convaincue de ne pas renoncer. Cette nuit-là, j'ai rêvé que vous frappiez à notre porte. Vous m'annonciez que vous aviez arrêté l'homme qui a fait ça. Il était dans la voiture de police garée derrière vous et vous me juriez qu'il ne ferait plus jamais de mal à personne.

– Rosalind, murmurai-je, nous faisons de notre mieux et nous ne baisserons pas les bras. Mais cela prendra peut-être beaucoup de temps. Vous devez vous y préparer.

Elle secoua la tête.

– Vous le trouverez.

Je changeai de sujet.

– Vous m'avez dit que vous aviez quelque chose à me demander ?

– Oui.

Elle prit une profonde inspiration.

– Qu'est-il arrivé à ma sœur, inspecteur Ryan ? Exactement ?

L'intensité de son regard me bouleversa. Que faire ? Si je lui racontais tout, allait-elle s'effondrer, s'évanouir, hurler ? Dans les jardins, une multitude d'employés de bureau bavardaient en déjeunant.

– Je devrais laisser vos parents vous en parler, suggérai-je.

– J'ai dix-huit ans, vous savez. Vous n'avez pas besoin de leur permission.

– Tout de même...

Elle se mordit la lèvre supérieure.

– Je le leur ai demandé... Ils... Tous les deux m'ont ordonné de me taire.

Un sentiment confus me submergea : colère, anxiété, compassion, tout se mêlait.

– Rosalind, est-ce que tout va bien à la maison ?

Elle redressa la tête, arrondit la bouche.

– Oui, souffla-t-elle. Bien sûr...

– En êtes-vous certaine ?

– Vous êtes si gentil. C'est... Tout va bien.

– Vous sentiriez-vous plus à l'aise si vous parliez à ma collègue ?

– Non !

Je perçus dans ce refus une hostilité à peine voilée. Elle fit nerveusement tourner son gobelet sur ses genoux.

– Je vous ai senti impliqué, inspecteur Ryan ; à propos de Katy. Votre collègue, elle, ne l'était pas. Mais vous... C'était différent.

– Impliqués, nous le sommes tous les deux.

Je réprimai mon désir de passer un bras rassurant autour d'elle, ou de poser une main sur la sienne. Je n'ai jamais été très doué pour ce genre de geste.

– Oh, je sais, je sais. Mais votre collègue... Elle me fait un peu peur, ajouta-t-elle avec un petit sourire gêné. Elle est si agressive...

– Cassie Maddox ? Agressive ?

Je n'en revenais pas. Cassie avait toujours eu la réputation de savoir s'y prendre avec les familles. Alors que je me montre maladroit et emprunté, elle a toujours le mot qu'il faut et les gestes qui consolent. Certaines familles lui envoient encore, à Noël, des cartes de vœux pleines de courage, de reconnaissance et de tristesse.

– Oh, reprit Rosalind, je ne pensais pas à mal ! Dans votre métier, l'agressivité est une bonne chose, non ? Et je suis sans doute trop sensible. Je sais bien qu'il lui fallait poser toutes ces questions à mes parents. Pourtant, elle l'a fait de façon si froide... Jessica était vraiment effondrée. Et elle me souriait comme si... La mort de Katy n'était pas une blague, inspecteur Ryan.

– Loin de là.

Je me remémorai la lugubre entrevue dans le salon des Devlin, cherchai à retrouver ce que Cassie avait pu faire pour la blesser à ce point. Un seul détail s'imposa à moi : son sourire d'encouragement lorsqu'elle l'avait aidée à s'asseoir sur le canapé. Rétrospectivement, il me parut peut-être malvenu. Mais de là à susciter ce genre de rejet... Le choc et la douleur provoquent souvent des réactions disproportionnées, illogiques, de fausses interprétations. N'empêche... L'aveu de Rosalind renforça mes soupçons sur l'atmosphère étrange qui régnait chez elle.

– Je suis navré que nous vous ayons donné l'impression...

– Non, oh, non, pas vous... Vous avez été merveilleux. Et je sais que Mlle Maddox n'a pas fait exprès de se comporter de façon si brutale. Les gens les plus agressifs essaient simplement de se montrer forts, de cacher leur trouble, n'est-ce pas ? Au fond d'eux-mêmes, ils ne sont pas vraiment cruels...

– Non, bien sûr.

J'avais du mal à imaginer Cassie troublée, agressive, ou méchante. Je réalisai soudain que je n'avais aucune idée de l'effet qu'elle faisait sur les autres. Un peu comme un homme à qui on demande si sa sœur est jolie ou laide, il m'était devenu impossible de la considérer avec objectivité.

Rosalind tira sur une de ses mèches.

– Vous ai-je offensé ? Oui. Je suis navrée, navrée... Je mets toujours les pieds dans le plat. Je devrais apprendre à... à tourner sept fois ma langue dans ma bouche.

– Non. Je ne suis pas choqué du tout.

– Si, vous l'êtes. Je le sens.

Elle resserra son châle autour de ses épaules. Son visage se crispa. Si elle se fermait pour de bon, je n'aurais plus aucune chance de la mettre de nouveau en confiance.

– Vraiment, insistai-je. Vous ne m'avez vexé en rien. Je pensais simplement à ce que vous avez dit. Cela m'a fait réfléchir.

Elle joua avec la frange de son châle, évitant mon regard.

– N'est-elle pas votre petite amie ?

– L'inspecteur Maddox ? Non, non, non ! Il n'y a rien de ce genre entre nous.

– J'ai pourtant cru, à sa façon de...

Elle se gifla la bouche.

– Oh, ça recommence ! Arrête, Rosalind !

Je ne pus m'empêcher de rire. Nous tentions si fort, tous les deux, de nous dépêtrer de notre embarras !

– Allons... Respirez un grand coup et repartons de zéro.

Lentement, elle se détendit contre le dossier du banc.

– Merci, inspecteur Ryan. Mais, je vous en prie... Qu'est-il exactement arrivé à Katy ? Je n'arrête pas d'imaginer, vous comprenez... Je ne supporte pas de ne rien savoir.

Que pouvais-je lui objecter ? Je ne lui épargnai rien. Elle ne s'évanouit pas, ne devint pas hystérique, ne fondit même pas en larmes. Elle m'écouta en silence, ses yeux d'un bleu si limpide braqués sur moi. Lorsque j'eus terminé, elle fixa, deux doigts sur les lèvres, les haies impeccablement taillées inondées de soleil et les bureaucrates qui papotaient toujours, leurs barquettes sur les genoux. Maladroitement, je lui tapotai l'épaule. Je sentis sous mes doigts le tissu bon marché et rêche de son châle qui, de prime abord, paraissait si élégant. Cette coquetterie infantile, pathétique, m'alla droit au cœur. J'aurais voulu lui dire quelque chose de sage, de profond, sur la souffrance de ceux qui restent, une parole consolante dont elle aurait pu se souvenir les soirs d'insomnie, d'incompréhension, de solitude. Je ne trouvai pas les mots. Je me contentai, piteusement, de chuchoter :

– Je suis désolé.

– Donc elle n'a pas été violée ?

– Buvez votre café, lui conseillai-je avec une sollicitude stupide, comme si cela pouvait atténuer sa douleur.

Elle agita les mains, telle une folle.

– Non ! Non ! Dites-moi ! Elle n'a pas été violée ?

– Pas exactement, non. Et elle était déjà morte. Elle n'a rien senti.

– Elle n'a donc pas beaucoup souffert ?

– À peine. Elle a été assommée presque tout de suite.

Elle se pencha brusquement au-dessus de son gobelet. Ses lèvres tremblaient.

– Je me sens tellement coupable, inspecteur Ryan ! J'aurais dû mieux la protéger !

– Vous ne pouviez pas savoir.

– J'aurais dû ! J'aurais dû être là, au lieu d'aller bavasser avec mes cousines. Je suis une sœur indigne !

– Vous n'êtes pas responsable de la mort de Katy, affirmai-je le plus fermement possible. Vous avez été pour elle une sœur merveilleuse. Vous n'auriez rien pu faire.

– Mais...

Elle se tut, secoua la tête.

– Mais quoi ?

– Oh... J'aurais dû savoir. C'est tout. N'en parlons plus.

Elle eut un pauvre sourire.

– Merci de m'avoir tout dit.

– À mon tour. Puis-je vous demander deux ou trois choses ?

Elle parut inquiète. Puis elle inspira profondément et acquiesça.

– Votre père nous a affirmé qu'elle ne s'intéressait pas encore aux garçons. Est-ce vrai ?

Sa bouche s'ouvrit, se referma.

– Je l'ignore, rétorqua-t-elle d'une toute petite voix.

– Rosalind, je sais que ce n'est pas facile pour vous. Mais si c'était le cas, il faut que nous le sachions.

– Katy était ma sœur, inspecteur Ryan. Je refuse de... de trahir ses secrets.

– Je comprends. Pourtant, le meilleur service que vous puissiez lui rendre serait de me révéler tout ce qui pourrait nous aider à retrouver son assassin.

Silence, soupir. Et enfin :

– Oui. Elle aimait les garçons. Si elle en avait un en particulier, je ne sais pas. Mais je les ai entendues, elle et ses amies, s'asticoter à propos de leurs flirts, plaisanter sur ceux qu'elles avaient embrassés.

La vision d'une fillette de douze ans bécotant un adolescent boutonneux me fit sursauter. Je me souvins alors des amies de Katy, d'une maturité si déconcertante. Peter, Jamie et moi étions peut-être vieux jeu.

– En êtes-vous certaine ? Votre père semblait sûr de lui.

– Mon père...

Elle chercha ses mots.

– Il adulait Katy. Parfois, elle en profitait. Elle ne lui avouait pas toujours la vérité, ce qui me rendait très triste.

– Je comprends. Un dernier renseignement : en mai dernier, vous vous êtes enfuie de chez vous. Je me trompe ?

Elle devint tout d'un coup très sérieuse.

– Je ne me suis pas vraiment enfuie, inspecteur Ryan. Je ne suis plus une enfant. J'ai passé un week-end avec une amie.

– Qui ?

– Karen Daly. Vous pouvez l'interroger. Je vous donnerai son numéro.

– Ce ne sera pas nécessaire.

Nous avions déjà parlé à Karen, une adolescente timide au visage empâté, à mille lieues de l'image que je me faisais d'une confidente de Rosalind. Elle avait confirmé que son amie avait passé le week-end chez elle. Toutefois, je détecte assez bien les mensonges ; et j'étais intimement persuadé que Karen me cachait quelque chose.

– Votre cousine a laissé entendre que vous aviez pu passer ce week-end avec un petit ami.

Rosalind grimaça.

– Valerie a l'esprit mal tourné. Je connais plein de filles qui font ça, mais je ne suis pas comme elles.

– Certes. Cependant, vos parents ne savaient pas où vous étiez ?

– Non. Ils l'ignoraient.

– Pourquoi ?

– Parce que je n'avais aucune envie de le leur dire !

Ses traits s'adoucirent.

– Oh, inspecteur, ne rêvez-vous pas, de temps à autre, de vous enfuir, de partir n'importe où, simplement parce que vous n'en pouvez plus ?

– Si. Donc, cette fugue n'avait rien à voir avec ce qui s'était passé chez vous ? On nous a raconté que vous vous étiez disputée avec votre père...

Elle se rembrunit. J'attendis.

– Non, concéda-t-elle au bout d'un moment. Il ne s'est rien passé de tel.

Elle mentait, j'en aurais mis ma main au feu. Mais je ne voulais pas la pousser dans ses retranchements. Pas tout de suite. Je me demande encore si je n'ai pas eu tort. Cependant je ne vois pas, avec le recul, ce que cela aurait changé.

– Je sais que vous souffrez beaucoup, Rosalind. Mais ne vous enfuyez plus, d'accord ? Si jamais vous allez trop mal, si vous avez besoin de vous confier à quelqu'un, appelez SOS Victimes, ou téléphonez-moi sur mon portable. Je ferai tout pour vous aider.

– Merci, inspecteur Ryan. Je m'en souviendrai.

Son visage était fermé, absent. Et j'eus, au fond de moi, la certitude que je venais de la laisser tomber.

Dans la salle commune, Cassie photocopiait des témoignages.

– Qui était-ce ?

– Rosalind Devlin.

– Ouh... Qu'est-ce qu'elle a dit ?

Pour d'obscures raisons, je m'abstins de lui donner des détails.

– Rien de particulier. Juste un point : en dépit de ce que croit son père, la victime s'intéressait aux garçons. Rosalind n'a pu me donner aucun nom. Il nous faudra de nouveau cuisiner les copines de Katy pour en savoir plus. Elle m'a aussi appris que sa sœur racontait des mensonges, mais la plupart des enfants le font.

– Rien d'autre ?

– Rien.

Une page à la main, elle se retourna et s'écarta de la photocopieuse, me jeta un long regard indéchiffrable.

– Au moins, elle t'a fait des confidences. Tu devrais rester en contact avec elle. Elle pourrait se livrer un peu plus.

– Je lui ai demandé si quelque chose n'allait pas chez elle, ajoutai-je, un peu coupable. Elle m'a affirmé que non. Je ne la crois pas.

– Ah ! marmonna Cassie en retournant à la photocopieuse.

Le lendemain, nous interrogeâmes de nouveau Christina, Marianne et Beth. Toutes les trois se montrèrent formelles. Katy n'avait pas de flirt, pas de béguin particulier.

– Nous la taquinions parfois à propos des garçons, précisa Beth, mais sans penser à mal. Juste pour rire.

C'était une gamine rousse, à l'air enjouée. Quand ses yeux se remplirent de larmes, elle parut sidérée, comme si elle n'avait jamais pleuré.

– Elle nous cachait peut-être quelque chose, suggéra Marianne, la plus calme des trois, fille pâle aux allures de fée dans ses vêtements à la dernière mode. Katy était très secrète. Par exemple, elle ne nous a pas parlé de sa première audition à la Royal Ballet School. Elle ne nous a mises au courant qu'une fois admise. Tu t'en souviens ?

– C'est pas pareil, objecta Christina, qui, elle aussi, avait pleuré, et oublié de se moucher. Si elle avait eu un petit ami, on l'aurait deviné.

Les stagiaires questionnèrent de nouveau tous les garçons du lotissement, au cas où... Sans succès. Cela ne m'étonna pas. L'affaire s'embourbait de plus en plus.

Sophie m'appela alors que nous quittions Knocknaree pour nous annoncer qu'elle venait de recevoir les résultats du labo. Son coup de fil me fit tout d'abord espérer du nouveau.

– J'ai les résultats sur la fille Devlin, clama-t-elle. Les gars du labo ont six semaines de travail en retard. Tu sais comment ils sont. Je les ai tannés jusqu'à ce qu'ils acceptent de me faire passer en priorité.

Mon cœur bondit dans ma poitrine.

– Bravo, Sophie ! On t'en doit un autre.

Je me tournai vers Cassie, qui conduisait.

– Les résultats, chuchotai-je.

– Analyses toxicologiques négatives, poursuivit Sophie. Elle n'était ni droguée ni ivre, et n'avait pas pris de médicament. Les dépôts retrouvés sur elle, poussière, pollen et autres, correspondent à la composition du sol autour de Knocknaree. Même chose pour ce qui se trouvait à l'intérieur de ses vêtements ou collé au sang. Selon les gens du labo, une plante très rare pousse dans ce bois et nulle part ailleurs dans les environs, et le pollen n'est pas transporté par le vent à plus de deux kilomètres. Il y a donc toutes les chances pour que le corps n'ait pas quitté Knocknaree.

– Cela correspond à ce que nous avons. Passe aux résultats intéressants.

– C'était ça, les résultats intéressants ! ricana-t-elle. Les traces de pas ne mènent nulle part. Ce sont pour moitié celles des archéologues, et les autres sont trop brouillées pour être utilisables. Toutes les fibres correspondent à celles que nous avons prélevés dans la maison, sauf quelques-unes, non identifiées mais peu significatives. Un cheveu sur le tee-shirt, appartenant au crétin qui a découvert le corps, deux autres identiques à ceux de la mère : un sur le pantalon, l'autre sur une chaussette. C'est sans doute elle qui lave le linge. Donc rien de probant.

– Des traces d'ADN ? Des empreintes digitales ?

– Ah !

Elle mangeait quelque chose de croquant, probablement des chips. Elle a toujours survécu en avalant n'importe quoi.

– Quelques éléments mêlés de sang, mais ils proviennent d'un gant de caoutchouc. Surprise, surprise... Donc pas de fragment d'épiderme. Ni sperme, ni salive, et pas de sang sans rapport avec celui de la victime.

– Magnifique, soupirai-je, sentant tous mes espoirs s'écrouler.

– Une exception, toutefois : la vieille tache trouvée par Helen. On l'a analysée : A positif. Notre victime est O négatif.

Elle se tut, croqua une autre chip. L'estomac noué, je gardai moi aussi le silence.

– Quoi ? s'exclama-t-elle enfin. C'est ce que tu voulais entendre, non ? Même sang que celui de l'ancienne affaire. D'accord, c'est hasardeux, mais au moins, on a un lien.

– Sûr...

Je me tournai de nouveau vers Cassie, qui écoutait. Puis :

– Merci, Sophie.

– En ce qui concerne l'ancienne affaire, nous allons soumettre les prélèvements sanguins et les baskets à des tests ADN, conclut-elle. Si j'étais toi, je n'en attendrais pas grand-chose. Ils sont trop dégradés. Qui a eu l'idée débile d'entreposer des échantillons de sang dans un sous-sol ?

Selon un accord tacite passé entre nous, Cassie travaillait sur la première affaire pendant que je me concentrais sur les Devlin. McCabe étant mort quelques années plus tôt d'une crise cardiaque, elle alla voir Kiernan. Il avait pris sa retraite et vivait à Laytown, une petite localité de la périphérie, au bord de la mer. Il avait plus de soixante-dix ans, un visage rubicond et la stature un peu molle d'un rugbyman sur le retour. Il l'avait emmenée marcher sur la vaste plage déserte. Là, au milieu des cris des mouettes et des courlis, il avait évoqué les événements de Knocknaree. Il avait l'air ravi, nous raconta Cassie ce soir-là en allumant le feu, tandis que je badigeonnais de la moutarde sur la viande hachée des sandwiches au pain italien que je préparais et que Sam versait le vin. Il venait de couper du bois, et de la sciure collait à son vieux pantalon. Sa femme avait enroulé une écharpe autour de son cou avant de l'embrasser sur la joue alors qu'il sortait.

Kiernan se souvenait de chaque détail. Au cours de la brève histoire de l'Irlande depuis l'indépendance, pas plus de six enfants avaient disparu sans laisser de traces. Kiernan ne parvenait pas à oublier qu'il avait tenu le sort de deux d'entre eux entre ses mains et échoué. Pourtant, affirma-t-il à Cassie, un peu sur la défensive, comme s'il avait déjà retourné mille fois cette conversation dans sa tête, on n'avait pas lésiné sur les recherches : chiens, hélicoptères, plongeurs. Des policiers et des volontaires avaient ratissé des hectares de bois, de collines et de champs dans toutes les directions pendant des semaines, commençant à l'aube et ne s'arrêtant qu'à la tombée de la nuit. Ils avaient suivi des pistes de Belfast à Kerry, et jusqu'à Birmingham. Pendant tout ce temps, son instinct soufflait à Kiernan, de façon lancinante, qu'ils faisaient fausse route, que la réponse, toute proche, lui crevait les yeux.

– Quelle est sa théorie ? s'enquit Sam.

J'étalai le dernier steak haché sur un pain ciabatta coupé en deux et disposai les assiettes sur la table basse, devant le canapé.

– Selon lui, commença Cassie, les enfants n'ont jamais quitté Knocknaree. Je ne sais pas si vous vous en souvenez, mais il y avait un troisième gosse...

Elle se pencha de côté pour prendre son carnet de notes, ouvert sur le bras du canapé.

– Adam Ryan. Il était avec les deux autres cet après-midi-là. On l'a retrouvé dans le bois, environ deux heures après le début des recherches. Pas de blessures ; mais il avait du sang plein les chaussures et était en état de choc. Il ne se souvenait de rien. Kiernan en a conclu que, quoi qu'il soit arrivé, tout s'est passé dans le bois ou non loin de là. Sinon, pourquoi Adam y serait-il revenu ? Selon lui, un individu, quelqu'un du coin, les observait depuis un certain temps. Le type les a abordés dans le bois, les a peut-être attirés chez lui, puis les a agressés. Sans doute n'avait-il pas, au départ, l'intention de les tuer. Quelque chose a peut-être mal tourné. Pendant l'agression, Adam s'est échappé et s'est réfugié dans le bois, ce qui signifie soit qu'ils y étaient déjà, soit qu'ils se trouvaient à sa lisière, dans une des maisons du lotissement toute proche ou dans une des fermes des environs. Sinon, il serait rentré chez lui, non ? Kiernan pense que le type a paniqué et a tué les deux autres gosses, caché les corps chez lui en attendant le bon moment, puis les a jetés dans la rivière ou les a enterrés dans son jardin, ou encore, ce qui est plus probable puisqu'on n'a signalé aucune excavation inexpliquée dans les parages au cours des semaines suivantes, dans le bois.

Je portai à ma bouche un morceau de mon sandwich. La viande, trop saignante, me donna la nausée. Je me forçai à l'avaler sans la mâcher, avec une gorgée de vin.

– Qu'est devenu le jeune Adam ? demanda Sam.

Cassie haussa les épaules.

– Je doute qu'il puisse nous apprendre quoi que ce soit. Kiernan et McCabe l'ont interrogé régulièrement pendant des années. Il n'avait toujours aucun souvenir. Ils ont fini par laisser tomber, estimant qu'il avait définitivement perdu la mémoire. La famille a déménagé. Si l'on en croit les potins de Knocknaree, elle a émigré au Canada.

Elle s'efforçait de s'exprimer avec naturel. Cela sonnait faux. Nous étions comme deux espions, communiquant par-dessus la tête de notre invité dans un langage codé qui me paraissait emprunté.

– Ils ont dû devenir dingues, commenta Sam. Avoir un témoin direct à portée de main...

– Effectivement. Kiernan ne m'a pas caché sa frustration. Le gamin collaborait pourtant de son mieux. Il a même participé à une reconstitution, avec deux gosses du coin. Les enquêteurs espéraient que ça l'aiderait à se rappeler ce que ses deux copains et lui avaient fait cet après-midi-là. Rien. Il s'est complètement bloqué dès qu'il est entré dans le bois.

Mon estomac se noua. Je ne gardais aucun souvenir de tout cela. Je reposai mon sandwich. J'avais un besoin urgent de fumer une cigarette.

– Pauvre mouflet, murmura Sam.

– McCabe pensait-il la même chose ? demandai-je.

– Non, continua Cassie en léchant son pouce imbibé de moutarde. Il pensait qu'il s'agissait d'un tueur de passage, qui n'était là que pour quelques jours et venait sans doute d'Angleterre, peut-être pour des raisons professionnelles. Ils n'ont dégoté aucun suspect crédible. Ils ont distribué presque un millier de questionnaires, procédé à des centaines d'interrogatoires, répertorié tous les pervers et tous les cinglés du sud de Dublin, vérifié leurs faits et gestes à la minute près... Vous savez tous les deux comment ça se passe. On déniche toujours un suspect, même si on a peu d'éléments contre lui. Là, ils n'avaient absolument personne. Chaque fois qu'ils croyaient tenir une piste, elle les menait droit dans le mur.

– Ça me rappelle quelque chose, persiflai-je.

– Kiernan croit que c'est parce que quelqu'un a fourni au type un alibi bidon qui lui a permis de passer entre les gouttes, de ne pas attirer leur attention. Selon McCabe, au contraire, c'est parce qu'il n'était plus là. Il pensait que les gamins jouaient au bord de la rivière et ont suivi son cours jusqu'à l'endroit où elle débouche, à l'autre extrémité du bois. C'est un long trajet, mais ils l'avaient fait plusieurs fois. Là-bas, une petite route longe la berge. McCabe imaginait que quelqu'un était passé par là en auto, avait vu les enfants et avait essayé de les faire monter, de gré ou de force, dans sa voiture. Adam s'est débattu, s'est enfui dans le bois. Le type a démarré avec les deux autres à bord. McCabe s'est adressé à Interpol, à la police britannique. En pure perte.

– Kiernan et McCabe, dis-je, pensaient donc que les enfants avaient été assassinés.

– McCabe n'en était pas certain. Pour lui, il y avait une chance pour que quelqu'un les ait enlevés : un malade mental désirant désespérément des enfants, ou, peut-être... Bon. Au début, on a envisagé une fugue. Mais deux gamins de douze ans, sans argent... On les aurait rattrapés en deux jours.

– Katy n'a pas été tuée par hasard, par quelqu'un de passage, intervint Sam. Il lui a fallu organiser le rendez-vous, puis la cacher quelque part pendant la journée...

– En fait, ajoutai-je, impressionné par le calme de ma voix, cet enlèvement en voiture ne me semble pas convaincant. Si ma mémoire est bonne, on a remis ses baskets au gamin après que le sang dont elles étaient pleines eut commencé à coaguler. En d'autres termes, le ravisseur a passé un certain temps avec ses trois victimes, quelque part dans les parages, avant que l'une d'elles s'enfuie. À mes yeux, ça reste local.

– Knocknaree est tout petit, approuva Sam. Quelles sont les chances pour que deux tueurs d'enfants y vivent ?

Cassie posa son assiette sur ses genoux, croisa les mains derrière la nuque. Elle avait des cernes sous les yeux. Je compris soudain que son après-midi avec Kiernan l'avait profondément affectée, et que sa réticence à raconter cette histoire ne venait pas seulement de son désir de me protéger. Les coins de sa bouche se figent dès qu'elle cache quelque chose. Je me demandai quel passage du récit de Kiernan elle tenait à garder pour elle.

– Ils ont même fouillé les arbres, vous vous rendez compte ? lâcha-t-elle enfin. Au bout de quelques semaines, un stagiaire plus futé que les autres s'est remémoré une vieille affaire. Un gamin avait grimpé dans un arbre creux et était tombé à l'intérieur du tronc. On ne l'avait retrouvé que quarante ans plus tard. Kiernan et McCabe ont fait inspecter chaque arbre, examiner les creux avec des lampes torches.

Nous nous tûmes tous les trois. Sam termina son sandwich sans se presser, puis reposa son assiette avec un soupir de satisfaction. Cassie s'étira, tendit la main. Je posai son paquet de cigarettes dans sa paume.

– Kiernan en rêve toujours, murmura-t-elle. Moins souvent que jadis, bien sûr : une fois tous les deux ou trois mois depuis sa retraite. Il cherche les deux enfants dans le bois, la nuit. Il les appelle. Alors, une ombre surgit des buissons et se précipite sur lui. Il sait qu'il s'agit du tueur. Il distingue ses traits, « aussi clairement que je vous vois », m'a-t-il dit. Mais quand il se réveille, il les a oubliés.

Le feu craquait. Je m'en détournai. J'étais certain d'avoir vu une forme jaillir de la cheminée ; petite, noire : un oisillon, peut-être, tombé dans le conduit ? Pourtant, il n'y avait rien. Je me retournai à nouveau. Sam m'observait de ses yeux gris et calmes, avec une sollicitude étrange. Il me sourit, se pencha au-dessus de la table basse et remplit mon verre.

Je dormais mal, même quand j'en avais l'occasion. Ce n'était pas nouveau, je l'ai dit. Toutefois, au cours de ces semaines, ce fut différent. Je me débattais dans un état intermédiaire entre la veille et le sommeil, sans pouvoir ouvrir les yeux ni sombrer pour de bon. « Où es-tu ? criaient des voix à mon oreille. Je ne t'entends pas. Quoi ? Quoi ? » Des inconnus se glissaient dans ma chambre, lisaient mes notes de travail, fouillaient mon placard. Je savais bien qu'ils n'étaient pas réels. Pourtant, paniqué, je ne parvenais ni à les affronter, ni à les chasser. Une nuit, je me retrouvai, sans savoir comment, tassé contre le mur, près de la porte de ma chambre, les jambes flageolantes, cherchant désespérément le commutateur. Un gémissement sourd retentissait quelque part et il me fallut longtemps avant de me rendre compte qu'il s'agissait de ma propre voix. J'allumai le plafonnier puis ma lampe de chevet, avant de me faufiler dans mon lit, où je restai étendu sans bouger, jusqu'à ce que mon angoisse se dissipe enfin.

Parfois, je percevais des voix enfantines, lointaines, cristallines, trop pures pour être réellement humaines. Je ne reconnaissais pas celles de Peter et de Jamie. C'étaient des enfants inconnus, chantant des comptines que je n'avais jamais entendues. *Viens, viens, ma belle, allons jouer là-bas... Viens, mon ange, viens dans le seringa... Deux petits gars vêtus de drap, l'un est tout seul et toujours le sera.* Ces paroles absurdes me hantaient des journées entières, me poursuivaient pendant mon travail. Et je n'avais qu'une crainte, obsédante, mortelle : qu'O'Kelly, passant par hasard derrière moi, m'entende les fredonner sans que j'en aie conscience.

Ce samedi-là, Rosalind m'appela sur mon mobile. Je me trouvais dans la salle des opérations. Cassie était partie s'entretenir avec le service des personnes disparues. Derrière moi, O'Gorman pestait contre un type qui lui avait manqué de respect pendant le porte-à-porte. Je dus presser l'appareil contre mon oreille pour comprendre les paroles de Rosalind.

– Inspecteur Ryan, pardonnez-moi de vous importuner encore une fois. Auriez-vous un instant pour venir parler à Jessica ?

Chahut de la ville en arrière-fond : voitures, exclamations, bip frénétique des signaux pour piétons.

– Bien sûr. Où êtes-vous ?

– À Dublin. Pourrions-nous nous retrouver au bar du Central Hotel dans une dizaine de minutes ? Jessica a quelque chose à vous dire.

Je m'emparai du dossier principal et le feuilletai en hâte, à la recherche de la date de naissance de Rosalind. Je ne pouvais, en effet, parler à Jessica qu'en présence d'une personne adulte « appropriée ».

– Vos parents sont avec vous ?

– Non, je... Non. Jessica se sentira plus en confiance sans eux, si cela vous convient.

Je venais de trouver la page sur l'identité des membres de la famille. Rosalind avait dix-huit ans ; et, en ce qui me concernait, elle était tout à fait « appropriée ».

– Aucun problème. À tout à l'heure.

– Merci, inspecteur Ryan. Je savais que je pouvais m'adresser à vous. Je suis désolée de vous bousculer, mais nous devons être de retour à la maison avant...

Silence. Ou sa batterie était à plat, ou son forfait était épuisé. Je laissai un mot à Cassie : « Je reviens bientôt. » Et je m'en allai.

Rosalind avait bon goût. L'aspect suranné du bar du Central, avec ses moulures au plafond, ses vastes fauteuils où l'on s'enfonçait et ses vieux livres aux reliures élégantes, contrastait agréablement avec le tintamarre et les embouteillages des rues avoisinantes. Il m'arrivait d'y passer un samedi après-midi, avec un verre de cognac et un cigare, du moins avant le vote de la loi antitabac, à lire l'édition de 1938 du *Farmer's Almanac* ou d'obscurs poètes victoriens.

Rosalind et Jessica avaient pris place autour d'une table proche de la fenêtre. Les cheveux flottants, Rosalind était vêtue de blanc : jupe longue, chemisier à jabot. Sa tenue s'harmonisait à merveille avec le décor. Elle semblait sortir tout droit d'une garden-party de la Belle Époque. Elle murmurait à l'oreille de sa sœur en lui caressant les cheveux.

Recroquevillée dans son fauteuil, les jambes repliées sous elle, la fillette me frappa presque autant que la première fois. Le soleil entrant à flots par la haute fenêtre l'enveloppait d'une colonne de lumière, la transformait en une réincarnation radieuse d'un être jadis si vivant, si passionné... La ligne fine des sourcils, le nez délicat, la courbe pleine, enfantine, des lèvres : la dernière fois que j'avais contemplé ce visage, il était livide et souillé de sang sur la table d'acier de Cooper. En un instant, il venait de ressusciter, comme Eurydice délivrée des Enfers et rendue à Orphée pour un moment bref, miraculeux. J'éprouvai le désir, si intense que je cessai de respirer, de poser une main sur ses cheveux doux et sombres, de la serrer contre moi, de sentir sa fragilité, sa chaleur et son souffle, comme si j'avais pu, en la protégeant, modifier le cours du temps et protéger aussi Katy.

– Rosalind, dis-je. Jessica.

Elle sursauta, écarquilla les yeux. Aussitôt, l'illusion se dissipa. Elle serrait entre ses doigts un sachet provenant du sucrier posé au centre de la table. Elle en porta le coin à sa bouche et se mit à le sucer.

Le visage de Rosalind s'illumina.

– Inspecteur Ryan ! Je suis si heureuse de vous voir. Je sais que c'était un peu impromptu, mais... Asseyez-vous, je vous en prie.

Je m'installai dans un fauteuil. Rosalind reprit :

– Jessica a vu quelque chose qui pourrait vous intéresser. N'est-ce pas, mon ange ?

La petite haussa mollement les épaules.

– Bonjour, Jessica, murmurai-je en m'efforçant de paraître très calme.

Mon esprit partait dans toutes les directions. Si les révélations de la fillette avaient quelque chose à voir avec les parents, il faudrait que je trouve un endroit où mettre les deux sœurs en sûreté. Et, à la barre, la cadette risquait de se montrer imprévisible.

– Je suis heureux que tu aies décidé de me parler. Qu'as-tu vu ?

Elle entrouvrit les lèvres, se balança dans son fauteuil. Puis elle secoua la tête.

– Oh, mon Dieu... C'est ce que je redoutais, soupira Rosalind. Bien. Elle m'a dit qu'elle avait vu Katy...

– Merci, Rosalind. Mais il faut absolument que je l'entende de la bouche de Jessica. Sinon, il s'agira d'une déposition sur la foi d'un tiers, irrecevable devant un tribunal.

Rosalind se figea avant d'acquiescer d'un air consterné. Tout d'un coup, elle sourit, se pencha vers sa sœur, ramena tendrement une de ses mèches derrière son oreille.

– Jessica... Il faut absolument que tu racontes à l'inspecteur Ryan ce que tu m'as appris. C'est important.

La fillette se détourna.

– Me rappelle pas.

– Allons, ma chérie. Tu t'en souvenais très bien tout à l'heure, avant que nous fassions le trajet jusqu'ici, uniquement pour déranger l'inspecteur en plein travail...

L'enfant eut un nouveau geste de dénégation et mordit le sachet de sucre. Ses lèvres tremblaient.

– Ça ne fait rien, coupai-je. Elle est simplement un peu nerveuse. Elle vit des moments difficiles. N'est-ce pas, Jessica ?

– Nous traversons toutes les deux une période pénible, répliqua sèchement Rosalind. Mais l'une de nous doit se comporter en adulte et non comme une petite fille capricieuse.

Jessica se ratatina un peu plus dans son chandail trop grand.

– Je sais, ajoutai-je sur un ton que je voulais apaisant. Je comprends à quel point ce doit être dur.

– Non, inspecteur Ryan, vous ne comprenez pas ! s'écria Rosalind, dont un genou remuait violemment. Personne ne peut comprendre. Je me demande pourquoi nous sommes venues. Jessica n'a aucune envie de vous révéler ce qu'elle a vu et, de toute façon, vous semblez n'y attacher aucune importance. Nous ferions mieux de nous en aller.

Je ne pouvais pas les perdre. Il me fallait la contrer tout de suite.

– Rosalind, je prends tout cela très au sérieux. Et je comprends. Vraiment.

Elle eut un rire amer, se baissa pour prendre son sac.

– Oh, j'en suis sûre. Pose ce sachet, Jessica. Nous rentrons à la maison.

– Rosalind, je suis sincère ! Quand j'avais à peu près son âge, deux de mes meilleurs amis ont disparu. Je sais ce que vous endurez.

Elle se redressa, me fixa.

– Bien sûr, ajoutai-je, ce n'est pas la même chose que de perdre une sœur...

– Non.

– Mais je sais à quel point il est pénible d'être la personne qui reste. Je vais remuer ciel et terre pour que vous obteniez les réponses auxquelles vous avez droit. D'accord ?

Elle me scruta encore un long moment. Ensuite, elle reposa son sac et rit à nouveau. Cette fois, c'était un rire de soulagement. Elle tendit le bras à travers la table, saisit ma main.

– Oh, inspecteur Ryan ! Non seulement j'étais certaine que vous étiez l'homme idéal pour cette affaire, mais je savais qu'il y a avait une bonne raison pour cela !

Je n'avais pas envisagé les choses de cette façon auparavant. Cette pensée me réchauffa le cœur.

– J'espère que vous avez raison, chuchotai-je.

Je serrai sa main. Alors que mon geste se voulait rassurant, elle prit tout d'un coup conscience de ce qu'elle venait de faire et la retira, à la fois troublée et embarrassée.

– Pardon, je ne voulais pas...

– Je propose que nous bavardions quelques instants, vous et moi, jusqu'à ce que votre sœur se sente prête à me dire ce qu'elle a vu. Qu'en pensez-vous ?

– Jessica ? Ma chérie ?

Elle lui toucha le bras. La fillette sursauta, les yeux écarquillés.

– Voudrais-tu rester ici encore un instant ?

Jessica réfléchit. Enfin, elle approuva.

Je commandai un soda pour elle, du café pour Rosalind et moi. Jessica prit son verre à deux mains et contempla, comme hypnotisée, les bulles de son soda, pendant que sa sœur et moi parlions à bâtons rompus.

Honnêtement, je ne m'attendais pas que cette conversation avec une adolescente me procure un grand plaisir. Mais Rosalind n'était pas comme les autres. Le premier choc de la mort de Katy s'était estompé et, pour la première fois, j'avais l'occasion de la voir telle qu'elle était vraiment : ouverte, pétillante, vive, à la fois brillante et pondérée. Je me demandai où se cachaient les filles comme elle quand j'avais dix-huit ans. Elle était naïve, mais le savait. Elle ne cessait de se moquer d'elle-même, avec un tel humour qu'en dépit du contexte, de mon anxiété quant aux ennuis que lui causerait un jour son innocence, et de l'attitude de Jessica perdue, tel un chat, dans la contemplation d'invisibles fantômes, je me laissai aller à rire de bon cœur.

– Qu'allez-vous faire à la fin de votre scolarité ? m'enquis-je, l'imaginant mal dans un bureau.

Elle eut un sourire triste.

– J'aimerais étudier la musique. Je joue du violon depuis l'âge de neuf ans ; et je compose un peu. Mon professeur affirme que je n'aurai aucun mal à intégrer une bonne école. Mais c'est cher, ajouta-t-elle en soupirant. Et mes parents ne sont pas vraiment d'accord. Ils veulent que je suive une formation de secrétaire.

Ils avaient pourtant approuvé les ambitions artistiques de Katy. Lors de mon stage au service des violences domestiques, j'avais connu plusieurs cas de ce genre : les parents se focalisent sur un enfant préféré ou, au contraire, sur un bouc émissaire. « Je l'ai un peu trop gâtée », avait d'ailleurs reconnu Jonathan le premier jour. Dès lors, les frères et sœurs grandissent chacun dans une ambiance complètement différente. Peu d'entre eux finissent bien.

– Vous trouverez un moyen, dis-je.

L'idée qu'on fasse d'elle une secrétaire me révulsait. Qu'est-ce que les Devlin avaient dans le crâne ? Je précisai :

– Une bourse, par exemple. Vous semblez avoir des dons.

Elle inclina modestement la tête.

– L'année dernière, le National Youth Orchestra a joué une de mes sonates.

Bien sûr, je n'en crus pas un mot. Le mensonge était trop gros : les voisins n'auraient pas manqué, lors de l'enquête de proximité, de mentionner un événement de cette importance. Il me toucha quand même au cœur, bien plus que ne l'aurait fait n'importe quel morceau de musique. Car je me reconnus. « C'est mon frère jumeau, il s'appelle Peter et il a sept minutes de plus que moi... » Les enfants, et Rosalind en était encore une, ne mentent avec un tel aplomb que lorsque la réalité leur paraît trop insupportable.

Je faillis lui dire : « Rosalind, je sais que quelque chose ne va pas à la maison. Racontez-moi, laissez-moi vous aider. » Il était trop tôt. Elle se serait braquée de nouveau, ce qui aurait anéanti tous mes efforts.

– Bravo, applaudis-je. C'est très impressionnant.

Elle eut un petit rire gêné, me dévisagea en battant des cils.

– Vos amis, murmura-t-elle timidement, ceux qui ont disparu... Que leur est-il arrivé ?

– C'est une longue histoire.

Je m'étais moi-même fourré dans ce guêpier et je n'avais aucune idée sur la façon de m'en sortir. Rosalind commençait à me considérer d'un air soupçonneux, ce qui rendait ma situation plus périlleuse encore. D'un côté, je n'avais aucune intention de lui révéler le drame de Knocknaree. De l'autre, je ne voulais surtout pas détruire la confiance que j'avais réussi à instaurer entre nous.

Jessica me sauva. Elle s'agita un peu dans son fauteuil, toucha le bras de sa sœur, qui parut ne pas s'en apercevoir. Je sautai sur l'occasion.

– Jessica ?

À ce moment-là, Rosalind réagit.

– Qu'y a-t-il, mon ange ? Tu es prête à parler de l'homme à l'inspecteur Ryan ?

La fillette se tourna vers elle, évitant de me regarder.

– J'ai un vu un homme, ânonna-t-elle. Il a parlé à Katy.

Mon cœur bondit dans ma poitrine. Si j'avais eu une once de sentiment religieux, j'aurais allumé depuis longtemps des cierges dans toutes les églises du pays, uniquement pour ça : une piste, enfin...

– Vraiment ? Où était-ce ?

– Sur la route. On revenait de la supérette.

– Juste Katy et toi ?

– Oui. On avait la permission.

– J'en suis sûr. Qu'a-t-il dit ?

– Il a dit...

Elle s'interrompit, prit une grande inspiration.

– Il a dit : « Tu es une excellente danseuse. » Et Katy a dit : « Merci. » Elle aime que les gens trouvent qu'elle danse bien.

Elle s'interrompit encore, jeta un coup d'œil anxieux à sa sœur, qui effleura ses cheveux.

– C'est bien, mon cœur. Continue.

Rosalind tapota le verre de Jessica, qui but une gorgée de soda.

– Alors, il a dit : « Tu es une très jolie fille. » Et Katy a dit : « Merci. » Elle aime ça aussi. Et alors, il a dit... Il a dit : « Ma fille, qui a ton âge, aime aussi la danse. Mais elle s'est cassé la jambe. Tu veux venir la voir ? Ça lui ferait très plaisir. » Et Katy a répondu : « Pas maintenant. Nous devons rentrer à la maison. » Alors, on est rentrées.

« Tu es une très jolie fille. » De nos jours, peu d'hommes feraient ce genre de compliment à une gamine de douze ans.

– Connaissais-tu cet homme ? L'avais-tu déjà vu auparavant ?

Elle secoua la tête.

– Comment était-il ?

Silence. Puis :

– Grand.

– Aussi grand que moi ?

– Euh... Oui. Mais fort, aussi. Comme ça.

Elle ouvrit les bras. Son verre oscilla dangereusement.

– Un homme gros ?

Elle gloussa nerveusement.

– Ouais.

– Comment était-il habillé ?

– En survêtement. Bleu foncé.

Elle se tut à nouveau. Rosalind l'encouragea d'un geste. Mon cœur battait de plus en plus vite.

– Comment étaient ses cheveux ?

– Pas de cheveux.

Je m'excusai intérieurement auprès de Damien.

– Quel âge ? Jeune ?

– Comme vous.

– C'était quand ?

Elle remua silencieusement les lèvres.

– Quand Katy et toi avez-vous rencontré cet homme ? Était-ce juste quelques jours avant qu'elle s'en aille ? Ou quelques semaines ? Ou il y a longtemps ?

J'essayais de me montrer attentionné, mais elle tressaillit.

– Katy n'est pas partie. On l'a tuée.

Son attention commençait à se relâcher. Rosalind me jeta un regard plein de reproche.

– Oui, poursuivis-je aussi doucement que possible. C'est vrai. Il est donc très important que tu te rappelles quand tu as vu cet homme, pour que nous puissions déterminer si c'est lui qui a tué ta sœur. Veux-tu essayer ?

Sa bouche s'entrouvrit à peine. Son visage n'exprimait plus rien. Le vide.

– Elle m'a dit, murmura Rosalind, que cela s'était passé une semaine ou deux avant...

Elle avala sa salive.

– Elle n'est pas certaine de la date exacte.

Je raffermis ma voix.

– Merci beaucoup, Jessica. Tu as été très courageuse. Crois-tu que tu reconnaîtrais cet homme si tu le revoyais ?

Rien. Pas un clignement de paupières. Le sachet de sucre pendait mollement entre ses doigts.

– Je crois que nous devrions partir, conclut son aînée en consultant sa montre.

Je les observai tandis qu'elles descendaient la rue : les pas décidés de Rosalind, son discret balancement de hanches. Jessica, qu'elle tenait par la main, traînait derrière elle. Je songeai à tout ce que l'on raconte sur les jumeaux. Quand l'un souffre, prétend-on, l'autre, même à des milliers de kilomètres, ressent sa douleur. Avait-elle éprouvé, au cours de sa nuit chez la tante Vera, une terreur irraisonnée ? Avait-elle gémi dans son sommeil ? Toutes les réponses que nous cherchions n'étaient-elles pas enfouies dans les profondeurs mystérieuses et sombres de son esprit ?

« Vous êtes l'homme idéal pour cette affaire », m'avait dit Rosalind. Ces mots résonnaient dans ma tête. Aujourd'hui encore, je me demande si la suite des événements prouva qu'elle avait entièrement raison ou complètement tort, et quels critères il faudrait mettre en avant pour le déterminer.

Chapitre 10

Je passai les jours suivants à rechercher le mystérieux survêtement. Sept individus, aux alentours de Knocknaree, correspondaient à la description donnée par Jessica : grands, forts, la trentaine, chauves ou rasés. L'un d'eux avait un casier datant de sa folle jeunesse : possession de haschisch, exhibitionnisme, coups et blessures. Rien de sérieux. Deux autres admirent avoir peut-être traversé le lotissement en rentrant de leur travail à peu près à l'heure indiquée par Damien, mais ils n'en étaient pas sûrs.

Tous jurèrent n'avoir jamais parlé à Katy. Chacun avait un alibi pour la nuit du crime. Aucun n'avait une fille danseuse à la jambe cassée ni le moindre mobile. Je montrai leurs photos à Damien et Jessica. Sans succès. Damien n'en reconnut aucun. Quant à Jessica, elle désigna chaque fois, d'un doigt hésitant, un individu différent, avant de retomber dans son mutisme. J'envoyai deux stagiaires demander à tous les résidents s'ils avaient reçu chez eux un visiteur correspondant au signalement. Rien.

Deux alibis ne purent être confirmés. Un des types déclarait qu'il avait été en ligne jusqu'à 3 heures du matin sur un site de motards, discutant de l'entretien de son antique Kawasaki. Le second affirmait avoir raté le bus Nitelink de minuit et demi après un rendez-vous à Dublin et avoir attendu celui de 2 heures au Supermac's. Je collai leurs portraits sur le tableau et entrepris d'essayer de démolir leur alibi. Mais chaque fois que je les regardais, j'éprouvais l'impression qui me perturbait depuis le début de l'enquête : une volonté différente de la mienne, sournoise, obstinée, ne cessait de se mettre en travers de ma route.

Seul Sam semblait savoir où il allait. Il passait la plupart de son temps hors du bureau, à interroger les gens les plus divers : membres du County Council, topographes, agriculteurs, adhérents à « Non à l'autoroute ». Au cours de nos dîners, il se montrait très évasif.

– Je vous ferai un compte-rendu plus tard, lorsque tout commencera à se mettre en place, nous dit-il.

Enfin, le mardi matin, alors que la bruine obscurcissait le ciel et que Cassie et moi épluchions de nouveau les rapports des stagiaires sur leur enquête de proximité, au cas où un détail nous aurait échappé, il arriva avec, sous le bras, un gros rouleau de papier épais, le fixa avec du Scotch contre le mur, dans le coin de la salle des opérations qui nous servait de quartier général.

– Voilà le résultat de ce que j'ai fait pendant tout ce temps.

C'était une grande carte de Knocknaree, avec tous les détails dessinés soigneusement à la plume : les maisons, les collines, la rivière, le donjon. Ce chef-d'œuvre avait dû lui prendre des heures. Cassie siffla.

– Merci, merci beaucoup, chantonna Sam en imitant Elvis Presley.

La plus grande partie de la carte était divisée en parcelles de différentes tailles, coloriées au crayon de couleur : vert, bleu, rouge, quelques-unes en jaune, et désignées par de mystérieuses abréviations, comme : *Sd J. Downey-GII 11/97 ; rz ag-ind 8/98.*

– Je vous explique, dit Sam.

Il coupa un ultime bout de Scotch, consolida le dernier coin de la carte. Je m'assis à côté de Cassie, au bout de la table, assez près pour distinguer tous les détails.

– Bien, commença Sam en désignant deux lignes parallèles traversant la carte. Ça, c'est l'emplacement prévu pour l'autoroute. Le gouvernement a annoncé le projet en mars 2000 et, en vertu de son droit de préemption, a acquis les terrains appartenant aux agriculteurs locaux l'année suivante. Jusqu'ici, rien d'anormal.

– C'est ton point de vue, ironisa Cassie.

– Chut ! lui dis-je. Regarde la belle image.

– Je me comprends, rectifia Sam. Tout cela était prévisible. Ce qui est plus intéressant, ce sont les terrains à proximité immédiate de l'autoroute. Jusqu'à la fin de l'année 1995, ils étaient tous considérés comme des terrains agricoles. Ensuite, parcelle par parcelle, au cours des quatre années suivantes, ils ont été rachetés, puis reconvertis en zones industrielles et résidentielles.

– Par des devins qui savaient où allait passer l'autoroute cinq ans avant l'officialisation du projet, dis-je.

– Ce n'est pas suspect non plus. La presse a commencé à évoquer le projet en 1994, alors que l'économie commençait à redémarrer. Deux experts m'ont affirmé que ce tracé était le plus probable, compte tenu de la topographie, des conditions de financement et autres éléments. Je n'ai pas tout compris, mais ils ont été catégoriques. Il n'y a aucune raison pour que des promoteurs n'aient pas eu vent du projet et n'aient pas consulté ces mêmes experts pour connaître son futur emplacement.

Notre air dubitatif le fit légèrement rougir.

– Je ne suis pas naïf. Oui, ils ont très bien pu être mis au parfum par un membre du gouvernement. Mais, je le répète, cela n'a peut-être pas été le cas. De toute façon, nous ne pouvons rien prouver, et à mon avis cela n'interfère en rien dans notre affaire.

Je m'efforçai de ne pas sourire. Sam est un des meilleurs enquêteurs de la brigade, mais, en l'occurrence, son sérieux m'attendrissait

– Qui a acquis ces terrains ? demanda Cassie.

Il parut soulagé.

– Plusieurs sociétés. La plupart n'existent pas. Ce ne sont que des holdings, appartenant à d'autres sociétés qui elles-mêmes appartiennent à d'autres sociétés. C'est ce qui m'a demandé le plus de travail : tenter de déterminer qui possède réellement ces foutus terrains. Mon enquête m'a conduit à trois compagnies : Global Irish Industry, Futura Property Consultants et Dynamo Development. Les parcelles en bleu sont celles de Global, les vertes celles de Futura, les rouges celles de Dynamo. Quant à savoir qui est derrière, c'est une autre histoire, qui risque de me prendre un temps fou. Les deux premières sont enregistrées en République tchèque, la troisième, Futura, en Hongrie.

– À présent, ça sent le roussi, commenta Cassie. Par définition.

– Sûr. Toutefois, ça ressemble plutôt à une évasion fiscale. Nous pouvons enquêter auprès du Trésor public, mais je ne vois toujours pas le rapport avec notre affaire.

– À moins, dis-je, que Devlin n'ait levé le lièvre et ne s'en soit servi pour faire pression sur quelqu'un.

Cassie parut sceptique.

– Mais comment ? En plus, il nous l'aurait dit.

– On ne sait jamais. Il est bizarre.

– Tu trouves tout le monde bizarre. D'abord Mark...

– J'arrive à l'aspect intéressant, coupa Sam, excédé par nos chamailleries. En mars 2000, lorsque le projet d'autoroute a été rendu public, ces trois compagnies possédaient presque toutes les terres entourant le tracé. Pourtant, quatre agriculteurs avaient résisté. J'ai retrouvé leur trace. Ils sont tous, aujourd'hui, à Louth. Ils ont vu ce qui se passait, ont su que les acheteurs proposaient des prix bien plus élevés que la valeur normale des terrains non constructibles. Voilà pourquoi tout le monde avait empoché l'argent. Mais ils sont copains, ces quatre-là. Ils se sont consultés et ont décidé de ne pas bouger avant de savoir ce qui se tramait. Quand le projet d'autoroute est devenu officiel, ils ont compris pourquoi les autres lorgnaient tellement sur leurs propriétés : pour les transformer, dès lors que Knocknaree serait désenclavé, en zone constructible. Ils ont donc essayé d'obtenir eux-mêmes le reclassement de leurs terrains, ce qui aurait doublé ou triplé leur valeur en un clin d'œil. Ils se sont adressés au County Council. L'un d'eux l'a même fait à quatre reprises ! Chaque fois, leur demande a été rejetée.

Il tapota une des parcelles jaunes, remplie pour moitié de notes calligraphiques et minuscules. Je lus, en même temps que Cassie : *M. Clearly, app rz ag-ind : 5/2000, 11/2000 ref, 6/2001, ref, 1/2002 ref; sd. Clearly FPC 8/2003 ; rz ag-ind 10/2002.*

Sd pour *sold* : vendu. Cassie comprit tout de suite.

– Donc ils ont fini par vendre.

– Oui. À peu près au même prix que les autres, c'est-à-dire au tarif en vigueur pour des terres agricoles, bien en dessous de la valeur qu'elles ont acquise une fois déclarées constructibles.

Maurice Clearly a tenté de s'y opposer, clamant devant qui voulait l'entendre qu'il ne braderait pas ses terres à des délinquants en col blanc. Il a alors reçu la visite d'un représentant d'une des trois holdings qui lui a annoncé qu'on allait implanter une usine pharmaceutique non loin de sa ferme. On ne pourrait sans doute pas empêcher, a ajouté ce visiteur, que des déchets chimiques se déversent dans la rivière et empoisonnent son bétail. Il a pris ça, à tort ou à raison, pour une menace, et a tout bradé. Dès que les trois sociétés ont acquis les terrains, sous des noms divers mais on remonte toujours jusqu'à elles, elles ont demandé leur reclassement et l'ont obtenu.

Cassie s'esclaffa. Son rire dissimulait mal sa colère. Quant à moi, j'en tirai la conclusion qui s'imposait.

– Tes cols blancs avaient le County Council dans leur poche depuis le début.

– Ça m'en a tout l'air.

– Tu as parlé à ses membres ?

– Oh, oui. Pour ce que ça m'a rapporté... Ils se sont montrés très polis mais ont noyé le poisson. Impossible d'obtenir une réponse précise. Ils m'ont dit que la décision de reclassement... Attendez...

Il feuilleta son carnet de notes.

– Voilà... « Notre décision n'a été motivée que par la défense de l'intérêt général et sur la foi d'arguments parfaitement recevables. Aucun favoritisme n'est entré en ligne de compte. » Il ne s'agit pas d'un extrait de lettre, mais d'une déclaration de vive voix, sur le ton de la conversation.

Cassie fit mine de se trancher la gorge.

– Combien faut-il pour acheter un County Council ? demandai-je.

Sam haussa les épaules.

– Pour un enjeu de cette importance et compte tenu du temps qu'il a fallu pour emporter la décision, les trois sociétés ont certainement versé un joli paquet. Elles avaient englouti énormément d'argent dans l'achat de ces terrains. Elles n'auraient pas vu d'un bon œil la modification du tracé de l'autoroute.

– Quels auraient été les dommages pour elles ?

Il désigna deux lignes parallèles traversant le coin nord-ouest de la carte.

– Selon les experts que j'ai consultés, voilà le tracé de remplacement le plus proche. C'est celui que réclame l'association « Non à l'autoroute ». Il passe au moins trois kilomètres plus loin, sept ou huit à certains endroits. Les terrains situés au nord du tracé d'origine seraient encore abordables, mais les cols blancs ont déjà investi dans l'acquisition des terrains proches de ce tracé, qui perdraient dès lors une grande partie de leur valeur. Je me suis adressé à deux agents immobiliers en me faisant passer pour un acheteur potentiel. Ils m'ont affirmé que les terrains constructibles en bordure de l'autoroute valaient deux fois plus que ceux situés quelques kilomètres plus loin. Je n'ai pas fait le calcul, mais ça pourrait se chiffrer en millions d'euros.

– Cela justifierait quelques coups de téléphone anonymes, murmura Cassie.

– Ou quelques milliers d'euros de plus pour payer un homme de main, dis-je.

Le silence s'installa quelques instants. Dehors, le ciel s'éclaircissait. Un rayon de soleil frappa la carte comme le projecteur d'un hélicoptère, éclaira une portion de rivière aux ondulations dessinées délicatement à la plume et colorées d'un rouge discret. À l'autre bout de la salle, le stagiaire de garde au téléphone tentait de se débarrasser d'un correspondant qui ne lui laissait pas placer un mot. Finalement, Cassie déclara :

– Pourquoi Katy ? Pourquoi ne pas s'en prendre à Jonathan ?

– Trop évident, répondis-je. Si Jonathan avait été assassiné, nous aurions recherché aussitôt les gros bonnets que sa campagne indisposait. En tuant Katy et en maquillant le meurtre en crime sexuel, les commanditaires détournaient notre attention de l'affaire de l'autoroute. Mais Devlin, lui, pouvait prendre le message.

– Encore faudrait-il découvrir qui se cache derrière les trois sociétés, objecta Sam. Jusqu'à présent, j'ai abouti à une impasse. Les agriculteurs ne connaissent aucun nom. Les membres du County Council jurent qu'ils ne savent rien non plus. J'ai consulté deux actes de vente. Ils sont signés par des notaires, qui n'ont pas le droit de révéler l'identité de leurs clients sans leur autorisation.

– Et les journalistes ? suggéra Cassie.

– Quoi, les journalistes ?

– Tu nous as dit que la presse avait parlé de l'autoroute dès 1994. Certains ont certainement suivi le déroulement de l'histoire et doivent savoir qui sont les véritables acquéreurs des terrains, même s'ils n'ont pas le droit de publier leurs noms. C'est ça, l'Irlande : rien ne vaut un secret bien gardé.

Le visage de Sam s'éclaira.

– Cassie, s'écria-t-il avec enthousiasme, tu es une perle ! Je t'offre un verre.

– Lis plutôt à ma place les rapports sur l'enquête de proximité. O'Gorman rédige des phrases aussi creuses qu'un discours de George Bush. La plupart du temps, je ne comprends rien à ce qu'il raconte.

– Sam, proposai-je, inversons les rôles. Si ça marche, nous t'abreuverons jusqu'à la fin des temps.

Il sourit d'une oreille à l'autre, nous rejoignit à la table, tapota l'épaule de Cassie et fourra son nez dans un recueil d'extraits de presse avec l'avidité d'un chien flairant une nouvelle piste. Je repris, avec Cassie, la lecture de nos rapports.

Nous avions laissé la carte accrochée au mur. Sa présence me déstabilisa un peu plus, s'il en était besoin. Sans doute était-ce lié à la perfection des détails : les feuilles minuscules accrochées aux arbres lilliputiens du bois, les petites pierres du donjon. Je m'attendais à chaque instant à voir surgir entre les branches deux visages rieurs qui, aussitôt, disparaîtraient. Dans une des parcelles jaunes, Cassie dessina un promoteur en costume, l'affubla de cornes et de crocs. Elle dessine comme une enfant de huit ans, ce qui renforça mon malaise. Je ne pouvais m'empêcher de sursauter chaque fois que j'apercevais le rictus de ce diable, de me détourner pour ne plus avoir à supporter le sadisme ricanant de son regard.

J'avais vraiment commencé à essayer, pour la première fois, de me souvenir de ce qui s'était passé dans le bois. Je remontais le temps par étapes, prudemment, comme un gosse s'arrachant une croûte sans oser la regarder. Je faisais de longues promenades, à l'aube, ou les nuits où je ne couchais pas chez Cassie et où je n'arrivais pas à trouver le sommeil, errant des heures à travers la ville dans un état second, à l'écoute des voix enfuies, des rires qui résonnaient dans ma tête. Il m'arrivait de me retrouver, hébété, sous l'enseigne au néon d'un grand magasin où je n'avais jamais mis les pieds, ou tapi sous le porche d'une élégante maison néoclassique de Dun Laoghaire, me demandant comment j'étais arrivé là.

Peu à peu, les images se précisèrent. Nos parents nous emmenant à Dublin pour acheter notre costume de première communion. Notre fou rire lorsque Jamie sortit de la cabine d'essayage des filles, engoncée dans une grotesque robe blanche évasée comme une meringue. Mick le barjot, l'idiot du coin, qui portait toute l'année un imperméable et des mitaines, parlait seul, gloussait et jurait tout haut... Peter nous raconta qu'il était devenu fou parce que, dans sa jeunesse, il avait fait des saletés avec une fille. Elle était tombée enceinte, était allée se pendre dans le bois et sa figure était devenue toute noire. Un jour, il se mit à hurler devant la supérette. Les flics l'embarquèrent dans une voiture de police et nous ne l'avons plus jamais revu... Mon pupitre à l'école, le trou pour l'encrier qui ne servait à rien depuis longtemps, le bois usé strié de graffiti ; un cœur avec des initiales entrelacées, une phrase laconique : « Des Pearse était ici le 12/10/67. » Rien de très intéressant, je ne le nie pas, rien, en tout cas, susceptible d'apporter la moindre lumière sur le drame. Toutefois, comme j'avais considéré jusque-là que mes douze premières années s'étaient évanouies à jamais, le moindre détail surgi du tréfonds de ma mémoire me semblait inespéré, miraculeux.

Je réalisais peu à peu que Jamie, Peter et moi n'avions pas été les seuls à considérer le bois comme notre territoire. *Megadeth et Sandra juchés dans un arbre...* Cette phrase ressuscita le jour d'été où, à plat ventre à l'orée d'une clairière, nous vîmes, tous les trois, ce que nous n'aurions pas dû voir. La fille qu'on appelait Sandra était couchée dans l'herbe, sur le dos. Megadeth était sur elle. Le chemisier ouvert sur son soutien-gorge de dentelle noire, les mains dans les cheveux du garçon, elle l'embrassait à pleine bouche.

– On attrape plein de microbes comme ça, chuchota Jamie à mon oreille.

Peter fit un bruit de succion, puis pouffa. Sandra, alors, tourna la tête. Et elle m'aperçut. Le visage enfoui dans son cou, Megadeth la caressait toujours.

– On dégage, murmura Peter. Viens vite.

Lunettes noires et la fille aux cinq boucles d'oreilles fumaient à la lisière du bois. Assis sur le mur, Anthrax jetait des cailloux sur des canettes de bière. Megadeth respirait de plus en plus vite. Sandra, elle, ne bougeait pas. Tandis que nous reculions, affolés, dans l'ombre des arbres, elle ne cessait de me fixer des yeux. Jamais mon cœur n'avait battu aussi fort.

D'autres visions affluaient, imprécises, comme ce verger secret que nous avions découvert au cœur du bois, derrière un mur, ou un vieux portail. Pommiers, cerisiers et poiriers sauvages, fontaines de marbre brisées et couvertes de mousse où l'eau suintait encore, statues enrobées de lierre, en morceaux elles aussi, leurs bras et leurs têtes répandues dans l'herbe haute. La main de Jamie effleurant les plis de pierre d'une tunique, le menton levé vers des yeux aveugles. Le silence, absolu, définitif. Je savais bien que si ce verger avait existé, les archéologues l'auraient découvert lors de leur première inspection du site. Les statues trôneraient pour l'heure au National Museum et Mark se serait fait un plaisir de nous les décrire en détail. Pourtant, je m'en souvenais.

Les spécialistes du service informatique m'appelèrent tôt le mercredi matin. Ils avaient pénétré dans le PC de notre dernier suspect et me confirmèrent qu'il était bien en ligne au moment de la mort de Katy. Ils ajoutèrent, avec une fierté professionnelle non dissimulée, que ce malheureux partageait sa maison et son ordinateur avec ses deux parents et sa femme, mais que chacun faisait des fautes d'orthographe et de ponctuation différentes. L'analyse des courriels et des « chats » confirmait que notre homme était bien devant son écran à l'heure dite.

– Et merde ! hurlai-je en me prenant la tête dans les mains.

Nous avions déjà les images des caméras de surveillance du Supermac's. Elles montraient le type qui avait raté le Nitelink de minuit plongeant ses frites dans sa sauce avec l'impavide concentration des ivrognes. Accablé par le manque de sommeil et la migraine, je me sentais floué, vaincu.

– Quoi ? s'enquit Cassie en levant les yeux du dossier qu'elle épluchait.

– L'alibi du motard à la Kawasaki est en béton. Si l'individu qu'a vu Jessica est bien le meurtrier, il n'est pas de Knocknaree et je n'ai pas l'ombre d'un indice sur l'endroit où le chercher. Me voilà renvoyé à la case départ.

Cassie referma son dossier, se frotta les yeux.

– Rob, notre assassin habite le lotissement. Tous les éléments l'indiquent.

– Alors, qui est l'homme au survêtement ? S'il a un alibi pour le meurtre et s'il a effectivement parlé à Katy, pourquoi ne s'est-il pas fait connaître ?

Elle me jeta un regard en coin.

– Encore faudrait-il qu'il existe...

Une fureur incontrôlable me submergea.

– Bon Dieu, Maddox, qu'est-ce que tu racontes ? Es-tu en train d'insinuer que Jessica a tout inventé, simplement pour rire ? Tu as à peine vu ces deux filles. As-tu la moindre idée de leur douleur ?

– Je dis simplement, répliqua-t-elle froidement, qu'elles peuvent avoir de bonnes raisons d'inventer cette histoire.

Ma fureur reflua aussitôt.

– Putain ! Les parents !

– Alléluia ! Enfin une lueur d'intelligence !

– Pardonne-moi, Cass, d'avoir été désagréable... Les parents. Nom de Dieu ! Si Jessica pense que l'un d'eux est coupable, et si elle a menti...

– Jessica ? Tu l'en crois capable ? Elle peut à peine parler.

– D'accord. Rosalind, donc. Elle imagine cette histoire d'homme en survêtement pour détourner notre attention, manipule Jessica... Le témoignage de Damien n'est qu'une coïncidence. Mais si elle en est arrivée là, c'est qu'elle est sûre de son fait. Elle ou Jessica a dû voir ou entendre quelque chose...

– Le mardi..., commença Cassie.

Elle se reprit aussitôt. Mais nous avions eu la même pensée, trop horrible pour être exprimée : ce mardi-là, le corps de Katy avait bien dû se trouver quelque part.

Je me dirigeai vers le téléphone.

– Il faut que j'appelle Rosalind.

– Rob, ne la harcèle pas. Laisse-la venir à toi.

Elle avait raison. Les enfants peuvent être battus, violés, torturés de mille manières aussi abominables les unes que les autres et refuser de trahir leurs parents en demandant de l'aide. Si Rosalind couvrait Jonathan, Margaret ou les deux, tout son univers s'écroulerait lorsqu'elle dirait la vérité. Il fallait qu'elle le fasse d'elle-même, quand le temps serait venu. Si je tentais de faire pression sur elle, je la perdrais. Je reposai le combiné.

Mais Rosalind ne chercha pas à me joindre. Après avoir résisté pendant deux jours, j'appelai son mobile, m'abstenant, pour de multiples raisons, de lui téléphoner chez elle. Je n'obtins pas de réponse. Je lui laissai des messages. Elle ne me rappela jamais.

Je me rendis à Knocknaree par un lugubre après-midi, pour vérifier si les Savage et Alicia Rowan avaient quelque chose de nouveau à nous apprendre. Cassie conduisait. La veille, Carl nous avait fait son laïus sur les sites pédophiles et nous avions une sacrée gueule de bois. La conversation, dans la voiture, fut morne. Je contemplais la danse des feuilles ballottées par le vent, la bruine glissant le long de la vitre.

Au dernier moment, lorsque Cassie se gara après avoir tourné dans mon ancienne rue, je renonçai lâchement à entrer dans la maison de Peter. Non à cause de l'émotion que je pourrais ressentir; simplement par peur d'être reconnu par sa famille alors que je risquais, moi, de ne plus reconnaître personne, du moins au premier abord.

Cassie remonta l'allée et sonna. Une silhouette furtive la fit entrer. Je sortis de l'auto et descendis la rue jusqu'à mon ancienne maison. L'adresse, « 11, Knocknaree Way, Knocknaree, comté de Dublin », me revint machinalement en mémoire, comme une comptine.

Tout était plus petit que dans mon souvenir, plus étroit. Le minuscule carré de pelouse n'avait aucun rapport avec la vaste étendue d'herbe que je m'attendais à retrouver. On avait récemment repeint la maison en jaune, avec un liseré blanc. Contre la façade, des rosiers laissaient tomber leurs derniers pétales. Je me demandai s'il s'agissait de ceux que mon père avait plantés. Je levai les yeux vers la fenêtre de ma chambre et, tout d'un coup, le déclic se fit : j'avais vécu ici. Les matins d'école, j'avais franchi cette porte en courant, mon cartable sur le dos. Je m'étais penché à cette fenêtre pour interpeller Peter et Jamie, j'avais appris à marcher dans ce jardin. J'avais arpenté cette rue à bicyclette, jusqu'au moment où, tous les trois, nous avions franchi le mur pour nous enfoncer dans le bois.

Je passai le portail. Au volant d'un camion de pompiers à pédales, un petit garçon blond de trois ou quatre ans tournait autour d'un plot argenté en appuyant sur la sirène. Il s'immobilisa, me scruta longuement, d'un air éminemment sérieux.

– Bonjour, lui dis-je.

– Va-t'en ! me lança-t-il.

Sa mère, une jolie femme d'une trentaine d'années, banale, aussi blonde que lui, apparut sur le perron, se précipita vers lui et posa une main protectrice sur sa tête.

– Vous désirez ?

Je lui montrai ma carte.

– Inspecteur Robert Ryan. Nous enquêtons sur la mort de Katy Devlin.

Elle prit la carte, l'examina avec soin, puis me la rendit.

– Je ne vois pas en quoi je pourrais vous être utile. Nous avons déjà parlé à d'autres inspecteurs. Nous n'avons rien vu. Nous connaissons à peine les Devlin.

Elle paraissait toujours sur ses gardes. L'enfant commençait à s'impatienter. Une mélodie de Vivaldi s'échappait par l'entrebâillement de la porte. Je faillis demander à la jeune femme : « Nous avons simplement quelques détails à préciser avec vous. Verriez-vous un inconvénient à ce que j'entre un instant ? » Je pensai à Cassie, qui s'inquiéterait, en sortant de chez les Savage, de trouver la voiture vide.

– Nous vérifions toutes les déclarations, murmurai-je. Merci de votre accueil.

Je redescendis l'allée. Arrivé près de l'auto, je me retournai. La jeune femme ramassa le camion miniature, le cala sous son bras et, tenant son fils par la main, rentra dans la maison.

Je restai longtemps assis dans la voiture, fixant la route et maudissant cette satanée gueule de bois qui m'avait fait perdre tous mes moyens. Enfin, des voix me parvinrent, venant de chez Peter. Quelqu'un accompagnait Cassie jusqu'à la rue. Je me détournai et fis mine de regarder dans la direction opposée, plongé dans mes pensées.

– Rien de neuf, m'annonça Cassie en se penchant à la portière. Peter n'a jamais mentionné quelqu'un qui lui aurait fait peur ni qui l'aurait harcelé. C'était un gosse malin. Jamais il ne se serait éloigné avec un inconnu. Un peu trop sûr de lui, toutefois, ce qui aurait pu lui faire commettre des imprudences. Ils n'ont aucun soupçon sur qui que ce soit. Ils se demandent quand même si Katy aurait pu être tuée par le même homme. Cela les bouleverse.

– Comme nous tous, murmurai-je.

– Pour le reste, ils ont l'air d'aller bien.

Je n'avais pas osé poser moi-même la question, mais j'avais terriblement envie de le savoir.

– Le père ne semblait pas ravi d'avoir à remuer encore tout ça, mais la mère a été délicieuse. Tara, la sœur de Peter, vit encore avec eux. Elle a demandé de tes nouvelles. Elle voulait savoir si j'avais une idée de ce que tu étais devenu. Je lui ai répondu que la police avait perdu ta trace mais que, pour autant que nous le sachions, tout allait bien pour toi. J'ai l'impression qu'elle avait le béguin pour toi, ajouta-t-elle en souriant, touchée sans doute par la panique que devaient refléter mes traits.

Tara... Un ou deux ans de moins que nous, les coudes pointus et le regard acéré, toujours prête à nous dénoncer à sa mère. Heureusement que je n'étais pas rentré là-bas...

– Après tout, je devrais peut-être aller lui parler, dis-je. Elle est jolie ?

– Tout à fait ton type : grande, bien faite, hanches de pondeuse. Elle est contractuelle.

– Formidable. Je lui demanderai de venir en uniforme à notre premier rendez-vous.

– Bien. Maintenant, Alicia Rowland.

Cassie se redressa, ouvrit son carnet de notes pour trouver le numéro de la maison.

– Tu viens ?

Il me fallut un moment pour me décider. En fait, nous allions rarement chez Jamie. Nous nous retrouvions le plus souvent chez Peter, dans sa maison bruyante et gaie, pleine d'enfants et d'animaux. Sa mère nous faisait des biscuits au gingembre et nous autorisait à regarder des dessins animés sur la télévision achetée à crédit.

– Bien sûr, déclarai-je. Pourquoi pas ?

Alicia Rowan vint nous ouvrir. Elle était toujours ravissante, d'une beauté un peu fanée, telle une star oubliée et pathétique : ossature délicate, joues creuses, cheveux blonds épars, grands yeux bleus hagards. Une étincelle d'espoir et de crainte éclaira ses prunelles lorsque Cassie lui annonça qui nous étions, puis s'évanouit à l'énoncé du nom de Katy.

– Oui, bredouilla-t-elle, bien sûr, cette pauvre petite fille... Est-ce que... Pensez-vous que cela ait quelque chose à voir avec... Entrez, je vous en prie.

Aussitôt, tout me sauta au visage : l'odeur de bois de santal et de camomille, le pain à la mie épaisse qu'elle servait pour le thé ; le tableau d'une femme nue sur le palier qui nous faisait ricaner et nous pousser du coude. Les parties de cache-cache dans l'armoire, mes bras enserrant mes genoux, les robes légères ondulant sous mon nez comme de la fumée. « Quarante-neuf, cinquante ! » criait quelqu'un dans le vestibule.

Alicia nous introduisit dans le salon. Jetés cousus main sur le canapé, bouddha de jade souriant sur la table basse. Il y avait, bien sûr, une grande photographie encadrée de Jamie sur la cheminée. Assise sur le mur du lotissement, elle riait au soleil, contre le décor noir et vert que le bois formait derrière elle. J'aperçus, de chaque côté du cadre, de petits clichés eux aussi encadrés. L'un d'eux nous représentait tous les trois, nous tenant par le cou, la tête ornée d'une couronne de papier : un Noël quelconque, ou un anniversaire. *J'aurais dû me faire pousser la barbe*, pensai-je en détournant les yeux. *Cassie aurait dû m'en laisser le temps...*

– Dans notre dossier, dit-elle après les politesses d'usage, le premier rapport indique que vous avez appelé la police et déclaré que votre fille et ses amis s'étaient enfuis. Aviez-vous un motif particulier de penser à une fugue plutôt qu'à un accident, par exemple ?

– En fait, oui... Oh, mon Dieu...

Alicia Rowan passa ses longues mains dans ses cheveux.

– Je m'apprêtais à envoyer Jamie en pension. Elle ne voulait pas y aller. Cela doit vous paraître horriblement égoïste de ma part. Je pense que je l'étais. Mais j'avais de bonnes raisons.

– Madame Rowan, répondit doucement Cassie, nous ne sommes pas là pour vous juger.

– Je sais bien. Mais on se juge soi-même, n'est-ce pas ? Et il faudrait... Il faudrait que vous connaissiez toute l'histoire pour comprendre.

– Nous serions heureux de l'entendre. Tout ce que vous direz pourra nous être utile.

Alicia acquiesça d'un air désenchanté. On avait dû lui répéter ces mots tellement de fois, au fil des années... Elle inspira profondément, ferma les yeux.

– J'ai eu Jamie à dix-sept ans. Son père était un ami de mes parents. Il était marié, mais je l'aimais à la folie. Notre liaison, les chambres d'hôtel, les mensonges, je trouvais tout cela très excitant. De toute façon, je ne croyais pas au mariage. Je n'y voyais qu'une oppression d'un autre âge.

« Son père... » Il figurait dans le dossier : George O'Donovan, avocat à Dublin.

– Et vous avez découvert que vous étiez enceinte, dit Cassie.

– Oui. Il était épouvanté. Quant à mes parents, ils étaient scandalisés. Tous les trois m'ont conjuré d'abandonner le bébé pour qu'il soit adopté. J'ai refusé. J'ai affirmé que je le garderais, que je l'élèverais seule. J'étais très remontée. J'avais l'impression de défendre les droits des femmes, de me rebeller contre notre société patriarcale. J'étais très jeune.

Elle avait eu de la chance. En Irlande, on enfermait les femmes à perpétuité dans des couvents, comme les sinistres *Magdalen laundries*, pour moins que ça.

– C'était courageux de votre part, murmura Cassie.

– Merci, inspecteur. Avec le recul, je crois, effectivement, que j'ai fait preuve de courage. Mais je me demande si j'ai pris la bonne décision. Il m'est arrivé de penser... Si Jamie avait été adoptée...

– Votre famille et son père ont-ils changé d'attitude ?

Alicia soupira.

– Non, pas vraiment. Ils ont accepté que je garde la petite, à condition que nous disparaissions toutes les deux de leur vie. J'avais déshonoré la famille, vous comprenez. Et, bien sûr, le père du bébé ne voulait surtout pas que sa femme l'apprenne.

Sa voix n'exprimait aucune colère : simplement une stupeur attristée.

– Mes parents m'ont acheté cette maison, confortable et éloignée de Dublin, dont je suis originaire. Ils me versaient un peu d'argent de temps à autre. J'ai écrit au père de Jamie pour lui donner de ses nouvelles, je lui ai envoyé des photos. J'étais sûre qu'un jour ou l'autre il s'adoucirait et demanderait à la voir. Il l'aurait peut-être fait. Je n'en sais rien.

– Quand avez-vous décidé de l'envoyer en pension ?

Elle lissa de nouveau ses cheveux.

– Je... Oh, mon Dieu. Je n'aime pas y penser...

Nous attendîmes. Enfin, elle murmura :

– Je venais d'avoir trente ans. Et je détestais ce que j'étais devenue. Je travaillais comme serveuse dans un restaurant de Dublin pendant que Jamie était à l'école, mais ce n'était guère rentable, à cause du prix du trajet en bus. D'un autre côté, je n'avais aucune compétence professionnelle. Je ne pouvais rien espérer d'autre. Pourtant, je ne voulais pas passer le reste de ma vie de cette façon. Je souhaitais quelque chose de mieux, pour Jamie et pour moi. En fait, j'étais moi-même restée une enfant. Je n'avais pas eu l'occasion de grandir. Et je le désirais tellement !

– Vous aviez donc besoin d'un peu de temps pour vous.

– Oui. Vous avez compris.

Elle serra le bras de Cassie avec gratitude.

– Je voulais être indépendante de mes parents, avoir un vrai métier. Mais lequel ? Je devais faire mon choix, puis suivre une formation. Et je ne pouvais pas laisser tout le temps Jamie livrée à elle-même. La situation aurait été différente si j'avais eu un mari, ou une famille. J'avais bien quelques amis, mais je ne pouvais pas leur demander de...

Elle tortillait nerveusement ses mèches.

– Votre raisonnement se tient, affirma Cassie. Donc vous avez fait part à Jamie de votre décision.

– Je lui en ai parlé pour la première fois en mai. Elle l'a très mal pris. J'ai essayé de lui expliquer. Je l'ai emmenée à Dublin pour lui montrer son pensionnat. Cela n'a fait qu'empirer les choses. Elle a détesté ce collège. Elle m'a dit que les filles étaient toutes idiotes, qu'elles parlaient uniquement de flirts et de fringues. Jamie était un garçon manqué. Elle n'aimait que courir dans le bois. L'idée de se retrouver enfermée en ville et d'être obligée de faire tout ce que faisaient les autres la révulsait. Et elle ne voulait pas quitter ses meilleurs amis. Elle était très proche d'Adam et de Peter, les deux petits garçons qui ont disparu avec elle...

Je résistai à l'impulsion de dissimuler mon visage derrière mon calepin.

– Donc vous vous êtes disputées.

– Oh, oui ! En fait, ce fut plus un siège qu'une bataille. Jamie, Peter et Adam se sont littéralement mutinés. Ils se sont détournés de nous, les parents, pendant des semaines. Ils ne nous adressaient plus la parole, ne nous regardaient plus, ne parlaient plus en classe. Sur tous les devoirs que Jamie rapportait à la maison, elle écrivait en grosses lettres : « Ne m'envoie pas là-bas. »

Elle disait vrai. Mutinerie : le mot n'était pas trop fort. « Laissez-nous Jamie » inscrit partout en lettres rouges. Ma mère tentant désespérément de me raisonner alors que, assis en tailleur sur le canapé, je me rongeais la peau des pouces, l'estomac noué par la terreur et l'excitation que m'inspirait ma propre audace. *Et nous avons gagné*, pensai-je, *sur toute la ligne*. Cabrioles sur le mur, canettes de Coca brandies en signe de triomphe.

– Mais vous n'avez pas cédé, ajouta Cassie.

– En fait, ils m'ont fait hésiter. La situation était très tendue. Tout le lotissement en parlait et Jamie se comportait comme si je voulais l'envoyer dans un orphelinat. J'ai fini par lui dire : « Je vais réfléchir. » Je l'ai conjurée de ne pas s'inquiéter, je lui ai promis que nous trouverions une solution. Dès lors, leur mouvement de protestation a cessé. J'ai envisagé d'attendre un an. Cependant, mes parents m'avaient proposé de payer les frais d'internat de Jamie et j'ignorais s'ils seraient dans les mêmes dispositions un an plus tard. Je dois vous faire l'effet d'une mauvaise mère...

– Pas du tout, dit Cassie, tandis que j'approuvais machinalement. Donc, lorsque vous avez appris à Jamie qu'elle irait en pension de toute façon...

– Elle s'est effondrée. Elle m'a accusée de lui avoir menti, ce qui était faux. Elle s'est précipitée chez ses amis. Je me suis rassurée. La tempête ne durerait qu'une semaine ou deux. Après tout, je lui avais fait part de mes intentions le plus tard possible, pour qu'elle puisse profiter de son été. Mais quand elle n'est pas rentrée...

– Vous avez pensé à une fugue. Croyez-vous encore que ce soit possible ?

– Non. Enfin, je ne sais pas. Un jour, je pense une chose, le lendemain le contraire... Pourtant, il y avait sa tirelire. Elle l'aurait emportée, vous ne croyez pas ? Et Adam était toujours dans les bois. Et s'ils s'étaient enfuis, elle serait certainement, certainement...

Elle se détourna, une main masquant son visage.

– Quand vous avez envisagé qu'elle ne s'était peut-être pas enfuie, reprit Cassie, quelle a été votre première supposition ?

– J'ai pensé que son père l'avait peut-être enlevée. En fait, je l'ai espéré. Lui et sa femme ne pouvaient pas avoir d'enfant. Mais les enquêteurs ont vérifié. Ils n'y étaient pour rien.

– En d'autres termes, rien ne vous laissait supposer que quelqu'un ait pu l'inquiéter ou l'effrayer au cours des semaines précédentes.

– Non. Quoique... Un après-midi, quinze jours avant sa disparition, alors qu'elle était rentrée plus tôt que d'habitude de ses escapades, l'air un peu choquée, elle est restée étrangement calme toute la soirée. Je lui ai demandé s'il lui était arrivé quelque chose, si quelqu'un l'avait importunée. Elle m'a répondu non.

Un souvenir furtif me revint. Rentrée tôt... Non, maman, rien de grave... Des bribes, des mots tronqués impossibles à retenir.

– Je l'ai raconté aux enquêteurs, poursuivit Alicia, mais cela ne les avançait pas à grand-chose. Et puis ce n'était peut-être rien, une simple dispute avec les garçons. J'aurais peut-être dû deviner s'il s'agissait de quelque chose de grave ou non. Mais Jamie était une enfant très réservée, très secrète. Il était difficile de communiquer avec elle.

– Douze ans est un âge difficile.

– Oui. Et je n'ai pas compris qu'elle était assez âgée pour éprouver des sentiments aussi intenses. Elle, Peter et Adam étaient liés depuis leur plus tendre enfance. Et ils n'imaginaient pas de vivre séparés.

Je réprimai un mouvement de fureur, de douleur trop longtemps contenus. Je n'aurais pas dû être là, mais ailleurs, il y avait si longtemps, dans un jardin ou assis sur le mur, pieds nus, un soda à la main. Pour la première fois, j'imaginais tout ce que nous aurions fait si le destin nous avait permis de grandir ensemble. Notre première surprise-partie, nos rires stupides devant la robe de soirée de Jamie. Notre retour chez nous, chantant et riant après des nuits passées à boire à l'université. Nous aurions partagé un appartement, visité l'Europe en train, vécu un impossible amour à trois. Deux d'entre nous se seraient mariés, donnant à l'autre un filleul. Le destin m'avait volé ma jeunesse. Je me penchai sur mon calepin pour que Cassie et Alicia ne puissent deviner mon chagrin.

– Je garde toujours sa chambre telle qu'elle était jadis, dit Alicia. Au cas où... C'est idiot, je le sais, mais si elle revenait, je ne voudrais pas qu'elle croie... Désirez-vous la voir ? Les enquêteurs précédents ont peut-être manqué quelque chose.

Peinture blanche, posters de chevaux contre les murs, rideaux jaunes gonflés par la brise. Impossible pour moi de revoir cette pièce.

– Je vais attendre dehors. Merci pour votre accueil, madame Rowan.

Je me réfugiai dans la voiture, appuyai mon front contre le volant. Une fois calmé, je levai les yeux. Une tête blonde oscillait entre les rideaux. Mon cœur bondit, puis s'apaisa. Ce n'était qu'Alicia Rowland, déplaçant le petit vase posé sur le rebord de la fenêtre pour faire profiter ses fleurs de l'ultime lumière de ce glauque après-midi.

– La chambre m'a donné des frissons, me dit Cassie alors que je conduisais et que nous venions de quitter le lotissement pour nous engager sur les petites routes de campagne. Un pyjama étalé sur le lit, un vieux livre de poche ouvert par terre. Mais rien qui m'ait donné une idée. C'était toi, sur la photo de la cheminée ?

– Probablement.

Je me sentais toujours horriblement mal. Commenter la déco d'Alicia Rowan était la dernière chose que j'avais envie de faire.

– Ce qu'elle a raconté sur le jour où Jamie est rentrée bouleversée... Tu t'en souviens ?

– Cassie, nous avons déjà parlé de tout ça : je ne me rappelle rien, ou presque. Ma vie a commencé à l'âge de douze ans, sur un ferry en route pour l'Angleterre. D'accord ?

– Je t'en prie, Ryan, je posais simplement une question.

– Maintenant, tu as la réponse, grommelai-je en changeant de vitesse.

Silence. Elle alluma la radio. Trois kilomètres plus loin, je tendis le bras gauche et ébouriffai ses cheveux.

– Con de flic, dit-elle, sans rancune.

Soulagé, je lui souris, tirai sur une de ses boucles. Elle écarta ma main d'un geste vif.

– Cass, il faut que je te demande quelque chose.

Elle me jeta un regard soupçonneux.

– À ton avis, les deux affaires sont-elles liées, oui ou non ?

Elle réfléchit longuement, contemplant le ciel gris où les nuages filaient à toute allure.

– Je n'en sais rien, Rob, dit-elle enfin. Certains éléments ne correspondent pas. Katy a été laissée là où on l'a trouvée, tandis que... Psychologiquement, il y a une grande différence. Mais l'assassin était peut-être hanté par la première fois et s'est imaginé qu'il se sentirait moins coupable en s'assurant que la famille récupérerait le corps. Et Sam a raison : quelles sont les chances pour que deux tueurs d'enfants aient opéré au même endroit ? Si j'avais à parier... Honnêtement, je ne sais pas.

Brusquement, j'appuyai sur le frein. Cassie hurla. Une silhouette basse et sombre venait de traverser la route juste devant la voiture, bien plus grosse qu'une fouine ou qu'une hermine, dont elle avait pourtant la démarche sinueuse. En un clin d'œil, elle disparut dans une haie. La voiture fit une embardée, puis s'immobilisa sur le bas-côté, une roue à quelques centimètres du fossé. À la radio, un groupe de filles beuglait une chanson aux paroles incompréhensibles. Retenu par sa ceinture de sécurité qu'elle boucle toujours, hantée par l'accident de ses parents qui auraient peut-être eu la vie sauve s'ils en avaient eu une, Cassie retomba contre le dossier de son siège, me fixa d'un air hébété. J'avais également attaché la mienne, ce qui m'avait empêché de me cogner contre le volant.

– Rob, tu vas bien ?

– Bon Dieu, qu'est-ce que c'était ?

– Quoi ? haleta-t-elle, les yeux emplis d'effroi.

– L'animal... Qu'est-ce que c'était ?

Elle me dévisagea avec une expression que je ne lui avais jamais connue et qui m'effraya presque autant que la bête.

– Je n'ai vu aucun animal.

– Il a traversé la route. Tu as dû le manquer. Tu regardais de l'autre côté.

– Oui, admit-elle après un temps qui me parut interminable. Il a dû passer trop vite pour que je le voie. Un renard, peut-être ?

Sam trouva son journaliste en quelques heures : Michael Kiely, soixante-deux ans, retraité après une carrière en dents de scie. Il avait connu son heure de gloire à la fin des années 1980, lorsqu'il avait découvert qu'un ministre du gouvernement employait depuis neuf ans des membres de sa famille comme « conseillers ». Il n'avait jamais vraiment retrouvé sa notoriété. En 2000, quand le projet d'autoroute fut rendu public, il écrivit un article sarcastique insinuant que cette future implantation avait déjà atteint son but : il existait ce matin-là, en Irlande, de nombreux promoteurs heureux. Hormis un communiqué de deux colonnes du ministère de l'Environnement affirmant que l'autoroute apporterait d'innombrables bienfaits, il n'y avait pas eu de suites.

Il fallut pourtant plusieurs jours à Sam pour persuader Kiely. La première fois qu'il mentionna Knocknaree, le journaliste s'écria : « Vous me prenez pour un imbécile, jeune homme ? » avant de raccrocher. Après s'être finalement laissé fléchir, il refusa de voir Sam au centre-ville. Il lui donna rendez-vous dans un pub anonyme, de l'autre côté de Phœnix Park.

– Ce sera plus sûr, mon garçon, bien plus sûr...

Il avait un long nez crochu et une crinière de cheveux blancs artistiquement rabattus en arrière. « Une tête de poète », selon Sam, qui lui offrit un double cognac avant d'aborder le sujet de l'autoroute. Kiely leva la main et chuchota, avec une mine de comploteur :

– Parlez plus bas, jeune homme... Oh, il y a un lièvre derrière tout ça, aucun doute là-dessus. Mais quelqu'un... Pas de nom, surtout pas de nom... Quelqu'un m'a retiré l'enquête avant même qu'elle ait commencé. Risque de procès, pas de preuves... Des clous. C'était une vendetta strictement personnelle. Mon garçon, Dublin, cette vieille catin, a la mémoire longue.

Après la deuxième tournée, il se détendit et devint plus prolixe.

– Cet endroit, déclara-t-il à Sam en faisant de grands gestes, était mal parti depuis le début. On a fait croire aux gens qu'il allait devenir un nouveau centre urbain et puis, une fois les maisons de ce lotissement vendues, on a tout laissé tomber. Les autorités ont affirmé qu'elles manquaient de crédits pour financer les infrastructures. Ce qui implique, mon petit, que le seul but de l'opération consistait à vendre les logements à un prix exorbitant pour un lotissement perdu au milieu de nulle part. Bien sûr, ce n'est pas moi qui le dis. Car je n'ai aucune preuve !

Il termina son cognac, fixa son verre vide d'un air mélancolique.

– Je dis simplement ceci : il y a eu dès le début, dans cet endroit, quelque chose de vicié. Savez-vous que le taux de blessures et d'accidents mortels pendant la construction a été presque trois fois plus élevé que la moyenne nationale ? Croyez-vous, mon petit, qu'un lieu ait une volonté propre, qu'il puisse se rebeller contre la mauvaise gestion des hommes ?

– Quoi qu'on prétende sur Knocknaree, m'écriai-je lorsque Sam fut arrivé à ce point de son récit, il n'a pas mis un sac plastique sur la tête de Katy Devlin !

J'étais ravi que Kiely fût son problème et non le mien. D'habitude, je trouve les délires de ce genre amusants ; mais tel que je me sentais cette semaine-là, j'aurais sans doute balancé un grand coup de pied dans le tibia de ce plumitif.

– Qu'as-tu répondu ? demanda Cassie.

– « Oui », bien entendu, répliqua sereinement Sam en essayant d'entortiller des spaghettis autour de sa fourchette. J'aurais répondu la même chose s'il m'avait demandé si je croyais que l'Irlande était gouvernée par des petits hommes verts.

Kiely avait bu un troisième cognac, que Sam risquait d'avoir du mal à faire passer sur sa note de frais. Il l'avait siroté en silence, le menton sur la poitrine. Puis il avait enfilé son manteau. Il avait serré longuement la main de Sam, lui avait murmuré : « N'en prenez connaissance qu'une fois en lieu sûr », et avait déposé une feuille froissée dans sa paume avant de quitter le pub.

– Pauvre homme, ajouta notre ami en fouillant dans son portefeuille. Je crois qu'il était reconnaissant d'avoir quelqu'un à qui parler, pour une fois. Au point où il en est, il pourrait révéler un secret d'État en le criant sur les toits, personne n'en croirait un mot.

Il sortit de son portefeuille une minuscule boule argentée, la tendit à Cassie.

C'était un bout de papier semblable à celui que l'on tire en ouvrant un paquet de cigarettes. Cassie le déplia avec soin. Au verso, sur la face blanche, étaient tracés au feutre, avec des taches et des pattes de mouche : « Dynamo : Kenneth McClintock. Futura : Terence Andrews. Global : Jeffrey Barnes & Conor Roche ».

– Tu es sûr qu'il est fiable ? m'enquis-je, penché par-dessus l'épaule de Cassie.

– Il est fou à lier, mais c'est un bon journaliste. Du moins il l'était. Il ne m'aurait pas donné ces noms s'il n'en avait pas été certain.

D'un ongle, Cassie lissa le morceau de papier.

– S'ils se vérifient, c'est la meilleure piste que nous ayons depuis le début. Bien joué, Sam.

Il ne cacha pas son inquiétude.

– Kiely est monté dans une voiture. Je me suis demandé s'il était prudent de le laisser conduire, après tout ce qu'il avait bu. D'autant que je tiens à le maintenir en vie. J'ai encore besoin de lui. Cassie, puis-je utiliser ton téléphone pour savoir s'il est bien rentré ?

Le lendemain soir, vendredi, deux semaines et demie après le début de l'enquête, O'Kelly nous convoqua, Sam, Cassie et moi. Nous redoutions cela depuis deux jours. Dehors, il faisait froid ; mais le soleil qui pénétrait dans le bureau aurait presque pu faire croire que nous étions encore en été. Sur mes conseils, Sam avait rectifié son nœud de cravate, qui a toujours tendance à filer vers son oreille gauche. O'Kelly nous attendait en triturant un casse-tête.

– Alors, comment se déroule l'opération Machin Chose ?

Aucun de nous ne s'assit. Nous lui fîmes un rapport circonstancié sur l'état de l'enquête et sur les raisons pour lesquelles elle n'avançait pas. Nous parlions trop vite, bafouillant et nous perdant dans des détails qu'il connaissait déjà. Nous devinions ce qui allait suivre, et aucun d'entre nous ne souhaitait l'entendre.

– Il semble que vous ayez exploré toutes les possibilités, laissa tomber O'Kelly lorsque nous eûmes terminé.

Il jouait toujours avec son casse-tête, au cliquetis exaspérant.

– Vous avez un suspect ?

– Nous penchons vers les parents, répondis-je. En tout cas, l'un des deux.

– Vous n'avez donc rien de solide, ni sur l'un, ni sur l'autre.

– Nous enquêtons toujours, monsieur, avança Cassie.

– Et nous avons quatre noms possibles pour les coups de fil anonymes, ajouta Sam.

O'Kelly le toisa froidement.

– J'ai lu vos rapports. Faites attention où vous mettez les pieds.

– Bien, monsieur.

– Superbe. Continuez. Vous n'avez pas besoin de trente-cinq stagiaires pour la suite.

Cela aussi, je le redoutais. Les stagiaires, avec leur bonne volonté, m'exaspéraient souvent, mais l'idée de les abandonner avait un caractère irrévocable. C'était le premier pas d'une retraite en bon ordre. Encore quelques semaines et O'Kelly nous mettrait sur la touche. Il nous confierait de nouvelles affaires, ne nous laisserait nous occuper de l'opération Vestale qu'à nos moments perdus. Au bout de quelques mois, Katy serait reléguée au sous-sol, dans une boîte en carton que la poussière recouvrirait peu à peu et dont nous ne la sortirions qu'une fois tous les deux ans, si nous avions une nouvelle piste. La télévision ferait sur elle un reportage larmoyant illustré d'une musique lugubre, pour bien faire comprendre au téléspectateur que son assassinat restait non résolu. Je me demandai si Kiernan et McCabe avaient entendu les mêmes propos dans cette pièce, prononcés par quelqu'un jouant sans doute avec le même genre d'objet.

O'Kelly prit notre silence pour une révolte.

– Quoi ?

Je préfère oublier ce que je lui répondis. Je sais simplement que je bredouillai, à la fin de mon intervention :

– Monsieur, nous avons toujours refusé que cette affaire soit enterrée. Elle en prend pourtant le chemin. Je crois vraiment que ce serait une erreur de laisser tomber maintenant.

– Laisser tomber ? tonna-t-il, outragé. Quand m'avez-vous entendu proférer une ânerie pareille ? Nous ne laissons rien tomber ! Nous réduisons les effectifs, c'est tout.

Il se pencha, repoussa son casse-tête, étala les doigts sur sa table.

– Mes amis, murmura-t-il, il ne s'agit que d'une analyse des coûts. Vous avez tiré le meilleur des stagiaires. Combien de personnes vous reste-t-il à interroger ?

Silence.

– Et combien d'appels avez-vous reçus aujourd'hui ?

– Cinq, hasarda Cassie au bout d'un moment.

– Intéressants ?

– Probablement pas.

– Nous y voilà. Ryan, vous avez dit vous-même qu'il ne fallait pas enterrer cette affaire. Je suis d'accord avec vous. Mais il existe des enquêtes rapides, et d'autres lentes. Celle-là prendra du temps. Depuis qu'elle a commencé, nous avons déjà trois meurtres sur les bras, plus une guerre entre trafiquants de drogue au nord de la ville ; et on m'appelle de partout pour me demander pourquoi je monopolise tous les stagiaires de Dublin. J'espère que vous saisissez.

Oh, oui... Et, paradoxalement, je lui étais reconnaissant. N'importe quel autre chef nous aurait déjà rétrogradés à la circulation. Il se montrait loyal, sinon envers nous, du moins envers la brigade, même si mon instinct me soufflait qu'à ses yeux l'affaire était déjà classée.

– Gardez-en un ou deux, conclut-il, magnanime. Pour la ligne directe et les corvées... Qui voulez-vous ?

– McSweeney et O'Gorman, rétorquai-je, citant les deux seuls noms qui me revenaient en mémoire.

– Accordé. À présent, rentrez chez vous. Prenez votre week-end, buvez, dormez. Ryan, vos yeux ressemblent à deux trous dans la neige. Allez retrouver votre petite amie ou ce qui vous en tient lieu. Revenez lundi et repartez du bon pied.

Dans le couloir, nous n'avons pas, tout d'abord, échangé un mot. Cassie s'appuya contre le mur et souleva un pan du tapis du bout de sa chaussure.

– Dans un sens, il a raison, lâcha enfin Sam. Nous nous débrouillerons très bien tout seuls.

– Ta gueule, Sam ! Ta gueule !

– Quoi, Ryan ? Qu'est-ce que j'ai encore dit ?

– On a merdé, fit Cassie. On a le corps, l'arme du crime... On aurait dû au moins avoir un suspect.

– Je sais ce que je vais faire, dis-je. Je vais dégoter le premier pub fréquentable et picoler jusqu'à ce que je m'écroule. Il y a des volontaires ?

Cassie et Sam m'accompagnèrent jusque chez Doyle's. Le pub était bondé. Sam fit du charme à Cassie, qui s'y montra sensible. Alors que j'allais renouveler nos bières au bar, une blonde ravissante et éthérée, tout à fait mon type, m'aborda et me dragua jusqu'à ce qu'un malabar aux épaules de rugbyman, qui n'était peut-être pas son petit ami mais rêvait de l'être, s'interpose et me demande poliment de dégager. Je n'insistai pas. Cassie se moqua de moi, comme d'habitude. Au moment de la fermeture, elle me ramena chez elle, après avoir dit au revoir à Sam. Nous étions vendredi et nous n'avions pas à nous lever tôt le lendemain. Nous avons encore bu en écoutant de la musique, tout en nous frictionnant mutuellement les pieds et en parlant du *Songe d'une nuit d'été*, de Shakespeare. Soudain, elle dit d'un ton rêveur :

– Quand j'avais onze ans, un type a essayé de m'agresser.

Je lâchai son pied. Enfin, elle levait un coin de voile sur son jardin secret. Elle eut un petit rire et poursuivit :

– En réalité, il ne m'a rien fait. Il en aurait été bien incapable.

– Que s'est-il passé ?

– À l'école, nous jouions tous aux billes pendant les récréations. C'était la grande mode. Un après-midi, à la fin de la classe, je ne me souviens plus pourquoi, je suis partie plus tard. Alors que je m'en allais, un homme, le jardinier ou le préposé au nettoyage, est sorti du local à outils et m'a dit : « Tu veux des billes ? Viens, je t'en donnerai. » Il était vieux, la soixantaine, avec des cheveux blancs et une grosse moustache. J'ai hésité un instant devant la porte de la cabane. Ensuite, je suis entrée. Il s'est approché de moi par-derrière. Il a mis les mains sous mes bras, comme pour me soulever, et a commencé à déboutonner ma blouse. J'ai crié : « Qu'est-ce que vous faites ? » Il m'a répondu : « Les billes sont sur l'étagère. Je vais t'aider à les attraper. » Je savais, même si j'étais une oie blanche, qu'il se passait quelque chose de grave. Je me suis dégagée, j'ai hurlé : « Je ne veux pas de billes ! » et j'ai couru jusqu'à la maison. Je n'en ai jamais parlé à personne. Qu'aurais-je pu raconter ? Je savais que le sexe existait. Mes copines et moi en parlions sans cesse. Mais je n'avais pas fait le rapprochement. Je n'ai compris que bien plus tard. À dix-huit ans, alors que je regardais des gamins jouer aux billes, je me suis dit : « Mon Dieu, ce type a essayé d'abuser de moi ! » J'y repense sans cesse en évoquant le sort de Katy ou les déclarations de sa sœur. Les enfants ne réagissent pas comme les adultes. Ils interprètent tout à leur manière. Ce jardinier avait un fort accent des Midlands. Quand il m'a dit, à propos des billes : « Je t'en donnerai », j'ai entendu : « Je te couronnerai. » C'était poétique et flatteur. Je savais bien qu'il ne m'avait fait entrer que dans un cabanon aux étagères poussiéreuses. Pourtant, je me suis prise pour Alice traversant le miroir pour se retrouver au pays des merveilles. Comme lorsqu'un homme vous chuchote qu'il vous aime...

Une bouffée d'attendrissement me submergea. Cassie amoureuse ? Elle avait vaguement évoqué devant moi une liaison qu'elle avait eue, avant notre rencontre, avec un avocat nommé

Aidan qui s'était éclipsé au moment où elle avait intégré la brigade des stupéfiants : une relation amoureuse survit rarement à une activité secrète. Depuis, si elle avait eu quelqu'un, je l'aurais su. C'était du moins ce dont je m'étais persuadé. Tout à coup, je n'en fus plus si sûr. Je l'interrogeai du regard. Elle eut un sourire énigmatique et se remit à masser mon talon.

Je n'insistai pas. Elle et moi sommes la preuve vivante que l'amitié entre homme et femme existe. Ce qui nous lie va bien au-delà de l'amour. Ensemble, nous avons affronté tous les dangers. Nous avons poursuivi un jour un jeune dealer de quinze ans dont la voiture s'est écrasée contre un mur. Nous l'avons serré contre nous tandis qu'il sanglotait, lui promettant que sa mère et l'ambulance seraient bientôt là. Il est mort dans nos bras. Une autre fois, dans un immeuble sordide, un junkie a appuyé une seringue contre ma gorge. Alors que je suais de peur, Cassie s'est assise en tailleur sur la moquette puante, a proposé au type une cigarette. Et, le plus calmement du monde, elle lui a tenu la jambe pendant une heure, tandis que, me menaçant toujours de son aiguille, il exigeait tour à tour nos portefeuilles, un véhicule, puis un soda. Elle a feint de lui témoigner un tel intérêt qu'il a fini par laisser tomber sa seringue, s'asseoir en face d'elle pour lui raconter sa vie, me laissant libre de bondir sur lui et de lui passer les menottes.

Songez à l'émotion qui vous a terrassé la première fois que vous avez fait l'amour avec un être que vous aimiez. Je vous garantis que cet émerveillement n'est rien, mais vraiment rien, comparé à cette confiance absolue qui nous soude, Cassie et moi, au point que chacun, chaque jour et sans que la question se pose, remet sa vie entre les mains de l'autre.

Chapitre 11

Le dimanche, j'allai déjeuner chez mes parents. Je leur rends visite environ toutes les trois semaines, sans vraiment savoir pourquoi. Nous ne sommes guère proches. Nous nous efforçons d'entretenir une relation amicale et polie, tels des gens qui se sont rencontrés lors d'un voyage organisé et se demandent comment couper les ponts. De temps à autre, Cassie m'accompagne. Mes parents l'adorent. Elle taquine mon père sur son jardinage et parfois, quand elle aide à la cuisine, j'entends ma mère rire avec elle comme une gamine et risquer quelques allusions pleines d'espoir sur notre affection mutuelle, dont nous nous gaussons tous les deux.

– Où est Cassie, aujourd'hui ?

Ma mère m'avait préparé des macaronis au fromage. Persuadée que j'en raffole, elle me les sert toujours avec un empressement timide, surtout lorsqu'elle a appris par les journaux qu'une affaire dont je m'occupe ne se passe pas bien. Je n'ai jamais osé lui avouer que la simple odeur de ces pâtes me rend claustrophobe et me donne envie de détaler à toutes jambes.

Nous étions ensemble dans la cuisine. Elle faisait la vaisselle, j'essuyais les assiettes et les couverts. Dans le salon, mon père suivait à la télévision un épisode de *Columbo*. La cuisine était sombre. Nous avions allumé la lumière alors que nous étions au milieu de l'après-midi.

– Je crois qu'elle est allée chez son oncle et sa tante, répondis-je.

En réalité, Cassie était sans doute recroquevillée sur son canapé, lisant et mangeant des glaces. Nous avions eu peu de temps à nous, au cours des deux dernières semaines, et elle a, comme moi, besoin de moments de solitude. Toutefois, j'étais certain que l'idée de la savoir seule un dimanche attristerait ma mère.

– Une pause lui fera le plus grand bien. Vous devez être sur les rotules, tous les deux.

– Nous sommes un peu fatigués, effectivement.

– Et tous ces allers et retours à Knocknaree...

Mes parents et moi n'évoquons jamais mon travail, sauf en des termes très généraux, et nous ne mentionnons jamais Knocknaree. La remarque de ma mère me fit sursauter. Mais elle paraissait très calme. Elle leva une assiette vers le plafonnier pour repérer des traces d'eau.

– Oui, dis-je, c'est une longue route.

– J'ai lu dans les journaux, ajouta-t-elle d'un ton hésitant, que la police avait de nouveau interrogé les familles de Peter et Jamie. Étaient-ce toi et Cassie ?

– Pas pour les Savage. Mais j'ai parlé à Mme Rowan, c'est vrai. Ai-je bien fait, selon toi ?

– Oui, murmura-t-elle en me retirant le plat à four des mains. Comment va Alicia ?

Quelque chose dans sa voix me fit à nouveau tressaillir. Elle s'en aperçut et rougit, chassant de sa joue, du revers du poignet, une mèche de cheveux.

– Nous étions très amies. Alicia était... Enfin, c'était presque une sœur pour moi. Nous nous sommes perdues de vue, après... Je me demandais simplement si elle allait bien.

Une panique rétrospective m'envahit. Si j'avais su qu'Alicia Rowan et elle avaient été intimes à ce point, je ne me serais jamais approché de cette maison.

– Je crois qu'elle va bien. Du moins autant qu'on pourrait s'y attendre. Elle a conservé la chambre de Jamie en l'état.

Ma mère eut un petit claquement de langue navré. Nous nous sommes de nouveau concentrés sur la vaisselle. Cliquetis de couteaux et de fourchettes, intonations gouailleuses de Peter Falk interrogeant astucieusement un suspect dans la pièce voisine. Dehors, deux pies se posèrent sur la pelouse et se mirent à picorer le jardin, avant de s'envoler dans de grands cris.

– Elles s'amusent, soupira ma mère. Je crois que je ne me suis jamais pardonné d'avoir rompu le contact avec Alicia. Elle n'avait personne à part moi. C'était une femme tellement délicieuse, si innocente... Elle espérait toujours que le père de Jamie quitterait sa femme, après tout ce temps, qu'ils formeraient enfin une famille... Est-ce qu'elle s'est mariée ?

– Non. Mais elle n'a pas vraiment l'air malheureuse. Elle donne des cours de yoga.

L'eau savonneuse, dans l'évier, commençait à devenir grasse et tiède. Je saisis la bouilloire, ajoutai de l'eau chaude. Ma mère prit une brassée de couverts.

– C'est une des raisons pour lesquelles nous avons déménagé. Je n'arrivais pas à affronter Alicia, Angela et Joseph. J'avais retrouvé mon fils sain et sauf, et eux vivaient un enfer... Je n'osais plus sortir de chez moi, de peur de les croiser. Ça peut paraître fou, mais je me sentais coupable de t'avoir récupéré en vie. Je croyais qu'ils me haïssaient pour ça. Comment auraient-ils pu s'en empêcher ?

Cet aveu me sidéra. Tous les enfants sont égocentriques. Il ne m'était jamais venu à l'esprit que ce drame ait pu concerner quelqu'un d'autre que moi.

– Je n'y ai même pas pensé, dis-je. Je n'étais qu'un sale égoïste.

– Tu étais une perle, l'enfant le plus affectueux du monde. Quand tu rentrais de l'école ou après avoir joué, tu te jetais dans mes bras pour m'embrasser, même lorsque tu es devenu aussi grand que moi. Tu me disais : « Est-ce que je t'ai manqué, maman ? » Le plus souvent, tu m'offrais un cadeau, une jolie pierre ou une fleur. J'en ai conservé la plupart.

– Moi ?

Je fus soulagé de ne pas avoir emmené Cassie. Si elle avait assisté à cette déclaration, son ironie m'aurait rempli de honte.

– Oui, toi, affirma ma mère en me serrant le bras. C'est pourquoi j'étais si inquiète quand tu as disparu ce jour-là. J'étais affolée, tu sais. Tout le monde jurait : « Ce n'est qu'une fugue, tous les enfants en font, nous les retrouverons dans pas longtemps... » Mais j'ai dit : « Non. Pas Adam. » Tu étais trop gentil pour nous faire ça.

L'entendre m'appeler par mon ancien prénom me remplit d'une angoisse primitive. Je me ressaisis et chuchotai :

– Je ne me souviens pas d'avoir été un mouflet aussi angélique.

Elle eut un sourire attendri.

– Pas angélique, non. Attentionné. Tu as mûri rapidement, cette année-là. Tu as convaincu Peter et Jamie de ne plus tourmenter ce pauvre idiot... Comment s'appelait-il ? Celui aux grosses lunettes et dont l'horrible mère confectionnait les bouquets pour la paroisse ?

– Willie le Petit ? Ce n'était pas moi, mais Peter. J'aurais été ravi de le martyriser jusqu'à la fin des temps.

– Non, c'était toi. Tous les trois, vous le faisiez pleurer. Ça te tourmentait tellement que tu as demandé à Peter et à Jamie de le laisser en paix. Tu avais peur qu'ils ne comprennent pas. Tu t'en souviens ?

– Pas vraiment.

Cet échange me mettait de plus en plus mal à l'aise. Bien sûr, il était tout à fait possible que ma mère m'ait inconsciemment transformé en héros, ou que je l'aie fait moi-même, que je lui aie menti à l'époque. Mais, au cours des quinze jours précédents, j'en étais arrivé à considérer les bribes qui me revenaient comme des souvenirs solides, bien réels. L'idée que ma mémoire, en fin de compte, me jouait des tours me déstabilisait profondément.

– S'il n'y a rien d'autre à laver, je souhaiterais parler un moment à papa.

– Il sera ravi. Vas-y. Prends deux Guinness avec toi. Il y en a dans le frigo.

– Merci pour le déjeuner. C'était délicieux.

Soudain, elle se tourna vers moi et murmura :

– Adam...

Une fois encore, ce nom oublié me frappa au cœur. Mon Dieu, que j'aurais aimé redevenir un instant le petit garçon qu'elle avait adulé, enfouir mon visage au creux de son épaule odorante et chaude, lui confier en sanglotant à quel point ces deux semaines avaient été difficiles ! J'imaginai l'expression qu'elle aurait eue si je m'étais laissé aller et me mordis la joue pour retenir un grand éclat de rire.

– Je voulais simplement que tu saches..., bredouilla-t-elle en tordant son chiffon. Après, nous avons fait de notre mieux pour te protéger. Parfois, j'ai le sentiment que nous nous sommes fourvoyés... Mais nous avions si peur que celui qui avait fait ça revienne et... Nous avons simplement essayé d'agir pour ton bien.

– Je sais, maman. Et je te remercie.

Impatient de lui échapper, je gagnai le salon pour regarder *Columbo* avec mon père. Il garda le silence jusqu'à la coupure publicitaire. Puis il baissa le son du téléviseur.

– Comment se passe ton travail ?

– Le mieux du monde.

Sur l'écran, un enfant assis sur le siège des toilettes repoussait avec véhémence un monstre verdâtre de dessin animé aux dents crochues, entouré d'une vapeur nauséabonde.

– Tu es un bon gars, ajouta mon père, fixant toujours l'écran, comme hypnotisé, en buvant une gorgée de Guinness. Tu as toujours été un bon gars.

– Merci.

Visiblement, ma mère et lui avaient eu une conversation à mon sujet avant mon arrivée et avaient décidé de me dire des choses aimables.

– Et ton travail marche bien, insista mon père.

– Oui. Très bien.

– C'est formidable, mon fils, conclut-il en augmentant de nouveau le son de la télévision.

Je regagnai mon appartement vers 8 heures. Je me préparai, dans la cuisine, un sandwich au jambon agrémenté d'un insipide fromage en tranches acheté par Heather. J'avais oublié de faire des courses. La bière me pesait sur l'estomac. Dans le salon, Heather regardait *Sex and the City* sur un DVD. Un bip retentit sur mon téléphone. C'était un message de Cassie : « Toi prendre moi demain pour tribunal ? Vêtements dame + chariot de golf + météo pourrie = mauvais plan. »

– Merde !

L'affaire Kavanagh : une vieille femme battue à mort lors d'un cambriolage à Limerick, l'année précédente. Cassie et moi devions témoigner au procès le lendemain à la première heure, après avoir rencontré l'avocat général. Elle me l'avait rappelé le vendredi et j'avais complètement oublié.

– Que se passe-t-il ? s'écria Heather en surgissant du salon, espérant un brin de conversation.

Je fourrai le fromage dans le frigo. Précaution inutile : Heather sait au millimètre près ce qu'elle achète et conserve dans le réfrigérateur ou la salle de bains. Un jour, elle m'a harcelé jusqu'à ce que je remplace un bout de savon avec lequel je m'étais lavé les mains, après être rentré ivre mort au milieu de la nuit.

– Tu vas bien ?

En robe de chambre, la tête entourée d'une serviette, elle exhalait une odeur de produit chimique qui me donnait mal au crâne.

– Très bien.

Je répondis au texto de Cassie : « Chez toi, 8 h 30. »

Heather souffla sur ses ongles, qu'elle venait d'enduire de vernis.

– Je te rappelle que c'est ton tour d'acheter du désinfectant pour le petit coin.

– Je le ferai demain.

– Oh, ça peut attendre.

Elle désigna mon sandwich, d'où dépassait un bout jaunâtre.

– C'est mon fromage ?

Je me débarrassai gentiment d'elle, mangeai mon sandwich puis m'enfermai dans ma chambre. Je me servis une vodka et m'allongeai sur mon lit pour tenter de me remémorer l'affaire Kavanagh.

Impossible de me concentrer. Tous les détails surgissaient en désordre : le clignotement de l'ampoule rouge sur la statue du Sacré-Cœur trônant dans l'obscur salon de la victime, les mèches luisantes des deux jeunes tueurs, l'horrible trou au sang coagulé dans la tête de la vieille, l'humidité gondolant le papier peint à fleurs du Bed and Breakfast où Cassie et moi avions passé la nuit. Pourtant, je ne parvenais pas à me remémorer les faits importants : comment nous avions confondu les suspects, leurs aveux s'ils en avaient fait, ce qu'ils avaient volé, comment ils s'appelaient. Je ne me souvenais même plus du nom de leur victime : Philomena, ou Fionnuala. Ce ne fut que deux heures plus tard, alors que je m'étais levé pour respirer un peu d'air frais en ouvrant la fenêtre, qu'il me revint subitement : Philomena Mary Bridget.

Rien de tel ne m'était arrivé auparavant. J'ai, je l'ai déjà dit, une excellente mémoire. Je réussis d'ordinaire, lorsque je traite plusieurs cas en même temps, à passer sans effort de l'un à l'autre, sans même me servir de mes notes. Les éléments de l'affaire Kavanagh auraient dû ne me poser aucun problème. Mes blancs me plongèrent d'un coup dans un désarroi absolu. Vers 2 heures du matin, je résolus de m'endormir, pensant que tout se remettrait en ordre à mon réveil. J'avalai une dernière gorgée de vodka, éteignis la lumière. Aussitôt, les mêmes images m'assaillirent : Sacré-Cœur, assassins aux cheveux gras, blessure à la tête, sinistre B & B... Vers 4 heures, je décidai d'aller chercher mes notes, que j'avais oubliées à la brigade. Je rallumai la lumière, m'habillai dans un état second. Je m'aperçus, en laçant mes chaussures, que mes mains tremblaient. Je n'étais pas en état de souffler dans le ballon. J'ôtai mes vêtements, retournai au lit. Je pris deux comprimés contre le mal de tête, pour m'assommer. Au moment où j'allais enfin sombrer dans le sommeil, mon réveil sonna.

Lorsque je klaxonnai devant chez elle, Cassie descendit à la hâte, courbée sous la pluie, vêtue d'un ravissant tailleur-pantalon Chanel noir bordé de rose. Tout comme les boucles d'oreilles de perles héritées de sa grand-mère, son maquillage la vieillissait, la rendait sophistiquée, presque méconnaissable.

– Salut, me dit-elle. Bien dormi ?

– Pas vraiment. Tu as tes notes ?

– Oui. Tu pourras les feuilleter pendant que je serai à la barre... En fait, qui passe en premier ? Toi ou moi ?

– Je ne sais plus. Veux-tu conduire ? Il faut que je jette un œil là-dessus.

Nous échangeâmes nos places. Elle prit le volant, actionna les essuie-glaces et démarra. Je consultai ses notes. Je reconnus sa jolie écriture, ferme et claire, que, d'habitude, je déchiffre sans peine. Mais j'avais une telle gueule de bois que je distinguai à peine ses mots, aussi mystérieux à mes yeux qu'un test de Rorschach. Je finis par somnoler, la tête ballottant contre la vitre.

Bien entendu, je témoignai en premier. Ma prestation fut un désastre. Je titubai, bredouillai, mélangeai les faits et les noms. MacSharry, l'avocat général, que je connais depuis longtemps, parut d'abord surpris : mes déclarations à la barre sont généralement précises, implacables. Ensuite, il ne dissimula pas son inquiétude, puis sa fureur, même s'il ne se départit pas de son urbanité naturelle. Il brandit une grande photo de Philomena Kavanagh telle qu'on l'avait découverte, vieux truc destiné à impressionner les jurés. J'étais censé comparer chaque blessure aux aveux des accusés. « Ils ont donc avoué », me dis-je. Là encore, ce fut une catastrophe. Je ne voyais que la victime, sa lourde silhouette martyrisée, sa jupe retroussée jusqu'à la taille, sa bouche grande ouverte en un hurlement de reproche. Ce cri, elle ne l'adressait qu'à moi, qui, semblait-elle clamer, ne l'avais pas secourue.

La salle d'audience était une étuve. La vapeur s'échappant des imperméables en train de sécher embuait les fenêtres, de grosses gouttes de sueur coulaient le long de mes côtes. Après avoir démonté point par point mon témoignage avec une facilité déconcertante, l'avocat de la défense me gratifia d'un sourire ravi et presque indécent, comme un adolescent qui, n'ayant espéré qu'un baiser de la fille qu'il convoite, se retrouve dans son lit. Même les jurés, qui s'agitaient sur leurs bancs et se consultaient en silence, paraissaient gênés pour moi.

Je quittai la barre en flageolant. Je crus un instant qu'il me faudrait m'agripper à une rampe pour tenir debout. J'aurais dû, en principe, assister au témoignage de Cassie. M'en sentant incapable, je quittai le tribunal.

Il pleuvait toujours. Je dénichai un petit pub miteux dans une ruelle, commandai un whisky chaud et m'assis. Le barman m'apporta mon verre, retourna derrière son comptoir pour étudier les pages hippiques du jour. Affalés à une table voisine, trois ivrognes me dévisagèrent avec méfiance, comme s'ils reconnaissaient en moi un flic, puis retournèrent à leur conversation. Sur le trottoir, la pluie dégoulinait d'une gouttière. Je bus une longue gorgée qui brûla mon palais, fermai les yeux.

La consternation de MacSharry lors de mon témoignage me fit enfin comprendre ce qui m'arrivait : cette affaire était en train de me détruire. Mon instinct me conjurait de m'en détourner, de fuir le plus loin possible. Il me restait des vacances à prendre. Avec l'argent que j'avais mis de côté, je pourrais louer quelque temps un studio à Paris ou à Florence, arpenter les pavés d'une ville étrangère en me berçant des sonorités d'une langue dont je ne saisissais pas un mot et ne rentrer qu'une fois le cas résolu.

C'était inconcevable. Il était trop tard pour me retirer de l'enquête. Je m'imaginais mal avouant à O'Kelly que j'avais perdu tout contrôle de moi-même après avoir réalisé, au bout de semaines d'investigations, que j'étais en fait Adam Ryan, ce qui ne manquerait pas de mettre fin à ma carrière. Il fallait que je réagisse, que je trouve quelque chose avant qu'on s'aperçoive de mon état et que de petits hommes en blouse blanche retroussent leurs manches pour me conduire à l'asile.

Trouver quelque chose, mais quoi ? Je terminai mon whisky fumant, en commandai un autre. Le barman alluma la télévision. La chaîne retransmettait une partie de billard. Le murmure fasciné du commentateur se mêlait au bruit continu de la pluie. Les trois ivrognes s'en allèrent, claquant la porte derrière eux. J'entendis, dehors, des rires rauques. Le barman vint nettoyer ma table et emporta mon verre, me faisant comprendre qu'il souhaitait que je m'en aille.

Je marchai jusqu'aux toilettes, m'aspergeai la figure. Le miroir verdâtre et sale me renvoya l'image d'un zombie : bouche ouverte, cernes sous les yeux, cheveux en bataille. D'un coup, je retrouvai ma lucidité. *Ce n'est pas possible*, pensai-je avec un détachement glacial, comme si je scrutais les traits de quelqu'un d'autre. *Que s'est-il passé ? Comment ai-je pu en arriver là ?*

Je retournai au parking du palais de justice. Je m'assis dans la voiture, croquant des pastilles à la menthe et regardant les gens courir, tête basse, serrés dans leurs imperméables. Il faisait noir comme à la tombée de la nuit, la pluie luisait sous les réverbères déjà allumés. Enfin, un bip m'annonça un message de Cassie sur mon mobile : « Qu'est-ce qui se passe ? Où es-tu ? » Je répondis : « Dans la voiture » et allumai les feux de détresse pour qu'elle puisse me repérer. Me voyant sur le siège du passager, elle contourna l'auto, s'installa au volant et secoua ses cheveux. L'eau avait fait couler son rimmel ; une larme noire maculait sa pommette.

– Quels branleurs ! dit-elle en grelottant. Ils se sont mis à rigoler quand j'ai raconté qu'ils avaient pissé sur le lit de la vieille. Leur avocat leur faisait des mimiques désespérées, les conjurant de se taire. Que t'est-il arrivé ? Pourquoi est-ce moi qui conduis ?

– J'ai la migraine.

Elle baissa le pare-soleil pour vérifier son maquillage dans le petit miroir. Elle interrompit son geste et se tourna vers moi, pleine d'appréhension.

– Je crois que j'ai merdé, Cass.

Elle l'aurait appris de toute façon. MacSharry téléphonerait à O'Kelly dès qu'il en aurait l'occasion et, à la fin de la journée, la nouvelle aurait fait le tour de la brigade. J'étais si fatigué que j'avais l'impression de vivre un rêve. Je m'imaginai un instant qu'il s'agissait d'un cauchemar provoqué par la vodka, que mon réveil allait sonner.

– Est-ce si pénible que ça ? murmura Cassie.

– J'ai fait n'importe quoi. Je tenais à peine debout.

Elle lécha son majeur, effaça la traînée de rimmel.

– Je parlais de ta migraine. Veux-tu rentrer chez toi ?

Je pensai avec nostalgie à mon lit, à des heures de sommeil paisible avant que Heather rentre à son tour pour me demander où se trouvait son désinfectant pour les toilettes. Je renonçai aussitôt. Je n'aurais réussi qu'à rester allongé tel un gisant, les mains griffant le drap, passant et repassant dans ma tête la scène du tribunal.

– Non. J'ai pris des cachets en sortant. Ce n'est pas un mal de crâne insupportable.

– Tu veux que nous nous arrêtions à une pharmacie, ou en as-tu assez pour la journée ?

– J'en ai plein. De toute façon, ça va déjà mieux. Allons-y.

Je fus tenté d'en rajouter sur ma migraine imaginaire. Toutefois, l'art de mentir consiste à s'arrêter à temps, ce que j'ai, d'instinct, toujours su faire. J'ignorais, et je l'ignore toujours, si Cassie m'avait cru. Elle démarra, quitta le parking sur les chapeaux de roues et se faufila dans la circulation.

– Et toi ? Comment ça s'est passé ? m'enquis-je alors que nous longions les quais.

– Très bien. J'ai l'intuition que leur avocat est en train de claironner que leurs aveux leur ont été arrachés sous la contrainte. Mais les jurés ne goberont jamais ça.

– Tant mieux, dis-je.

Mon téléphone devint hystérique dès que je me retrouvai dans la salle des opérations. MacSharry n'avait pas perdu de temps : O'Kelly me convoquait d'urgence dans son bureau. Je lui débitai mon bobard sur mon mal de crâne. La migraine constitue une excuse parfaite. Elle diminue les facultés de celui qui en souffre, il n'en est pas responsable, elle peut durer aussi longtemps qu'il le souhaite et personne n'est en mesure de prouver qu'elle n'existe pas. Cela étant, j'avais vraiment l'air malade. O'Kelly se fendit de quelques commentaires sarcastiques sur « ces vapeurs de femmelette ». Je regagnai un peu de sa considération en insistant bravement pour rester à mon poste.

Je retournai dans la salle des opérations. Sam venait d'arriver, trempé jusqu'aux os. Son pardessus de tweed sentait vaguement le chien mouillé.

– Alors, comment ça s'est passé ?

Il s'exprimait d'un ton neutre, mais ses yeux glissèrent sur moi par-dessus l'épaule de Cassie, puis se détournèrent. Le téléphone arabe avait déjà fonctionné.

– Très bien. Migraine, fit Cassie en se penchant vers moi.

Je commençai à avoir vraiment mal à la tête. Je clignai des paupières, essayant de me concentrer.

– Un fléau, ajouta Sam. Ma mère en souffre. Parfois, elle doit rester des journées entières allongée dans l'obscurité, avec de la glace sur le front. Tu es capable de travailler ?

– Sans problème. Qu'est-ce que tu nous amènes ?

Il interrogea silencieusement Cassie.

– Il va bien, répéta-t-elle. Ce procès aurait donné la migraine à n'importe qui. Où es-tu allé ?

Il ôta son pardessus dégoulinant, l'étala sur une chaise.

– J'ai eu une petite conversation avec nos quatre lascars.

– O'Kelly va adorer, marmonnai-je en me pressant les tempes entre mes paumes. Je t'avertis, il n'est pas d'humeur joyeuse.

– Il le sera bientôt. J'ai raconté aux quatre cols blancs que les protestataires s'en étaient pris aux responsables de l'autoroute. Je suis resté dans le vague, tout en les laissant redouter des agressions physiques. Je leur ai dit que je tenais à m'assurer qu'ils n'avaient pas d'ennuis.

Il eut un grand sourire. Je me rendis compte qu'il jubilait et se contenait uniquement à cause de la matinée que je venais de subir.

– Ils ont tous grimpé aux rideaux et m'ont demandé comment je savais qu'ils étaient impliqués dans l'achat des terrains de Knocknaree. J'ai fait celui qui n'y attachait aucune importance. Je leur ai répété que je me souciais simplement de leur sécurité. Je leur ai conseillé de faire attention à eux, puis je suis parti. Aucun des quatre ne m'a remercié. Incroyable, non ? Charmants personnages.

– Et alors ? Tu t'attendais à quoi ?

Je n'avais pas voulu être désagréable. Mais, chaque fois que je fermais les yeux, je revoyais le corps de Philomena Kavanagh ; et dès que je les rouvrais, j'apercevais les photos de Katy couvrant presque tout le tableau, derrière la tête de Sam. Je ne me sentais pas vraiment d'humeur à l'écouter et à apprécier son tact.

– Et alors, reprit-il sans se démonter, Ken McClintock, le type de Dynamo, a passé tout le mois d'avril à Singapour. C'est là que sévissent, cette année, tous les promoteurs pleins aux as. Exit, donc, McClintock. Il n'a passé aucun coup de fil anonyme depuis une cabine de Dublin. Et vous vous souvenez de ce qu'a déclaré Devlin à propos de la voix du gus ?

– Rien de très utile, répliquai-je.

– Pas très grave, rectifia Cassie. Accent campagnard banal. Probablement la cinquantaine.

Très droite sur sa chaise, jambes croisées, elle semblait sortir, avec son tailleur exquis, d'un défilé de mode.

– Maintenant, poursuivit Sam, Conor Roche, de Global. Originaire de Cork, accent à couper au couteau. Devlin aurait tout de suite insisté là-dessus. Quant à son associé, Jeff Barnes, il est anglais et a une voix de baryton. Cela nous laisse, assena-t-il en entourant un nom sur le tableau, Terence Andrews, de Futura : cinquante-trois ans, né à Westmeath, petite voix de fausset. Et devinez où il habite ?

– Dublin, lâcha Cassie en souriant.

– Sur les quais. Il picole au Gresham. Je lui ai conseillé de faire gaffe en regagnant son appartement. Avec ces gauchistes, ai-je susurré, on ne sait jamais... Et il y a trois cabines téléphoniques sur le chemin qu'il emprunte pour rentrer chez lui. Je tiens mon homme, les copains.

Je ne garde aucun souvenir de ce que je fis le reste de la journée : de la paperasse, sans doute. Sam partit pour un autre de ses mystérieux rendez-vous. Cassie, elle, s'en alla vérifier une piste improbable. Elle emmena O'Gorman et confia à McSweeney le taciturne la permanence de la ligne directe, ce dont je lui fus infiniment reconnaissant. Après l'agitation des semaines précédentes, la salle des opérations, quasiment déserte, ressemblait à une classe le soir des grandes vacances. Les bureaux des stagiaires disparus étaient encore jonchés de papiers et de gobelets de café qu'ils avaient oublié de rapporter à la cantine.

J'envoyai à Cassie un texto l'informant que je ne me sentais pas assez bien pour dîner chez elle. Je n'aurais pas supporté sa sollicitude. Je quittai le bureau à temps pour arriver chez moi avant Heather, lui écrivis un mot lui annonçant que j'avais la migraine et m'enfermai dans ma chambre. Heather prend un soin maniaque de sa santé. En contrepartie, elle respecte autant les petites misères des autres que les siennes. Elle me laisserait en paix et baisserait le son de la télévision.

J'étais obsédé par la photo de Philomena Kavanagh, brandie par MacSharry pendant l'audience. Souvent, notre mémoire nous échappe, devient une force indépendante qui nous domine et nous terrasse. C'était ce qui m'arrivait. Cette malheureuse vieille femme au corps désarticulé et à la bouche grande ouverte me hantait depuis le matin. Que me rappelait-elle ? Une dramatique télé, ou une scène assez terrible pour que je l'aie occultée pendant vingt ans ?

Tout resurgit au milieu de la nuit, avec une telle violence que je me dressai sur mon lit, le cœur battant. J'allumai fébrilement ma lampe de chevet, fixai le mur qui me faisait face. Et je revis tout...

Avant même d'arriver à la clairière, nous avons senti qu'il se passait quelque chose. Les bruits eux-mêmes, frôlements de feuilles, cris de bêtes, nous paraissaient amplifiés, menaçants...

– Baissez-vous, souffla Peter.

Nous nous sommes plaqués au sol. Des racines et des brindilles s'accrochaient à nos vêtements, mes pieds bouillaient dans mes baskets. Un jour de canicule, brûlant, immobile. Le bleu éblouissant du ciel à travers les branches. Lentement, nous avons rampé. Terre dans la bouche, soleil dans les yeux, danse lancinante d'une mouche contre l'oreille, aussi assourdissante qu'une tronçonneuse. Des abeilles sur un mûrier, à quelques mètres de là, la sueur le long de mon dos. Tout près de moi, le coude de Peter, qui se déplaçait plus prudemment qu'un chat. Jamie de l'autre côté, cachée derrière une haute touffe d'herbes...

Ils étaient si nombreux, dans la clairière... Megadeth immobilisait les bras de Sandra, Shade lui tenait les jambes. Anthrax était couché sur elle. Sa jupe s'enroulait autour de sa taille, ses collants étaient déchirés. Elle avait la bouche grande ouverte, noire, barrée de mèches rousses. Elle émettait des sons bizarres, comme si elle essayait de crier, mais s'étouffait. Megadeth la frappa une fois, et elle s'arrêta.

Nous nous sommes enfuis, sans nous soucier d'être vus, sourds aux cris qui nous poursuivaient.

– Nom de Dieu ! Foutez le camp !

Jamie et moi avons croisé Sandra le lendemain, à la supérette. Elle portait un large pull et avait des taches sous les yeux. Elle nous a remarqués. Mais nous sommes restés de marbre.

En dépit de l'heure indue, j'appelai Cassie sur son mobile.

– Tu vas bien ? bredouilla-t-elle, à moitié endormie.

– Très bien. J'ai quelque chose, Cass.

– J'espère pour toi que ça vaut le coup. Quelle heure est-il ?

– Aucune idée. Écoute. Cet été-là, Peter, Jamie et moi avons surpris Jonathan Devlin et ses amis en train de violer une fille.

Silence. Enfin, Cassie me lança, un peu plus réveillée :

– Tu en es sûr ? Vous avez peut-être mal interprété...

– Non. Je suis catégorique. Elle a essayé de crier et l'un d'eux l'a frappée. Ils la maintenaient sur le dos.

– Tu les as reconnus ?

– Oui ! Oui ! Nous avons détalé et ils ont nous crié après.

– Bordel !

Peu à peu, elle réalisait : une petite fille violentée, un violeur dans la famille, deux témoins envolés. Nous étions à deux doigts d'un mandat d'arrêt.

– Bien joué, Ryan ! Tu connais le nom de la fille ?

– Sandra quelque chose.

– Celle que tu as déjà mentionnée ? Nous commencerons à la rechercher dès demain.

– Si ça aboutit, comment expliquerons-nous que nous sommes au courant ?

– Ne te tracasse pas. Si nous dénichons Sandra, elle sera le témoin dont nous avons besoin. Sinon, nous nous pointerons à l'improviste chez Devlin, nous lui balancerons tous les détails et nous le cuisinerons jusqu'à ce qu'il parle. Nous trouverons un moyen.

Sa confiance me bouleversa. J'avalai ma salive pour empêcher ma voix de se briser.

– Quel est le délai de prescription pour un viol ? Est-ce qu'on peut coincer Devlin pour ça, même si nous n'avons pas assez de preuves sur l'autre affaire ?

– Nous vérifierons demain matin. Tu vas pouvoir dormir ? Ou es-tu trop sur les nerfs ?

– Je ne tiens plus en place. On parle un peu ?

– D'accord.

Froissement de draps : elle se calait confortablement dans son lit. J'attrapai ma bouteille de vodka, coinçai le téléphone contre mon oreille pour me verser un verre.

Elle me raconta qu'à neuf ans elle croyait, comme tous les gamins des environs, qu'un loup magique vivait dans les collines entourant son village.

– J'ai prétendu avoir découvert sous une latte une lettre m'assurant qu'il vivait là depuis quatre cents ans et qu'il avait, accrochée à son cou, une carte grâce à laquelle nous mettrions la main sur un trésor. J'ai formé une troupe avec tous les gosses et j'ai pris leur tête. Bon Dieu, j'étais déjà un tyran... Nous avons passé tous les week-ends dans les collines, à traquer ce loup. Nous détalions en hurlant dès que nous apercevions un chien de berger et courions tellement vite que nous nous affalions dans les ruisseaux. Nous nous sommes bien amusés.

Je sirotai ma vodka. Mon calme revenait, les inflexions lentes de Cassie m'apaisaient. Je me sentais bien au chaud et délicieusement épuisé, comme un enfant après une longue journée. Je suis sûr d'avoir entendu Cassie affirmer :

– Ce n'était pas un berger allemand, ni même un chien. Il était trop gros, trop sauvage...

Mais je dormais déjà.

Chapitre 12

Le lendemain matin, nous nous sommes mis en quête d'une Sandra ou Alexandra Machin, qui avait habité Knocknaree ou ses environs en 1984. Ce fut une des matinées les plus frustrantes de ma vie. J'appelai l'état civil et tombai sur une femme indifférente à la voix nasillarde, qui me répondit qu'elle ne pouvait me donner aucun renseignement sans décision judiciaire. Lorsque j'insistai avec véhémence, martelant que ma demande était liée à un meurtre d'enfant et qu'elle comprit que je ne lâcherais pas prise, elle me passa un autre service. Suivit un enregistrement pitoyable de la *Petite Musique de nuit*, puis la voix d'une autre femme qui, aussi peu concernée, me débita la même litanie.

En face de moi, Cassie essayait de joindre le bureau des listes électorales du sud-ouest de Dublin pour avoir accès à celles de l'année 1988, époque à laquelle j'étais certain que Sandra avait été en âge de voter, mais probablement pas assez âgée pour avoir quitté la maison de ses parents. Résultat nul, tout comme pour moi. Une voix enregistrée lui répondait inlassablement que son appel allait être pris en compte, ajoutant : « Veuillez patienter un moment. » Nous n'en pouvions plus, ni l'un ni l'autre. Le chauffage central fonctionnait à plein régime alors qu'il faisait doux dehors. J'avais les yeux embués par le manque de sommeil, la peau moite. Enfin, j'explosai. Je reposai violemment le combiné.

– Ras le bol ! Nous n'arriverons à rien. Même si ces guignols nous fournissent un renseignement quelconque, il ne sera pas informatisé. Il faudra rechercher la fiche de Sandra au fond d'un sous-sol, au milieu de millions de boîtes à chaussures remplies de dossiers. Ça nous prendra des semaines.

– En plus, elle aura sans doute déménagé, changé de nom en se mariant, émigré à l'étranger ou fini prématurément au cimetière. Mais tu as une meilleure idée ?

Soudain, je saisis mon imper.

– Oui, j'en ai une. Viens.

– Où ça ?

– Chez Mme Pamela Fitzgerald. Qui est ton génie favori ?

– Leonard Bernstein ! s'écria Cassie en raccrochant son téléphone et en bondissant de sa chaise. Mais pour aujourd'hui, tu feras l'affaire.

Nous nous sommes arrêtés à la supérette. Nous avons acheté des biscuits sablés pour Mme Fitzgerald, histoire de lui faire oublier que nous n'avions pas retrouvé son portefeuille. Grosse erreur : cette génération rend toujours les cadeaux au centuple, ce qui nous valut un thé en bonne et due forme. La vieille dame sortit des scones du frigo, les réchauffa au micro-ondes, les enduisit de beurre et de confiture, et les posa devant nous, sur une petite table proche du canapé. Assise face à nous, elle nous regarda en engloutir chacun un, que j'accompagnai d'une gorgée de thé trop fort. Elle poussa ensuite un soupir de satisfaction, se renversa dans son fauteuil. Cassie, alors, commença l'entretien.

– Madame Fitzgerald, vous souvenez-vous des deux enfants qui ont disparu dans le bois, il y a une vingtaine d'années ?

Je la bénis pour avoir parlé la première. Je n'aurais pas été assez maître de moi pour le faire. J'étais certain qu'un tremblement dans ma voix m'aurait trahi et aurait alerté la vieille dame qui, me scrutant avec plus d'attention, aurait reconnu en moi le troisième enfant. Et là, nous en aurions vraiment eu pour la journée.

– Bien sûr ! s'exclama-t-elle avec indignation. Une histoire affreuse. On n'a même pas retrouvé un de leurs cheveux. Pas de funérailles décentes. Rien !

– À votre avis, que leur est-il arrivé ?

J'eus envie de donner un coup de pied dans le tibia de Cassie, pour lui reprocher de tourner autour du pot. Mais elle avait raison. Comme une vieille sorcière de conte de fées, Mme Fitzgerald ne parlerait qu'à son rythme, en suivant son propre cheminement. Il fallait d'abord la mettre en confiance, lui laisser l'initiative.

Elle nous fit attendre. Elle mordit dans son scone, s'essuya la bouche avec une serviette en papier. Enfin, elle murmura :

– Un détraqué les a jetés dans la rivière. Dieu ait leur âme. Jamais on n'aurait dû laisser ces pauvres petits sortir.

Mes mains tremblaient, mon cœur cognait à se rompre. Je reposai ma tasse.

– Selon vous, ils ont donc été assassinés, dis-je en m'efforçant de contrôler mon débit.

– Bien sûr, jeune homme. Que croyez-vous ? Ma maman, qu'elle repose en paix, qui était encore de ce monde à l'époque et est morte de la grippe trois ans plus tard, ne cessait de me dire que c'était le *pooka* qui les avait emportés. Mais elle radotait, la pauvre chérie...

Je ne m'attendais pas à celle-là. Le *pooka* est un monstre légendaire qui, depuis des lustres, effraie les enfants. Kiernan et McCabe n'avaient sans doute pas envisagé cette piste.

– Non, poursuivit la vieille dame, ils ont fini dans la rivière. Sinon, on aurait retrouvé leurs corps. On raconte qu'ils hantent toujours le bois, pauvres trésors... Theresa King, qui habite la rue, les a vus l'année dernière, en rentrant son linge.

Là encore, je ne m'y attendais pas. Pourtant, j'aurais dû y penser. Deux enfants évanouis pour toujours dans le bois... Comment ne seraient-ils pas devenus des figures du folklore de Knocknaree ? Même si je ne crois pas aux fantômes, l'image de ces petites ombres vacillant au crépuscule me faisait frissonner et, en plus, me mettait en fureur : comment une mémé habitant la rue osait-elle les voir, alors que moi je ne les voyais pas ?

– À l'époque, dis-je, ramenant la conversation vers son but initial, vous avez affirmé à la police que trois jeunes gens peu recommandables hantaient l'orée du bois.

– Des petites frappes, répliqua-t-elle avec délectation. Toujours à cracher par terre. Mon père disait que ceux qui crachent sont des gibiers de potence. Mais deux d'entre eux ont bien tourné. Le mouflet de Concepta Mills travaille dans l'informatique. Il s'apprête à s'installer à Dublin. À Blackrock, excusez du peu... Knocknaree n'est pas assez bien pour lui. Et puis il y a le petit Devlin, dont nous avons parlé l'autre jour... Le père de cette pauvre Katy, que Dieu ait son âme. Un homme merveilleux.

– Et le troisième larron ? Shane Waters ?

Elle grimaça, but une autre gorgée de thé.

– Je préfère ne plus entendre parler de lui.

Cassie lui sourit, posa une main sur la sienne.

– Il a mal tourné ? Pourrais-je prendre un autre scone, madame Fitzgerald ? Ce sont les meilleurs que j'aie dégustés depuis des années.

Elle déteste les scones. Pour elle, ce n'est même pas de la nourriture. Mme Fitzgerald insista.

– Servez-vous, mon ange. Vous avez besoin de vous remplumer. Il y en a d'autres. Depuis que ma fille m'a offert un micro-ondes, j'en fais vingt à la fois et je les garde au frigo jusqu'à ce que j'en aie besoin.

Cassie en choisit un, le porta à sa bouche.

– Mmm...

Elle l'avala d'un coup. Puis :

– Est-ce que Shane Waters habite toujours Knocknaree ?

– Mountjoy Goal, dit la vieille d'un ton sinistre. C'est là qu'il vit. En taule. Lui et un autre salaud ont cambriolé une station-service avec un couteau, en faisant trembler de peur le malheureux pompiste. Sa maman jure que ce n'est pas un mauvais bougre mais qu'il se laisse facilement entraîner. Du pipeau, bien sûr...

– Vous avez déclaré à la police qu'ils étaient toujours entourés de filles, dis-je en ouvrant mon carnet de notes.

Elle grimaça, passa sa langue sur son dentier.

– Deux traînées prétentieuses. De mon temps, il m'arrivait de montrer un bout de jambe. C'est le meilleur moyen pour que les garçons regardent, pas vrai ?

Elle me cligna de l'œil. Son sourire éclaira son visage. Elle avait dû être jolie, autrefois : appétissante, espiègle et joufflue.

– Mais leurs nippes à elles, c'était carrément du gaspillage. Elles auraient mieux fait de se balader carrément toutes nues.

Pour la différence que ça aurait fait... Aujourd'hui, toutes les filles exhibent leur nombril et le reste, mais, à l'époque, on avait encore un peu de décence.

– Vous souvenez-vous de leur nom ?

– Laissez-moi réfléchir. L'une des deux était l'aînée de Marie Gallagher. Elle vit à Londres depuis quinze ans. Elle revient de temps en temps pour nous montrer ses vêtements à la mode et parler de son job mirobolant, mais Marie a fini par nous avouer qu'elle n'était que secrétaire. Elle a toujours eu une haute idée d'elle-même.

Mon cœur chavira. Londres ! Mme Fitzgerald but une grande gorgée de thé et leva un doigt.

– Claire, c'est ça. Claire Gallagher. Porte toujours son nom de jeune fille. Jamais mariée. Elle est sortie quelque temps avec un divorcé, ce qui désolait Marie, mais ça n'a pas duré.

– Et l'autre fille ?

– Ah, celle-là... Elle est toujours là. Elle vit avec sa maman au bout du lotissement, à Knocknaree Close, le quartier malfamé, si vous voyez ce que je veux dire. Deux mômes et pas de mari. Qu'espériez-vous d'autre ? Si vous cherchez des ennuis, vous n'aurez pas loin où aller. C'est une fille Scully. Jackie a épousé le petit Wiclow, Tracy travaille au bureau de paris. Sandra ! Voilà. Sandra Scully. Finissez ce scone, ordonna-t-elle à Cassie, qui l'avait subrepticement reposé et feignait de l'avoir oublié.

– Merci beaucoup, madame Fitzgerald. Vous nous avez été d'un grand secours, conclus-je.

Cassie en profita pour engloutir le reste de son scone et le noyer dans une lampée de thé, avec la mine d'un chat gavé. Je rangeai mon calepin et me levai.

– Un moment ! m'intima la vieille femme.

Elle disparut dans la cuisine et revint avec un sac de plastique rempli de scones congelés qu'elle posa d'autorité dans les mains de Cassie.

– C'est pour vous. Non, non, non, ne protestez pas !

Quels que soient nos goûts alimentaires, nous ne sommes pas censés accepter de cadeaux des témoins.

– Ils vous feront le plus grand bien, insista Mme Fitzgerald. Partagez-les avec votre ami s'il se conduit correctement.

Je n'étais jamais allé dans le quartier « malfamé ». Nos mères nous l'interdisaient. En fait, il n'était guère différent du reste du lotissement. Les maisons étaient un peu plus miteuses, des mauvaises herbes et des pâquerettes poussaient dans les jardins. Au fond de Knocknaree Close, le mur était couvert de graffiti assez innocents, tracés au feutre de couleur : « Liverpool vaincra, Martine et Conor pour toujours, Jonesy est pédé. » Pas de quoi fouetter un chat. Si j'avais dû y laisser ma voiture pour la nuit, je ne me serais pas inquiété.

Sandra vint nous ouvrir. J'hésitai un instant. Elle ne ressemblait pas à l'image que j'avais conservée d'elle. C'était le genre de fille qui fleurit très vite, puis se fane en quelques années. L'adolescente voluptueuse au teint de pêche et aux flamboyantes boucles rousses était devenue une femme plantureuse et voûtée, au regard soupçonneux et aux cheveux ternes. Une nostalgie subite me saisit. J'espérais presque que ce n'était pas elle.

Alors, elle murmura :

– Vous désirez ?

Sa voix était plus profonde, avec des inflexions rauques, mais je reconnus le ton doux, chuchotant. « Hé, lequel des deux est ton amoureux ? » Son doigt nous désignant tour à tour, Peter et moi, Jamie faisant une horrible moue. Assise sur le mur, les pieds dans le vide, Sandra avait éclaté de rire : « Tu changeras d'avis bientôt ! »

Je la saluai poliment.

– Mademoiselle Sandra Scully ?

Elle acquiesça d'un air inquiet. Avant même que nous sortions nos cartes, elle avait flairé en nous des flics et se tenait sur la défensive. À l'intérieur de la maison, un bambin criait en cognant sur un objet métallique.

– Je suis l'inspecteur Ryan. Et voici l'inspecteur Maddox, qui aimerait s'entretenir avec vous quelques instants.

Je laissai Cassie s'avancer d'un pas. Si je n'avais pas été sûr de moi, j'aurais dit « nous » et nous aurions tous les deux procédé à un interrogatoire de routine sur Katy Devlin jusqu'à ce que je me sois fait une idée précise, positive ou négative. Mais j'étais certain qu'il s'agissait d'elle. Et elle se confierait plus facilement sans la présence d'un homme dans la pièce.

Ses mâchoires se crispèrent.

– C'est à propos de Declan? Vous pouvez dire à l'autre vieille bique que je lui ai confisqué sa stéréo après la dernière fois et que si elle entend quelque chose, ce sont des voix dans sa tête de fêlée.

– Non, non, répliqua vivement Cassie. Rien de tout cela. Nous travaillons simplement sur une vieille affaire et nous avons pensé que vous pourriez vous souvenir de quelques détails qui nous seraient utiles. Puis-je entrer?

Sandra la scruta un instant, eut un haussement d'épaules résigné.

– Ai-je le choix?

Elle recula, entrouvrit la porte. Je sentis une odeur de friture.

– Merci, dit Cassie. J'essaierai de ne pas abuser de votre temps.

En pénétrant dans la maison, elle se retourna, me décocha un petit sourire rassurant. La porte claqua derrière elle.

Elle resta longtemps. Assis dans la voiture, je fumais cigarette sur cigarette, mordais la peau de mes pouces, pianotai sla *Petite musique de nuit* sur le volant, ramassais la poussière du tableau de bord avec ma clé de contact. Je regrettai amèrement de ne pas avoir confié un magnétoscope à Cassie, pour accourir à sa rescousse en cas de besoin. Bien sûr, j'avais confiance en elle. Mais elle n'avait pas été là ce jour-là. Moi, si. D'un autre côté, Sandra semblait être devenue une dure à cuire et je me demandais si Cassie saurait poser les bonnes questions. J'avais baissé la vitre. Le bambin braillait toujours en martelant sa casserole. Soudain, la voix de Sandra s'éleva, excédée. Claquement d'une baffe. Son gosse hurla, moins de douleur que de colère. Je revis ses petites dents blanches quand elle riait, la mystérieuse vallée ombreuse dans l'échancrure de son corsage.

Au bout d'une heure qui me parut interminable, la porte de la maison se referma et Cassie redescendit l'allée d'un pas nerveux. Elle s'installa dans l'auto, expira longuement.

– Bien. Tu as tapé dans le mille. Il lui a fallu du temps pour se mettre à parler, mais une fois qu'elle a commencé...

Mon cœur cognait, de triomphe, ou d'angoisse.

– Qu'a-t-elle dit ?

Cassie avait sorti ses cigarettes et cherchait un briquet dans son sac.

– Démarre et tourne au coin. Elle n'a pas aimé que la bagnole attende devant chez elle. Elle a dit qu'elle ressemblait à une voiture de flic et que les voisins allaient jaser.

Je quittai le lotissement, me garai sur l'aire de stationnement qui faisait face au chantier archéologique, tendis mon briquet à Cassie.

– Alors ?

– Tu sais ce qu'elle m'a raconté ?

Elle baissa brutalement sa vitre, souffla dehors sa première bouffée. Elle était furieuse, outrée.

– Elle m'a dit : « Ce n'était pas un viol. Ils m'ont simplement forcée à le faire. » Elle a ajouté : « Trois fois. »

– Cass, si tu commençais par le début ?

– Le début ? Elle est d'abord sortie avec Cathal Mills, quand elle avait seize ans et lui dix-neuf. On le considérait, Dieu sait pourquoi, comme un garçon très équilibré, et elle était folle de lui. Jonathan Devlin et Shane Waters étaient ses meilleurs potes. Ni l'un ni l'autre n'avaient de petite amie. Jonathan en pinçait pour Sandra, qui l'aimait bien. Six mois après le début de leur « relation », Cathal lui a dit que Jonathan désirait, je cite, « se la faire » et que lui trouvait cette idée formidable. Comme s'il offrait à son copain un coup à boire... Bon Dieu, ça se passait dans les années 1980, et ils n'avaient même pas de capotes...

– Cass...

Elle jeta le briquet par la fenêtre, en direction d'un arbre. Elle vise bien et a le bras solide. Le briquet rebondit contre le tronc et alla se perdre dans l'herbe.

Je l'avais déjà vue en colère. Je lui avais affirmé que c'était la faute de son grand-père français, au tempérament méditerranéen. Je savais qu'elle ne tarderait pas à se calmer. J'attendis patiemment. Elle s'appuya contre son siège, tira sur sa cigarette. Puis elle me sourit d'un air penaud.

– Tu me dois un briquet, *prima donna*, lui dis-je.

– Et tu me dois toujours ton cadeau de Noël de l'année dernière. En tout cas... L'idée de baiser avec Jonathan ne perturbait pas trop Sandra. Elle l'a fait deux ou trois fois, tout le monde se sentait un peu gêné après, ils ont passé là-dessus et tout allait bien...

– Quand était-ce ?

– Au début de cet été-là : juin 1984. Apparemment, Jonathan est sorti avec une autre fille quelque temps après : sans doute Claire Gallagher. Sandra croit qu'il a ensuite renvoyé l'ascenseur. Elle a eu une grosse engueulade avec Cathal à ce propos, mais ça l'a tellement déstabilisée qu'elle a décidé de passer l'éponge... Ensuite, Shane a tout découvert et a voulu jouer lui aussi. Bien sûr, Cathal était d'accord, mais Sandra, elle, ne l'était pas. Elle n'aimait pas Shane. Elle l'appelait le « petit branleur boutonneux ». J'ai l'impression qu'il n'était pas tout à fait intégré à la bande, que les deux autres l'acceptaient par habitude, parce qu'ils se connaissaient depuis la maternelle. Cathal a insisté. Sandra s'est défilée, lui a répondu qu'elle allait y penser. Finalement, ils l'ont traînée dans le bois, Cathal et Jonathan l'ont immobilisée et Shane l'a violée. Elle ne se souvient pas de la date exacte, mais elle sait qu'elle avait des bleus sur les poignets et qu'elle espérait qu'ils auraient disparu à la rentrée des classes. Ce devait donc être en août.

– Est-ce qu'elle nous a vus ? m'enquis-je d'une voix neutre.

Le fait que cette histoire interférait avec la mienne me laissait désemparé, tout en m'excitant terriblement.

Cassie se tourna vers moi. Ses traits n'exprimaient rien. Toutefois, je savais qu'elle s'inquiétait pour moi. Je tentai de paraître calme.

– Pas vraiment. Elle était... Bref, tu devines son état. Mais elle se rappelle avoir entendu quelqu'un dans les fourrés, et puis les types beugler. Jonathan vous a couru après. Quand il est revenu, il a bredouillé quelque chose comme : « Connards de gosses. »

Elle laissa tomber sa cendre par la portière. De l'autre côté de la route, sur le chantier, Mark, Mel et deux autres archéologues mesuraient quelque chose avec des piquets et des mètres, s'interpellaient. Mel rit gaiement et cria : « À tes ordres, chef ! »

– Et puis ? lançai-je, n'y tenant plus, tremblant comme un chien de chasse à l'arrêt.

Ainsi que je l'ai dit, je ne brutalise jamais les suspects. Pourtant, je ne pouvais m'empêcher de m'imaginer plaquant Devlin contre un mur, lui hurlant des insultes au visage, arrachant ses aveux à coups de poing dans le ventre.

– Tu veux savoir ? ajouta Cassie. Sandra n'a même pas rompu avec Cathal Mills. Elle est restée avec lui quelques mois de plus, jusqu'à ce que lui la plaque.

Je faillis répondre : « C'est tout ? » Au lieu de cela, je déclarai :

– Je crois que le délai de prescription n'est pas le même si elle était mineure.

Mon cerveau fonctionnait à toute allure, envisageant toutes les stratégies d'interrogatoire possibles.

– Il se peut que nous ayons encore du temps. C'est le genre de gus que j'aimerais arrêter devant tout le monde, en plein meeting.

Cassie secoua la tête.

– Il n'y a aucune chance pour qu'elle le charge. Elle reste persuadée que, si elle a couché avec lui la première fois, elle en porte toute la responsabilité.

– Allons voir Devlin, dis-je en démarrant.

– Une seconde. Il y a autre chose. Ce n'est peut-être rien, mais... Une fois leur petite affaire finie, Cathal... Nous devrions enquêter sur lui, nous pourrions l'inculper pour un délit quelconque... Cathal, donc, a dit : « C'est ma gonzesse », et il l'a embrassée. Elle était assise, tremblant de tous ses membres, essayant de remettre de l'ordre dans ses vêtements et dans sa tête. Alors, ils ont entendu un bruit dans les arbres, à quelques mètres. Sandra m'a affirmé qu'elle n'avait jamais rien entendu de pareil. Comme un énorme oiseau battant des ailes, m'a-t-elle dit, sauf qu'il s'agissait d'une voix, d'un appel. Ils ont tous bondi sur leurs pieds en hurlant. Et Cathal a crié : « Encore ces enfoirés de gosses qui se foutent de nous ! » Il a balancé un caillou dans les branches, mais ça a continué. Comme il faisait sombre, ils n'ont rien distingué. Pétrifiés, terrorisés, ils ont continué à crier. Finalement, ça s'est arrêté. Ils ont entendu la chose s'enfoncer dans le bois. Sandra a précisé : « Ça avait l'air gros, comme un être humain. » Ils sont repartis. Toujours selon

Sandra, il y avait une forte odeur d'animal, de chèvre, enfin le genre d'odeur qu'on respire dans les zoos.

– Qu'est-ce que c'est que ce bazar ?

– Ce n'était donc pas vous.

– Pas autant qu'il m'en souvienne.

Je me rappelai avoir couru à toute allure, mon souffle résonnant à mes oreilles, sachant, sans en avoir une idée précise, qu'il venait de se passer quelque chose d'affreux. Nous trois nous regardant, haletants, à la sortie du bois. Jamais je ne serais retourné là-bas pour imiter un cri de bête. Et avec quoi aurais-je répandu dans la clairière une puanteur de chèvre ?

– Elle a sans doute tout imaginé.

– Peut-être. Mais je me demande si le bois n'abritait pas un animal sauvage.

L'animal le plus sauvage vivant en Irlande est le blaireau. Cependant, de vieilles légendes, surtout dans les Midlands, parlent de moutons égorgés, de promeneurs croisant, la nuit, des ombres mystérieuses ou des yeux brillant dans le noir. Il s'agit le plus souvent de chiens de berger ou de chats errants entrevus à la lueur des phares. Mais certains cas demeurent inexpliqués. Je pensai aux déchirures lacérant le dos de mon tee-shirt. Cassie a toujours adoré les histoires suggérant que l'Irlande n'est pas entièrement domestiquée, que subsiste au fond de ses forêts des endroits secrets où des créatures de la taille d'un puma vivent libres et cachées, sans se soucier des hommes.

Moi aussi, j'aime ces légendes. Mais, pour l'heure, elles me semblaient hors de propos.

– Non, Cass. Ce bois, nous le connaissions par cœur. Si une bête plus grosse qu'un renard y avait vécu, nous l'aurions su. Et les équipes de recherche en auraient découvert des traces. Ou un voyeur qui sentait mauvais les matait, ou elle a tout imaginé.

– Admettons...

Je m'apprêtai à démarrer. Elle arrêta mon geste.

– Une seconde. Comment allons-nous procéder ?

– Je ne vais pas rester le cul sur mon siège après ça ! répliquai-je en haussant le ton.

– Je me disais simplement que je pourrais te déposer et aller interroger encore une fois les cousines de Katy. Tu m'enverrais un texto pour me demander de venir te reprendre. Toi et Devlin pourriez avoir une gentille petite conversation. Il ne parlera jamais d'un viol en ma présence.

– Excellente idée, répondis-je piteusement. Merci, Cassie.

Elle sortit de la voiture. Je me glissai sur le siège du passager, pensant qu'elle voulait prendre le volant. Mais elle marcha vers les arbres, fouilla du pied les alentours jusqu'à ce qu'elle trouve mon briquet, regagna l'auto.

– Tiens, dit-elle en esquissant un sourire en coin. N'oublie pas mon cadeau de Noël.

Chapitre 13

Devant la maison de Devlin, Cassie me dit :

– Rob, tu y as peut-être déjà songé, mais ce que nous venons d'apprendre pourrait nous orienter vers une tout autre direction.

– Comment ça ?

– Tu te souviens de mon sentiment sur le viol de Katy, de mon intuition qu'il n'avait rien de sexuel ? Tu as émis l'hypothèse que l'assassin avait un motif autre, au point qu'il a dû utiliser un artifice...

– Sandra ? Subitement ? Après vingt ans ?

– Toute la publicité à propos de Katy, les articles de journaux, la collecte... Tout cela aurait pu lui faire perdre la tête.

– Cassie, répondis-je en inspirant profondément, je ne suis qu'un petit banlieusard. Je préfère me concentrer sur du concret. Or, pour l'instant, le concret, c'est Jonathan Devlin.

– Je réfléchissais, sans plus...

Elle ébouriffa mes cheveux d'un geste brusque, maladroit.

– Vas-y, petit banlieusard. Casse-lui la jambe.

Jonathan était seul. Margaret, m'annonça-t-il, avait emmené leurs filles chez sa sœur. Je me demandai depuis quand et pourquoi. Il avait une mine affreuse. Il avait tellement maigri qu'il flottait dans ses vêtements. Ses traits évoquaient ceux d'un vieillard. Ses cheveux presque ras lui donnaient un air pathétique, désespéré. Il m'indiqua le canapé et s'installa dans un fauteuil, en face de moi, penché en avant, les coudes sur les genoux, les mains nouées. La maison semblait désertée. Aucun relent de cuisine, pas de télévision ou de machine à laver en arrière-fond, pas de livre ouvert sur un bras de fauteuil, rien qui aurait pu indiquer qu'il était, au moment de mon arrivée, occupé à quelque chose.

Il ne me proposa pas de thé. Je lui demandai des nouvelles de la famille, encaissai son ricanement (« À votre avis » ?), lui expliquai que nous suivions plusieurs pistes, éludai ses questions sur plus de détails, lui demandai s'il avait pensé à un élément qui aurait pu nous être utile. Ma colère avait reflué dès qu'il m'avait ouvert. Je me sentais plus calme et plus lucide que je ne l'avais été depuis des semaines. Margaret, Rosalind et Jessica auraient pu rentrer d'un moment à l'autre, mais je ne m'en inquiétais guère : je savais qu'elles ne le feraient pas. Les fenêtres étaient sales. Traversant les vitres, le soleil de cette fin d'après-midi effleurait mollement les placards aux devantures vitrées et le bois ciré de la grande table, baignait la pièce d'une lumière fade. Pas un son, en dehors de celui, lancinant, de l'horloge de la cuisine. Même silence dehors, comme si tout Knocknaree s'était volatilisé, nous laissant seuls, Jonathan Devlin et moi, de part et d'autre de la petite table basse.

– Qui, dans la famille, raffole de Shakespeare ? murmurai-je enfin, en repoussant mon carnet de notes.

Question incongrue, mais qui, à mon sens, pourrait lui faire baisser la garde. Il eut l'air irrité.

– Comment ?

– Les prénoms de vos filles : Rosalind, Jessica, Katharine avec un « a ». Ce sont des héroïnes de comédies de Shakespeare. Cela m'a tout de suite intrigué. J'imagine qu'il s'agit d'une intention délibérée.

Il me considéra pour la première fois avec un semblant de sympathie, esquissa un demi-sourire, engageant, heureux mais timide, comme celui d'un gamin attendant que quelqu'un remarque son nouveau badge de scout.

– Vous êtes la première personne à l'avoir noté. Oui, ça vient de moi. Après mon mariage, j'ai voulu me cultiver, lire les classiques : Shakespeare, Milton, George Orwell... Milton m'a laissé froid, mais j'ai adoré Shakespeare, même si j'ai eu un peu de mal au début. Alors qu'elle attendait des jumeaux, j'ai proposé en riant à Margaret de les appeler Viola et Sebastian, comme dans *La Nuit des rois*. Elle a poussé de hauts cris, me disant qu'on se moquerait d'eux à l'école...

Son sourire s'estompa, son regard devint vague. C'était le moment. Je l'avais mis en confiance, il fallait en profiter.

– Ce sont de très beaux prénoms.

Il acquiesça d'un air absent. J'ajoutai :

– Autre point : les noms de Cathal Mills et de Shane Waters vous rappellent-ils quelque chose ?

– Pourquoi ?

Une lueur d'inquiétude passa dans ses yeux. Il se ressaisit vite, se redressa.

– Ils ont été mentionnés dans le cours de l'enquête, précisai-je.

Cette fois, il se raidit.

– Vous les suspectez ?

– Non, répliquai-je fermement. Mais nous explorons toutes les pistes possibles. Parlez-moi d'eux.

Il me dévisagea un instant avec une expression de défi. Puis il s'affaissa dans son fauteuil, resta quelques instants silencieux. Enfin, il déclara :

– Nous nous sommes connus tout petits. Mais nous nous sommes perdus de vue il y a des années.

– Quand êtes-vous devenus amis ?

– Lorsque nos parents se sont installés ici. Ce devait être en 1974. Nous étions les trois premières familles du lotissement, dont nous avons occupé les premières maisons. Le reste était encore en construction. Nous avions tous les alentours pour nous. Nous jouions au milieu des chantiers, une fois les ouvriers partis. C'était un gigantesque labyrinthe. Nous devions avoir huit ou neuf ans.

Sa voix pleine de nostalgie me fit comprendre à quel point cet homme était seul. Et cette solitude ne datait pas de la mort de Katy. Il la supportait depuis bien plus longtemps.

– Combien d'années êtes-vous restés liés ?

– Difficile à dire. Nos chemins se sont séparés lorsque nous avons eu environ dix-neuf ans. Toutefois, nous sommes restés en contact un certain temps. Pourquoi ? Quel rapport avec votre enquête ?

– Selon deux témoins, précisai-je d'un ton neutre, au cours de l'été 1984, vous, Cathal Mills et Shane Waters avez participé à un viol.

Il se leva brusquement, brandit les poings vers moi.

– Qu'est-ce que... Qu'est-ce que ce bazar a à voir avec Katy ? Est-ce que vous m'accusez de... C'est quoi, cette merde ?

Je ne bronchai pas.

– Je constate que vous ne niez pas cette allégation.

– Je n'ai rien reconnu non plus. Dois-je appeler un avocat ?

Aucun avocat au monde ne l'aurait laissé ajouter un mot.

– Écoutez, lui dis-je presque amicalement, j'appartiens à la brigade criminelle, non à celle des crimes sexuels. Un viol vieux de vingt ans ne m'intéresse que si...

– Un viol présumé.

– Je vous l'accorde : un viol présumé... Ce crime ne me concerne que dans la mesure où il peut avoir un rapport avec un meurtre. C'est pour cette raison que je suis là.

Il se rassit lourdement, reprit son souffle. Je crus un instant qu'il allait me montrer la porte. Il se domina et martela :

– Si vous souhaitez passer une seconde de plus chez moi, mettons les choses au point une bonne fois pour toutes. Je n'ai jamais touché à un cheveu de mes filles. Jamais.

– Personne ne vous accuse...

– Vous tournez autour du pot depuis votre première visite, et j'ai horreur des insinuations. J'aime mes filles. Je les embrasse quand elles se couchent. C'est tout. Je n'ai jamais eu, vis-à-vis d'elles, ce qu'on appelle le moindre geste déplacé. Est-ce clair ?

– Comme de l'eau de roche, répondis-je en m'efforçant de ne pas paraître sarcastique.

– Bien.

Il opina plusieurs fois, contrôlant sa fureur.

– Maintenant, à propos de cet autre événement... Je ne suis pas idiot, inspecteur Ryan. En admettant que j'aie commis un crime qui pourrait m'envoyer derrière les barreaux, pourquoi diable vous l'avouerais-je ?

– Entendons-nous. Nous envisageons la possibilité...

« Bénie sois-tu, Cassie... »

– ... que la victime de ce forfait ait quelque chose à voir avec la mort de Katy, qu'elle ait voulu se venger de ce viol.

Il écarquilla les yeux.

– Il ne s'agit que d'une hypothèse marginale, poursuivis-je, et nous ne disposons d'aucun indice fiable. Je ne tiens donc pas à mettre la pression sur vous. Je ne veux pas non plus que vous entriez en contact avec cette personne. Si la piste se précisait, votre initiative ruinerait tous nos efforts.

– Je ne la contacterai pas. Comme je vous l'ai dit, je ne suis pas débile.

– Parfait. Je suis heureux que nous nous soyons compris. Mais je dois vraiment entendre votre version des faits.

– Et ensuite ? Vous me mettrez en examen ?

– Je ne peux rien vous garantir. En tout cas, je ne vais pas vous passer les menottes. Il revient au procureur général de vous poursuivre s'il y a lieu. Et je doute que la victime ait l'intention de porter plainte. D'un autre côté, je ne suis pas ici à titre officiel, je ne vous ai pas informé de vos droits, ainsi que l'exige la loi. Vos déclarations n'auront donc aucune valeur devant un tribunal. J'ai simplement besoin de savoir ce qui s'est passé. À vous de voir, monsieur Devlin. Souhaitez-vous vraiment que je confonde l'assassin de Katy ?

Il resta immobile, les yeux braqués sur moi. Enfin, il se leva de nouveau, marcha jusqu'à la fenêtre, pressa son front contre la vitre.

– Inspecteur Ryan, avez-vous des amis que vous connaissez depuis votre plus tendre enfance ?

– Non, pas vraiment.

– C'est dommage... Personne ne me connaîtra jamais mieux qu'eux. Même maintenant, si je les croisais par hasard, ils en sauraient davantage sur moi que Margaret. Nous étions plus que des frères. Aucun de nous trois n'était heureux en famille. Shane n'avait jamais connu son père, celui de Cathal n'avait jamais rien fait de ses dix doigts, mes parents étaient des ivrognes. Je ne cherche pas à nous excuser. J'essaie simplement de nous décrire tels que nous étions. À dix ans, nous avons échangé notre sang. Avez-vous déjà fait ce pacte ? Vous trancher le poignet, le presser contre celui des autres ?

– Je ne crois pas.

L'avions-nous fait ? En tout cas, cela nous aurait ressemblé.

– Shane avait la trouille de se couper, mais Cathal l'a convaincu. Il aurait vendu de l'eau bénite au pape, Cathal... Quand nous avons vu *Les Trois Mousquetaires* à la télé, il a décidé que ce serait notre devise : « Un pour tous, tous pour un. »

Il se retourna, me jaugea.

– Quel âge avez-vous ? Trente, trente-cinq ?... Vous avez échappé au pire. Nous avons quitté l'école au début des années 1980. Ce pays était sur les genoux. Il n'y avait pas de travail. Rien. Si vous ne pouviez pas reprendre l'affaire de papa, il ne vous restait que l'exil ou le chômage. Diplôme ou pas, et nous n'en avions aucun, c'était le désert. Nous n'avions rien d'autre à faire qu'à traîner, rien à espérer, rien à quoi nous raccrocher. Rien, sinon notre amitié. Et ça, c'est dangereux...

Silence. Puis :

– Alors, Cathal a commencé à sortir avec Sandra. Au début, ça nous a perturbés. Même si nous avions flirté à droite, à gauche, aucun d'entre nous n'avait encore eu de relation sérieuse avec une fille. Mais elle était ravissante, Sandra. Délicieuse... Rieuse, innocente. Je crois bien qu'elle fut mon premier amour. Quand Cathal m'a révélé qu'elle aussi en pinçait pour moi, qu'elle voulait... je n'en croyais pas mon bonheur.

– Vous n'avez pas trouvé cette situation, mettons... un peu bizarre ?

– Pas autant que vous le croyez. Aujourd'hui, oui, ça peut paraître dément. Mais nous avions toujours tout partagé. C'était une règle entre nous. J'avais une autre copine à l'époque, et elle était collée avec Cathal, ce qui ne lui posait aucun problème. Elle l'avait choisi à cause de sa jolie gueule. Il était bien plus beau gosse que moi.

– Et puis Shane a piqué sa crise.

– Oui. Il a tout découvert ; et il a perdu la boule. Je crois que lui aussi avait toujours été dingue de Sandra. Mais, surtout, il s'est senti trahi. Il était effondré. Nous avons eu des disputes homériques à ce sujet pratiquement tous les jours, pendant des semaines. La moitié du temps, il finissait par ne plus nous adresser la parole. J'étais désespéré. J'avais l'impression que tout s'écroulait. Vous savez ce qu'on éprouve à cet âge : la plus petite contrariété prend des proportions de fin du monde...

– Ensuite ?

– Cathal s'est mis dans le crâne que, puisque Sandra nous divisait, ce serait elle qui nous réunirait à nouveau. Cette idée l'obsédait. Il n'arrêtait pas d'en parler. Si nous partagions la même fille, disait-il, ça scellerait notre amitié pour toujours, bien davantage que l'échange de sang. J'ignore s'il le pensait vraiment. Moi, j'en doutais. Mais il revenait sans cesse là-dessus et, bien sûr, Shane en rajoutait.

– Il ne vous est pas venu à l'idée de demander son avis à Sandra ?

Son front tapota légèrement la vitre.

– Oui. Dieu sait que nous aurions dû le faire. Mais nous vivions dans un monde à nous. En dehors de nous trois, personne n'existait vraiment, pas même Sandra. J'étais fou d'elle, comme je l'aurais été d'une princesse de conte de fées ou d'une actrice de cinéma. Je ne l'aimais pas comme on aime une vraie femme. Ce n'est pas une excuse, nous n'en avons aucune. Mais c'est une raison.

– Qu'est-il arrivé ?

Il se passa une main sur le visage.

– Nous étions dans le bois. Tous les quatre. Je ne sortais plus avec Claire. Nous avons gagné la clairière où nous nous rendions parfois. Vous vous rappelez peut-être que nous avons eu, cette année-là, un été somptueux, plus brûlant qu'un été grec. Pas un nuage, un soleil éclatant jusqu'à 10 heures du soir. Nous passions nos journées dehors, dans le bois ou à sa lisière. Nous étions tous bronzés. Je ressemblais à un étudiant italien, sauf que j'avais d'horribles taches blanches autour des yeux, à cause de mes lunettes noires... Il était tard. Nous étions restés dans la clairière toute la journée, à picoler et à fumer des joints. Nous étions un peu déjantés : le cidre, le foin, le soleil... J'ai fait une partie de bras de fer avec Shane, presque de bonne humeur pour une fois. Je l'ai laissé gagner. Ensuite, nous avons lutté dans l'herbe, comme des gosses. Cathal et Sandra applaudissaient, nous encourageaient. Cathal a commencé à la lutiner. Elle riait, gloussait. Alors, ils ont roulé à nos pieds. D'un bond, nous nous sommes retrouvés sur eux. Et Cathal a crié : « Maintenant ! »

Silence. Enfin, je murmurai calmement :

– L'avez-vous violée tous les trois ?

– Non. Seulement Shane. Cathal et moi, nous la tenions.

Il respira profondément.

– Je n'ai jamais rien connu de semblable. C'était comme un cauchemar, ou un mauvais trip. Ça a semblé durer une éternité. Il faisait une chaleur accablante, je suais comme un porc. J'avais l'impression que les arbres se rapprochaient de nous, qu'ils allaient nous engloutir. Tout paraissait irréel, même les couleurs, comme dans un vieux film colorisé. Le ciel était devenu presque blanc, des ombres passaient devant mes yeux. J'ai eu envie de tout arrêter, de crier aux deux autres que nous faisions quelque chose de mal. Impossible. Mes mains, qui maintenaient Sandra, ne m'appartenaient plus. J'étais terrifié. Je ne reconnaissais même pas le souffle de Cathal, agenouillé en face de moi. Sandra se débattait et... mon Dieu !... Pendant une seconde, j'ai cru que nous étions des chasseurs, que nous avions blessé un animal et que Shane était en train de l'achever...

Le tour que prenait cette confession commençait à me déplaire. Je déclarai froidement :

– Si j'ai bien compris, vous étiez, à ce moment-là, sous l'influence de l'alcool, de drogues illicites et dans un état d'excitation incontrôlable. À votre avis, cela explique-t-il votre comportement ?

Il eut un geste fataliste.

– Sans doute. Encore une fois, je ne cherche aucune excuse. Je vous raconte simplement ce qui s'est passé. C'est vous qui me l'avez demandé.

Je me retrouvais en terrain de connaissance. Tous les criminels que j'interroge se lancent dans des digressions d'où il ressort qu'ils ne sont pas entièrement responsables, que leur forfait n'était finalement pas trop grave. Toutefois, la plupart des récits que j'ai entendus étaient bien mieux ficelés que celui-là. Pourtant, et c'est ce qui me troublait, une petite part de moi y croyait. Je n'étais guère convaincu par le prétendu idéalisme de Cathal. Mais le délire de Jonathan me paraissait plausible. Je l'imaginais très bien perdant la tête, vouant à ses amis une passion sans commune mesure avec celle qu'on peut ressentir pour une femme, accomplissant un rite désespéré qui arrêterait le temps et cimenterait leur univers sur le point de se désintégrer. Peut-être même y avait-il vu, en dépit de son horreur, un acte d'amour, incompréhensible pour le commun des mortels. Je me demandai quelle autre abomination il aurait été capable d'accomplir pour sa cause.

J'enfonçai le clou, de façon un peu cruelle, je dois l'avouer.

– Et vous n'êtes plus en contact avec Cathal Mills et Shane Waters ?

– Non.

Il observa le jardin, eut un petit rire triste.

– Après tout ça... Vous vous rendez compte ? Cathal et moi nous envoyons des cartes de Noël. C'est sa femme qui rédige les siennes. Quant à Shane, je n'ai pas entendu parler de lui depuis des années. Je lui ai écrit de temps à autre. Il n'a jamais répondu. J'ai renoncé.

– Vous vous êtes donc séparés peu de temps après le viol.

– En fait, ça a pris des années. Mais, si on y réfléchit bien, oui, ça a commencé ce jour-là, dans le bois. Ensuite, tout s'est délité peu à peu. Cathal était obsédé par la scène et en parlait sans cesse, ce qui rendait Shane plus nerveux qu'un chat sur des braises. Moi, je me sentais tellement coupable que je ne voulais même plus y penser... Rigolo, non ? Nous étions tellement sûrs que ça allait nous souder pour toujours...

Il secoua vivement la tête, tel un cheval incommodé par une mouche.

– Nous aurions suivi des chemins différents, de toute façon. C'est dans l'ordre des choses. Cathal est parti, je me suis marié...

– Et Shane ?

Il ricana.

– Je parie que vous savez qu'il est en taule. Shane... Si ce pauvre connard était né dix ans plus tard, tout aurait marché pour lui. Je ne dis pas qu'il aurait fait une carrière mirobolante, mais il aurait eu un travail convenable, peut-être une famille. Il a été une victime des années 1980, comme nombre de gens de notre génération. Quand le boom économique est arrivé, il était trop tard pour la plupart d'entre nous, trop âgés pour repartir de zéro. Cathal et moi avons simplement eu de la chance. J'étais nul en tout, sauf en maths, ce qui m'a permis de trouver un emploi dans une banque. Cathal, lui, a séduit une gosse de riche qui possédait un ordinateur et lui a appris à s'en servir. Quelques années plus tard, alors qu'on réclamait partout des informaticiens, il était un des seuls, en Irlande, à être capable d'autre chose que de mettre en marche ces foutues machines. Il est toujours retombé sur ses pieds, Cathal. Mais Shane... Il n'avait ni boulot, ni formation, ni perspectives d'avenir, ni famille. Qu'avait-il à perdre en devenant truand ?

J'avais du mal à éprouver une once de sympathie pour Shane Waters.

– Dans les minutes qui ont suivi le viol, dis-je presque malgré moi, avez-vous entendu un son étrange, peut-être un grand oiseau battant des ailes ?

Je laissai de côté la possibilité d'une voix humaine.

Jonathan me jeta un regard intrigué.

– Le bois était plein d'oiseaux, de renards, de tout ce que vous voudrez. Je n'aurais pas remarqué un bruit de plus ou de moins provenant d'un animal, surtout en cet instant. Je ne sais pas si j'ai réussi à vous faire comprendre dans quel état nous nous trouvions. Je n'étais plus moi-même. Je tremblais de tous mes membres, je ne voyais plus rien. Sandra n'arrivait plus à respirer. Couché dans l'herbe, Shane contemplait les arbres. Cathal avait le fou rire, titubait en faisant le tour de la clairière. Je l'ai menacé de lui foutre sur la gueule s'il ne la fermait pas. Alors, il s'est arrêté... Et le rire a retenti. Ce n'était pas le sien, ni celui d'aucun d'entre nous. Il venait des arbres... Sandra et Shane ont commencé à crier. J'ai peut-être hurlé moi aussi, je ne me rappelle plus. Le rire s'est amplifié, est devenu terrifiant. Cathal a braillé quelque chose à propos de ces foutus gosses. Mais ce n'était pas...

– Des gosses ?

Je fis un effort pour garder mon calme. J'eus soudain envie de déguerpir. Il n'y avait aucune raison pour que Jonathan me reconnaisse. Je n'avais été qu'un gamin parmi d'autres, bien plus blond qu'à présent, j'avais un accent différent et un autre nom.

Pourtant, je me sentis tout d'un coup affreusement nu et vulnérable.

– Ah, il y avait ces gosses du lotissement... Dix, douze ans... Ils jouaient toujours dans le bois. Parfois, ils nous espionnaient. Ils nous jetaient des cailloux puis s'enfuyaient. Mais ce rire ne venait pas d'eux. C'était un rire d'homme, jeune, d'à peu près notre âge. Pas celui d'un enfant.

Je faillis saisir la perche qu'il me tendait, lui assener : « Ces gamins ne vous espionnaient-ils pas ce jour-là ? Ne vous êtes-vous pas inquiétés de ce qu'ils pourraient raconter ? Qu'avez-vous fait pour les en empêcher ? » L'inspecteur en moi reprit le dessus. Je savais que je n'aurais qu'une chance et que je devais jouer ma partie sur mon propre terrain, avec mes propres armes.

– L'un de vous est-il allé voir ce que c'était ?

– Non. Nous étions, je vous l'ai dit, dans un état second. J'étais pétrifié. J'aurais été incapable de bouger. Le rire résonnait encore. J'ai eu peur que tout le lotissement l'entende, que les résidents affluent en masse vers la clairière. Finalement, il s'est estompé. L'homme s'est peut-être enfoncé dans le bois... Shane criait toujours. Cathal l'a giflé sur la nuque en lui ordonnant de se taire. Nous avons détalé à toutes jambes. Je suis rentré chez moi, j'ai piqué une des bouteilles de mon père et je me suis saoulé à mort. J'ignore ce qu'ont fait les autres.

Tant pis pour la mystérieuse bête sauvage chère à Cassie. Toutefois, il y avait donc peut-être eu quelqu'un dans le bois ce jour-là, quelqu'un qui, s'il avait assisté au viol, nous avait probablement vus, nous aussi ; et qui aurait pu se trouver là de nouveau une ou deux semaines plus tard.

– Avez-vous le moindre soupçon sur cette personne qui a éclaté de rire cet après-midi-là ?

– Non. Par la suite, Cathal nous a posé la même question. Il a insisté : il nous fallait découvrir qui était cet individu, ce qu'il avait vu. Je n'en ai aucune idée.

Je me levai.

– Merci de votre accueil, monsieur Devlin. Il se peut que j'aie d'autres questions à vous poser par la suite, mais ce sera tout pour l'instant.

– Attendez ! Pensez-vous que Sandra ait tué Katy ?

Le dos à la fenêtre, les mains dans les poches de son cardigan, il avait l'air misérable. Pourtant, il émanait de lui une dignité triste.

– Non, répondis-je. Je ne le pense pas. Cependant, nous ne devons négliger aucune possibilité.

– J'en conclus que vous n'avez pas de suspect. Oh, je sais, je sais, vous ne pouvez rien me révéler... Si vous parlez à Sandra, dites-lui que je suis désolé. Ce que nous avons fait est horrible. Il est un peu tard pour exprimer des regrets et j'aurais dû le faire il y a vingt ans. Mais transmettez-lui quand même le message.

Le même soir, j'allai voir Shane Waters à Mountjoy, où il purgeait sa peine pour vol à main armée. Cassie m'aurait certainement accompagné si je le lui avais demandé, mais je tenais à accomplir cette démarche seul. Toujours boutonneux, Shane avait une face de rat, les nerfs à vif et une horrible petite moustache. Il me rappela Wayne le junkie. J'essayai toutes les tactiques que je connaissais, lui promis tout ce qui me venait à l'esprit, jusqu'à une libération anticipée, partant du principe qu'il n'était pas assez futé pour savoir ce que je pourrais ou non lui obtenir. En l'occurrence, et c'est un de mes défauts, j'avais sous-estimé le pouvoir de la bêtise. Shane s'en tint avec obstination à la seule stratégie qu'il comprenait.

– Je sais que dalle, ne cessa-t-il d'affirmer avec une arrogance butée qui me donna envie de hurler. Et tu peux pas prouver le contraire.

Sandra, le viol, Peter et Jamie, et même Jonathan Devlin :

– Je vois pas de quoi tu parles, mec.

Je finis par renoncer quand je pris conscience de mon désir de lui jeter n'importe quel objet à la figure.

Sur le chemin du retour, je ravalai ma fierté et téléphonai à Cassie, qui ne chercha même pas à me faire croire qu'elle n'avait pas deviné où j'étais allé. Elle avait passé la soirée à éliminer Sandra Scully de l'enquête. La nuit en question, Sandra travaillait dans un centre d'appels de Dublin. Son patron et tous les membres de l'équipe confirmèrent qu'elle était restée à son poste jusqu'à 2 heures du matin, avant de prendre un Nitelink pour rentrer chez elle. C'était une bonne nouvelle : la soupçonner de meurtre ne me plaisait guère. J'eus une pensée attristée pour elle en l'imaginant dans un box confiné et violemment éclairé, entourée d'étudiants sans ressources ou d'acteurs au chômage attendant un rôle qui ne viendrait jamais.

Restait Cathal Mills. Il occupait une position importante, avec un titre ronflant, dans une société spécialisée dans la commercialisation de logiciels. Nous nous arrangeâmes, Cassie et moi, pour lui rendre visite en plein milieu d'une rencontre cruciale entre lui et de gros clients potentiels. Les bureaux eux-mêmes avaient l'air virtuels : longs couloirs sans fenêtres, escaliers ne menant nulle part, air tiède et lénifiant, ronronnement d'ordinateurs, voix étouffées, portes coulissantes.

Cathal se trouvait dans la salle de conférences. Il en imposait encore : grand, large d'épaules, yeux bleus expressifs, silhouette agressive. Il commençait néanmoins à s'empâter autour de la taille et sous les mâchoires. D'ici à quelques années, il deviendrait un notable bouffi, fier de sa vulgarité. Il s'entretenait avec ses nouveaux clients, quatre Américains identiques et sans humour, en costume sombre.

– Désolé, les gars, nous dit-il avec un sourire de commande, la salle de conférences est prise.

– Je vois ça, rétorqua Cassie.

Elle s'était habillée pour la circonstance : jean râpé, vieille camisole turquoise ornée, en rouge, du slogan « Les yuppies sentent le poulet ».

– Inspecteur Maddox.

– Inspecteur Ryan, ajoutai-je en exhibant ma carte. Nous aurions quelques questions à vous poser.

Le sourire persista, mais ses prunelles lancèrent des éclairs.

– Ce n'est pas le moment.

– Vraiment ? répliqua Cassie d'une voix enjôleuse en s'avançant vers la table.

– Non !

Il se tourna vers ses clients, qui, la mine maussade, feuilletaient des dossiers. Cassie poursuivit :

– Cette pièce me paraît convenir tout à fait pour un entretien informel. Toutefois, si vous le préférez, nous pourrions aller dans votre bureau.

– De quoi s'agit-il ?

Grosse erreur. Il en eut tout de suite conscience. Si nous avions déclaré quoi que ce soit de notre propre initiative devant les quatre clones, il aurait pu porter plainte pour harcèlement et ne s'en serait pas privé. Mais là, il avait lui-même posé la question.

– Nous enquêtons sur le meurtre d'une fillette, reprit Cassie, toujours aussi charmeuse. Ce crime a peut-être un rapport avec le viol présumé d'une jeune fille, et nous avons des raisons de croire que vous pourriez nous éclairer dans notre enquête.

Il ne lui fallut qu'une seconde pour se reprendre.

– Je ne vois pas en quoi, répondit-il d'un ton solennel. Mais s'il s'agit d'un assassinat d'enfant, bien sûr, je ferai tout mon possible...

Il fit pivoter son siège, s'adressa à ses clients.

– Chers amis, pardonnez cette interruption. Mais il s'agit d'une urgence. Fiona va vous faire visiter nos bureaux. Je vous retrouve ici dans quelques minutes.

– Optimiste, persifla Cassie. J'aime ça.

Cathal lui jeta un regard noir et appuya sur le bouton de l'Interphone.

– Fiona, pourriez-vous descendre jusqu'à la salle de conférences et emmener nos partenaires faire un tour de nos locaux ?

Je tins la porte aux quatre clones, toujours aussi guindés.

– Ravi d'avoir fait votre connaissance, leur dis-je.

– Ils sont de la CIA ? murmura Cassie.

Cathal avait déjà sorti son mobile. Il appela son avocat, dont il répéta le nom plusieurs fois, sans doute pour nous intimider, se renversa dans son siège, jambes écartées, lorgnant Cassie sans vergogne. Je fus tenté de lui lancer : « Vous m'avez offert ma première cigarette, vous vous en souvenez ? », uniquement pour me dire : « Tiens, il est moins à l'aise. » Cassie battit des cils et lui décocha un nouveau sourire, à la fois ironique et aguichant, qui le mit hors de lui. Il sortit son poignet de sa manche et consulta sa Rolex.

– Vous êtes pressé ? gloussa Cassie.

– Mon avocat sera là d'ici à une vingtaine de minutes. Épargnons-nous des désagréments et une perte de temps. De toute façon, je n'aurai rien à vous dire.

Elle se percha sur le coin de la table, le dos contre une pile de dossiers.

– Mon Dieu, gémit-elle. Nous faisons perdre vingt minutes au grand Cathal Mills, uniquement pour le viol d'une gamine. La vie est injuste.

– Maddox ! criai-je.

– Je n'ai jamais violé une fille de ma vie, martela Cathal avec dédain. Je n'ai jamais eu besoin de ça.

– Voilà qui est intéressant, minauda Cassie. Vous avez dû être mignon, autrefois. Je ne peux m'empêcher de m'interroger. Avez-vous des problèmes sexuels ? Tous les violeurs en ont. C'est ce qui les pousse à agresser les femmes. Ils essaient désespérément de se prouver leur virilité, malgré leurs petites faiblesses...

– Maddox !

– Montrez-moi votre carte ! aboya Cathal. Je vais porter plainte contre vous. Vous allez vous retrouver à la rue avant de comprendre ce qui vous est arrivé !

– Maddox ! répétai-je, imitant O'Kelly. Je voudrais vous dire un mot. Tout de suite !

– Vous savez, Cathal, ajouta-t-elle aimablement au moment de sortir, il existe aujourd'hui des traitements contre ce genre de défaillance.

Je lui pris le bras et l'entraînai vers le couloir. Une fois dehors, je la sermonnai assez fort pour être entendu. « Pauvre idiote, achetez-vous une conduite, il n'est même pas suspect », j'en passe... En ce qui concernait son innocence, j'étais dans le vrai. Nous avions appris avec consternation qu'il avait passé les trois premières semaines d'août aux États-Unis. Les relevés de sa carte de crédit le prouvaient amplement.

Cassie me sourit d'un air entendu. Je regagnai la salle de conférences.

– Monsieur Mills, je suis vraiment désolé pour cet incident.

– Je n'envie pas votre métier, mec.

Il était furieux. Le rouge lui montait aux joues. Je me demandai si Cassie n'avait pas tapé dans le mille, si Sandra ne lui avait pas confié des détails qu'elle n'avait jusque-là dévoilés à personne.

– Racontez-moi, lui dis-je en m'asseyant devant lui. Ma collègue a pété un plomb. À votre place, je ne prendrais même pas la peine de porter plainte.

– Ce qui manque à cette conne, vous le savez aussi bien que moi, non ?

– Bien sûr. Nous le savons tous. Vous êtes volontaire ?

Il ricana, je ricanai.

– Écoutez, poursuivis-je. Il n'y a aucune chance pour que nous arrêtions qui que ce soit pour ce viol présumé. Même si l'histoire est vraie, il y a prescription depuis des années. J'enquête sur un meurtre. Le reste, je m'en moque.

Il sortit de sa poche des chewing-gums destinés à blanchir les dents, en fourra un dans sa bouche, me lança le paquet. Je déteste les chewing-gums, mais j'en pris un. Il commençait à se calmer, devenait moins écarlate.

– Vous cherchez à savoir ce qui est arrivé à la gamine de Devlin ?

– Tout juste. Vous connaissez son père. Avez rencontré Katy ?

– Non. Jonathan était un ami d'enfance, mais nous ne sommes pas restés en relation. Sa femme est un cauchemar. Autant avoir une conversation avec du papier peint.

– Je sais. J'ai eu affaire à elle, dis-je gaiement.

– Bien. C'est quoi, cette histoire de viol ?

Il mâchait tranquillement son chewing-gum, tout en me scrutant avec la méfiance d'une bête.

– En fait, nous traquons tout ce qui peut paraître étrange dans la vie des Devlin. Et nous avons appris que vous, Jonathan et un dénommé Shane Waters avez fait quelque chose de pas très propre à une fille au cours de l'été 1984. Qu'en est-il exactement ?

J'aurais aimé insister sur le pacte passé par les trois complices. Mais je n'avais pas le temps. Dès l'arrivée de son avocat, il ne me resterait plus qu'à me taire.

– Shane Waters, murmura Cathal. Il y a des années que je n'ai pas entendu son nom.

– Vous n'êtes pas tenu de dire quoi que ce soit sans la présence de votre avocat. Vous n'êtes pas soupçonné de ce meurtre.

Je sais que vous n'étiez pas en Irlande cette semaine-là. Je ne cherche que des renseignements sur les Devlin.

– Vous croyez que Jonathan a buté sa propre fille ?

Il eut l'air amusé. Je répondis :

– Cette suggestion vient de vous. Vous le connaissez mieux que moi.

Il renversa la tête et éclata de rire, ce qui tout à coup le rajeunit. Pour la première fois, je le reconnus tel qu'il m'était apparu autrefois : cruel, méprisant, sans pitié.

– Écoutez, mon pote. Laissez-moi vous avouer ce que je pense de Devlin. C'est une lavette. Il joue les fiers-à-bras, mais c'est du pipeau. Il n'a jamais pris un risque de sa vie, sauf quand j'étais là pour le pousser. Voilà pourquoi il a fini là où il est. Et voilà pourquoi je suis ici, conclut-il en désignant la salle de conférences.

– L'idée du viol ne venait donc pas de lui.

Il brandit son index sous mon nez, comme pour me dire : « Bien essayé. »

– D'où tenez-vous qu'il s'agissait d'un viol ?

Je lui rendis son rictus.

– Allons, vous savez bien que je ne peux rien vous dévoiler. Selon des témoins...

– Bien, répondit-il, mâchonnant toujours son chewing-gum, un pli insolent au coin des lèvres. Mettons les choses au point. Il n'y a pas eu viol. Mais s'il y en avait eu un, Jonathan n'aurait jamais eu les couilles de le concevoir. Et s'il s'était vraiment produit, il aurait eu, ensuite, une telle trouille qu'il en aurait chié dans son froc, affolé par la présence d'éventuels témoins. Devant les flics, terrorisé à l'idée de finir en taule, il nous aurait tous donnés. Ce type n'a rien dans les tripes. Il serait incapable de tuer un chaton. Alors, un enfant...

– Et vous ? Vous ne vous êtes pas inquiété de ces témoins ?

– Moi ?

Ses traits s'épanouirent.

– Jamais. Si ce dont vous me parlez avait eu lieu, je m'en serais foutu, parce que je m'en serais tiré de toute façon.

– Je propose de l'arrêter, dis-je ce soir-là chez Cassie.

Sam assistait, à Ballbridge, à une sauterie en l'honneur des vingt et un ans de son cousin. Nous étions donc seuls tous les deux, assis sur le canapé, sirotant du vin et nous interrogeant sur la façon de procéder avec Jonathan Devlin.

– Pour quel motif ? objecta-t-elle. Impossible de le charger du viol. Nous pourrions, à la rigueur, l'appréhender pour le cuisiner sur Peter et Jamie, mais nous n'avons pas de témoin susceptible d'affirmer qu'ils se trouvaient sur les lieux à ce moment-là. Nous n'avons donc pas de mobile. Sandra ne vous a pas vus, et si tu apparais en pleine lumière, cela compromettra ton implication dans l'enquête, sans compter qu'O'Kelly te les coupera et en fera une décoration pour son sapin de Noël. Nous n'avons rien non plus reliant Jonathan à la mort de Katy, hormis des troubles digestifs dus à d'hypothétiques abus sexuels, dont rien ne prouve qu'il soit responsable. Nous pouvons uniquement lui demander de venir à la brigade pour s'entretenir avec nous.

– Je voudrais simplement le faire sortir de cette maison. Je m'inquiète pour Rosalind.

C'était la première fois que j'exprimais aussi nettement mon anxiété. Cela avait peu à peu grandi en moi après son premier coup de téléphone et prenait, depuis deux jours, des proportions que je ne pouvais plus ignorer.

– Rosalind ? Pourquoi ?

– Tu as suggéré que notre homme ne tuait que s'il se sentait menacé. Cela concorde avec tout ce que nous savons. Selon Cathal, Jonathan était terrorisé à l'idée que nous racontions la scène du viol. Et il nous a poursuivis. Envisageons l'hypothèse suivante : Katy décide de cesser d'être malade, menace peut-être son père de tout révéler. Alors, il la tue. S'il découvre que Rosalind s'est confiée à moi...

– À mon avis, tu n'as pas à te faire du souci pour elle, répondit Cassie en terminant son vin. Nous nous trompons peut-être du tout au tout à propos de Katy. Ce ne sont que des suppositions. Et je n'accorderais pas trop de prix aux allégations de Cathal Mills. J'ai reconnu en lui un psychopathe ; il est plus facile à ces gens-là de mentir que de dire la vérité.

Je fronçai les sourcils.

– Tu ne l'as entrevu que cinq minutes et tu le catalogues déjà ? Il m'a surtout fait l'effet d'un parfait salaud.

Elle haussa les épaules.

– Je ne prétends pas être sûre de ce que j'avance. Toutefois, les gens comme lui sont faciles à repérer, si on a quelques notions.

– C'est ce qu'on t'a enseigné à Trinity College ?

Elle s'empara de mon verre, se leva pour aller le remplir en même temps que le sien.

– Pas exactement, répliqua-t-elle depuis le frigo. Mais j'ai connu un psychopathe, autrefois.

Elle me tournait le dos. Rien, dans sa voix, ne trahissait une émotion quelconque.

– J'ai vu une émission sur Discovery Channel, dis-je, où l'on soutenait que les psychopathes constituent cinq pour cent de la population. La plupart n'enfreignent jamais la loi et ne sont donc jamais diagnostiqués. Je te parie que la moitié des membres du gouvernement...

– Rob, tais-toi. S'il te plaît. J'essaie de te dire quelque chose.

Cette fois, je perçus sa tension. Elle revint vers moi, me tendit mon verre, marcha jusqu'à la fenêtre et posa le sien sur le rebord, où elle s'adossa.

– Tu voulais savoir pourquoi j'avais quitté l'université, commença-t-elle. En deuxième année, je me suis liée avec un étudiant de ma classe. Il était très populaire, assez beau gosse, charmant, intelligent et intéressant. Je n'avais pas le béguin pour lui, mais ses attentions me flattaient. Nous séchions les cours et passions des heures dans les bars. Il m'offrait des cadeaux, des objets bon marché dont certains semblaient avoir déjà servi, mais nous étions fauchés et, après tout, il n'y a que l'intention qui compte. Tout le monde trouvait notre relation attendrissante.

Elle but une gorgée de vin, l'avala lentement.

– Je me suis aperçue très vite qu'il mentait, la plupart du temps sans raison. Mais il m'avait raconté qu'il avait eu une enfance épouvantable et qu'on l'avait persécuté à l'école. J'en ai conclu qu'il fabulait pour se protéger. J'ai cru, mon Dieu, j'ai cru que je pourrais l'aider. S'il se sentait épaulé par une amie, il irait mieux et n'éprouverait plus le besoin de se réfugier derrière ses bobards. J'avais à peine dix-neuf ans...

Je n'osais pas bouger, pas même pour reposer mon verre. Je redoutais qu'elle ne s'écarte de la fenêtre au moindre mouvement, évacuant le sujet avec un commentaire désinvolte. La tension qui déformait sa bouche la vieillissait ; et j'eus la certitude qu'elle ne s'était jamais ouverte de cet épisode à personne.

– Je n'ai même pas pris conscience que je m'éloignais peu à peu de mes autres amis. Il se montrait jaloux chaque fois que je passais du temps avec eux. Pour tout dire, il faisait la tête souvent, pour Dieu sait quelles raisons. Je passais des heures à me demander ce que j'avais bien pu faire. À chaque rendez-vous, je ne savais jamais s'il allait m'accueillir avec des compliments et des embrassades, ou avec froideur. Il n'y avait aucune logique dans son comportement. Par exemple, il m'empruntait mes notes de cours juste avant les contrôles, oubliait de me les rendre, puis prétendait les avoir perdues, avant de prendre une mine outrée si je les voyais dépasser de sa sacoche... Ça me mettait dans de tels états de rage que j'avais envie de le tuer de mes propres mains. Mais il se montrait ensuite si adorable que je n'arrivais pas à m'en détacher. Je ne voulais surtout pas le blesser...

Elle s'y reprit à trois fois pour allumer une cigarette.

– Cela a duré presque deux ans. En janvier de la troisième année, il m'a fait des avances dans mon appartement. Je les ai repoussées. J'ignore pourquoi. J'étais tellement troublée que je savais à peine ce que je faisais... Grâce à Dieu, mon instinct de survie était encore intact. Je lui ai dit que je préférais que nous restions amis. Il a accepté de bonne grâce, nous avons parlé quelque temps, puis il est parti. Le lendemain, en cours, tout le monde avait les yeux braqués sur moi. Toutefois, personne ne m'adressa la parole. Il me fallut quinze jours pour découvrir le fin mot de l'histoire. Je finis par entreprendre une amie, Sarah-Jane, que j'avais connue en première année. Elle m'a répondu que tous étaient au courant de mes agissements.

Elle tira longuement sur sa cigarette. Elle me fixait, mais sans vraiment me voir. Elle avait les yeux dilatés, comme ceux de Jessica Devlin.

– Le soir où je l'ai repoussé, il s'est rendu chez des filles de mon cours. Il est arrivé en larmes. Il leur a raconté que lui et moi avions eu une liaison secrète et qu'il s'était rendu compte que nous ne nous entendions pas. Alors, je l'avais menacé, s'il rompait avec moi, de crier sur les toits qu'il m'avait violée, de porter plainte, de m'adresser aux journaux, de ruiner sa vie.

Elle tapota sa cendre, rata le cendrier. Sa confession me parut soudain aller de soi. Les événements qui, depuis quelques semaines, bouleversaient mon existence ne pouvaient qu'aboutir, de sa part, à ces confidences qui venaient à leur heure. Elle me dévoilait une part de son jardin secret, que j'aurais sans doute devinée si je m'étais montré plus attentif.

– Mon Dieu..., murmurai-je, simplement parce que tu avais blessé son ego ?

– Pas uniquement.

Je notai la vibration de son chandail rouge vif, juste au-dessus du cœur. Le mien, lui aussi, battait à se rompre.

– Parce qu'il s'ennuyait. Comme il ne pouvait pas prendre du bon temps avec moi, il avait décidé de s'amuser autrement. Ce n'était qu'un jeu.

– As-tu révélé à cette Sarah-Jane ce qui s'était passé ?

– Bien sûr. Je l'ai raconté à tous ceux qui acceptaient encore de m'entendre. Personne ne m'a crue. Ils l'ont tous cru, lui : mes copines de fac, nos relations communes, c'est-à-dire tous les gens que je connaissais. Des gens censés être mes amis.

– Oh, Cassie...

Je brûlais du désir de la prendre dans mes bras, de la serrer contre moi jusqu'à ce que sa terrible rigidité disparaisse, que ses souvenirs la quittent. Son immobilité, ses épaules crispées m'en empêchèrent. J'ignorais comment elle aurait accueilli mon geste. Peut-être lui aurait-il fait plus de mal que de bien. Je restai là, figé, impuissant.

Elle alluma une cigarette au mégot de la précédente, ce que je ne lui avais jamais vu faire.

– J'ai tenu bon pendant encore une quinzaine de jours. Lui était toujours entouré d'admirateurs qui prenaient son parti et me regardaient de travers. Certains allèrent jusqu'à m'affirmer que j'incarnais les raisons pour lesquelles les véritables violeurs s'en sortent toujours. Une fille me jeta au visage que je méritais d'être violée, pour prendre conscience de l'horreur de mon attitude.

Elle ricana avec amertume.

– C'est drôle, non ? Cent étudiants en psychologie, et pas un seul n'a reconnu en lui un psychopathe classique. Le plus étrange, c'est que je souhaitais avoir fait ce qu'il feignait de me reprocher. Dans ce cas, ma situation aurait eu un sens : j'aurais récolté ce que je méritais. Or je n'avais rien fait de tout cela. Pourtant, j'en subissais les conséquences, alors qu'il n'y avait aucun lien de cause à effet. J'ai cru devenir folle.

Je me penchai vers elle, très lentement, comme vers un animal terrorisé, et lui pris la main. Ça, au moins, je réussis à le faire. Elle eut un rire de gorge, serra mes doigts, puis les lâcha.

– Un jour, il a fini par m'aborder à la cafétéria. Les filles essayaient de le retenir. Il les a courageusement repoussées, a marché vers moi et a crié, pour que toutes puissent l'entendre : « S'il te plaît, arrête de me téléphoner au milieu de la nuit. Qu'est-ce que je t'ai fait ? » J'étais ahurie. Je n'ai pu que lui répondre : « Mais je ne t'ai pas téléphoné. » Il a acquiescé, comme pour me dire : « Je sais. » Puis il a chuchoté à mon oreille : « Si je force ta porte et que je te viole, qui te croira ? » Il m'a souri et a rejoint ses groupies.

– Tu devrais peut-être faire installer une alarme chez toi. Je ne voudrais pas t'effrayer, mais...

– Et puis quoi ? Ne plus jamais quitter cet appartement ? Je ne peux pas me permettre de sombrer dans la paranoïa. J'ai de bonnes serrures et je garde mon flingue sous mon lit.

Bien sûr, je l'avais remarqué. Mais bon nombre de flics ne se sentent à l'aise que s'ils ont leur arme à portée de main.

– De toute façon, je suis sûre qu'il ne passera jamais à l'acte. Je sais comment il fonctionne. Malheureusement... Penser que je le crains l'amuse bien plus que la perspective de me violer.

Elle tira une dernière bouffée de sa cigarette, se pencha pour l'écraser. Son dos était si rigide que son mouvement parut douloureux.

– Cet enfer m'a poussée à abandonner mes études. Je suis partie pour la France. J'ai des cousins à Lyon. J'ai vécu un an chez eux, en travaillant comme serveuse dans un café. C'est là que j'ai acheté ma Vespa. Ensuite, je suis rentrée et j'ai posé ma candidature pour Templemore.

– À cause de lui ?

– Sans doute. D'un mal est peut-être sorti un bien. Autre avantage : les psychopathes, maintenant, je les flaire de loin. Comme une allergie à laquelle je serais devenue ultrasensible...

Sans hâte, elle vida son verre.

– L'année dernière, dans un pub, je suis tombée sur Sarah-Jane. Elle m'a assuré qu'il allait bien – « en dépit de tous tes efforts » a-t-elle dit –, puis elle a passé son chemin.

Je gardai le silence un instant.

– Est-ce que tes cauchemars tournent autour de cette histoire ? demandai-je enfin.

Je l'avais tirée deux fois de ses rêves alors que nous enquêtions sur des viols suivis de meurtres. Elle s'agrippait à moi, murmurait des paroles incompréhensibles. Mais elle n'était jamais entrée dans les détails.

– Oui. Je rêve qu'il est l'homme que nous recherchons, mais que nous ne pouvons pas le prouver. Et quand il découvre que je suis sur l'affaire, il... enfin... il agit.

Sur le moment, je crus vraiment qu'elle rêvait qu'il mettait sa menace à exécution. Je me trompais : je n'avais pas saisi l'essentiel, je n'avais pas compris où se trouvait le vrai danger. Je crois que ce fut ma plus grande erreur.

– Comment s'appelle-t-il ?

Je souhaitais désespérément l'aider, enquêter sur le passé de cet homme, trouver un moyen de l'empêcher de nuire.

Cassie me considéra un long moment. Puis, avec une haine glacée, elle répondit :

– Légion.

Chapitre 14

Nous avons convoqué Jonathan le lendemain. Je lui téléphonai et lui demandai, de mon ton le plus professionnel, de bien vouloir se rendre à la brigade après son travail, pour nous éclairer sur quelques points de détail. Sam avait fait entrer Andrews dans la salle d'interrogatoire principale, la grande, dotée d'une pièce de « tapissage » protégée par un miroir sans tain, permettant de confronter un témoin ou une victime à un suspect placé au milieu d'une rangée d'anonymes.

– Jésus, Marie et les sept nains ! s'était écrié O'Kelly, voilà que des suspects sortent tout d'un coup du bois ! J'aurais dû vous retirer les stagiaires plus tôt, bande de glandeurs. Magnez-vous le train, tous les trois !

La salle annexe nous convenait très bien. Nous voulions une pièce de dimensions réduites. Plus elle serait petite, mieux cela vaudrait. Nous l'avions décorée avec soin, comme une scène de théâtre. Des photos de Katy, vivante et morte, couvraient la moitié d'un mur. Sur l'autre, des clichés de Peter et de Jamie, des baskets ensanglantées, de mes genoux écorchés. Dans les coins s'entassaient des dossiers, de la paperasse incompréhensible, des classeurs aux étiquettes énigmatiques.

– Ça devrait aller, dis-je en observant le résultat.

C'était très impressionnant, cauchemardesque à souhait.

Un cliché du cadavre de Katy se détacha du mur. Cassie le remit en place. Sa main resta quelques secondes sur le bras nu et gris de la fillette. Je savais ce qu'elle pensait : si Devlin était innocent, c'était de la cruauté gratuite. Je m'en moquais. La cruauté fait partie de notre travail, plus souvent que nous ne le souhaiterions.

Il nous restait une demi-heure avant la fermeture de la banque de Devlin. Nous étions trop fébriles pour nous concentrer sur autre chose. La salle d'interrogatoire commençait, avec tous ces regards figés, à me donner la chair de poule. C'était bon signe. Je sortis et me rendis dans la pièce de tapissage, pour voir comment Sam se débrouillait.

Il avait enquêté : Terence Andrews avait à présent un grand carré du tableau pour lui tout seul. Après de médiocres études de commerce, il avait décroché le gros lot en épousant, à trente-trois ans, Dolores Lehane, une riche héritière de Dublin dont le père, promoteur prospère, lui avait mis le pied à l'étrier. Dolores l'avait quitté trois ans plus tôt et vivait à présent à Londres. Ils n'avaient pas eu d'enfant, mais leur mariage avait été très productif : Andrews s'était constitué un petit empire, concentré dans le grand Dublin, avec des ramifications à Budapest et à Prague. La rumeur insinuait que les avocats de Dolores et le fisc n'en connaissaient pas la moitié.

Toutefois, selon Sam, il avait eu les yeux plus gros que le ventre. Son train de vie, sa Porsche aux vitres teintées et ses cartes de membre de différents clubs de golf n'étaient que de la poudre aux yeux. En fait, Andrews disposait d'à peine plus de liquidités que moi. Son banquier commençait à se montrer réticent et, au cours des six derniers mois, l'avait obligé à vendre une partie de ses terrains, toujours privés d'infrastructures, pour rembourser les emprunts avec lesquels il avait acquis le reste.

– Si l'autoroute ne traverse pas très vite Knocknaree, avait résumé Sam, il est cuit.

Andrews m'avait été antipathique avant même que je le rencontre, et ce que je vis ne me fit pas changer d'avis. Petit, presque chauve, rubicond, il avait une bedaine énorme et un œil qui louchait. Au lieu de cacher ces disgrâces, il s'en servait comme d'une arme. Il trimbalait sa panse comme le symbole de son statut social, semblant clamer à la face de tous : « Pas de Guinness bon marché là-dedans, mon mignon, mais des repas dans des restaurants que tu ne pourras jamais t'offrir, même en trimant un million d'années. » En ce qui concernait son œil, il ricanait chaque fois que Sam, un instant distrait, cherchait à savoir ce qu'il fixait.

Bien entendu, il était flanqué de son avocat et il ne répondit qu'à une question sur dix. Sam avait réussi, en épluchant des dizaines de dossiers, à prouver qu'il possédait de nombreux terrains à Knocknaree. Andrews avait alors cessé de marteler qu'il n'avait jamais entendu parler de ce trou. Cela étant, il refusa d'évoquer sa situation financière. Son avocat l'approuva, déclarant d'un air lugubre : « Mon client ne peut délivrer aucune information à ce sujet. » Tous deux se montrèrent profondément outrés lorsque Sam mentionna les coups de téléphone de menaces. Je m'agitais et consultais ma montre toutes les trente secondes. Appuyée contre le miroir sans tain, Cassie croquait une pomme et, parfois, m'en offrait négligemment un morceau.

Andrews avait un alibi pour la nuit de la mort de Katy, et il accepta à contrecœur de le fournir. Il avait joué au poker avec des « potes » à Killney. La partie s'était terminée vers minuit. Les flics étant moins compréhensifs qu'autrefois, précisa-t-il en clignant de l'œil vers Sam, il avait décidé de ne pas prendre sa voiture pour rentrer chez lui et de dormir chez ses amis. Il donna leur numéro de téléphone afin que l'on puisse vérifier.

– C'est parfait, dit Sam. Il ne nous reste plus qu'à soumettre votre voix au plaignant.

Andrews poussa les hauts cris, menaça Sam des pires représailles pour l'avoir dérangé un jour ouvrable et lui avoir fait perdre des fortunes, tout cela pour faire écouter sa voix à quelqu'un dont il n'avait jamais entendu parler. Sam avait raison : il glapissait.

– Nous pouvons prendre rendez-vous, monsieur Andrews. Nous n'avons nul besoin de procéder à cette confrontation maintenant. Si cela vous convient mieux, vous pourriez revenir ce soir ou demain matin, en dehors de vos heures de travail. Qu'en dites-vous ?

Andrews fit la moue. Son avocat, si banal que je n'en ai gardé aucun souvenir, demanda à s'entretenir un instant avec son client. Sam éteignit la caméra et nous rejoignit dans la salle de tapissage en desserrant sa cravate.

– Salut. Joli spectacle, non ?

– Fascinant, répondis-je. Ce doit être encore plus réjouissant de l'intérieur.

– Ce type est un sacré numéro. Tu as remarqué son œil ? Il m'a fallu un temps fou pour m'y habituer. Au début, je le croyais incapable de fixer son attention.

– Ton suspect est plus marrant que le nôtre, dit Cassie. Notre homme n'a même pas un tic.

– À ce propos, ajoutai-je, ne programme pas la confrontation pour ce soir. Devlin a un rendez-vous capital avec nous. Ensuite, il sera à prendre avec des pincettes.

Si nous avions vraiment de la chance, cette affaire, ou plutôt les deux affaires seraient bouclées ce soir-là. Andrews ne nous serait d'aucune utilité.

– C'est vrai ! s'exclama Sam. J'avais oublié. Désolé. Nous avançons quand même, non ? Deux bons suspects en deux jours...

– On est des champions ! lança Cassie.

Nous étions surexcités. Sam ajouta :

– Je ne m'attendais pas à obtenir grand-chose de lui aujourd'hui. Je veux juste le déstabiliser un peu et le pousser à accepter la confrontation avec Devlin. Si elle est positive, je pourrai lui mettre la pression. Cela étant, en dépit de son air bravache, il n'est pas très à l'aise. J'ai senti une odeur d'alcool dans son haleine. Si la perspective de se retrouver ici l'a assez perturbé pour qu'il boive un coup avant de venir, c'est qu'il a quelque chose à cacher. Il ne s'agit peut-être que des coups de téléphone, mais...

L'avocat d'Andrews se leva, s'essuya les paumes contre son pantalon et agita nerveusement la main en direction du miroir sans tain.

– Deuxième round, dit Sam en essayant de rajuster sa cravate. À tout à l'heure, les potes. Bonne chance à vous.

Cassie et moi sommes sortis fumer une cigarette. Nous n'en aurions peut-être pas l'occasion avant longtemps. Nous nous sommes assis contre la rambarde d'un petit pont qui enjambait une des allées. Le crépuscule baignait le parc du château d'une lumière dorée, mélancolique. Sac au dos, des touristes en short, insensibles à la fraîcheur, s'extasiaient sur les créneaux. Sans raison, l'un d'eux nous prit en photo.

L'humeur de Cassie avait brusquement changé. Les mains sur les genoux, sa cigarette se consumant entre ses doigts, elle semblait plongée dans une rêverie profonde. Je respectai son silence. Je ne pensais qu'à Devlin. Nous allions faire tout notre possible pour le déstabiliser. S'il devait craquer, ce serait ce soir. Je n'avais pas la moindre idée de ce que je ferais, ni de ce qui se passerait si cela se produisait.

Brusquement, Cassie me donna un coup de coude.

– Regarde.

Je me retournai. Devlin traversait le parc, les épaules en avant, les mains dans les poches de son pardessus marron. Les hautes murailles, la façade arrogante du château, les saints sculptés et les gargouilles auraient dû l'écraser. Pourtant, ils semblaient l'entourer, le grandir, faire de lui, en cet instant, le centre du parc. Il ne nous avait pas vus. Il marchait tête basse, face au soleil. Derrière lui, son ombre s'étirait sur les pavés.

Il passa sous nous, se dirigea d'un pas traînant vers la porte de nos locaux. J'écrasai ma cigarette.

– Le moment est venu.

Je me levai, tendis la main à Cassie pour l'aider à se remettre sur ses pieds. Elle ne bougea pas, plongea ses yeux dans les miens.

– Qu'est-ce qu'il y a ?

– Tu ne devrais pas procéder à cet interrogatoire.

Je ne répondis pas. Au bout d'un moment, elle eut un geste désabusé, saisit ma main et me laissa la relever.

Nous avons introduit Devlin dans la salle d'interrogatoire. En apercevant les photographies accrochées au mur, il se raidit mais ne fit aucun commentaire.

– Inspecteurs Maddox et Ryan interrogeant Jonathan Devlin, proclama Cassie en sortant d'un des classeurs un énorme dossier. Vous n'êtes pas obligé de déclarer quoi que ce soit si vous ne le souhaitez pas. Sachez néanmoins que ce que vous direz sera consigné et pourra être utilisé contre vous. Nous sommes d'accord ?

– Suis-je en état d'arrestation ? murmura Jonathan, toujours dans l'encadrement de la porte. Pour quelle raison ?

Je l'apaisai.

– Certes non. Ces préliminaires ne constituent qu'une simple routine. Nous tenons simplement à vous mettre au courant de l'évolution de l'enquête, à voir si vous pourriez nous aider à faire un pas de plus.

– Si vous étiez en état d'arrestation, précisa Cassie, vous le sauriez déjà. Qu'est-ce qui vous fait croire que nous pourrions vous appréhender ?

Il haussa les épaules. Elle lui sourit, tira une chaise en face de l'horrible mur.

– Installez-vous.

Après un instant d'appréhension, il enleva lentement son pardessus et s'assit.

Je lui détaillai les différentes étapes de l'enquête. Étant celui auquel il avait fait confiance au point de me raconter son histoire, je me comportai comme son allié, du moins provisoirement. Je me montrai honnête avec lui. Je lui fis part des pistes que nous avions suivies, des analyses faites par le labo. Je lui débitai la liste de tous les suspects que nous avions identifiés, puis éliminés : les résidents du lotissement l'accusant de s'opposer au progrès, les pédophiles, les camés, la mystérieuse silhouette en survêtement, l'individu qui trouvait indécents les collants de danse de Katy, Sandra... Je sentais, derrière moi, la présence muette des photographies, qui semblaient attendre. Jonathan réussit à garder les yeux rivés sur moi. Il faisait un énorme effort pour éviter les clichés. Il paraissait épuisé.

– Vous êtes donc en train d'admettre que vous n'avez rien, articula-t-il pesamment.

– Oh, non ! répondit Cassie, assise près de la table, le menton dans la paume. Ce que l'inspecteur Ryan cherche à vous dire, c'est que nous avons parcouru un long chemin au cours de ces dernières semaines. Nous avons éliminé beaucoup de monde. Et voilà ce qui subsiste.

Elle se tourna vers le mur. Lui continuait à la fixer.

– Nous avons la preuve que l'assassin de votre fille est un habitant de Knocknaree, qui connaît intimement les lieux. Les résultats des expertises relient la mort de Katy à la disparition, en 1984, de Peter Savage et Jamie Rowan, ce qui implique que l'assassin a probablement dans les trente-cinq ans et entretient des liens étroits avec le lotissement depuis plus de vingt ans. Nombre d'hommes qui correspondent à cette description ont des alibis, ce qui restreint le champ des suspects.

– Nous avons également toutes les raisons de penser, ajoutai-je, que l'assassin n'est pas un tueur compulsif. Il n'assassine pas au hasard. Il ne le fait que parce qu'il estime ne pas avoir le choix.

– Vous pensez donc qu'il est fou, conclut Jonathan. Un malade...

– Pas obligatoirement. Je dis simplement que, parfois, les situations dérapent. Il arrive qu'elles se terminent en tragédies que personne ne souhaitait vraiment.

– Vous constaterez, poursuivit Cassie, qui, les bras derrière la tête, ne cessait de l'observer, que cela réduit encore le nombre de pistes possibles. Nous allons confondre ce type. Nous nous en rapprochons de jour en jour. Aussi, si vous avez quelque chose à nous dire à propos des deux affaires, c'est le moment.

Jonathan ne réagit pas tout de suite. Seul le grésillement des néons et le craquement monotone de la chaise que Cassie balançait sur deux pieds, heurtant régulièrement le mur, troublaient le silence. Devlin se retourna, regarda enfin les photos : Katy riant sur une pelouse, les cheveux au vent et un sandwich à la main, Katy avec un œil à demi fermé, la lèvre maculée de sang séché... Le chagrin muet de cet homme était insupportable. Je dus me faire violence pour rester immobile.

Le silence devint plus pesant encore. Un changement imperceptible, que je connaissais bien, se produisit chez Devlin. Tout inspecteur reconnaît cet affaissement de la bouche et de la silhouette qui précède l'instant où le suspect passe aux aveux et, presque soulagé, baisse la garde. Cassie ne balançait plus sa chaise. Mon sang battait dans ma gorge. J'avais l'impression que, derrière moi, les photographies respiraient doucement, qu'elles se détacheraient du mur, longeraient le couloir et s'enfonceraient dans la nuit tombante, si seulement il consentait à parler.

Il s'essuya la bouche, croisa les bras et s'adressa à Cassie.

– Non. Il n'y a rien.

Elle expira profondément, en même temps que moi. Nous avions trop espéré. Il était encore trop tôt pour que Devlin s'abandonne. Toutefois, la première seconde de désarroi passée, je me ressaisis. À présent, j'en étais sûr : Devlin savait quelque chose.

D'une légère secousse, Cassie remit sa chaise en place, bien calée sur le sol.

– Bien. Revenons au début. Le viol de Sandra Scully. Que s'est-il passé, exactement ?

Jonathan tourna vivement la tête vers moi. Je le rassurai.

– Ne vous inquiétez pas. Il y a prescription.

En fait, nous n'avions même pas pris la peine de vérifier. À quoi bon ? Il n'y avait aucune chance, de toute façon, pour que nous puissions l'accuser.

– Été 1984, dit-il enfin. J'ai oublié la date exacte.

Cassie ouvrit le dossier.

– Selon certaines dépositions, cet événement se serait produit au cours de la première quinzaine d'août.

– C'est possible.

– D'autres dépositions affirment qu'il y a eu des témoins.

Il haussa les épaules.

– Aucune idée.

– Pourtant, Jonathan, on nous a raconté que vous les avez poursuivis dans le bois et que vous êtes revenu en grommelant : « Foutus gosses. » Tout laisse donc penser que vous n'ignoriez pas leur présence.

– Peut-être. Je ne m'en souviens pas.

– Comment avez-vous réagi à l'idée que des enfants savaient ce que vous aviez fait ?

Nouveau haussement d'épaules.

– Je vous l'ai dit : je ne me souviens pas de ça.

– Selon Cathal, poursuivit Cassie en tournant des pages, vous aviez peur qu'ils aillent voir les flics. Vous étiez même terrorisé. Il ajoute, je cite, que vous en avez « chié dans votre froc », fin de citation.

Pas de réponse. Devlin se cala sur sa chaise, les bras croisés, plus solide qu'un roc.

– Que comptiez-vous faire pour les empêcher de vous balancer ?

– Rien.

Cassie s'esclaffa.

– Allons, Jonathan. Nous connaissons l'identité de ces témoins.

– Vous êtes donc mieux renseignés que moi.

Il restait maître de lui, mais le rouge lui montait aux joues. Il commençait à être en colère.

– Et quelques jours après le viol, deux d'entre eux ont disparu.

Cassie se leva sans hâte, traversa la pièce jusqu'au mur tapissé de clichés.

– Peter Savage, annonça-t-elle, un doigt sur sa photo de classe. S'il vous plaît, monsieur Devlin, j'aimerais que vous regardiez cette photographie.

Il obéit de mauvaise grâce.

– C'était, paraît-il, un chef-né. S'il avait vécu, il aurait pu diriger avec vous la campagne contre l'autoroute. Aujourd'hui encore, ses parents refusent de déménager. Il y a quelques années, on a offert à John Savage le poste dont il rêvait, ce qui l'aurait obligé à s'installer à Galway. Sa femme et lui n'ont pu s'y résoudre. Ils ne supportaient pas l'idée que Peter réapparaîtrait un jour, pour trouver sa maison vide.

Jonathan tenta de dire quelque chose. Cassie ne lui en donna pas le temps. Sa main glissa jusqu'à une autre photographie.

– Germaine Rowan, alias Jamie. Elle voulait devenir vétérinaire. Sa mère n'a pas déplacé un seul objet dans sa chambre, qu'elle nettoie tous les samedis. Lorsque, dans les années 1990, vous vous en souvenez sans doute, les numéros de téléphone ont compté sept chiffres, elle est allée trouver l'agence centrale de Telecom Eireann et, en larmes, a supplié les responsables de lui laisser son numéro à six chiffres, au cas où, un jour, Jamie essaierait d'appeler chez elle.

– Nous n'avions rien...

Cassie lui coupa de nouveau la parole, sa voix couvrant la sienne. Elle désignait à présent le cliché de mes genoux écorchés.

– Et enfin, Adam Ryan. Ses parents, eux, sont partis, pour fuir la pression médiatique et, surtout, parce qu'ils craignaient que le ravisseur ne s'attaque de nouveau à leur fils. Ils n'ont plus donné signe de vie. Où qu'il se trouve, Adam subit tous les jours les conséquences de ce qui lui est arrivé. Vous aimez Knocknaree, n'est-ce pas, Jonathan ? Vous êtes heureux de faire partie d'une communauté à laquelle vous appartenez depuis votre plus tendre enfance ? Adam aurait sans doute éprouvé la même chose si le destin ne l'avait pas affreusement meurtri. Aujourd'hui, il vit exilé quelque part, peut-être au bout de monde, et ne peut même pas rentrer chez lui.

Elle était bonne, Cassie... Ses paroles résonnaient en moi comme un glas venu d'une ville engloutie. Chaque mot qu'elle prononçait me poignardait, me causait un insondable chagrin. Elle continua, implacable :

– Savez-vous comment les Savage et Alicia Rowan vous considèrent, Jonathan ? Ils vous envient. Vous avez eu la douleur d'enterrer votre fille. Toutefois, il existe une souffrance plus terrible encore : ne jamais pouvoir le faire. Vous vous rappelez ce qui vous a torturé le jour où Katy a disparu ? Eux le ressentent depuis vingt ans.

– Tous ces gens ont le droit de savoir ce qui s'est passé, monsieur Devlin, énonçai-je calmement. Et ils ne sont pas les seuls concernés. Nous supposons que les deux affaires sont liées. Si nous nous trompons, nous devons absolument le savoir. Sinon, l'assassin de Katy risque de nous filer entre les doigts.

Une lueur étrange passa dans les yeux de Jonathan ; un mélange d'espoir et d'épouvante. Elle s'évanouit aussitôt.

– Que s'est-il passé ce jour-là ? insista Cassie. Le 14 août 1984 ? Le jour où Peter et Jamie se sont volatilisés ?

Il se buta encore davantage.

– Je vous ai dit tout ce que je savais.

Je me penchai vers lui.

– Monsieur Devlin, il est facile de deviner ce qui est arrivé. Vous étiez affolé par l'épisode de Sandra.

– Vous saviez qu'elle ne représentait pas une menace, reprit Cassie. Elle était folle de Cathal. Jamais elle ne l'aurait dénoncé. Et, si elle l'avait fait, cela aurait été sa parole contre la vôtre à tous les trois. Les jurés ont tendance à mettre en doute les déclarations des victimes de viol, surtout celles qui ont eu des rapports consentis avec deux de leurs agresseurs. Vous auriez pu la traiter de salope et bénéficier d'un non-lieu. Mais ces gosses... Un seul mot d'eux vous aurait envoyé tout droit en prison. Tant qu'ils resteraient dans les parages, vous ne vous seriez jamais sentis en sécurité.

Elle s'écarta du mur, tira une chaise près de celle de Jonathan et s'assit.

– Ce jour-là, vous n'avez pas passé la journée à Stillorgan, n'est-ce pas ?

Il remua, hésita un instant.

– Si, laissa-t-il enfin tomber. Avec Cathal et Shane. On est allés au cinéma.

– Qu'avez-vous vu ?

– Ce que j'ai déclaré aux flics à l'époque. C'était il y a vingt ans.

– Non, monsieur Devlin. L'un d'entre vous, je parierais sur Shane, celui que j'aurais moi-même laissé en dehors du coup, est peut-être allé au cinéma, pour raconter le film aux autres, au cas où on les aurait interrogés là-dessus. Mais peut-être vous êtes-vous montrés plus malins. Vous avez pénétré tous les trois dans la salle. Ensuite, une fois les lumières éteintes, vous vous êtes glissés par la sortie de secours, pour avoir un alibi. Et, avant 18 heures, au moins deux d'entre vous étaient de retour à Knocknaree, dans le bois.

– Quoi ! aboya Jonathan, avec une grimace outrée.

– Les gosses rentraient tous les soirs chez eux à 18 h 30 pour le thé, et vous saviez qu'il vous faudrait un certain temps pour les repérer. Le bois était grand, en ce temps-là. Vous les avez quand même trouvés. Ils ne se cachaient pas ; ils jouaient. Sans doute faisaient-ils beaucoup de bruit. Vous vous êtes jetés sur eux.

Bien sûr, nous avions évoqué tout cela auparavant. Sans relâche. Nous avions échafaudé une théorie qui collait avec tous les éléments en notre possession, confronté chaque détail. Pourtant, quelque chose n'allait pas. Je m'en rendis compte en cet instant. Je faillis interrompre Cassie : « Non, ça ne s'est pas passé comme ça ! » Il était trop tard.

– Nous ne sommes pas allés dans ce foutu bois ce jour-là. Nous...

– Vous avez enlevé leurs chaussures aux gamins, pour rendre leur fuite plus difficile. Puis vous avez tué Jamie. Nous saurons de quelle façon lorsque nous aurons découvert les corps, mais je pencherais pour une arme blanche. Vous l'avez poignardée, ou vous lui avez tranché la gorge. D'un façon ou d'une autre, son sang s'est déversé dans les chaussures d'Adam. Vous vous en êtes peut-être servis de façon délibérée pour le recueillir, afin de ne pas laisser trop d'indices. Peut-être aviez-vous l'intention de les jeter dans la rivière, avec les corps. Or, à ce moment-là, Jonathan, alors que vous vous occupiez de Peter, vous avez négligé Adam. Il a pris ses baskets et a détalé à toutes jambes. Des déchirures striaient le dos de son tee-shirt. Je pense que l'un de vous l'a rattrapé, mais l'a manqué... Et vous l'avez perdu. Il connaissait le bois encore mieux que vous et s'est caché jusqu'à ce que les sauveteurs le trouvent. Cela vous a fait quel effet, Jonathan ? De savoir que vous aviez commis ce crime pour rien, qu'un témoin courait encore ?

Il regardait dans le vide, les mâchoires serrées. Mes mains tremblaient. Je les glissai sous la table.

– Voilà pourquoi, martela Cassie, je crois que vous n'étiez que deux. Contre trois garçons costauds, les enfants n'auraient pas fait le poids. Vous n'auriez pas été obligés de leur ôter leurs chaussures pour les empêcher de fuir. Vous vous seriez chargés d'un gosse chacun, et Adam ne serait jamais rentré chez lui. Mais, à deux contre trois...

Je pris le relais. Ma voix me parvint déformée, comme un écho.

– Monsieur Devlin, si vous ne vous trouviez pas dans le bois, si vous êtes celui qui est allé au cinéma pour fournir un alibi à vos amis, vous devez nous le dire. Il y a une grande différence entre commettre un meurtre et en être complice.

Il me toisa avec haine, comme si je venais de le trahir. Il respirait violemment par le nez.

– Vous êtes fêlés. Vous... Allez vous faire foutre. Nous n'avons jamais touché à un cheveu de ces mouflets.

– Je sais que vous n'étiez pas le meneur, monsieur Devlin. Le chef, c'était Cathal Mills. Il nous l'a dit, je cite : « Jonathan n'aurait jamais eu les couilles de le concevoir. » Si vous n'avez été qu'un complice, ou un simple témoin, rendez-nous service et reconnaissez-le.

– Foutaise ! Cathal n'a jamais avoué le moindre meurtre, parce que nous n'en avons commis aucun ! J'ignore ce qui est arrivé à ces marmots et je m'en contrefous. Je n'ai rien à dire à leur sujet. Tout ce que je veux savoir, c'est qui a tué Katy.

Cassie saisit la balle au bond.

– Katy, d'accord... Nous reviendrons à Peter et à Jamie plus tard. Parlons donc d'elle.

Elle repoussa sa chaise, se dirigea de nouveau vers le mur.

– Nous avons là des extraits de son dossier médical. Quatre ans de troubles intestinaux inexpliqués, jusqu'au printemps dernier. Elle déclare alors à son professeur de danse qu'ils vont cesser. Aussitôt, ils disparaissent. Le médecin légiste nous a affirmé qu'elle n'avait aucune maladie. Savez-vous ce que cela nous suggère ? Quelqu'un empoisonnait votre fille. Facile : un peu de désinfectant par-ci, un peu de détartrant par-là... Même de l'eau salée aurait fait l'affaire. Ça arrive tout le temps.

Devlin devint livide. Mes scrupules, si j'en avais encore, s'évanouirent. De nouveau, une certitude s'imposa à moi : il savait.

– Et il ne s'agissait pas d'un inconnu, Jonathan, d'un individu qui, impliqué dans le tracé de l'autoroute, aurait eu une dent contre vous. C'était quelqu'un qui voyait Katy tous les jours, à qui elle faisait confiance. Or, au printemps dernier, alors qu'elle a une seconde chance d'intégrer la Royal Ballet School, cette confiance s'amenuise. Elle ne veut plus avaler la mixture. Peut-être menace-t-elle de parler. Et, quelques mois plus tard, assena impitoyablement Cassie en frappant un des abominables clichés post mortem, elle meurt.

À mon tour d'intervenir, le plus doucement possible. Je pouvais à peine respirer.

– Protégez-vous votre femme, monsieur Devlin ? Quand un enfant est empoisonné, cela vient d'ordinaire de la mère. Si vous avez uniquement tenté de sauver l'unité de votre famille, nous pouvons vous venir en aide. Nous sommes également en mesure d'apporter à votre épouse tout le soutien dont elle a besoin.

– Margaret adore nos filles ! Elle n'aurait jamais...

– Jamais quoi ? lança Cassie. Empoisonné ? Tué Katy ?

– Elle n'aurait jamais rien fait contre elle. Pour rien au monde !

– Alors, qui nous reste-t-il ? Rosalind et Jessica ont toutes deux un alibi en béton pour la nuit de sa mort. Qui nous reste-t-il ?

– N'osez jamais insinuer que j'ai assassiné ma fille, rugit Jonathan d'un ton menaçant. N'osez jamais !

– Nous avons trois enfants assassinés, monsieur Devlin, tous les trois au même endroit, probablement pour couvrir d'autres crimes. Et nous avons un homme au centre de chaque affaire : vous. Si vous avez une bonne explication pour cela, nous devons l'entendre maintenant.

– C'est inimaginable ! hurla Jonathan. On a tué ma fille et vous me demandez des explications ? C'est votre travail ! C'est vous qui devriez me fournir des explications, au lieu de m'accuser de...

Il n'acheva pas. Je me levai d'un bond, jetai mon carnet de notes sur la table et, appuyé sur les mains, m'inclinai vers lui jusqu'à le toucher.

– Quelqu'un du coin, Jonathan, de trente-cinq ans ou plus, habitant Knocknaree depuis plus de deux décennies. Un type qui n'a aucun alibi solide. Un individu qui connaissait Peter et Jamie, voyait Katy tous les jours et avait un mobile puissant pour les massacrer tous. Si ce n'est pas vous, alors qui ? Donnez-moi le nom d'un autre homme qui corresponde à cette description et je vous jure devant Dieu que vous pourrez franchir cette porte et que nous ne vous harcèlerons plus. Allons, Jonathan, un nom ! Un seul !

– Alors, arrêtez-moi ! rugit-il en brandissant ses poings, les poignets collés l'un à l'autre. Allez-y, si vous êtes aussi sûr de vous et de vos indices ! Allez, coffrez-moi !

J'en mourais d'envie. Ma vie entière défilait dans ma tête, comme si je me noyais : les nuits passées à pleurer dans un dortoir glacé, des zigzags à vélo, mes cris de triomphe : « Maman, sans les mains ! », le goûter fourré dans la poche avant le départ pour l'école, les voix des enquêteurs retentissant sans cesse à mes oreilles... En même temps, je savais que nous n'avions pas assez d'éléments, que ça ne collerait jamais, que d'ici à douze heures il s'en irait, libre comme l'air ; et coupable. De ma vie, je n'avais eu une telle certitude.

– La ferme ! Vous vous foutez de nous depuis que vous êtes entré ici ! J'ai eu ma dose !

– Arrêtez-moi ou...

Je tendis brusquement le bras pour le frapper. Il recula violemment, renversa sa chaise et se réfugia dans un coin, les poings en avant. Cassie était déjà sur moi, agrippant mon bras à deux mains.

– Bon Dieu, Ryan ! Arrête !

Nous l'avions fait tant de fois... C'est notre dernier recours, lorsque nous savons qu'un suspect est coupable, mais qu'il nous faut des aveux et qu'il refuse de parler. Après mon accès de hargne, je me calme peu à peu. Fixant toujours le suspect, je me libère des mains de Cassie, dont l'étreinte se relâche. Finalement, je me rassieds, mes doigts tambourinant nerveusement sur la table, tandis qu'elle recommence à l'interroger, tout en me surveillant du coin de l'œil. Quelques minutes plus tard, elle sursaute, consulte son mobile.

– La barbe ! Il faut que je réponde à ce message. Ryan... Ne te mets plus en rogne, d'accord ? Souviens-toi de ce qui s'est passé la dernière fois.

Et elle nous laisse seuls. Ça marche. La plupart du temps, je n'ai même plus besoin de me lever. Combien de fois avons-nous joué cette comédie, réglée comme un ballet ? Dix, douze fois ?

Cette fois, ce n'était pas la même chose. Les autres scènes n'avaient été qu'une répétition de celle-là. Il ne s'agissait plus d'une ruse, mais d'une colère incontrôlable. Que Cassie ne s'en rende pas compte me rendait plus furieux encore. Je tentai de dégager mon bras. Elle était plus forte que ce à quoi je m'attendais. Elle tint bon. Elle avait des poignets en acier. Une couture de ma manche craqua.

– Lâche-moi...

– Rob, non...

Sa supplique me parvint assourdie, étouffée par le tumulte qui envahissait mon crâne. Je ne voyais que Jonathan, le front bas, en position de combat, comme un boxeur, à quelques pas de moi. Je parvins soudain à me dégager. Mais je butai contre ma chaise. Avant que j'aie pu l'écarter d'un coup de pied, Cassie m'attrapa l'autre bras et, d'un geste précis, rapide, le tordit dans mon dos.

– Tu es devenu fou ? chuchota-t-elle à mon oreille. Il ne sait rien.

Ces mots agirent sur moi comme une giclée d'eau froide. Même si Cassie se trompait, je n'étais pas en mesure de le prouver, ce qui me désespérait. Elle me repoussa et recula. Nous nous sommes mesurés un instant, comme des ennemis, en reprenant notre souffle. Une tache sombre souillait sa lèvre supérieure. C'était du sang. J'appris plus tard qu'un de ses poings avait heurté sa bouche et qu'elle s'était coupée avec ses dents. Mais je crus l'avoir frappée. La honte me fit retrouver mes esprits.

– Cassie...

Elle m'ignora.

– Monsieur Devlin..., déclara-t-elle froidement, comme si rien ne s'était passé, avec un frémissement imperceptible dans la voix.

Jonathan, dont j'avais oublié la présence, se déplaça lentement jusqu'à la table, me surveillant toujours. Cassie poursuivit :

– Nous allons vous relâcher, sans charges pour le moment. Néanmoins, je vous conseille fortement de rester en permanence à notre disposition et de ne pas essayer d'entrer en contact avec la victime du viol. Compris ?

– Oui, dit-il après un moment. Très bien.

Il releva sa chaise, saisit son manteau froissé, l'enfila à la hâte. Devant la porte, il se retourna, me jeta un regard noir. Je crus qu'il allait dire quelque chose. Il se ravisa et s'en alla, secouant la tête d'un air dégoûté. Cassie le suivit, repoussa la porte avec une telle force que le battant rebondit et demeura entrouvert.

Je m'effondrai sur ma chaise, me pris le visage dans les mains. Jamais je n'avais agi de la sorte. Jamais. J'ai toujours exécré la violence physique. Je n'ai jamais molesté personne. Pourtant, quelques minutes plus tôt, je m'étais laissé emporter par le désir d'écraser à coups de poing le visage de Devlin. Et j'avais blessé Cassie. Je me demandai, avec une sorte de détachement, si je ne perdais pas la raison.

Quelques minutes plus tard, Cassie revint, ferma la porte et s'y adossa, les mais dans les poches de son jean. Sa lèvre avait cessé de saigner. Mais ses pommettes étaient écarlates.

– Cassie, murmurai-je en me frottant les joues, je suis vraiment désolé. Tu vas bien ?

– Qu'est-ce qui t'a pris ?

– Je pensais qu'il savait quelque chose. J'en étais sûr.

Mes mains tremblaient tellement que j'avais l'impression d'en rajouter, comme un mauvais acteur simulant un choc. Je les pressai l'une contre l'autre pour les immobiliser.

Cassie murmura enfin, très calmement :

– Rob, tu ne peux pas continuer.

Je ne répondis pas. Après un long moment, la porte claqua derrière elle.

Chapitre 15

Ce soir-là, je pris la cuite la plus carabinée de ma vie. Je passai la moitié de la nuit accroupi sur le carrelage de la salle de bains, pris d'une épouvantable envie de vomir. Ensuite, je me couchai tout habillé. Je fis d'affreux cauchemars peuplés de rires, de sanglots et de cris. Redevenu une jeune recrue affectée dans un trou perdu, je traquais Devlin et Cathal Mills, qui, armés jusqu'aux dents et protégés par des chiens féroces, s'étaient réfugiés dans les collines. Je les traquais en compagnie de deux inspecteurs d'une taille immense, aussi froids que des mannequins de cire. Nos souliers s'enfonçaient dans une boue gluante. Je m'éveillai en sursaut. Mon lit était défait, comme si je m'étais battu contre les draps et la couverture. Je me rendormis, sans même me rendre compte que j'avais rêvé.

Le matin, je me réveillai avec en tête une image très nette, aussi aveuglante qu'une lampe au néon. Rien à voir avec Peter, Jamie ou Katy. C'était celle de Tom Emmett, un des deux enquêteurs de la brigade criminelle qui nous avaient rendu une visite éclair dans la petite ville où j'avais atterri après ma sortie de Templemore. Grand, très mince, toujours vêtu avec élégance et raffinement, il représentait pour moi l'incarnation de l'inspecteur tel que je le rêvais. Il avait des traits de cow-boy, burinés et polis comme du vieux bois. Aujourd'hui à la retraite, il officiait toujours à la brigade quand je l'intégrai et se montra très chaleureux. Cependant, je ne pus jamais me défaire de la timidité révérencieuse qu'il m'inspirait. Dès qu'il m'adressait la parole, je me mettais à bafouiller, tel un écolier pris, la main dans le sac, en train de copier.

Un après-midi, sur le parking du poste de police, j'avais surpris une conversation entre lui et son collègue. Ce dernier venait de lui poser une question que je n'avais pas entendue. Emmett secoua brièvement la tête.

– S'il ne le fait pas, nous nous sommes complètement plantés, dit-il en tirant une dernière bouffée de sa cigarette, qu'il écrasa du bout d'une de ses superbes chaussures. Il nous faudra revenir en arrière, tout reprendre depuis le début et repérer le moment où nous avons fait fausse route.

Ils avaient fait demi-tour et regagné le poste, côte à côte, épaule contre épaule, dans leurs discrets costumes sombres, comme des comploteurs.

Moi aussi, j'avais fait fausse route, à propos de tout et de toutes les façons imaginables. Cela n'avait plus d'importance ; car la solution venait de me crever les yeux. Soudain, j'eus l'intuition que ce qui s'était produit depuis le début, le cauchemar du procès Kavanagh, l'horrible interrogatoire de Devlin, mes élucubrations et mes nuits sans sommeil, m'avait été envoyé par un dieu bienveillant uniquement pour me faire vivre ce moment. Jusque-là, j'avais évité le bois de Knocknaree comme la peste. Or je ne pouvais plus nier l'évidence : j'étais la seule personne à connaître au moins quelques-unes des réponses ; et si un endroit pouvait m'aider à les retrouver, c'était bien ce bois, où tout avait commencé.

Cela me parut tellement lumineux que j'en éclatai presque de rire. Alors que j'aurais dû avoir une gueule de bois carabinée, je me sentais aussi frais que si j'avais dormi une semaine, aussi énergique qu'un garçon de vingt ans. Après m'être douché et rasé, je saluai Heather avec une affection qui la sidéra, m'installai au volant de ma Land Rover et beuglai à tue-tête les tubes insipides diffusés par la radio.

Je réussis à me garer à St Stephen's Green, devant le parc, exploit inouï à cette heure de la matinée, ce qui me parut de bon augure, puis fis rapidement quelques courses sur le chemin du bureau. Dans une petite librairie de Grafton Street, je dénichai une très belle édition ancienne des *Hauts de Hurlevent*, à la reliure rouge et à la page de garde agrémentée d'une dédicace dont l'encre pâlissait : « Pour Sarah, Noël 1922 ». Je trouvai ensuite, chez Brown Thomas, une petite machine luisante et compliquée destinée à faire du cappuccino. Je gagnai mon bureau sans prendre la peine de déplacer ma voiture. Cela me coûta une fortune en parcmètre, mais cette journée joyeuse et ensoleillée encourageait toutes les extravagances.

Cassie était déjà devant sa table, face à une pile de paperasse. Heureusement pour moi, Sam et les stagiaires qui nous restaient étaient hors de vue.

– Bonjour, me lança-t-elle fraîchement.

– Tiens, répondis-je en posant les deux paquets sur la table.

Elle les regarda, la mine soupçonneuse.

– Qu'est-ce que c'est ?

– Ça, répondis-je en désignant la machine à café, c'est ton cadeau de Noël en retard. Et ça, c'est pour m'excuser. Je suis tellement navré, Cass... Pas seulement pour hier, mais pour mon comportement lors de ces dernières semaines. J'ai été insupportable et tu as toutes les raisons de m'en vouloir. Mais je te promets que c'est terminé. À partir de maintenant, je serai un être humain normal, sensé et supportable.

– Ce serait une première, grommela-t-elle machinalement, ce qui m'alla droit au cœur.

Elle ouvrit le livre, fit courir ses doigts sur la page de titre. Elle adore Emily Brontë.

– Suis pardonné ? implorai-je. Où dois-je me mettre à genoux ?

– J'adorerais ça, mais quelqu'un pourrait te voir et les ragots reprendraient de plus belle. Ryan, petit salopard... Tu ruines ma belle résolution de te faire la gueule jusqu'à la fin des temps.

– De toute façon, tu n'aurais pas tenu au-delà du déjeuner.

Jamais je n'avais éprouvé un tel soulagement.

– N'en rajoute pas, me dit-elle. Viens là.

Elle m'ouvrit les bras. Je me penchai vers elle et l'étreignis.

– Merci, souffla-t-elle.

– De rien, vraiment. Et tu peux compter sur moi. Plus de crises.

Elle m'observa pendant que j'enlevais mon pardessus.

– Tu n'as pas seulement été odieux. Je me suis fait un sang d'encre à ton sujet. Si tu ne veux plus t'impliquer dans ce meurtre, tu peux très bien échanger avec Sam, t'occuper d'Andrews et lui laisser la famille Devlin. Il est allé bien plus loin que nous n'aurions pu le faire. Nous n'avons donc plus besoin de l'aide de son oncle ni de qui que ce soit. Quant à lui, tu le connais : il ne posera pas de question. Il n'y a aucune raison pour que tu risques de devenir fou à cause de cette enquête.

– Cassie, vraiment, je vais bien. Les événements d'hier m'ont ouvert les yeux. Je te jure que j'ai trouvé un moyen de traiter cette affaire. Donne-moi encore une semaine. Si, à ce moment-là, tu trouves que je patauge encore, je permuterai avec Sam. D'accord ?

– D'accord, admit-elle sans dissimuler son scepticisme.

Ma bonne humeur finit par rejaillir sur elle et la rassurer.

– Bien, dit-elle alors que je venais de m'asseoir à ses côtés. Le cas Sandra Scully a peut-être du bon. Tu te rappelles à quel point nous avons souhaité obtenir les dossiers médicaux de Rosalind et de Jessica ? Eh bien, nous avons Katy montrant des signes physiques d'abus sexuel, Jessica victime de troubles psychologiques et Jonathan qui admet avoir participé à un viol. À mon avis, nous disposons d'éléments assez nombreux pour avoir accès à ces fameux dossiers.

– Maddox, tu es un as ! Mais je croyais qu'à tes yeux Devlin n'était pas notre homme...

– Pas exactement. Il cache quelque chose. Il pourrait s'agir simplement d'abus sexuel. Quand je dis « simplement », je m'entends... Ou alors il couvre Margaret. Ou bien... Je ne suis pas aussi persuadée que toi de sa culpabilité. J'aimerais consulter ces dossiers, c'est tout.

– Je ne suis pas non plus si certain qu'il soit notre homme.

– Hier, pourtant, tu semblais sûr de toi.

– À ce propos, sais-tu s'il a porté plainte contre moi ? Je n'ai pas le courage d'aller vérifier.

– Parce que tu t'es excusé si gentiment, je le ferai pour toi. Mais il ne m'en a pas parlé hier. De toute façon, s'il s'était plaint, tu le saurais déjà : tu entendrais les hurlements d'O'Kelly jusqu'à Knocknaree. Voilà pourquoi j'en déduis que Cathal Mills n'a pas non plus déposé de plainte contre moi pour lui avoir affirmé qu'il avait un zizi miniature.

– Il ne le fera pas. Tu l'imagines répétant ça à l'accueil d'un commissariat ? Devlin, c'est une autre histoire. Il est très remonté.

– Ne dites pas de mal de Jonathan Devlin ! s'écria Sam en surgissant dans la salle des opérations, rouge, surexcité, le col tordu, une de ses mèches claires dans les yeux. Devlin est mon homme. Si je n'avais pas peur qu'il le prenne mal, je l'embrasserais sur la bouche.

– Vous formeriez un joli couple, grommelai-je en posant mon stylo. Qu'est-ce qu'il a fait ?

Avec un sourire gourmand, Cassie fit pivoter sa chaise. Sam recula la sienne et s'y installa, les pieds sur la table, comme un privé dans un vieux film. S'il avait eu un chapeau, il l'aurait envoyé tournoyer à travers la pièce.

– Il vient d'identifier la voix d'Andrews. Andrews et son avocat étaient furieux de cette confrontation, et Devlin n'avait pas non plus l'air ravi d'avoir un coup de fil de moi. Qu'est-ce que vous avez bien pu lui dire pour le foutre en rogne à ce point ? Finalement, ils ont tous accepté. J'ai appelé Devlin. J'ai pensé que c'était la meilleure méthode : vous savez que le téléphone déforme les voix. Ensuite, j'ai fait demander à Andrews et à une bande de types de prononcer quelques phrases extraites des appels anonymes : « C'est une chouette petite fille que tu as là, Devlin... Connard, tu n'as pas idée de la merde dans laquelle tu t'es fourré. »

Il releva sa mèche. Il avait les traits rieurs, épanouis et triomphants d'un petit garçon.

– Andrews bafouillait, prenait un débit traînant, faisait tout pour modifier son timbre. Mais Jonathan, mon amoureux, l'a reconnu en cinq secondes, sans une hésitation. Il me harcelait au téléphone, me demandait qui c'était. J'avais mis l'amplificateur pour éviter toute contestation. Andrews et son avocat ont tout entendu. Ils faisaient d'innommables grimaces, comme s'ils recevaient une fessée. C'était grandiose.

– Bravo ! s'exclama Cassie en faisant claquer sa main contre la sienne.

Sam sourit jusqu'aux oreilles, me tendit son autre paume.

– Pour être franc, je suis très content de moi. Nous n'avons pas de quoi lui imputer le meurtre, mais nous pouvons l'accuser de harcèlement. Cela nous permettra de l'interroger et de voir ce qui en découlera.

– Tu l'as mis en garde à vue ?

– Non. Je n'ai pas évoqué la confrontation. Je l'ai simplement remercié, avant de lui dire que je le contacterais. J'ai envie de le faire mariner un petit peu.

– C'est très méchant, O'Neill, dis-je gravement. Je n'aurais jamais cru ça de toi.

J'adorais le taquiner. Il ne marchait pas toujours, mais quand il montait sur ses grands chevaux, il était irrésistible. Cette fois, il se contenta de me jeter un regard dédaigneux, avant de poursuivre :

– J'aimerais également obtenir l'autorisation de le mettre quelques jours sur écoute. S'il est notre homme, je parie qu'il n'a pas agi lui-même. Son alibi tient la route. De toute façon, il n'est pas du genre à faire le sale boulot, mais à engager un tueur. L'identification de sa voix pourrait le paniquer assez pour le pousser à téléphoner à son homme de main, ou du moins à dire quelque chose de stupide à quelqu'un.

– Étudie de nouveau ses vieilles notes de téléphone, lui rappelai-je. Relève le nom des gens qu'il a appelés le mois dernier.

– O'Gorman s'en occupe. Je donne à Andrews une semaine ou deux, pour voir comment tournent les choses. Ensuite, je l'épingle.

Il parut soudain honteux. Mais ses prunelles scintillaient de malice.

– Vous vous souvenez que Devlin a suggéré que son correspondant anonyme devait être ivre ? Et que nous nous sommes demandé, hier, s'il n'avait pas levé le coude ? À mon avis, il doit avoir un léger problème de boisson. Si nous allons le voir, mettons, à 8 ou 9 heures du soir, il se montrera peut-être plus disert, moins enclin à appeler son avocat. Je sais qu'on ne doit pas profiter des faiblesses d'un homme, que c'est mal, mais...

– Rob a raison, dit Cassie. Tu es cruel.

– Monstrueux, répondit joyeusement Sam.

Il fit faire un tour entier à sa chaise, les pieds en l'air.

Ce soir-là, tels des écoliers bénéficiant d'un jour de vacances inattendu, nous avons laissé libre cours à notre euphorie. À notre grande stupéfaction, Sam avait réussi à obtenir d'un juge, par l'intermédiaire d'O'Kelly, l'autorisation de placer le téléphone d'Andrews sur écoute pendant quinze jours. En principe, on n'accorde cette faveur qu'en cas de risque d'attentat. Mais l'opération Vestale faisait encore, presque chaque matin, les gros titres des journaux (*Pas de nouvelles pistes dans le meurtre de Katy ! Voir en page 5 : « Votre enfant est-il en sécurité ? »*), ce qui nous donnait un argument de poids et justifiait ce passe-droit. Sam jubilait.

– Ce petit salaud cache quelque chose. J'en mettrais ma main au feu. Tout ce qu'il nous faut, c'est quelques pintes de trop un de ces soirs et on le coince !

Il avait apporté un délicieux vin blanc pour fêter l'événement. Plus affamé que je ne l'avais été depuis des semaines, je préparai une énorme tortilla. Pieds nus sous son jean d'été coupé à mi-mollet, Cassie tournait dans l'appartement, une baguette à la main, rythmant à la fois la musique qu'elle avait mise plein pot et mes gestes de cuisinier.

Après le dîner, nous avons fait une partie de Cranium. Sam, qui avait quatre verres dans le nez, nous fit hurler de rire en mimant le mot « carburateur ». Devant la fenêtre à guillotine ouverte, les longs rideaux blancs éclairés par la lune ondulaient sous la brise. Je m'étais rarement senti aussi heureux.

Sam parti, Cassie décida de m'apprendre le swing. Ayant bu plusieurs cappuccinos pour étrenner la nouvelle machine, nous n'avions aucune envie de dormir. De vieux airs crachotaient sur le lecteur de CD. Cassie me prit les mains pour m'extraire du canapé.

– Comment diable sais-tu danser le swing ? dis-je.

– Mon oncle et ma tante estimaient que les enfants devaient être éduqués et polyvalents. Je dessine au fusain. Je joue aussi du piano.

– Tout ça en même temps ? Moi, je joue du triangle. Mais j'ai deux pieds gauches.

– Je m'en fous. Je veux danser.

L'appartement était trop petit. Cassie m'entraîna.

– Viens. Enlève tes souliers.

Elle saisit la télécommande, monta le son au maximum, se faufila par la fenêtre et dévala l'escalier de secours jusqu'au toit plat de l'étage du dessous.

Je suis un piètre danseur. Cela ne la découragea pas. Elle m'enseigna les mouvements de base, encore et encore. Je parvins enfin à m'accorder à la musique, qui beuglait toujours. Sa main me guidait, ferme et souple à la fois.

– Tu danses comme un dieu ! s'exclama-t-elle.

– Quoi ? hurlai-je en lui marchant sur les pieds.

Éclats de rire se déroulant au-dessus du sombre jardin, comme des serpentins. Une fenêtre s'ouvrit avec fracas.

– Si vous n'arrêtez pas ce raffut tout de suite, j'appelle la police !

– Nous sommes la police ! cria Cassie.

Je plaquai une main contre sa bouche pour l'empêcher de s'esclaffer encore. Après un silence gêné, la fenêtre se referma. Cassie remonta l'escalier, s'accrocha à la rampe. Manipulant la télécommande à travers la fenêtre, elle remplaça le disque par les *Nocturnes* de Chopin, puis baissa le son.

Nous nous sommes allongés côte à côte sur le toit plat, les mains derrière la nuque, nos coudes se touchant. Le vin et la danse me faisaient légèrement tourner la tête, la brise tiède effleurait mon visage. En dépit des lumières de la ville, les constellations scintillaient : la Grande Ourse, Orion... Le pin planté au fond du jardin bruissait comme la mer. Un instant, j'eus l'illusion que l'univers s'était retourné et que nous tombions au milieu d'une gerbe d'étoiles. Je sus alors, sans le moindre doute, que tout irait bien.

Chapitre 16

Je réservai le samedi soir pour mon équipée dans le bois, m'en réjouissant à l'avance, comme un enfant qui s'apprête à ouvrir un gros œuf de Pâques renfermant une mystérieuse surprise. Sam passait le week-end à Galway, pour le baptême d'une nièce. Les innombrables membres de sa famille se réunissaient presque chaque semaine ; il y en avait toujours un qui se faisait baptiser, qui se mariait ou qu'on enterrait. Cassie sortait avec des amies et Heather avait une séance de *speed dating* dans un hôtel quelconque. Personne ne remarquerait mon absence.

J'atteignis Knocknaree vers 19 heures, me garai sur l'aire de stationnement du chantier. J'avais emporté un sac de couchage, une lampe torche, une Thermos de café arrosé de whisky et deux sandwiches. Rien pour allumer du feu : les habitants du lotissement étaient encore sur le qui-vive et se seraient empressés d'appeler la police s'ils avaient aperçu une lueur suspecte. D'un autre côté, je ne suis pas du genre boy-scout. J'aurais sans doute incendié ce qui restait du bois.

Le crépuscule était paisible. De longues traînées de lumière teintaient d'un rose doré les pierres de la tour, donnaient un aspect féerique et mélancolique aux tumulus et aux tranchées. Un agneau bêlait dans un champ, l'air sentait bon le foin, le bétail et une fleur entêtante dont j'ignore le nom. Des formations d'oiseaux en V survolaient la colline. Devant le cottage blanc, le chien de berger aboya mollement, m'observa un instant puis, ayant conclu que je ne représentais aucun danger, se coucha de nouveau. Je traversai le site en suivant les pistes cahoteuses des archéologues, à peine assez larges pour une brouette. Je portais de vieilles chaussures de sport, un jean râpé et un gros chandail.

Enfin, je me retrouvai dans le bois. Il était plus énigmatique encore que dans mon souvenir. Il avait sa vie propre, faite de combats sans merci, de tueries silencieuses. Je n'étais qu'un intrus. J'eus tout de suite l'impression que ma présence avait été repérée, que le bois me surveillait, me jaugeait, qu'il ne m'acceptait ni ne me rejetait mais réservait son jugement.

La clairière de Mark contenait encore des cendres chaudes à l'emplacement du foyer, entouré de nouveaux mégots. Il y avait donc campé depuis la mort de Katy. Je priai pour qu'il ne revienne pas, ce soir-là, célébrer encore des cultes d'un autre âge. Je pris dans mes poches les sandwiches, la Thermos et la lampe, étalai mon duvet sur l'herbe écrasée où il avait étendu le sien. Ensuite, je m'aventurai dans le bois, lentement, en prenant mon temps.

J'avais l'impression d'explorer les ruines d'une ancienne cité. Les arbres, chênes, frênes, hêtres, montaient plus haut que les piliers d'une cathédrale. À travers leur feuillage, les derniers rayons du soleil jouaient sur le lierre qui enserrait leurs troncs et descendait en cascade jusqu'au sol, transformant les souches en rochers. Les feuilles mortes amortissaient mes pas. Quand mes pieds les soulevaient par paquets, une odeur de décomposition montait jusqu'à moi. Elles libéraient une terre noire, parsemée de restes de glands, où gigotaient des vers. Les oiseaux se chamaillaient au-dessus de ma tête, des bruits de fuite retentissaient sur mon passage.

Des broussailles et, çà et là, des pans de mur. Des racines musculeuses vertes de mousse, plus épaisses que mon bras. Les berges basses de la rivière où nous glissions jadis, avec leurs ronces, leurs baies, leurs saules, les feuilles jaunies se balançant mollement sur l'eau. Nous avions galopé dans ces sentiers, dévalé les pentes de la colline, croqué des pommes sauvages. Je m'attendais presque à nous voir agrippés aux branches, comme de jeunes chats errants inspectant les alentours. À l'orée d'une de ces minuscules clairières, nous avions vu, dans les hautes herbes dentelées de lumière, Jonathan et ses amis immobiliser Sandra. Quelque part, peut-être à l'endroit précis où je me trouvais, le bois avait frémi, s'était ouvert, et Peter et Jamie s'étaient volatilisés.

Je n'avais pas vraiment de projets pour cette nuit. Je voulais simplement m'imprégner du bois, regarder autour de moi, dormir là en espérant qu'il se passerait quelque chose. Je réalisai tout d'un coup que l'arbre où je m'adossais était peut-être celui contre lequel on m'avait trouvé, que j'aurais pu découvrir les cicatrices de mes ongles dans l'écorce.

La nuit tombait. Je faillis m'en aller. Je regagnai la clairière, secouai les feuilles mortes tombées sur mon duvet, que je commençai à rouler. En fait, je ne suis resté qu'à cause de Mark. Il avait passé plusieurs nuits à cet endroit, sans la moindre crainte, et je ne supportais pas l'idée de lui laisser un avantage sur moi, même s'il n'en savait rien. Il avait fait du feu pour éloigner les importuns, mais moi j'avais une lampe et un Smith & Wesson. De plus, je n'étais qu'à quelques centaines de mètres de la civilisation. Que pouvais-je redouter ? Je déroulai de nouveau mon sac de couchage, m'en enveloppai jusqu'à la taille et me calai contre un arbre.

Je me versai une tasse de café au whisky, dont le goût âpre me rassura. Le ciel virait à l'indigo. Les oiseaux se posaient sur les branches, s'installaient pour la nuit avec des piaillements agressifs. Les chauves-souris rasaient le chantier en poussant des cris perçants. Là-bas, dans le lotissement, un enfant chantait une comptine. Peu à peu, la torpeur me gagna. Ma main lâcha mon gobelet.

Je ne sais combien de temps je dormis. Je me redressai en étouffant un cri. Une voix venait de crier à mon oreille :

– Qu'est-ce que c'est ?

Les lumières du lotissement s'étaient éteintes, le bois était plongé dans un silence presque absolu. Le vent murmurait doucement dans les feuillages. Quelque part, une brindille craqua.

Peter en équilibre sur la muraille du château, nous intimant d'un geste, à Jamie et à moi, de rester de l'autre côté...

– Qu'est-ce que c'est ?

Nous étions dehors depuis l'aube, sous une chaleur accablante. L'air était bouillant, le ciel presque blanc. Nous avions laissé de la limonade dans l'herbe, mais elle avait chauffé, s'était éventée ; et les fourmis l'avaient trouvée. Au bas de la rue, quelqu'un tondait une pelouse. D'une fenêtre ouverte sortait une musique syncopée, tonitruante. Deux petites filles se partageaient un tricycle rose, pédalant à tour de rôle sur le trottoir. Tara, la sœur pimbêche de Peter, jouait à l'institutrice dans le jardin de son amie Audrey, devant des poupées bien alignées. Les Carmichael avaient acheté un arrosage automatique. Comme nous n'en avions jamais vu auparavant, nous venions l'admirer chaque fois qu'ils le mettaient en marche, tout en gardant nos distances. Mme Carmichael était une virago et, selon Peter, chassait à coups de tisonnier sur la tête quiconque pénétrait dans son jardin.

Nous avions surtout fait les zouaves à bicyclette. Nous avions installé une rampe au milieu de la rue, avec des briques et du contreplaqué que le père de Peter gardait dans son appentis. Peter tenait à jouer les casse-cou. « Nous l'élèverons de plus en plus haut, clama-t-il fièrement. Une brique supplémentaire chaque jour. » Mais elle était tellement instable que je ne pouvais m'empêcher de freiner au moment de m'y engager.

Jamie, qui n'avait peur de rien, l'essaya plusieurs fois. Ensuite, elle s'isola au bout de la rue et entreprit d'arracher un autocollant de son guidon, tout en faisant tourner à vide une de ses pédales. Ce matin-là, elle nous avait rejoints tard et, depuis, avait à peine ouvert la bouche. Cela lui arrivait souvent. Cette fois, pourtant, c'était différent. Plus pesant que d'habitude, son silence formait comme un nuage autour d'elle et nous rendait nerveux.

Peter décolla de la rampe en poussant une exclamation de triomphe, puis fit de grands zigzags, manquant de peu les deux petites filles et leur tricycle.

– Bande de cinglés, vous allez nous tuer tous ! aboya Tara par-dessus ses poupées.

Le bas de sa longue robe à fleurs traînait dans l'herbe, un grand chapeau bizarre entouré d'un ruban dissimulait son front.

– Tu n'as pas d'ordres à me donner ! beugla Peter en retour.

Il fit une embardée sur la pelouse, frôla Tara, lui arracha son couvre-chef. Les deux fillettes hurlèrent à l'unisson.

– Adam ! Attrape !

Je le suivis dans le jardin, sans me soucier des ennuis qui nous menaçaient si la mère d'Audrey sortait soudain de chez elle, réussis à m'emparer du chapeau sans tomber de vélo. Je l'enfonçai sur ma tête et, sans les mains, fis le tour de la classe de poupées. Audrey essaya de me renverser, mais je l'évitai. Comme elle était jolie et ne semblait pas vraiment furieuse, je m'efforçai de ne pas rouler sur ses poupées. Les mains sur les hanches, Tara abreuva Peter d'injures.

– Jamie ! m'exclamai-je. Viens !

Elle cognait en rythme son pneu avant contre le bord de la rampe. Elle lâcha son vélo, courut jusqu'au mur du lotissement et sauta de l'autre côté.

Peter et moi avons oublié Tara et ses imprécations. Nous avons freiné. Ensuite, nous nous sommes regardés. Audrey m'arracha le chapeau de la tête et s'enfuit, se retournant pour voir si je la poursuivais. Nous avons abandonné nos vélos dans la rue et nous avons rejoint Jamie.

Debout sur le pneu-balançoire, tête basse, les cheveux rabattus et ne laissant dépasser que le bout de son nez, elle s'écartait du mur d'une pression du pied à chaque balancement. Nous nous sommes assis sur le mur et nous avons attendu.

– Maman m'a mesurée ce matin, dit-elle enfin, en grattant une croûte à la base d'un de ses doigts.

– Et alors ? répondit Peter.

– Pour l'uniforme ! gémit-elle.

Elle se laissa glisser du pneu, atterrit brutalement et s'enfuit en courant dans le bois.

– C'est quoi, son problème ? demanda Peter, interloqué.

– Le pensionnat, précisai-je.

Ce seul mot me donnait des sueurs froides. Peter eut une mimique incrédule.

– Elle n'ira pas. Sa mère l'a juré.

– Non. Elle a dit : « Nous verrons. »

– Ouais, mais elle n'en a plus reparlé depuis.

– Il faut croire que si.

Peter leva le nez, grimaça au soleil.

– Viens.

Il sauta à bas du mur.

– Où on va ?

Sans répondre, il ramassa son vélo et celui de Jamie, les ramena dans son jardin. Je pris le mien et le suivis.

La mère de Peter étendait du linge, des pinces accrochées le long de son tablier.

– N'embête pas Tara, dit-elle.

– Promis, répondit Peter en posant les vélos dans l'herbe. Maman, on va dans le bois. D'accord ?

À plat ventre sur une couverture, avec une couche pour tout vêtement, son petit frère essayait de ramper. Je le taquinai du bout de ma chaussure. Il roula sur lui-même et me sourit. Je n'avais pas envie d'aller retrouver Jamie. J'aurais préféré rester là, rendre service à Mme Savage en surveillant le bébé et attendre que Peter revienne pour me confirmer que Jamie s'en allait pour de bon.

– Thé à 18 h 30, ordonna Mme Savage en caressant distraitement la tête de son aîné. Tu as ta montre ?

Il agita le poignet.

– Oui. Viens, Adam. Allons-y.

Quand quelque chose n'allait pas, nous nous rendions toujours à la salle supérieure du château. L'escalier qui y menait s'était écroulé depuis longtemps. Il fallait escalader le mur extérieur jusqu'au sommet, puis sauter sur le sol de pierre. Lierre le long des parois, branches courbées au-dessus de nos têtes : nous avions l'impression de nous réfugier dans un nid, entre ciel et terre.

Jamie était là, recroquevillée dans un coin, le creux du coude contre la bouche, pleurant toutes les larmes de son corps. Un jour, il y avait une éternité, elle s'était coincé, en courant, le pied dans un terrier de lapin et s'était brisé la cheville. Nous l'avions raccompagnée chez elle, la soutenant par les épaules. Pas un instant elle n'avait pleuré. Elle avait simplement grommelé en me pinçant le bras, lorsque j'avais heurté sa jambe qu'elle maintenait pliée au-dessus du sol, marchant à cloche-pied : « Idiot ! »

– Va-t'en ! sanglota-t-elle, toute rouge, les cheveux en désordre et les barrettes défaites, alors que je descendais le long de la paroi. Laisse-moi tranquille !

Encore au sommet du mur, Peter lança :

– Tu t'en vas en pension ?

Elle sanglotait de plus en plus. J'entendis à peine sa réponse.

– Maman ne m'a rien dit. Elle a juste fait comme si j'étais d'accord. Elle a menti !

Cette duplicité me coupa le souffle. « Nous verrons, avait affirmé la mère de Jamie. Ne vous inquiétez pas. » Et nous avions cessé de nous inquiéter. Aucun adulte ne nous avait encore trahis, du moins pour une question de cette importance.

À califourchon sur le mur, Peter se balançait nerveusement.

– Alors, nous allons faire la même chose que l'autre fois. Nous allons nous mutiner !

– Non ! Elle a déjà payé les droits d'inscription, hoqueta Jamie. C'est trop tard ! Je pars dans quinze jours. Quinze jours !

Elle martela la paroi de ses poings. Je ne pouvais le supporter. Je m'agenouillai près d'elle, passai un bras autour de ses épaules. Elle le repoussa, mais, lorsque je recommençai, elle le laissa.

– Je t'en prie, Jamie, ne pleure pas... Tu rentreras tous les week-ends.

– Ce ne sera pas pareil !

Le contact soyeux de sa peau faisait frissonner ma main. Son désespoir me bouleversa. Elle avait raison : ce ne serait pas pareil... Plus jamais.

– Non, Jamie, arrête...

Je savais que c'était ridicule, mais je fus un instant tenté de lui dire que j'irais à sa place, qu'elle pourrait rester ici pour toujours... Avant de me rendre compte de ce que je faisais, je baissai la tête, l'embrassai sur la joue. Ses larmes humectèrent mes lèvres. Elle avait un parfum d'herbe chaude, envoûtant.

Elle fut tellement stupéfaite qu'elle cessa de pleurer. Elle tourna la tête et me contempla, ses grands yeux bleus rougis par les larmes tout près des miens. Qu'allait-elle faire ? Me gifler ? Me rendre mon baiser ?

Peter brisa le charme. Il venait de sauter du mur et d'atterrir devant nous, les genoux pliés. Il serra mon poignet d'une main, saisit de l'autre celui de Jamie.

– On va s'enfuir.

Nous l'avons dévisagé sans un mot.

– C'est idiot, dis-je enfin. Ils nous rattraperont.

– Non, du moins pas tout de suite. Nous pouvons nous cacher ici quelques semaines sans problème, jusqu'à ce qu'il n'y ait plus de risque. Après la rentrée des classes, nous réapparaîtrons. Il sera trop tard. De toute façon, si sa mère l'envoie en pension, nous nous enfuirons de nouveau. Nous irons la chercher à Dublin et nous l'emmènerons avec nous. Alors, elle sera renvoyée de son pensionnat et sera obligée de rentrer chez elle. Saisi ?

Ses pupilles scintillaient. L'idée se précisa, fit son chemin entre nous.

– Nous pourrions vivre ici, ajouta Jamie en reniflant un grand coup. Dans le château...

– Nous changerons d'endroit tous les jours. Le château, la clairière, le grand chêne dont les branches forment une vraie cabane. Nous ne leur laisserons aucune chance de nous repérer. Vous croyez vraiment qu'on nous trouvera, ici ? Allons...

Personne ne connaissait le bois mieux que nous. Se faufiler dans les broussailles, souples et silencieux comme des guerriers sioux, guetter, depuis les hautes branches, les adultes lancés à notre recherche...

– Nous dormirons à tour de rôle pour monter la garde, dit Jamie en se redressant.

– Et nos parents ?

Je pensai aux mains chaudes de ma mère ; je l'imaginai affolée, incapable de retenir ses pleurs.

– Ils vont vraiment s'inquiéter. Ils croiront que...

– Pas ma mère ! s'exclama Jamie. De toute façon, elle ne veut plus de moi.

– La mienne ne s'intéresse qu'aux petits, dit Peter. Quant à mon père, il s'en fichera.

Jamie me jeta un bref regard. Même si nous n'en parlions jamais, nous savions tous les deux que le père de Peter battait ses enfants quand il avait bu.

– Et puis, si nos parents s'inquiètent, qu'est-ce que ça peut nous faire ? Est-ce qu'ils nous ont dit que Jamie allait partir en pension ? Non. Ils nous ont juste laissé croire que tout était arrangé.

Il a raison, pensai-je, soulagé. J'ajoutai quand même :

– Je pourrais leur laisser un mot. Pour qu'ils sachent qu'il ne nous est rien arrivé.

Peter approuva avec enthousiasme.

– Bonne idée ! Écris-leur une lettre leur disant que nous sommes partis pour Dublin, Cork, ou ailleurs. Ils nous chercheront là-bas, et nous serons peinards.

Il se leva brusquement, nous souleva.

– Ça marche ?

– Je n'irai pas en pension, protesta Jamie en s'essuyant le visage du dos de la main. Je n'irai pas, Adam. Je n'irai pas ! Je ferais n'importe quoi.

– Adam ?

Vivre en liberté, pieds nus dans les arbres... La pierre du mur était fraîche, humide sous ma paume.

– Adam, insista Peter qu'est-ce que tu veux qu'on fasse d'autre ? Qu'on les laisse nous enlever Jamie ?

Il secoua mon poignet. Mon pouls battait contre ses doigts.

– Je marche, dis-je.

– Ouais ! hurla-t-il en donnant des coups de poing dans le vide.

Son cri se répercuta dans les feuillages, sauvage, triomphant. Jamie souriait, soulagée. Elle s'était accroupie, prête à bondir au moindre signe de lui.

– Quand ? Tout de suite ?

– Calmos... Il faut nous préparer. Rentrons chez nous et rassemblons tout notre argent. Il nous faudra des vivres. Nous en achèterons un peu tous les jours, pour ne pas éveiller les soupçons.

– Des saucisses et des patates, dis-je. Nous allumerons un feu et...

– Non, pas de feu ! Ils le verraient. N'achetez rien qui nous obligerait à faire la cuisine. Des conserves, c'est tout. Et du pain de mie. Dites que c'est pour votre mère.

– L'un de nous devra chiper un ouvre-boîte.

– Moi. Ma mère en a un en trop. Elle ne s'apercevra de rien.

– Des sacs de couchage, et nos lampes de poche...

– Nous laverons notre linge dans la rivière...

– Nous entasserons nos ordures dans le creux du grand chêne, où personne ne les trouvera.

– Combien d'argent avons-nous ?

– Celui qu'on m'a donné pour ma confirmation est sur un compte postal. Je ne peux pas le retirer.

– Alors, nous achèterons des trucs pas chers : du lait, du pain...

– Beurk ! Le lait va tourner.

– Non. Nous le mettrons dans la rivière, dans un sac en plastique.

Tout en imaginant notre aventure, nous avions gagné le sommet du mur. Soudain, Peter se mit à plat ventre, nous fit signe de nous taire.

– Qu'est-ce que c'est ?

Immobile, nous avons tendu l'oreille. Le bois était tranquille. Trop tranquille. Son tintamarre habituel en plein après-midi – oiseaux, insectes, animaux invisibles – s'était subitement interrompu, comme sous la baguette d'un chef d'orchestre. Pourtant, quelque part, au-dessus de nous...

– Mais qu'est-ce... ? chuchotai-je.

– Chut...

De la musique, une voix ? Le murmure de la rivière sur les pierres, la brise dans le tronc creux du grand chêne ? Le bois avait des millions de voix, différentes à chaque saison et changeant tous les jours. Impossible de les reconnaître toutes...

– Venez, proposa Jamie, les yeux étincelants. Allez, venez !

Elle s'élança du mur comme un écureuil, attrapa une branche, se balança, se laissa tomber, roula sur le sol et détala. Peter sauta à son tour, alors que la branche oscillait encore. Quant à moi, je descendis le long de la muraille et cherchai à les rattraper.

– Attendez-moi, attendez...

Jamais le bois ne m'avait paru aussi luxuriant. Ses couleurs m'aveuglaient, son parfum de terre, de feuilles, d'écorce m'étourdissait. Je courais à perdre haleine, traversais des nuages de moucherons, sautais par-dessus les souches, les fossés. Des hirondelles frôlaient mes cheveux. Trois cerfs, je le jure, nous escortèrent un moment, galopant près de nous. Je me sentais léger, infatigable. Jamais je n'avais couru aussi vite, sauté aussi haut. Un coup de talon et je me serais envolé.

Combien de temps dura cette folle cavalcade ? Nous avons dépassé tous nos repères, nos lieux familiers. Nous avons traversé la clairière sous l'œil ahuri des lapins, laissé derrière nous le pneu-balançoire, contourné le chêne creux. Et, au-dessus de nos têtes, fondant sur nous...

Je transpirais sous le duvet. Mais je grelottais. Mon dos pressé contre le tronc me faisait mal. Le bois était sombre. Je perçus un son ténu dans le lointain, semblable à celui de la pluie sur les feuilles. Surtout ne pas y prêter attention, ne pas perdre le fil de mes souvenirs...

Le rire de Jamie éclatant comme des bulles de savon, les abeilles dansant dans un rayon de soleil, Peter écartant les bras en enjambant une branche morte. Mes lacets se dénouaient. L'angoisse me submergeait tandis que, derrière nous, le lotissement disparaissait peu à peu... Êtes-vous sûrs, êtes-vous sûrs ? Peter, Jamie, attendez, arrêtez...

Le petit bruit s'accentuait, envahissait le bois, se rapprochait de tous les côtés. Il venait de la cime des arbres, des buissons. Il me cernait, me menaçait. *C'est la pluie*, me dis-je, *rien que la pluie*, alors que je ne sentais pas une goutte. À l'autre extrémité du bois, un cri retentit. Bref, strident.

– Allez, Adam, dépêche-toi !

Devant moi, quelque chose remua dans l'obscurité. Une bourrasque subite souleva les feuilles. Était-ce vraiment le vent ? J'essayai d'allumer ma torche. Peine perdue : mes doigts gourds restèrent serrés autour d'elle, paralysés. Mes souvenirs s'étiolaient, se dissipaient. Au-delà de la clairière, quelque chose respira. Quelque chose de gros.

Là-bas, près de la rivière, entre les saules. Des yeux. Dorés.

Je rejetai le duvet, me relevai. Et je courus.

Des ronces griffaient mes cheveux et mes jambes, des ailes battaient autour de moi. Des trous invisibles s'ouvraient sous mes pieds, ralentissaient ma course comme dans un cauchemar.

Je heurtai un tronc, du lierre me lacéra les joues. Je hurlai. J'étais persuadé que je ne sortirais jamais de ce bois, qu'on ne retrouverait rien de moi, hormis mon sac de couchage. Dans son chandail rouge, Cassie s'agenouillerait dans la clairière, au milieu des feuilles mortes, et, de sa main gantée, caresserait le duvet. Et puis plus rien. Jamais...

Enfin, la nouvelle lune, entre les nuages... Je venais de déboucher sur le chantier. Le sol était traître, glissant. Je trébuchai. Mon tibia cogna contre un vieux pan de mur. Je rétablis mon équilibre, courus de plus belle. Un halètement emplissait mes oreilles. Était-ce le mien ? Comme tout inspecteur, je m'étais toujours pris pour le chasseur. Il ne m'était jamais venu à l'esprit que j'avais pu être le gibier, depuis le début.

La Land Rover surgit devant moi, radieuse, plus blanche qu'une chapelle. Je dus m'y reprendre à trois fois pour ouvrir la portière. Je laissai même tomber les clés, m'agenouillai fébrilement dans l'herbe, allumai enfin ma torche. Je réussis à me glisser à l'intérieur du véhicule. Je verrouillai toutes les portières et restai là, les coudes contre le volant, hors d'haleine et couvert de sueur. Je tremblais trop pour pouvoir conduire. Je trouvai mes cigarettes, parvins à en allumer une. J'avais désespérément besoin d'un verre, ou d'un joint. De grandes taches de boue souillaient les genoux de mon jean. Je ne me souvenais pourtant pas d'être tombé.

Une fois mes mains calmées, j'appelai Cassie. Il devait être plus de minuit, peut-être même bien plus tard. Toutefois, elle répondit dès la seconde sonnerie, et semblait tout à fait éveillée.

– Salut, toi... Qu'est-ce qui t'arrive ?

Je crus un instant que je n'arriverais pas à parler.

– Où es-tu ? bredouillai-je.

– Je suis rentrée il y a vingt minutes. Emma, Susanna et moi sommes allées au cinéma, avant de dîner au Trocadero. On nous a servi le vin rouge le plus délectable du monde. Trois types ont essayé de nous draguer. Emma a juré que c'étaient des acteurs. Elle en a reconnu un, qu'elle a vu dans une série télévisée...

Elle était un peu grise, mais pas ivre.

– Cassie, je suis à Knocknaree. Sur le chantier.

Silence. Sa voix se raffermit.

– Tu veux que je vienne te chercher ?

– S'il te plaît.

Je ne m'étais pas rendu compte, jusqu'à ce qu'elle me le propose, que je l'avais appelée pour cette raison.

– D'accord. À tout de suite.

Elle raccrocha.

Il lui fallut un temps fou pour arriver. J'attendis, grillant cigarette sur cigarette, imaginant les pires scénarios : elle avait été renversée par un camion sur la route à quatre voies, avait crevé avant d'être enlevée par des trafiquants de femmes. Je posai mon flingue sur mes genoux. J'eus quand même la lucidité de ne pas l'armer. La Land Rover se remplissait d'une vapeur qui embuait mes yeux. J'allumai le plafonnier, l'éteignis aussitôt pour ne pas être repéré, tel un homme préhistorique affolé par les fauves.

Enfin, le phare de la Vespa émergea du sommet de la colline. Je rangeai mon arme dans mon holster, ouvris la portière. Je ne voulais pas que Cassie me voie tâtonner. Son faisceau enroba la voiture. Du pied, elle cala le scooter sur sa béquille.

– Salut !

– Salut, répondis-je, en sortant, les jambes raides, de l'auto. Merci.

– Pas de problème. Je ne dormais pas.

Le vent de la course avait rougi ses pommettes, humecté ses prunelles. En m'approchant d'elle, je sentis le froid qu'elle dégageait. Elle se débarrassa de son sac à dos, en sortit un casque de rechange.

– Tiens.

Nous sommes repartis. Le casque sur la tête, je n'entendais que le vrombissement paisible de la Vespa et mon sang martelant mes oreilles. Sombre et frais comme de l'eau, l'air me giflait. Les phares des voitures qui nous croisaient me faisaient cligner des paupières. Mince et solide entre mes mains, le buste de Cassie remuait quand elle changeait de vitesse ou se penchait dans un tournant. J'avais l'impression que le scooter flottait très haut au-dessus du macadam, que nous roulions sur une de ces autoroutes américaines qui, interminables, filent jusqu'au bout du monde.

Elle lisait au lit lorsque je l'avais appelée. Le futon était tiré, recouvert de la couette écossaise et surmonté d'oreillers blancs. *Les Hauts de Hurlevent* et son tee-shirt trop grand traînaient au pied du lit. Des documents de travail, dont une photo de la marque entourant le cou de Katy, jonchaient la table basse et le canapé, où s'étalait la tenue de sortie de Cassie : jean étroit et noir, haut de soie rouge brodé de fils d'or, de la taille d'un mouchoir de poche. La lampe de chevet au ventre renflé diffusait dans la pièce une lumière discrète, accueillante.

– Quand as-tu mangé pour la dernière fois ? me demanda Cassie.

J'avais oublié mes sandwiches dans la clairière, avec mon sac de couchage et ma Thermos. Je les récupérerais le lendemain matin, en même temps que ma voiture. La perspective de retourner là-bas, même en plein jour, me fit frémir.

– J'ai oublié, répondis-je.

Elle sortit du placard une bouteille de cognac et un verre.

– Requinque-toi pendant que je prépare quelque chose. Œufs au plat sur toast ?

Ni l'un ni l'autre n'aimions le cognac. La bouteille était inentamée et poussiéreuse ; sans doute un prix gagné lors de la tombola de Noël. Cependant, elle avait raison : j'étais encore en état de choc.

– Magnifique, dis-je.

Débarrasser le canapé me paraissant incroyablement compliqué, je m'assis sur le rebord du futon et contemplai longuement la bouteille, jusqu'à ce que je réalise que j'étais censé l'ouvrir.

J'avalai cul sec une grande rasade, dont la chaleur se répandit dans mes veines. Ma langue me faisait mal. J'avais dû la mordre à un moment ou à un autre. Je me servis un autre verre, le sirotai lentement. Cassie s'affairait dans la kitchenette, d'une main sortait des herbes du placard, de l'autre prenait les œufs dans le frigo, fermait un tiroir d'un coup de hanche. Elle avait mis de la musique en sourdine : les Cowboy Junkies. D'ordinaire, j'adore leurs mélodies. Ce soir, elles m'écorchaient les oreilles.

– Ne pourrait-on éteindre ça ?

Elle se détourna de la poêle, une cuillère de bois à la main.

– Bien sûr.

Elle coupa la stéréo, posa les œufs sur le toast.

– Voilà.

Leur odeur décupla mon appétit. J'engloutis la nourriture sans même reprendre mon souffle. Rien ne m'avait jamais paru plus divin que ces œufs parfumés aux herbes et aux épices. Cassie s'installa, jambes croisées, à la tête du futon, me regarda dévorer.

– Encore ?

J'avais mangé trop vite, mon estomac pesait une tonne.

– Non, merci.

– Que s'est-il passé ? murmura-t-elle. Tu t'es rappelé quelque chose ?

Je fondis en larmes. Je pleure si rarement – cela n'a dû m'arriver qu'une fois ou deux depuis l'âge de treize ans, sous l'effet de l'alcool – qu'il me fallut bien une minute pour comprendre ce qui se passait. Je me frottai le visage, fixai mes doigts mouillés.

– Non... Rien d'intéressant. Je me souviens de cet après-midi, de notre escapade dans le bois, de ce dont nous avons parlé... Ensuite, nous avons entendu quelque chose, je ne sais pas quoi... Nous sommes allés voir ce que c'était... Alors, j'ai paniqué. J'ai paniqué !

Ma voix se brisa.

– Là, dit Cassie, en se rapprochant de moi et en posant une main sur mon épaule. Tu as fait un grand pas, mon ange. La prochaine fois, la suite te reviendra.

– Non, non. Ça ne reviendra jamais.

Je n'aurais pas pu l'expliquer, et j'ignore toujours pourquoi j'étais tellement persuadé d'avoir gâché la seule chance qui m'avait été offerte. J'enfouis ma tête dans mes mains et sanglotai comme un gosse.

Elle ne m'enlaça pas, ne chercha pas à me consoler. Je lui en fus reconnaissant. Elle resta assise près de moi, son pouce allant et venant sur mon épaule, pendant que je pleurais. Non pas sur ces trois enfants, mais sur l'infranchissable distance qui me séparait d'eux ; sur tout ce que nous avions perdu, notre confiance en nous, cette certitude qu'ensemble nous affronterions victorieusement, en riant aux éclats, le monde des adultes.

– Excuse-moi, hoquetai-je enfin.

Je me redressai, m'essuyai les joues.

– De quoi ?

– D'avoir craqué. Je ne voulais pas.

Elle haussa les épaules.

– Maintenant, nous sommes à égalité. Tu sais ce que je ressens lorsque je fais ces cauchemars et que tu dois me réveiller.

– Vraiment ?

Cela ne m'était jamais venu à l'esprit.

– Vraiment.

Elle roula sur le ventre, attrapa un paquet de mouchoirs en papier sur la table de nuit.

– Mouche-toi.

Je réussis à esquisser un faible sourire ; et j'obéis.

– Merci, Cass.

– Ça va mieux ?

J'inspirai en grelottant, ne pus réprimer un bâillement.

– Ça va.

– Prêt pour le marchand de sable ?

Ma tension refluait peu à peu. Pourtant, je me sentais plus épuisé que je ne l'avais jamais été. Des ombres passaient encore devant mes yeux. Le moindre murmure, le plus petit craquement de la maison me faisaient sursauter. Si Cassie éteignait la lumière et me laissait seul sur le canapé, hanté par des images et des halètements venus de nulle part, je ne trouverais jamais le sommeil.

– Je crois, répondis-je. Est-ce que je pourrais dormir là ?

– Bien sûr. Mais si tu ronfles, je t'expédie sur le sofa.

Elle se redressa, ôta les peignes de ses cheveux.

– Je ne ronflerai pas, jurai-je.

Je me délestai de mes chaussures et de mes chaussettes. Me dépouiller du reste de mes vêtements me sembla insurmontable. Je me faufilai tout habillé sous la couette.

Cassie enleva son chandail et se glissa près de moi. Sans même avoir conscience de ce que je faisais, je l'entourai de mes bras. Elle nicha son dos contre moi.

– Bonne nuit, dis-je. Merci encore.

Elle tapota mon bras, allongea le sien pour éteindre la lampe de chevet.

– Bonne nuit à toi. Dors tout ton soûl. Réveille-moi si tu as besoin de réconfort.

Ses cheveux contre mon visage avaient un parfum aussi frais que celui d'une pelouse. Elle cala sa tête contre l'oreiller, soupira. Elle était chaude et ferme. Je pensai à de l'ivoire ou à des marrons bien lisses, à la satisfaction sans mélange qu'on éprouve quand un objet épouse parfaitement vos paumes. Jamais je ne m'étais senti autant en harmonie avec quelqu'un.

– Tu es réveillée ? chuchotai-je au bout d'un long moment.

– Oui...

Nous sommes restés immobiles. Mon cœur battait très fort. Ou alors c'était le sien. Je la retournai et l'embrassai. Quelques instants plus tard, elle me rendit mon baiser.

J'ai déjà dit que j'ai toujours préféré la routine à l'irrévocable, ce qui implique que je suis un couard. Je mentais. Je n'ai pas toujours été lâche. En tout cas, pas cette nuit, pas cette fois-là.

Chapitre 17

Pour une fois, je m'éveillai le premier. Il était très tôt. Pas un bruit dans les rues, hormis, très loin, le cri des mouettes. Son appartement étant perché au sommet de la maison, Cassie n'avait pas de vis-à-vis ; elle ne tirait donc jamais les rideaux, ce qui me permit, par la fenêtre entrebâillée, d'admirer le ciel, turquoise et strié d'or pâle.

J'avais dû dormir une heure ou deux. Un désordre fantomatique régnait dans la pièce : assiettes et verres sur la table basse, pages de notes soulevées par une brise minuscule, mon chandail par terre. J'avais soif. D'un geste précautionneux, je saisis le verre d'eau posé sur la table de nuit, le bus en entier. Profondément assoupie dans le creux de mon bras, les lèvres entrouvertes, une main alanguie sur l'oreiller, Cassie ne bougea pas. J'écartai une mèche de son front et la réveillai par un baiser.

Nous ne nous sommes pas levés avant 15 heures. Le ciel avait viré au gris. Un frisson me parcourut lorsque que je quittai la chaleur de la couette.

– Je meurs de faim, dit Cassie en boutonnant son jean.

Avec ses cheveux ébouriffés, ses lèvres pleines et ses yeux si paisibles, aussi mystérieux que ceux d'un enfant rêveur, elle était superbe. Cet éclat nouveau, renforcé par la morosité du temps, me mit mal à l'aise.

– Œufs au bacon ?

– Non, merci.

Quand je reste chez elle pour le week-end, nous avons nos habitudes : petit déjeuner irlandais copieux, suivi d'une longue promenade sur la plage. Mais je n'avais aucune envie d'évoquer ce qui était arrivé cette nuit-là, ni de m'efforcer, avec son assentiment gêné, d'éviter le sujet. L'appartement me rendit tout à coup claustrophobe. J'avais des bleus et des égratignures sur les coudes et le ventre, une vilaine petite entaille sur la cuisse.

– Il faut vraiment que j'aille chercher ma voiture.

Elle enfila un tee-shirt et lança négligemment, à travers le tissu :

– Tu veux que je te dépose ?

J'eus le temps de remarquer sa fugace expression de surprise.

– Je crois que je vais prendre le bus.

Je trouvai mes chaussures sous la table basse.

– J'aimerais marcher un peu. Je te téléphone plus tard. D'accord ?

– Ça roule, répondit-elle gaiement.

Quelque chose de dangereux, de pesant, venait de passer entre nous. Devant sa porte, nous nous sommes étreints un long moment. Très fort.

Arrivé dans la rue, je renonçai à attendre le bus. Trop hasardeux, trop compliqué : un changement, des horaires dominicaux ; cela m'aurait pris la journée. En vérité, je ne tenais absolument pas à me rendre à Knocknaree pour me retrouver au milieu d'un chantier désert, sous un ciel lugubre. Après avoir avalé un café insipide dans une station-service, je décidai de rentrer chez moi à pied. Monkstown est à plus de cinq kilomètres de Sandymount, mais je n'étais pas pressé. Heather serait dans le salon, le visage barbouillé d'un produit verdâtre, le son de *Sex and the City* poussé au maximum. Elle s'empresserait de me raconter sa séance de *speed dating*, de me décrire ses conquêtes, de me demander pourquoi mon jean était maculé de boue, où j'étais allé et ce que j'avais fait de la Land Rover. J'en avais déjà mal au crâne.

Je venais de commettre la plus grosse erreur de ma vie. Même si j'avais déjà, par le passé, couché avec des femmes que j'aurais dû éviter, je n'avais jamais agi avec une telle stupidité. Chaque fois qu'un accident de ce genre se produit, on a le choix entre deux solutions : commencer une liaison, ou couper tout contact. J'avais déjà fait les deux, avec plus ou moins de bonheur. Or là... Comment ne plus adresser la parole à ma partenaire ? Quant à me lancer dans une relation romantique...

J'étais si fatigué que mes pieds martelant le trottoir me semblaient appartenir à quelqu'un d'autre. La bruine charriée par le vent picotait mes joues. Je passai en revue, avec un sentiment de désastre irréparable, tout ce que je ne pourrais plus faire : m'enivrer toute la nuit avec Cassie, lui parler de mes petites amies, dormir sur son canapé. Impossible, désormais, de la considérer comme ma collègue préférée, ma copine, ma sœur. Je me souvins d'elle dans les jardins de Dublin Castle, plongeant une main dans la poche de mon manteau, à la recherche de mon briquet. Elle n'avait même pas interrompu sa phrase. J'avais adoré son geste si spontané, allant tellement de soi.

Cela paraîtra incroyable, dans la mesure où tout le monde, depuis mes parents jusqu'à ce crétin de Quigley, s'y attendait : je n'avais rien vu venir. Dieu, que nous étions fats, arrogants, si sûrs d'échapper au sort commun ! Je jure que lorsque je fourrais mes chaussettes dans mes souliers, que Cassie ôtait ses barrettes en grimaçant chaque fois qu'elles s'accrochaient à ses cheveux, je n'avais aucune arrière-pensée. Notre naïveté peut sembler feinte. Pourtant, je ne mens pas : ni l'un ni l'autre n'étions conscients de rien.

Parvenu à Monkstown, je n'eus pas le courage de rentrer directement chez moi. Je continuai jusqu'à Dun Laoghaire. Assis au bout de la jetée, je regardai les couples endimanchés marchant de long en large s'embrasser en riant, jusqu'à ce que la nuit tombe, que le vent perce mon pardessus et qu'un agent en uniforme me lorgne d'un air soupçonneux.

Cette nuit-là, je dormis comme si on m'avait assommé. Le lendemain matin, j'arrivai au bureau les yeux gonflés, encore engourdi. La salle des opérations me parut étrange, presque hostile. Cassie avait laissé sur sa table le dossier de l'ancienne affaire. Je tentai de travailler, mais je ne pus me concentrer. Parvenu à la fin d'une phrase, j'en avais déjà oublié le début et je devais revenir en arrière.

Cassie entra, les joues rougies par le vent, coiffée d'un petit béret écossais rouge vif.

– Salut, toi. Comment va ?

Elle ébouriffa mes cheveux en passant derrière moi. Je ne pus m'empêcher de tressaillir. Sa main se figea un instant.

– Bien, dis-je.

Elle jeta sa sacoche derrière sa chaise. Je sentis ses yeux sur moi. Je gardai la tête baissée.

– Les dossiers médicaux de Rosalind et de Jessica sont en train d'arriver sur le fax de Bernadette. Elle nous demande d'aller les chercher dans quelques minutes et de donner, la prochaine fois, le numéro de fax de la salle des opérations. Et c'est ton tour de préparer le dîner de ce soir. Je n'ai que du poulet. Donc, si Sam et toi désirez autre chose...

Elle s'exprimait très naturellement. Il y avait toutefois dans sa voix une interrogation inquiète.

– En fait, répondis-je, je ne peux pas venir dîner. J'ai un rendez-vous.

– Oh... D'accord.

Elle enleva son béret, lissa ses cheveux.

– Un verre, alors, si l'heure à laquelle nous finirons le permet ?

– Pas ce soir. Désolé.

– Rob..., murmura-t-elle après un moment.

Je ne levai pas la tête. Je crus qu'elle allait poursuivre, mais Sam surgit dans la pièce, frais comme une rose et gai comme un pinson après son week-end campagnard, deux cassettes dans une main et des pages faxées dans l'autre. Je n'avais jamais été aussi content de le voir.

– Bonjour, les potes. Voilà pour vous, avec les compliments de Bernadette. Comment s'est passé le week-end ?

– Très bien, avons-nous répliqué à l'unisson.

Cassie se détourna pour suspendre sa veste. Je parcourus les pages que Sam avait déposées devant moi. J'avais toujours autant de mal à me concentrer. Le médecin des Devlin écrivait comme un cochon et la sensation d'être observé par Cassie, la patience inhabituelle avec laquelle elle attendait que j'aie terminé une page, sa proximité quand elle se penchait pour s'en emparer me faisaient grincer des dents. Il me fallut un énorme effort de volonté pour repérer quelques faits saillants.

Apparemment, Margaret s'était beaucoup inquiétée de la santé de Rosalind à l'époque où elle était bébé et convoquait de multiples médecins à chaque rhume ou quinte de toux. Or Rosalind semblait avoir été la plus robuste de ses trois filles : aucune maladie grave, pas d'accidents sérieux. Jessica avait passé trois jours en couveuse lorsqu'elle et Katy étaient nées, s'était cassé le bras à sept ans dans la cour de son école et avait, depuis l'âge de neuf ans, un poids inférieur à la normale. Toutes deux avaient eu la varicelle. L'année précédente, Rosalind s'était fait enlever un ongle d'orteil incarné.

– Rien, dans ces dossiers, ne suggère des abus sexuels ou un syndrome de Münchausen, déclara enfin Cassie.

En arrière-fond, Andrews engueulait Dieu sait qui. Sam avait dégoté le magnétophone et passait l'enregistrement des écoutes. S'il n'avait pas été là, je crois que j'aurais ignoré la remarque de Cassie.

– Il n'y a rien non plus qui les élimine, répliquai-je.

– Comment éliminer définitivement des sévices sexuels ? Tout ce que nous pouvons affirmer, c'est que nous n'avons aucune preuve de leur existence. Ça ne signifie pas qu'ils n'ont pas eu lieu. Pour le syndrome de Münchausen, c'est différent. Margaret ne correspond pas au profil. Et avec ça... La caractéristique du syndrome, c'est qu'il aboutit à un traitement médical. Personne n'a provoqué de troubles chez les deux sœurs.

– Donc cette piste ne mène à rien !

Je repoussai violemment les dossiers, dont les pages se répandirent sur le sol.

– Ce cas est pourri depuis le début ! Nous ferions mieux de l'expédier au sous-sol et de nous consacrer à une affaire qui ait une chance d'être résolue. Celle-là nous fait perdre notre temps à tous !

Le coup de fil d'Andrews venait de s'achever. Le magnétophone se mit à chuinter, jusqu'à ce que Sam le coupe. Cassie se pencha de côté et ramassa les feuilles du dossier. Tout le monde garda le silence pendant très longtemps.

Je me demandais ce que pensait Sam. Il ne risquait jamais le moindre commentaire, mais avait dû se rendre compte que quelque chose n'allait pas. Tout d'un coup, les joyeuses soirées à trois cessèrent et l'atmosphère de la salle des opérations devint aussi sinistre qu'une pièce de Jean-Paul Sartre. Il est possible que Cassie lui ait tout raconté, ait pleuré sur son épaule. J'en doute. Elle avait trop de fierté. Elle continua probablement à l'inviter à dîner, lui expliqua peut-être que j'avais des problèmes avec les assassinats d'enfants, ce qui, après tout, était vrai, et que je préférais, le soir, me détendre. Si elle le fit, elle dut se montrer très convaincante. Même s'il ne la crut pas, Sam eut la délicatesse de ne pas poser de question.

J'imagine que d'autres remarquèrent ce qui se passait. Les inspecteurs, par définition, ont le sens de l'observation. Que les jumeaux de rêve ne se parlent plus avait dû faire le tour de la brigade en vingt-quatre heures, suscitant un flot de commentaires corsés dont certains, j'en suis sûr, exprimaient la vérité.

Ou peut-être pas. Malgré tout, notre vieille alliance subsista. Notre instinct nous poussait à dissimuler sa détérioration. C'était le plus déchirant : préserver notre complicité professionnelle chaque fois que c'était nécessaire. Nous passions des heures atroces sans nous dire un mot, jusqu'à ce qu'un échange devienne inévitable. Dès qu'O'Kelly menaçait de nous retirer Sweeney et O'Gorman, nous retrouvions notre vivacité et réagissions chacun à notre manière. J'énumérais avec obstination les raisons pour lesquelles nous avions besoin de stagiaires. Cassie, elle, déclarait que le patron savait ce qu'il faisait, tout en espérant que les médias ne l'apprendraient pas. Je mettais toute mon énergie à tenter d'avoir gain de cause. Lorsque, une fois la porte refermée, nous nous retrouvions seuls, du moins seuls avec Sam, qui ne comptait pas, l'étincelle mourait. Insensible à sa pâleur, à son incompréhension, je m'écartais de Cassie, lui tournais le dos avec le dédain d'un chat outragé.

J'avais l'impression d'avoir été floué, de façon subtile mais impardonnable. Si Cassie m'avait blessé, je ne lui en aurais pas voulu. Or c'était elle qui souffrait ; et cela, je ne le lui pardonnais pas.

Les résultats de l'analyse du sang imprégnant mes baskets et de celui prélevé sur l'autel de pierre devaient arriver d'un moment à l'autre. Dans le brouillard où je me débattais, il s'agissait d'un des rares points qui restaient clairs dans mon esprit. Presque toutes les autres pistes avaient abouti à des impasses. C'était la dernière qui me restait, et je m'y accrochais désespérément. J'étais persuadé, au-delà de toute logique, qu'il suffirait que les ADN correspondent. Dès lors, tout se mettrait en place et la solution des deux énigmes surgirait devant moi, parfaite, lumineuse.

J'avais vaguement conscience que, dans ce cas, on aurait besoin de l'ADN d'Adam Ryan pour la comparer aux deux autres, et que l'inspecteur Rob disparaîtrait pour toujours dans un parfum de scandale. Je ne m'en souciais guère. Bien au contraire : il m'arrivait de l'espérer, avec un soulagement résigné. Cette fin, depuis que je savais que j'avais ni les tripes ni l'énergie pour me libérer de cette situation intenable, me paraissait la façon la plus simple de tirer l'échelle.

Enfin, Sophie m'appela depuis sa voiture, en plein embouteillage.

– Les gars du labo ont téléphoné. Mauvaises nouvelles.

– Mais encore ? répondis-je en faisant pivoter ma chaise pour tourner le dos aux autres.

Je m'efforçai d'adopter le ton le plus neutre possible. Mais O'Gorman cessa de siffler et j'entendis le froissement de la page reposée par Cassie.

– Ces échantillons sont inutilisables. Tous les deux : celui des chaussures et celui trouvé par Helen.

Elle klaxonna avec rage.

– Connard, arrête de changer de file !... Rob, les gars du labo ont tout essayé, mais les prélèvements étaient trop détériorés pour une analyse d'ADN. Désolée. Cela étant, je t'avais prévenu.

– Sûr. Merci, Sophie.

Je raccrochai, fixai le téléphone.

– Qu'est-ce qu'elle a dit ? s'enquit Cassie.

Je ne répondis pas.

Ce soir-là, rentrant chez moi en sortant du Dart, j'appelai Rosalind. Je m'étais promis de ne pas le faire, de la laisser en paix jusqu'à ce qu'elle soit prête à parler au moment choisi par elle, plutôt que de la mettre au pied du mur. Mais elle était ma dernière chance.

Elle se présenta le mardi matin à la réception. Je descendis l'accueillir, ainsi que je l'avais fait la première fois, des semaines plus tôt. J'avais craint qu'elle ne vienne pas. Je lui fus reconnaissant d'être là, dans un grand fauteuil, pensive, une écharpe rose autour du cou. En la voyant si jeune, si jolie, je réalisai à quel point nous devions paraître gris, épuisés, las.

– Rosalind...

Son visage s'éclaira.

– Inspecteur Ryan !

– Ne devriez-vous pas être en classe ?

Elle me jeta un regard complice.

– Mes professeurs m'aiment bien. Je n'aurai pas d'ennuis.

Au lieu de la sermonner, j'éclatai de rire. La porte s'ouvrit et Cassie apparut, venant du dehors, cherchant ses cigarettes dans la poche de son jean. Elle m'aperçut, nota la présence de Rosalind. Elle nous dépassa rapidement, s'engagea dans l'escalier.

Rosalind se mordit la lèvre.

– Votre collègue est irritée de me voir là, n'est-ce pas ?

– Ce n'est pas vraiment son problème. Navré que vous ayez eu cette impression.

– Ce n'est pas grave, dit-elle avec un faible sourire. Elle ne m'a jamais vraiment appréciée, il me semble...

– L'inspecteur Maddox n'a rien contre vous.

– Ne vous tracassez pas, inspecteur Ryan. J'ai l'habitude. La plupart des filles ne m'aiment pas. Ma mère prétend qu'elles me jalousent. Je ne vois pas pourquoi.

Je lui rendis son sourire.

– Moi, si. Mais je ne crois pas que ce soit le cas de l'inspecteur Maddox. Sa mauvaise humeur n'a aucun rapport avec vous.

Silence.

– Vous êtes-vous querellés ? hasarda enfin Rosalind.

– En quelque sorte. C'est une longue histoire.

Je lui tins la porte. Nous nous sommes dirigés vers les jardins. Rosalind semblait songeuse.

– J'espère quand même qu'elle ne me déteste pas trop. J'ai énormément d'admiration pour elle, vous savez. Être une femme inspecteur ne doit pas être facile.

– Il n'est pas facile d'être inspecteur tout court.

Je n'avais aucune envie de parler de Cassie.

– Oui, mais pour une femme, c'est différent.

Je perçus un reproche dans son intonation. Je me forçai à garder mon sérieux, pour ne pas l'offenser.

– Que voulez-vous dire ?

– Eh bien... Mlle Maddox a une trentaine d'années. Elle aimerait certainement se marier, avoir des enfants. À l'inverse des hommes, les femmes ne peuvent pas se permettre d'attendre. Et une femme policier doit avoir du mal à entretenir une relation sérieuse, vous ne croyez pas ? La pression est sans doute trop forte.

Mon estomac se noua.

– À mon avis, l'inspecteur Maddox n'est pas du genre mère poule.

Rosalind parut troublée. Ses petites dents de devant s'enfoncèrent dans sa lèvre supérieure. Elle ajouta prudemment :

– Vous avez sans doute raison. Parfois, pourtant, quand on est trop proche de quelqu'un, on est aveuglé. On ne devine pas ce que d'autres perçoivent.

Mon oppression s'accentua. D'un côté, je mourais d'envie de découvrir ce qu'elle avait discerné chez Cassie et qui m'avait échappé. De l'autre, la semaine qui venait de s'écouler m'avait convaincu qu'il valait mieux ignorer certaines choses.

– La vie personnelle de l'inspecteur Maddox ne me concerne pas, dis-je. Rosalind...

Elle s'était déjà engagée dans une des petites allées, à l'aspect sauvage soigneusement entretenu, qui contournent les pelouses.

– Oh, inspecteur Ryan, regardez ! N'est-ce pas ravissant ?

Ses cheveux dansaient dans la lumière qui perçait les feuillages. En dépit de mon malaise, je souris. Je la suivis jusqu'à un petit banc protégé par des branches et des buissons remplis de cris d'oiseaux.

– Oui, c'est très joli. Voulez-vous que nous nous installions là ?

Elle s'assit, leva les yeux vers les arbres avec un petit soupir heureux.

– Notre jardin secret...

C'était idyllique. L'idée de rompre le charme me révulsait. Je songeai un instant à oublier le but de cette rencontre, à lui demander simplement de ses nouvelles, à m'extasier sur cette belle journée avant de la laisser partir ; à n'être, pendant quelques minutes, qu'un homme jouissant du soleil et bavardant avec une jolie fille.

– Rosalind, il faut que je vous pose une question. Cela risque d'être très pénible. Je souhaiterais de tout cœur vous faciliter les choses. C'est malheureusement impossible. J'ai besoin de votre aide. Voulez-vous essayer ?

Une émotion subite contracta ses traits.

– Je ferai de mon mieux.

– Votre père et votre mère, poursuivis-je le plus délicatement possible, vous ont-ils, l'un ou l'autre, fait du mal, à vous ou à vos sœurs ?

Elle sursauta, porta une main à sa bouche. Puis elle se tourna vers moi, abaissa sa main.

– Non, répondit-elle d'une toute petite voix. Bien sûr que non.

– Je sais que vous avez peur. Je peux vous protéger. Je vous le promets.

– Non.

Elle secoua la tête, se mordit la lèvre. Je la sentais au bord des larmes.

Je me rapprochai d'elle, posai ma main sur les siennes. Je respirai son parfum, musqué, trop fort : un parfum de femme mûre qui ne lui allait pas.

– Rosalind, si quelque chose ne va pas, il faut que nous le sachions. Vous êtes en danger.

– Tout va bien.

– Jessica, elle aussi, est en danger. Vous ne pourrez pas veiller sur elle indéfiniment. Je vous en prie, laissez-moi vous aider.

– Vous ne comprenez pas, souffla-t-elle, ses phalanges tremblant sous les miennes. Je ne peux pas, inspecteur Ryan. Je ne peux pas !

Son cri me brisa le cœur. Cette petite jeune fille faisait preuve d'une bravoure qui aurait pu en remontrer à des gens deux fois plus âgés qu'elle. J'en eus presque honte.

– Excusez-moi. Un jour, peut-être, vous serez prête à en parler. Quand ce moment arrivera, je serai là. Mais, en attendant... Je n'aurais pas dû essayer de vous forcer la main. Je suis navré.

– Vous avez été si gentil avec moi, chuchota-t-elle. Je n'arrive pas à croire que vous soyez si attentionné.

– J'aimerais simplement vous aider.

– Je... je n'accorde pas facilement ma confiance, inspecteur Ryan. Mais si je me confie un jour, ce sera à vous.

Nous nous sommes tus. Sa main était douce sous la mienne. Elle ne la retira pas. Lentement, elle la retourna, mêla ses doigts aux miens. Elle me souriait, avec une audace timide. Je retins mon souffle. Je rêvais de me pencher un peu plus, de poser une paume sur sa nuque et de l'embrasser. Des images affluaient dans ma tête : les draps froissés d'une chambre d'hôtel, ses cheveux dénoués, des boutons sous mes doigts. Je voulais cette fille, si différente de toutes celles que j'avais connues. Je la voulais non pas en dépit de sa tristesse, de ses blessures secrètes, de sa volonté pathétique de se vieillir, mais à cause de tout cela. Mon visage se reflétait dans ses yeux, dangereusement proches des miens.

Elle avait dix-huit ans, pourrait très bien devenir mon témoin principal. Elle était plus vulnérable qu'elle ne le serait jamais. Et elle m'idolâtrait. Il ne fallait surtout pas qu'elle découvre ma tendance à détruire tout ce que je touchais. Avec un effort surhumain, je dégageai mes doigts des siens. Aussitôt, son visage se ferma.

– Je dois y aller, dit-elle froidement.

– Je ne veux pas vous blesser. Vous n'avez vraiment pas besoin de cela.

– Eh bien, vous l'avez fait.

Elle accrocha son sac à son épaule, sans me regarder.

– Rosalind, je vous en prie, attendez...

Je tentai de saisir sa main, mais elle me repoussa.

– Je pensais que vous vous intéressiez à moi. Je me trompais. Vous me l'avez laissé croire uniquement parce que vous vouliez vérifier si je savais quelque chose à propos de Katy. Vous m'avez manipulée, comme vous l'auriez fait avec n'importe qui.

– Ce n'est pas vrai, balbutiai-je.

Elle était déjà partie, descendant l'allée à petits pas furieux. La rattraper n'aurait servi à rien. Sur son passage, les oiseaux nichés au milieu des buissons s'envolèrent dans un grand bruissement d'ailes.

J'étais anéanti. Je lui donnai quelques minutes pour se calmer, avant de l'appeler sur son mobile. Elle ne répondit pas. Je laissai un pitoyable message d'excuses sur son répondeur. Ensuite, je raccrochai et m'affalai sur le banc.

– Merde ! criai-je aux buissons désertés.

Il est important de rappeler que, pendant presque toute la durée de l'opération Vestale, je n'étais pas dans mon état normal. Ce n'est pas une excuse, mais un fait. Par exemple, lorsque j'étais allé dans le bois, j'avais, depuis longtemps, très peu dormi, très peu mangé et bu beaucoup trop de vodka. À cela s'ajoutait un état de tension permanente. Il est donc fort possible que les événements qui suivirent aient été un rêve, ou une hallucination. Je n'ai pas le moyen de le savoir et je ne peux apporter à cette question aucune réponse rassurante.

Depuis cette nuit, j'avais au moins retrouvé le sommeil. En fait, je dormais comme une souche, ce qui ne manquait pas de m'inquiéter. À peine rentré chez moi, je m'écroulais tout habillé sur mon lit, comme attiré par un aimant, pour me retrouver dans la même position quand mon réveil sonnait, douze ou treize heures plus tard. Une fois, même, j'oubliai de mettre l'alarme et me réveillai à 14 heures, au septième coup de téléphone d'une Bernadette de très méchante humeur.

Les souvenirs et les étranges manifestations qu'ils provoquaient cessèrent eux aussi, s'éteignirent aussi soudainement qu'une ampoule qui grille. Tout d'abord, je me sentis soulagé. Bien plus tard, lorsque l'affaire fut résolue et qu'il n'en subsista que des cendres sur des ruines, je tentai désespérément de retrouver la mémoire. Sans succès. Dès lors, je compris qu'il ne s'agissait pas d'une délivrance mais d'une occasion manquée, d'une perte irréparable dont je ne me remettrais jamais.

Chapitre 18

Sam et moi fûmes les premiers dans la salle des opérations le vendredi matin. J'avais prévu d'arriver le plus tôt possible et de voir si je pouvais trouver une excuse, grâce aux renseignements fournis par la ligne directe, pour passer la journée ailleurs. Il pleuvait des cordes. Quelque part, Cassie devait essayer, en jurant, de faire démarrer sa Vespa.

– Moisson du jour, lança Sam en agitant deux cassettes dans ma direction. Il était d'humeur bavarde, hier soir. Huit appels. Alors, s'il plaît à Dieu...

Nous enregistrions les coups de fil d'Andrews depuis une semaine, avec des résultats assez pathétiques pour qu'O'Kelly commence à maugréer. Dans la journée, Andrews utilisait son mobile. Le soir, il commandait des « mets gastronomiques » hors de prix ; des « plats tout préparés », commentait Sam avec dédain. Il appela une fois un de ces numéros de conversations pornos dont on fait la publicité à la télévision, tard la nuit. Apparemment, il était amateur de fessées. « Rougis-moi le cul, Célestine » était tout de suite devenu une des rengaines de la brigade.

J'enlevai mon imper et m'assis.

– Vas-y, Sam. Joue-moi ta partition.

Il glissa une cassette dans notre antique petit magnétophone.

À 20 h 17, selon la version imprimée de l'enregistrement, Andrews avait commandé des lasagnes et du saumon fumé. À 20 h 23, il avait téléphoné à son beau-frère pour organiser une partie de golf le dimanche matin. À 20 h 41, il avait rappelé le restaurant, furieux que sa commande ne soit pas encore arrivée. Il commençait à être un peu éméché. Suivait une période de silence. De toute évidence, les lasagnes étaient arrivées à bon port.

À 0 h 08, il composa un numéro à Londres. « Son ex-femme », précisa Sam. Il en était au stade larmoyant et voulait évoquer ce qui n'avait pas collé entre eux.

– Ma plus grosse erreur a été de te quitter, Dolores, balbutia-t-il d'une voix entrecoupée de sanglots. Mais j'ai peut-être pris la bonne décision. Tu es une femme de valeur, Dolores. Tu es trop bien pour moi. Cent fois trop bien. Peut-être même mille fois. N'ai-je pas raison, Dolores ? Ne crois-tu pas que j'ai pris la bonne décision ?

– Je l'ignore, Terry, ânonna-t-elle d'un ton las. À toi de me le dire.

En même temps, si j'en croyais les bruits d'assiettes en arrière-plan, elle vidait son lave-vaisselle. Finalement, lorsque Andrews se mit à pleurer pour de bon, elle raccrocha. Deux minutes plus tard, il la rappela et aboya :

– Ne me raccroche pas au nez, salope ! C'est à moi de le faire !

Il reposa violemment le combiné.

– Un vrai gentleman, murmurai-je.

– Merde ! cria Sam. Ah, merde ! Il me reste une semaine d'écoutes. Qu'est-ce que je vais faire si je n'ai que des commandes de sushis ou de pizzas, plus le courrier du cœur ?

Le magnétophone cliqueta de nouveau.

– Allô ? énonça une voix profonde, ensommeillée.

– Qui est-ce ? interrogeai-je.

– Mobile non répertorié, 1 h 45.

– Sale con ! beugla Andrews.

Il était carrément ivre. Il y eut un bref silence. Ensuite, la voix profonde répliqua :

– Ne vous ai-je pas demandé de ne plus me téléphoner ?

– Bingo ! fis-je.

Sam émit un petit son inarticulé. Il tendit la main, comme pour saisir le magnétophone, mais se ravisa et se contenta de le rapprocher de nous, au centre de la table. Nous nous penchâmes pour écouter. Sam retenait son souffle.

– Je me contrefous de ce que vous m'avez dit ! gueula Andrews. Vous m'en avez déjà dit plus qu'assez. Vous m'avez assuré qu'à l'heure qu'il est, tout serait réglé. Au lieu de ça, je reçois des arrêtés de suspension de partout !

– Je vous ai conjuré de vous calmer et de me laisser régler le problème. Je vous le répète : tout est sous mon contrôle.

– Vous avez merdé ! Et ne me parlez pas comme si j'étais votre emp... votre emp... votre employé. C'est vous qui êtes mon employé. Je vous ai payé ! Des milliers et des milliers de... « Oh, il nous faudrait encore cinq plaques pour ceci, Terry, et quelques plaques de plus pour le nouveau conseiller municipal, Terry... » Autant balancer ce pognon dans les chiottes ! Si vous étiez mon larbin, je vous aurais viré !

– Je vous ai obtenu tout ce pour quoi vous m'avez payé. Il ne s'agit que d'un léger contretemps. Tout va s'arranger. Rien ne va changer. Comprenez-vous ce que je vous dis ?

– S'arranger, mon cul ! Vous avez joué double jeu, espèce de fumier ! Vous avez pris mon blé et vous avez dégagé. Maintenant, je n'ai que des terres sans valeur et les flics aux fesses. Comment ont-ils su que ces terrains m'appartenaient ? Hein ? J'avais confiance en vous !

Nouvelle pose. Sam expira, inspira profondément, retint de nouveau son souffle. La voix profonde déclara sèchement :

– D'où m'appelez-vous ?

– Ce ne sont pas vos oignons !

– Sur quoi la police vous a-t-elle questionné ?

– Sur... sur une gamine.

Andrews rota.

– Cette mouflette qu'on a tuée là-bas, reprit-il. Son père est l'enfoiré à l'origine de ce putain d'arrêté... Ces connards croient que j'ai quelque chose à voir avec ça.

– N'utilisez plus votre téléphone, ordonna froidement la voix. Ne parlez pas aux flics sans la présence de votre avocat. Ne vous inquiétez pas à propos de cet arrêté de suspension. Et, surtout, ne m'appelez plus !

Nouveau déclic. L'homme avait raccroché.

– Eh bien, dis-je au bout d'un moment. Cette fois, il ne s'agissait ni d'une commande de bouffe, ni du courrier du cœur. Félicitations.

Cet enregistrement n'aurait aucune valeur devant un tribunal, mais il permettrait d'exercer une pression considérable sur Andrews. Je ne pus m'empêcher de me sentir un peu jaloux. Alors que toutes mes initiatives avaient abouti à des impasses, Sam allait de succès en succès. Avec la chance qui me caractérisait, si j'avais eu à m'occuper d'Andrews, je n'aurais sans doute rien obtenu d'autre, au bout de ces quinze jours, que des conversations avec sa vieille mère.

– En tout cas, ajoutai-je, nous n'aurons plus O'Kelly sur le dos.

Sam ne répondit pas. Il était d'une lividité effrayante.

– Ça ne va pas ? m'enquis-je avec inquiétude.

– Si, si, très bien.

Il éteignit le magnétophone. Sa main tremblait.

– Oh, non, dis-je, ça ne va pas du tout.

J'eus peur que l'euphorie de la victoire ne lui ait causé un choc ou provoqué un malaise cardiaque. Je me souvins des histoires qu'on racontait à la brigade, sur des inspecteurs traquant un suspect et venant à bout d'innombrables obstacles, pour tomber raides morts juste après lui avoir passé les menottes.

– Tu veux que j'appelle un médecin ?

– Surtout pas !

– Alors, qu'est-ce qu'il y a ?

Aussitôt, je percutai. Comment n'avais-je pas fait le rapprochement plus tôt ? Le timbre de la voix, l'accent, le ton... J'avais entendu cela tous les jours, tous les soirs : un peu adouci, moins pète-sec ; mais la ressemblance était indéniable.

– C'était ton oncle ?

Sam regarda furtivement la porte. Il n'y avait personne.

– Oui, soupira-t-il enfin. C'était lui.

– Tu en es sûr ?

– Je connais sa voix. Oui, j'en suis sûr.

Même si ce n'était guère charitable, je faillis m'esclaffer. Sam s'était montré si consciencieux, aussi solennel qu'un GI débitant un discours sur la bannière étoilée dans un mauvais film de guerre américain... Il ne doutait de rien, avait une foi absolue en son métier, en sa chance. Jusque-là, tout lui avait souri. Et voilà qu'à plus de trente ans il venait de glisser sur sa première peau de banane et de s'étaler de tout son long. Mon hilarité se mua en sympathie. Je le plaignis de tout mon cœur.

– Que vas-tu faire ?

Hagard sous les néons, il remuait silencieusement la tête. Bien entendu, il y avait pensé. Nous n'étions que deux dans la pièce. Il suffisait que je me détourne pendant qu'il appuierait sur la touche d'enregistrement, et cette conversation n'existerait plus.

– Peux-tu me laisser le week-end ? dit-il enfin. J'apporterai la cassette à O'Kelly lundi. J'ai simplement... j'ai besoin de réfléchir à tête reposée. Il me faut le week-end.

– Bien sûr. Vas-tu aller voir ton oncle ?

– Si je le fais, il couvrira ses arrières, non ? Il se débarrassera des preuves avant le début de l'enquête.

– C'est fort possible.

– Si je ne lui dis rien, s'il découvre que j'aurais pu le prévenir et que je ne l'ai pas fait...

– Je suis désolé.

Je me demandai fugitivement où diable était Cassie.

– Tu sais ce qu'il y a de plus dingue ? ajouta-t-il. Si tu m'avais demandé, ce matin, quelle personne je serais allé trouver après une révélation semblable, je t'aurais dit : « Red. »

Je ne sus quoi répondre. Nous avons gardé le silence jusqu'à ce qu'O'Gorman surgisse en beuglant quelque chose en rapport avec le rugby. Sam glissa tranquillement la cassette dans sa poche et s'en alla.

L'après-midi, quand je sortis fumer une cigarette, Cassie me suivit dehors.

– Tu as du feu ?

Elle avait fondu et ses pommettes saillaient. Avait-elle, sans que je le remarque, commencé à perdre du poids dès le début de l'opération Vestale, ou seulement quelques jours plus tôt, à cause de moi ? Horriblement mal à l'aise, je lui tendis mon briquet.

La pluie avait cessé. Le ciel était gris, il faisait froid. Des feuilles mortes s'accumulaient contre les murs. Cassie tourna le dos au vent pour allumer sa cigarette. En dépit de son maquillage, mascara, un peu de rose sur les joues, elle était livide. Elle se redressa, me fit face.

– Qu'est-ce qui se passe, Rob ?

J'avais l'estomac retourné. Nous avons tous eu ces sinistres conversations, mais je ne connais aucun homme qui y voie la moindre utilité. Et j'avais espéré, contre tout espoir, que Cassie serait une des rares femmes à m'épargner cette épreuve.

– Il ne se passe rien, répondis-je.

– Alors, pourquoi es-tu si bizarre avec moi ?

Je haussai les épaules.

– Je suis à bout, cette affaire ne mène nulle part et j'ai la tête à l'envers. Mon attitude n'a rien de personnel.

– Allons, Rob. Tu te comportes comme si j'avais la lèpre, depuis que...

Sa voix s'étrangla. Je me raidis.

– Ce n'est pas vrai, mentis-je. J'ai simplement besoin de respirer un peu.

– Arrête ton cinéma. Tu me fuis comme la peste, et je ne pourrai rien y faire tant que je n'aurai pas compris pourquoi.

Elle ne lâcherait pas prise et je me sentais incapable de l'affronter.

– Je ne te fuis pas. Je m'efforce simplement de ne pas rendre les choses plus difficiles qu'elles ne le sont déjà. Je me sens incapable d'entamer une relation maintenant ; et je ne voudrais pas donner l'impression...

– Une relation ?

Elle éclata presque de rire.

– C'est quoi, ce pathos ? Rassure-toi, Ryan. Je ne m'attends pas à ce que tu m'épouses et à ce que tu me fasses des enfants. Comment as-tu pu t'imaginer que je désirais une « relation » ? Je veux simplement que tout revienne à la normale, parce que c'est ridicule !

Je ne la crus pas. Son numéro était convaincant. Mais je la connaissais comme si je l'avais faite. Son regard faussement ironique, son souffle court, ses petits coups d'épaule contre le mur ne trompaient pas. Elle avait peur. Et elle me terrifiait.

– Dans la situation actuelle, dis-je, je ne pense pas que nous puissions retrouver des rapports normaux. Ce qui s'est passé samedi a été une erreur que nous n'aurions jamais dû commettre.

Elle fit tomber sa cendre sur le pavé d'un geste négligent. Ses traits exprimaient une souffrance insondable, comme si je l'avais giflée. Une instant, elle resta muette. Puis :

– Je ne suis pas certaine qu'il s'agissait d'une erreur.

– Cela n'aurait jamais dû se produire, insistai-je, m'appuyant si fort contre le mur que je sentis dans mon dos, à travers mon costume, les aspérités des pierres. Cela ne serait jamais arrivé si je n'avais pas été dans cet état épouvantable. Je suis désolé, mais c'est la vérité.

– D'accord. Mais il n'y a pas de quoi en faire un drame. Nous sommes amis, proches l'un de l'autre. Voilà pourquoi c'est arrivé. Cela devrait simplement nous rapprocher un peu plus. Fin de l'histoire.

Ses propos me parurent éminemment raisonnables, et très sensés. C'était moi qui me comportais comme un adolescent mélodramatique ; et cela me braquait encore plus. Mais ses yeux... Je leur avais déjà connu cet éclat, cette profondeur dans une pièce hideuse, alors qu'un junkie me menaçait avec sa seringue et qu'elle s'exprimait avec le même calme qu'à présent. Je me détournai.

– C'est possible. J'ai simplement besoin d'un peu de temps pour retrouver mes esprits.

Elle avança les mains.

– Rob...

Sa petite voix, si triste... Je ne l'oublierai jamais.

– Rob, ce n'est que moi...

Je ne l'entendais plus, je la voyais à peine. Elle était devenue une étrangère, une ennemie. J'aurais voulu être six pieds sous terre.

– Il faut que je rentre, dis-je en jetant ma cigarette. Puis-je avoir mon briquet ?

Sam sonna à mon appartement le lundi soir vers 22 heures. Après avoir dîné sur le pouce, je m'étais à moitié endormi. Pris d'une peur panique de tomber sur Cassie venue exiger, peut-être un peu ivre, que nous réglions notre problème une fois pour toutes, j'envoyai Heather répondre à l'Interphone. Lorsqu'elle frappa avec irritation à ma porte en disant : « C'est pour toi ; un certain Sam », je me sentis si soulagé qu'il me fallut quelques secondes pour réaliser de qui il s'agissait. Sam n'était jamais venu chez moi. J'ignorais même qu'il connaissait mon adresse.

Je me dirigeai vers l'entrée en glissant ma chemise dans mon pantalon, l'écoutai grimper l'escalier.

– Salut, lui dis-je quand il apparut sur le palier.

– Bonsoir.

Je ne l'avais pas vu depuis le vendredi matin. Il portait son grand pardessus de tweed et n'était pas rasé. Des mèches de cheveux sales lui tombaient sur le front.

J'attendis un instant. Puis, comme il ne me donnait aucune explication sur sa présence, je l'introduisis dans le salon. Heather nous suivit et commença à pérorer.

– Salut, je m'appelle Heather. Je suis ravie de vous rencontrer. Où Rob vous cachait-il ? Il ne ramène jamais d'amis ici. N'est-ce pas très courageux de sa part ? J'étais en train de regarder *The Simple Life*. Vous aimez ?

Elle finit enfin par percevoir le sens de nos réponses monosyllabiques.

– Bien. Je suppose que vous préférez discuter entre hommes.

Comme nous ne protestions ni l'un ni l'autre, elle gratifia Sam d'un sourire enjôleur, m'en décocha un beaucoup plus froid et disparut.

– Désolé de surgir chez toi à cette heure, déclara Sam en détaillant, d'un air intrigué, les couleurs agressives des coussins jetés sur le canapé et les animaux de porcelaine encombrant les étagères.

– Ne t'excuse pas. Tu veux boire quelque chose ?

Je n'avais pas la moindre idée de ce qu'il faisait là. Je n'osais même pas envisager qu'il fût mandaté par Cassie. Cette idée me donnait des sueurs froides. Je la chassai aussitôt. Jamais elle ne lui aurait demandé de venir me parler.

– Un whisky me ferait le plus grand bien, dit-il.

Je trouvai une bouteille de Jameson à demi entamée dans le placard de la cuisine. Quand je revins avec les verres, il était affalé dans un fauteuil, toujours enveloppé dans son pardessus, la tête basse et les coudes sur les genoux. Heather avait laissé la télévision allumée après avoir coupé le son. Deux femmes identiques, au maquillage orange, remuaient les lèvres de façon hystérique, dégoisant sur un sujet quelconque. La lumière crue de l'écran donnait à Sam l'allure d'un fantôme.

J'éteignis le poste et lui tendis un verre. Il le fixa avec une sorte d'hébétude, puis en avala la moitié d'un coup. Je me demandai s'il n'était pas déjà un peu éméché.

– Bien. Qu'est-ce qui t'amène ?

Il but une autre lampée de whisky. La lampe posée à côté de lui l'éclairait à moitié, laissant une partie de sa silhouette dans l'ombre.

– Tu te souviens de ce qui s'est passé vendredi ? De cette cassette ?

Je me détendis un peu.

– Oui.

– Je n'en ai pas parlé à mon oncle.

– Non ?

– J'y ai pensé tout le week-end. Mais je ne l'ai pas appelé.

Il s'éclaircit la voix.

– Je suis allé trouver O'Kelly. Cet après-midi. Avec la cassette. Je lui ai fait écouter la conversation. Ensuite, je lui ai dit que l'homme, au bout du fil, était mon oncle.

– Holà...

À vrai dire, je n'aurais jamais cru qu'il oserait. Je ne pus m'empêcher de l'admirer. Il cligna des yeux, posa son verre sur la table à café.

– Tu sais ce qu'il m'a répondu ?

– Quoi ?

– Il m'a demandé si j'avais perdu la boule.

Il eut un petit rire amer.

– Il m'a enjoint d'effacer l'enregistrement, d'interrompre les écoutes et d'envoyer Andrews au diable. Il a martelé : « C'est un ordre. » Il m'a dit que je n'avais pas l'ombre d'une preuve de son implication dans le meurtre et que, si je m'obstinais, nous nous retrouverions tous les deux à la circulation. Pas tout de suite, évidemment, et officiellement pas pour cette raison. Mais, un jour prochain, on nous signifierait notre affectation dans un bled paumé où nous végéterions jusqu'à la fin de nos jours. Il a enfoncé le clou : « Cette conversation n'a jamais eu lieu, parce que cette cassette n'a jamais existé. »

Son ton montait. La chambre de Heather donnant sur le salon, j'étais sûr qu'elle avait collé son oreille contre le mur.

– Il veut que tu enterres l'affaire ? m'enquis-je en baissant la voix, espérant qu'il comprendrait le message.

– En quelque sorte.

Il eut un ricanement sarcastique qui ne lui ressemblait pas. Ce faux cynisme le faisait paraître encore plus jeune, plus vulnérable. Il se renversa dans son fauteuil, dégagea son front. J'eus, comme le vendredi, pitié de son innocence. J'avais envie de le réconforter, de lui assurer que ces déconvenues arrivaient à tout le monde au cours d'une carrière et qu'il y survivrait, comme la plupart d'entre nous.

– Je ne m'attendais pas à ça. Que dois-je faire, à ton avis ?

– Aucune idée.

Même si nous avions passé, ces dernières semaines, beaucoup de temps ensemble, nous n'étions pas de véritables amis. De toute façon, je n'étais pas en état de donner des conseils avisés à qui que ce soit.

– Sans vouloir paraître indifférent, pourquoi t'adresses-tu à moi ?

– À qui d'autre me confier ? Aux membres de ma famille ? Cela les tuerait. À mes amis ? Je les adore, mais ils ne sont pas flics. Or cette histoire ne concerne que les gens du métier. Quant à Cassie... Je préférerais ne pas l'impliquer là-dedans. Elle est terriblement stressée, ces temps-ci. Mais toi, tu étais déjà au courant. Et il fallait que je demande l'avis de quelqu'un avant de me décider.

– Te décider ? Il me semble que tu n'as pas trente-six solutions.

– Il y a Michael Kiely. Je pourrais lui donner la cassette.

– Dieu du ciel ! Tu serais viré avant même que l'article soit sous presse. Tu pourrais même être poursuivi. Ça n'en vaut pas la peine... Ton oncle sera sermonné. On lui demandera gentiment de faire le mort pendant un an ou deux. Ensuite, tout rentrera dans l'ordre.

– Mais l'autoroute... Si je ne dis rien, elle recouvrira le site archéologique. Sans raison valable...

– Cela se fera de toute façon. Si tu balances l'affaire aux journaux, le gouvernement dira : « C'est regrettable, mais il est trop tard. » Et le projet suivra son cours.

– Tu crois ?

– J'en suis sûr.

– Et Katy ? Ne sommes-nous pas censés enquêter sur son assassinat ? Admettons qu'Andrews ait engagé un homme pour la tuer. Allons-nous le laisser s'en tirer ?

– Je n'en sais rien, répondis-je en me demandant combien de temps il comptait rester.

Nous nous sommes tus. Les locataires de l'appartement voisin donnaient une soirée. Des voix joyeuses et de la musique traversaient le mur. Heather cogna contre la paroi de sa chambre. Le tapage cessa un instant, puis reprit de plus belle.

– Veux-tu que je te raconte mon premier souvenir ? murmura Sam. Il date du jour où Red, élu député, a fait son entrée au Dail, la Chambre des représentants. J'avais trois ou quatre ans. Toute la famille est venue à Dublin pour l'applaudir. C'était un jour ensoleillé, radieux. J'avais un petit costume tout neuf. Je n'avais pas réellement conscience de ce qui se passait, mais je savais que c'était important. Tout le monde semblait si heureux... Mon père exultait. Il était tellement fier ! Il m'a juché sur ses épaules pour que je puisse voir. Et il a clamé : « C'est ton oncle, mon fils ! » Au sommet des marches, Red saluait, souriait. J'ai crié : « Cet homme est mon oncle ! » Tout le monde a ri, et lui m'a fait un clin d'œil... Nous avons toujours la photo dans le salon.

Nouveau silence. À mon sens, le père de Sam se montrerait peut-être moins choqué des agissements de son frère que lui ne le croyait. Je gardai cette pensée pour moi. Inutile de remuer le fer dans la plaie.

– Il y a aussi ma maison, ajouta-t-il. Tu sais que j'en suis propriétaire... C'est une belle demeure : quatre chambres à coucher, j'en passe. Je ne cherchais qu'un appartement. Mais Red m'a dit : « Un jour, tu auras des enfants. » Je n'avais pas les moyens de m'offrir un logement aussi vaste. Il m'a quand même présenté au promoteur du lotissement ; un vieux pote à lui, qui m'a fait une faveur...

– Tu ne l'as pas sollicitée. Et je ne vois pas ce que tu pourrais faire maintenant.

– Je pourrais vendre la maison au prix où je l'ai achetée. À un jeune couple qui ne retrouvera jamais une occasion pareille.

– Pourquoi ? S'immoler est un beau geste, mais qui ne sert jamais à grand-chose.

– Bref, tu me conseilles de laisser tomber.

– Vraiment, je ne sais pas ce que tu dois faire...

Je me sentais épuisé. Le whisky pesant sur mon estomac me donnait la nausée. *Mon Dieu*, me dis-je, *quelle semaine...*

– Écoute, Sam... Je ne vois pas pourquoi tu jouerais les martyrs en sacrifiant ta maison et ta carrière. Tu n'as rien fait de mal. D'accord ?

Il leva vers moi ses yeux injectés de sang.

– Tu as raison, conclut-il avec amertume. Je n'ai rien fait de mal.

Cassie n'était pas la seule à maigrir. Il y avait au moins une semaine que je n'avais pas pris un vrai repas. Tous les jours, en me rasant, je constatais que mes traits se creusaient. La plupart des inspecteurs perdent ou prennent du poids lors d'une enquête importante. Sam et O'Gorman commençaient à s'empâter autour de la taille. Moi, c'était le contraire : quelques semaines encore et je flotterais dans mes costumes, comme Charlot ; à moins de renouveler ma garde-robe.

Je n'avais pas toujours été efflanqué. Personne, pas même Cassie, ne savait que j'avais été, à douze ans, un garçon rondouillard. Pas obèse, comme nombre d'enfants d'aujourd'hui, mais enveloppé, joufflu, gauche ; et complexé, à l'inverse de Peter et de Jamie, minces, élancés, invincibles.

Cette période ne dura pas. Des années d'internat, de privations et d'infâme nourriture anglaise que j'appris très vite, au réfectoire, à transvaser de mon assiette vers un sac de plastique avant de la jeter à la poubelle, firent de moi un adolescent dégingandé. Toutefois, je gardais le souvenir de cette période où l'on raillait mon côté pataud. J'ai toujours soupçonné Peter et Jamie de m'avoir, au cours de notre dernier après-midi dans le bois, distancé pour cette raison : parce que j'étais gros, parce que je ne courais pas assez vite. Il m'arrive encore de m'interroger sur la frontière infime qui sépare le sentiment d'être différent de la certitude d'être rejeté. Parfois, je songe à ces dieux antiques qui exigeaient qu'on leur sacrifie des victimes sans peur, sans défaut. Et je me demande encore si le monstre qui a emporté mes deux amis ne m'a pas, ce jour-là, jugé indigne de lui.

Chapitre 19

Le mardi, à la première heure, je pris le bus pour aller chercher ma voiture. Si on m'avait donné le choix, j'aurais préféré ne plus jamais entendre parler de Knocknaree. Mais j'en avais assez de la promiscuité et des odeurs de sueur du Dart ; de plus, il fallait que je fasse de toute urgence des courses au supermarché, avant que Heather pique une crise de nerfs.

Ma Land Rover se trouvait toujours sur l'aire de stationnement. La pluie l'avait recouverte d'une couche de crasse. Quelqu'un avait écrit avec son doigt, sur la portière du passager : « Également disponible en blanc ». Dépassant les baraques désertes, à l'exception du bureau où Hunt se mouchait bruyamment, je traversai le site pour aller récupérer mon sac de couchage et ma Thermos.

L'atmosphère, sur le chantier, avait changé. Finis les jets d'eau et les exclamations joyeuses. Groupés comme des forçats enchaînés, les membres de l'équipe œuvraient en silence, à une cadence soutenue. C'était leur dernière semaine. Si l'arrêté de suspension était levé, les ouvriers de l'autoroute se mettraient au travail dès le lundi suivant. Mel cessa de piocher et se redressa en grimaçant, une main sur les reins. La tête basse, comme si elle n'avait pas eu la force de la relever, elle haletait. Quelques instants plus tard, elle prit une grande inspiration et se remit à piocher. Le ciel était gris et lourd. Dans le lointain, l'alarme d'une voiture hurlait dans l'indifférence générale.

Le bois était sombre, menaçant. Je n'avais aucune envie d'y pénétrer. Mon sac de couchage devait être trempé, attaqué par la moisissure et les fourmis. De toute façon, je ne m'en servais jamais. Inutile de m'enfoncer dans cette pénombre hostile pour aller le reprendre. Peut-être, s'il ne pourrissait pas sur place, ferait-il le bonheur d'un des archéologues ou d'un des gamins du lotissement.

J'étais déjà en retard, mais l'idée de retourner au bureau m'accablait. Quelques minutes de plus ou de moins n'y changeraient rien. Je m'appuyai contre un pan de mur à moitié écroulé, allumai une cigarette. Un type costaud aux cheveux noirs en brosse, dont je me souvenais vaguement pour avoir eu affaire à lui lors des premiers interrogatoires, m'aperçut. Cela lui donna une idée. Il planta sa truelle dans le sol et sortit de la poche de son jean un paquet de cigarettes aplati.

À genoux au sommet d'un talus, Mark raclait la terre avec frénésie. Il repéra le type avant même qu'il ait retiré un clope de son paquet, sauta du talus et courut vers lui, les cheveux au vent.

– Hé, Macker ! Qu'est-ce que tu fous ?

Macker sursauta, lâcha son paquet, se baissa pour le ramasser.

– Je vais en griller une. Où est le problème ?

– Tu fumeras lors de la pause café, comme je te l'ai dit.

– C'est quoi, ce bagne ? Je peux fumer et jouer de la truelle en même temps. Pour allumer une sèche, il faut cinq secondes.

Mark explosa.

– Nous n'avons pas cinq secondes à perdre ! Pas même une ! Tu te crois encore à l'école, espèce de demeuré ? Tu penses que notre travail n'est qu'un jeu, c'est ça ?

Il serrait les poings, prêt à cogner. Les autres archéologues avaient interrompu leur travail et, bouche bée, observaient la scène. Se forçant à rire, Macker recula d'un pas, leva les mains comme pour se rendre.

– Du calme, mec, ricana-t-il en replaçant ostensiblement sa sèche dans son paquet avant de reprendre sa truelle.

Mark regagna son talus. Dans son dos, et sous les yeux de tous les autres, Macker lui fit un bras d'honneur. J'écrasai mon mégot, reboutonnai mon imper. Je m'apprêtais à reprendre le chemin du parking lorsque, soudain, je me figeai. Et le mot me frappa de plein fouet : la truelle.

Je restai immobile un long moment, le cœur battant la chamade. Enfin, je reconnus Sean au milieu d'autres membres de l'équipe en veste de treillis et marchai dans sa direction.

Il grattait des pierres avec sa truelle, pour les débarrasser de la terre qui les souillait. Les écouteurs plaqués sous son bonnet de laine noir, il remuait doucement la tête au rythme de la musique.

– Sean...

Il ne m'entendit pas. Je me rapprochai. Mon ombre, faible dans la lumière grise, le chevaucha. Alors, il leva les yeux. Il plongea une main dans sa poche pour éteindre son baladeur, baissa ses écouteurs.

– Sean, il faut que je vous parle.

Mark se retourna, me jeta un regard furieux, puis attaqua de nouveau son talus. J'entraînai Sean jusqu'au parking. Il se cala sur le capot de la Land Rover, les pieds à quelques centimètres du sol, extirpa de sa poche un beignet enveloppé dans du papier transparent.

– Je vous écoute, dit-il aimablement.

– Vous vous souvenez que, le lendemain de la découverte du corps de Katy, nous avons, ma collègue et moi, emmené Mark pour l'interroger ?

Ma voix me paraissait étrangement calme, neutre, comme si je n'évoquais qu'un détail sans importance. L'interrogatoire, chez nous, devient une seconde nature. Qu'on soit harassé, ému ou fébrile, le ton qu'on emploie reste inchangé : courtois, professionnel, tandis que, sans effort, les questions se succèdent.

– Au moment où nous l'avons ramené, continuai-je, vous pestiez parce que vous ne trouviez plus votre truelle.

– Exact, répondit-il en ouvrant grande la bouche. Ça ne vous dérange pas que je mange ? Je meurs de faim et Hitler me tuera si je me restaure pendant le travail.

– Allez-y. Avez-vous retrouvé votre truelle ?

– Non. J'ai dû en acheter une autre. Les enfoirés...

– Réfléchissez calmement. Où et quand l'avez-vous vue pour la dernière fois ?

– Dans le baraquement où on range les vestiges. Le jour où j'ai trouvé cette pièce de monnaie. Avez-vous l'intention d'arrêter la personne qui me l'a piquée ?

– Pas exactement. Parlez-moi de cette pièce.

– Je l'ai découverte en fin d'après-midi. Tout le monde était excité, parce qu'elle paraissait ancienne et que nous n'en avions déterré qu'une dizaine sur l'ensemble du site. Je l'ai apportée au baraquement pour la montrer au professeur Hunt. Sur ma truelle... Si vous touchez ces vieilles monnaies, la sueur de vos paumes risque de les endommager. Le professeur était, lui aussi, tout excité. Il a ouvert de vieux bouquins pour tenter de l'identifier. À 17 h 30, nous sommes rentrés chez nous, et j'ai oublié la truelle sur la table. Je suis repassé la chercher le lendemain matin, mais elle n'était plus là.

– C'était donc le mardi, murmurai-je. Le jour où nous sommes venus parler à Mark...

Mon cœur chavira. Je me sentais stupide, épuisé. Je n'avais qu'une envie : rentrer chez moi et dormir.

Sean eut un geste de dénégation et lécha des grains de sucre collés sur ses doigts sales.

– Non, avant.

Mon cœur bondit de nouveau dans ma poitrine.

– Je n'y ai plus pensé, parce que je n'en avais pas besoin. On attaquait ce foutu fossé de drainage à coups de pioche. Je croyais que quelqu'un avait récupéré la truelle pour moi et avait omis de me la rendre. Le jour où vous êtes venu embarquer Mark avec votre collègue, j'en ai eu besoin pour la première fois. Mais personne ne savait où elle était. Et tout le monde se payait ma tête.

– Elle est donc reconnaissable ? Quiconque l'aurait vue aurait su qu'il s'agissait de la vôtre ?

– Absolument. Il y a mes initiales sur le manche.

Il engloutit un énorme morceau de beignet.

– Je les ai gravées au feu il y a une éternité, dit-il, la bouche pleine. Ce jour-là, il pleuvait des hallebardes et nous avons dû patienter des heures à l'intérieur. J'ai un couteau suisse. J'en ai chauffé le tire-bouchon avec mon briquet.

– Cette truelle, vous avez accusé Macker de l'avoir planquée. Pourquoi ?

Il haussa les épaules.

– Parce qu'il fait ce genre de blague à la con. Personne n'aurait songé à me la voler ; pas avec mes initiales. J'en ai donc conclu que quelqu'un l'avait barbotée pour me foutre en rogne.

– Et vous pensez toujours que c'était lui ?

– Non. Je me suis rappelé après coup que le professeur Hunt avait verrouillé le baraquement au moment de notre départ ; et Macker n'a pas la clé.

Soudain, ses yeux s'allumèrent.

– Hé ! C'était l'arme du crime ? Merde, alors !

– Non. Quel jour avez-vous trouvé la pièce de monnaie ?

Il eut l'air déçu mais réfléchit quelques secondes en balançant les jambes.

– On a découvert le corps un mercredi. Exact ?

Il avait terminé son beignet. Il froissa le papier transparent, le jeta, puis l'enfonça dans le sol avec le bout de sa chaussure.

– Bien. Ce n'était donc pas la veille, parce qu'on trimait sur ce putain de fossé de drainage. C'était l'avant-veille. Lundi.

Je me remémore souvent cette conversation avec Sean. En dépit de la douleur qu'elle suscite, elle me réconforte. Même si j'ai encore du mal à l'admettre, elle marqua l'apogée de ma carrière. Je ne me sens pas fier de la plupart des décisions que j'ai prises au cours de l'opération Vestale. Toutefois, ce matin-là, au moins, j'ai agi comme il le fallait, aussi sûrement et aussi facilement que si je n'avais jamais fait un seul faux pas de ma vie.

– En êtes-vous certain ? insistai-je.

– Presque. Demandez au professeur Hunt. Il l'a noté sur le registre des trouvailles. Suis-je un témoin ? Vais-je devoir déposer devant un tribunal ?

– C'est fort possible, répliquai-je, enfin délivré de toute fatigue, mon esprit fonctionnant à cent à l'heure. Je vous le ferai savoir.

– Super ! s'exclama Sean, dont la joie, apparemment, effaçait la déception à propos de l'arme du crime. Ai-je droit à une protection ?

– Non. J'aimerais pourtant que vous fassiez quelque chose pour moi. Retournez travailler et dites aux autres que nous avons parlé d'un inconnu que vous avez aperçu errant dans les parages quelques jours avant le meurtre. Ajoutez que je vous ai demandé une description plus précise. Pouvez-vous arranger ça ?

Toujours pas de preuves. De plus, j'étais seul. Je ne voulais effrayer personne. Pas encore. Il opina.

– Merci, Sean. Je vous reverrai tout à l'heure.

Il se laissa glisser du capot et s'en alla. Il avait encore du sucre au coin de la bouche.

Je vérifiai auprès de Hunt, qui, après avoir consulté son registre, confirma les propos de Sean : il avait trouvé la pièce le lundi, quelques heures après la mort de Katy.

– Une pièce superbe. Il nous a fallu du temps pour l'identifier. Aucun spécialiste sur le site... Moi-même, je suis médiéviste.

– Qui a la clé du baraquement des vestiges ?

– C'est un penny de l'époque d'Édouard VI. Milieu du XVIe siècle. Oh, la baraque où l'on range les trouvailles... ? Pourquoi ?

– On m'a dit qu'elle était fermée la nuit. Est-ce exact ?

– Oui, toutes les nuits. La plupart des objets ne sont que des poteries, mais on ne sait jamais.

– Qui a la clé ?

– Moi, bien sûr, bredouilla-t-il en enlevant ses lunettes et en les essuyant sur son chandail. Plus Mark et Damien... Pour les visites, au cas où... Les gens souhaitent toujours admirer les objets anciens...

– Oui, j'en suis persuadé.

Je retournai à l'aire de stationnement et téléphonai à Sam. Au pied d'un arbre proche de la voiture, des châtaignes jonchaient le sol. J'en ramassai une, la décortiquai et la fis sauter dans ma main en attendant que Sam réponde, comme si je passais un coup de fil ordinaire, sans la moindre importance.

– O'Neill, dit-il enfin.

– Sam, c'est Rob. Je suis à Knocknaree, sur le chantier. J'ai besoin de toi, de Maddox et de quelques stagiaires sur les lieux le plus rapidement possible, avec des gens de la police scientifique. Prends Sophie Miller si tu peux. Qu'ils apportent un détecteur de métaux et quelqu'un qui sache s'en servir. Je te retrouve à l'entrée du lotissement.

– C'est parti, dit Sam.

Il raccrocha.

Il lui faudrait au moins une heure pour rassembler tout le monde et arriver à Knocknaree. Je déplaçai la Land Rover au sommet de la colline, hors de vue des archéologues, m'assis sur le capot. Le vent charriait un parfum d'orage, Knocknaree s'était recroquevillée sur elle-même. Les nuages cachaient les autres collines qui l'entouraient, le bois n'était plus qu'une tache noire au bas de la pente. Des cris d'enfants montaient jusqu'à moi, Une alarme de voiture retentissait, un chien aboyait à n'en plus finir.

Le sang battait à mon cou. Tout en pensant à ce que j'allais annoncer aux autres, je tournai et retournai dans ma tête une évidence qui remettait tout en cause : si j'avais raison, la mort de Katy n'avait certainement rien à voir avec ce qui était arrivé à Peter et Jamie. En tout cas, il n'existait entre les deux affaires aucune corrélation susceptible de servir de preuve.

J'étais tellement concentré que j'en oubliai presque ce que j'attendais. Lorsque les autres commencèrent à arriver, je les considérai d'abord avec détachement : discrets véhicules noirs, van blanc se garant en silence, portes coulissant doucement ; hommes en costume sombre, techniciens aux traits invisibles et aux outils scintillants, aussi calmes que des chirurgiens, prêts à explorer chaque centimètre du chantier. Les portières des voitures se refermèrent avec un petit bruit net, affaibli par l'air lourd.

– De quoi s'agit-il ? questionna Sam.

Il avait amené Sweeney, O'Gorman et un rouquin que je reconnus pour l'avoir croisé dans la salle des opérations quelques semaines plus tôt. Je sortis de la Land Rover. Tous se placèrent en cercle autour de moi, Sophie et ses équipiers ôtant leurs gants, le petit visage calme de Cassie émergeant derrière l'épaule de Sam.

– La nuit de la mort de Katy, dis-je, une truelle a disparu de la baraque fermée à clé où l'on entrepose les objets trouvés sur le lieu des fouilles. Les truelles qu'utilisent les archéologues se composent d'une lame en forme de feuille, fixée à un manche de bois d'une quinzaine de centimètres de long et à l'extrémité arrondie. Celle qui nous intéresse, et qui manque toujours, a les lettres « SC » gravées au feu sur le manche. Ce sont les initiales de son propriétaire, Sean Callaghan, qui affirme l'avoir oubliée dans la baraque à 17 h 30, le lundi soir. Elle correspond à la description que nous a donnée Cooper de l'ustensile ayant servi à agresser sexuellement Katy Devlin. Personne ne savait qu'elle se trouvait sur la table, ce qui implique qu'elle a été un instrument de circonstance et que la baraque pourrait être le lieu initial du crime. Sophie, peux-tu commencer par là ?

– Luminol ! ordonna-t-elle à l'un de ses aides.

Il quitta le groupe et ouvrit la porte arrière du van. Je précisai :

– Trois personnes avaient les clés de la baraque : Ian Hunt, Mark Hanly et Damien Donnely. Nous ne pouvons pas non plus éliminer Sean Callaghan. Il peut très bien avoir inventé cette histoire de truelle oubliée. Hunt et Hanly possèdent des véhicules, ça signifie que l'un d'eux, s'il est notre homme, a peut-être caché ou transporté le corps dans son coffre. À ma connaissance, Callaghan et Donnely n'ont pas de voiture. L'un ou l'autre aurait donc été obligé de dissimuler la dépouille dans les environs, sans doute sur le site. Il nous faudra passer tout le chantier au peigne fin. Nous recherchons une truelle, un sac de plastique taché de sang, ainsi que le lieu initial et le lieu secondaire du crime.

– Les trois archéologues ont-ils également la clé des autres baraques ? demanda Cassie.

– À toi de le découvrir.

Le technicien revint, la trousse de luminol dans une main, un rouleau de papier kraft dans l'autre. D'un seul mouvement, sans nous consulter, nous descendîmes la colline en direction des fouilles.

Une énigme qui se dénoue a un effet presque magique. Tout se met en place sans heurt. L'énergie qu'on a consacrée à l'enquête revient en force et balaie la fatigue, le découragement, les déconvenues. J'oubliai que je n'avais jamais aimé O'Gorman, que Knocknaree me sortait par les yeux et que j'avais failli faire capoter l'affaire une bonne dizaine de fois. J'oubliai presque tout ce qui s'était passé entre Cassie et moi. Je n'étais plus qu'un rouage parmi d'autres, un engrenage dans une machine parfaitement huilée.

Nous nous sommes déployés en éventail, traversant le site en direction des archéologues, simplement au cas où. Nous eûmes droit à quelques regards craintifs, mais personne ne tenta de fuir ; personne, même, n'interrompit son travail.

– Mark !

Il était toujours agenouillé au sommet de son talus. Il se releva brusquement, se tourna vers moi.

– Je dois vous demander d'emmener toute votre équipe à la cantine.

Il explosa.

– Nom de Dieu ! Vous n'en avez pas déjà assez fait ? Vous avez peur de quoi ? Même si nous trouvions ce putain de Graal aujourd'hui, vos copains nivelleraient le chantier dès lundi. Ne pourriez-vous pas nous foutre la paix pendant nos derniers jours ?

Je crus un instant qu'il allait m'agresser. Sam et O'Gorman se rapprochèrent de moi.

– Baisse le ton, mon garçon, grommela O'Gorman d'un ton menaçant.

– Ne m'appelez pas votre garçon ! Nous avons jusqu'à 17 h 30 vendredi soir. Vos exigences attendront jusque-là, parce que nous n'irons nulle part !

– Mark, coupa Cassie à mes côtés, ça n'a rien à voir avec l'autoroute. Voici comment nous allons procéder. Vous, Damien Donnely et Sean Callaghan allez venir avec nous immédiatement. Ce n'est pas négociable. Si vous arrêtez votre cirque, les autres membres de votre équipe pourront continuer à travailler, sous la surveillance de l'inspecteur Johnston. Ça vous va ?

Il la toisa quelques secondes. Ensuite, il cracha par terre et fit signe à Mel. Sous l'œil hébété des autres, qui suaient à grosses gouttes, il lui donna ses instructions à voix basse, en pointant diverses parties du site. Puis il la prit un instant par l'épaule, avec une douceur inattendue, avant de se diriger à grands pas vers les baraques, les poings dans les poches de sa veste. O'Gorman le suivit.

– Sean ! appelai-je. Damien !

Sean se précipita et me fit une mimique de connivence, que j'ignorai. Damien arriva plus lentement, en relevant son pantalon de treillis. Il avait l'air complètement médusé, comme d'habitude.

– Nous devons nous entretenir avec vous. Nous aimerions que vous attendiez à la cantine, jusqu'à ce que nous vous conduisions à la brigade.

Tous deux ouvrirent la bouche. Je m'éloignai, sans leur laisser le temps de poser la moindre question.

Nous avons regroupé les trois archéologues dans la cantine, en compagnie du professeur Hunt, qui, très perturbé, serrait contre lui des liasses de papiers. O'Gorman fut chargé de les surveiller. Hunt nous autorisa à fouiller le site avec un empressement qui l'élimina quasiment de la liste des suspects. Mark exigea de voir notre mandat mais fit marche arrière lorsque je lui rétorquai que je serais ravi de lui en apporter un s'il consentait à poireauter quelques heures de plus. Sophie et son équipe gagnèrent la baraque des trouvailles et entreprirent d'en boucher les fenêtres avec du papier kraft. Plus loin, Johnston se déplaçait parmi les archéologues avec son carnet de notes, examinait leurs truelles et s'entretenait brièvement, en tête à tête, avec chacun d'eux.

– La même clé ouvre toutes les baraques, déclara Cassie en sortant de la cantine. Hunt, Mark et Damien en ont une ; pas Sean. Tous les trois affirment qu'ils ne l'ont jamais perdue ni confiée à personne.

– Alors, commençons par les baraques. Nous explorerons ensuite le site, si c'est nécessaire. Sam, veux-tu t'occuper, avec Cassie, de la remise à outils ? Sweeney et moi, nous nous chargeons du bureau.

Minuscule, le bureau était un vrai fouillis : étagères croulant sous les livres et les plantes vertes, table jonchée de papiers, de gobelets, de morceaux de poterie et d'un gros ordinateur obsolète. Sweeney et moi travaillions vite et méthodiquement, ouvrant les tiroirs, descendant les livres, fouillant derrière et les replaçant au hasard. Je ne m'attendais pas à tomber sur quoi que ce soit. Il n'y avait pas de place, ici, pour cacher un corps. D'un autre côté, j'étais presque certain que la truelle et le sac de plastique avaient été jetés dans la rivière ou enterrés quelque part sur le site ; dans ce cas, il nous faudrait le détecteur de métaux, beaucoup de temps et de chance pour les exhumer. Tous mes espoirs reposaient sur Sophie et ses collaborateurs, sur le rituel mystérieux qu'ils accomplissaient dans la remise. Mes mains exploraient machinalement les étagères. Je prêtais l'oreille aux bruits du dehors, guettant des pas précipités ou une exclamation de Sophie qui m'annonceraient une découverte. Lorsque Sweeney lâcha un tiroir et poussa un juron, je faillis lui hurler de se taire.

Je mesurais peu à peu les risques que j'avais pris en mettant tout ce dispositif en branle. J'aurais pu me contenter de téléphoner à Sophie et de la faire venir pour inspecter la remise, sans parler de cette initiative à quiconque si elle n'avait donné aucun résultat. Au lieu de cela, j'avais investi l'ensemble du site, impliqué tout le monde. Je préférais ne pas penser à la réaction d'O'Kelly si nous revenions les mains vides.

Soudain, on m'interpella.

– Rob !

Je fis un bond sur place, répandis des papiers tout autour de moi. C'était Cassie. Elle monta les marches de la baraque, poussa violemment la porte.

– Rob, nous l'avons ! La truelle ! Dans la cabane à outils, sous les bâches.

Surexcitée, hors d'haleine, elle avait complètement oublié que nous nous adressions à peine la parole. Je l'oubliai moi aussi. Sa voix me réchauffa le cœur, comme autrefois.

– Reste ici, dis-je à Sweeney. Continue à chercher.

Je suivis Cassie qui courait déjà vers la remise, sautant pardessus les ornières et les flaques.

Un innommable fatras encombrait la cabane : brouettes et vélos dans les coins, pelles et pioches contre la paroi, piles vacillantes de seaux cabossés, tapis de mousse pour travailler à genoux, vestes de chantier d'un jaune fluorescent, le tout maculé de boue séchée. Cassie et Sam avaient opéré de gauche à droite : déjà fouillée, la partie gauche du local était, elle, presque en ordre.

Sam était agenouillé tout au fond, entre une brouette cassée et un amas de bâches vertes, dont il soulevait les coins de sa main gantée. Nous nous sommes frayé un chemin entre les outils avant de nous accroupir près de lui.

La truelle avait été coincée entre la pile et la paroi, avec une telle force que sa pointe avait rayé les bâches. Il n'y avait pas d'électricité. Le local était obscur en dépit de la porte ouverte. Sam braqua sa lampe torche sur le manche, éclairant les initiales : SC ; deux lettres inégales agrémentées de fioritures gothiques, profondément gravées dans le bois verni.

Il y eut un long silence. On n'entendait que les aboiements du chien et le tintamarre obsédant de l'alarme.

– On ne se sert pas souvent de ces bâches, constata Sam. Elles s'empilaient derrière les outils endommagés. Cooper n'a-t-il pas déclaré que la victime avait probablement été enveloppée dans quelque chose, le jour précédant sa découverte ?

Je me redressai, m'époussetai les genoux.

– Elle était là, murmurai-je. Sa famille l'a cherchée partout avec acharnement et elle était là tout le temps.

Je m'étais relevé trop vite. Pendant quelques secondes, tout tourna autour de moi. Mes oreilles bourdonnaient.

– Qui a l'appareil photo ? s'enquit Cassie. Nous devons photographier ça avant de l'empaqueter.

– Sophie et ses équipiers, répondis-je. Il faut qu'ils viennent.

– Là, dit Sam.

Il pointa sa torche vers le coin droit du local, fit émerger de l'ombre un grand sac de plastique rempli de gants de jardin en caoutchouc vert, au dos tressé.

– Si j'avais besoin de gants, j'en prendrais une paire dans ce sac et je l'y remettrais ensuite.

– Messieurs !

C'était Sophie. Venue de dehors, son injonction nous parvint, assourdie, comme étouffée par le ciel bas. Je sursautai. Cassie se releva à son tour, montra la truelle.

– Quelqu'un devrait peut-être...

– Je reste, assura Sam. Allez-y, vous deux.

Sophie nous attendait sur les marches de la baraque des vestiges, une lampe UV à la main.

– C'est le lieu du crime. Sans contestation possible. L'assassin a essayé de nettoyer les lieux, mais... Venez voir.

Ses deux jeunes aides étaient tassés dans un coin. Le garçon avait à la main deux gros vaporisateurs noirs. Les yeux effarés au-dessus de son masque, Helen tenait une caméra vidéo. Trop exiguë pour cinq personnes, la baraque, transformée par le matériel hétéroclite que les techniciens avaient apporté avec eux, ressemblait à une chambre de torture improvisée : papier bouchant les fenêtres, ampoule nue oscillant au plafond, silhouettes masquées et gantées attendant l'ordre d'entreprendre leur besogne.

– Restez près de la table, intima Sophie : loin des étagères.

Elle claqua la porte, ajusta le papier kraft contre les fenêtres pour empêcher toute lumière de filtrer.

Le luminol réagit à la plus infime parcelle de sang, la faisant luire sous les ultraviolets. On peut repeindre plusieurs fois un mur, gratter un tapis jusqu'à qu'il semble flambant neuf : même des années plus tard, le luminol ressuscitera le crime avec une précision sans pitié. *Si seulement Kiernan et McCabe en avaient eu*, pensai-je en refrénant une irrésistible envie de rire, *ils auraient pu en répandre sur toute l'étendue du bois avec un avion pulvérisateur*.

Cassie s'adossa contre la table, à quelques centimètres de moi. Sophie fit signe à son adjoint de lui passer un vaporisateur, alluma sa lampe UV et éteignit le plafonnier.

La pièce se retrouva plongée dans l'obscurité. Silence, troublé seulement par nos souffles courts. Chuintement soudain du vaporisateur. L'œil minuscule et rouge de la caméra vidéo se mit en mouvement. Sophie s'accroupit et braqua sa lampe UV sur le plancher, près des étagères.

– Là.

Cassie inspira profondément. Le plancher s'illumina de bleu et de blanc, se couvrit de motifs absurdes, comme un tableau abstrait barbouillé par un fou : éclaboussures en arcs de cercle là où le sang avait giclé, cercles couverts de taches là où il s'était répandu et avait commencé à sécher, grandes traces de lavage et de frottements aux endroits où quelqu'un avait tenté désespérément de le faire disparaître. Il luisait comme une substance radioactive entre les planches, faisait ressortir en relief les aspérités du bois. Sophie leva sa lampe et vaporisa une nouvelle fois : minuscules gouttelettes en éventail au fond des étagères métalliques, traînée évoquant l'empreinte d'une main crispée. La pénombre engloutissait les vestiges, les papiers éparpillés et les sacs de poteries brisées, nous laissant seuls devant le meurtre qui revivait sous nos yeux, dans toute son horreur, toute sa cruauté.

– Mon Dieu..., chuchotai-je.

Katy Devlin était morte sur ce plancher. Nous nous étions assis là, nous avions interrogé le tueur ; là, au beau milieu du lieu du crime.

– Aucune chance pour que ce soit un produit ménager quelconque ? hasarda Cassie.

Le luminol est parfois trompeur. Il lui arrive de détecter autre chose que le sang, notamment l'eau de Javel. Mais nous savions tous deux que Sophie ne nous aurait jamais appelés si elle n'avait pas été sûre de son fait.

– Nous avons fait des prélèvements, répondit-elle. C'est bien du sang.

Ce moment, j'avais fini par ne plus y croire. J'avais souvent pensé à Kiernan, à sa retraite paisible au bord de la mer, à ses mauvais rêves. Peu d'enquêteurs ont la chance de résoudre, au cours de leur carrière, une affaire comme celle-là. Pour l'heure, c'était à moi que le destin souriait. Notre homme n'était plus une ombre sans visage, surgie d'un cauchemar collectif avant de disparaître dans la nuit. Il faisait le pied de grue à la cantine, à quelques mètres de là, portant des Doc pleines de boue et buvant du thé sous l'œil placide d'O'Gorman.

– Eh bien, voilà, dit Sophie.

Elle alluma le plafonnier. Je clignai des yeux.

– Regardez !

Cassie désigna, sur l'une des étagères du bas, un sac de plastique rempli d'autres sacs, eux aussi en plastique, semblables à ceux qui servaient à protéger les poteries.

– Si la truelle a été une arme de circonstance...

– Et merde ! jura Sophie. Il va nous falloir analyser tous les sacs de ce foutu local !

Les vitres crépitèrent, un martèlement furieux résonna sur le toit : il commençait à pleuvoir.

Chapitre 20

Il plut violemment le reste de la journée : une pluie lourde, incessante, qui vous trempe jusqu'aux os dès que vous sortez de votre voiture. De temps à autre, des éclairs illuminaient brièvement les collines sombres, accompagnés, dans le lointain, de coups de tonnerre. Laissant l'équipe de Sophie finir son travail, nous avons emmené à la brigade Hunt, Mark, Damien et Sean, qui, furieux, éructa :

– Je croyais que nous étions du même bord !

Après avoir trouvé une salle d'interrogatoire pour chacun, nous avons de nouveau vérifié leurs alibis.

Sean fut très vite mis hors de cause. Il partageait un appartement à Rathmines avec trois autres colocataires, qui gardaient un souvenir précis de la nuit où Katy était morte. Ils avaient fêté, ce soir-là, l'anniversaire de l'un d'eux. Sean avait fait office de disc-jockey jusqu'à 4 heures du matin, avant de vomir sur les chaussures d'une fille et de s'écrouler, ivre mort, sur le canapé. Au moins trente personnes pouvaient le confirmer.

Les autres alibis étaient moins solides. Sa femme pour Hunt, Mel pour Mark. Quant à Damien, il vivait à Rathfarnham avec sa mère veuve, qui était allée se coucher tôt mais affirma qu'il n'aurait jamais pu quitter la maison sans la réveiller. La police déteste ce genre de témoignages butés qui peuvent faire capoter une enquête. J'en ai connu des dizaines : nous savons avec certitude qui est le coupable, où, quand et comment il a perpétré son crime, mais nous ne pouvons rien faire parce que sa maman jure qu'il a passé la soirée sur le sofa, rivé à la télévision.

– Parfait, déclara O'Kelly dans la salle des opérations après le départ de Sean, renvoyé chez lui une fois sa déposition signée. Il nous en reste deux. Faites vos jeux : sur lequel misez-vous ?

Depuis qu'il savait que nous avions un suspect dans une des salles d'interrogatoire, même si nous ignorions encore lequel, il était d'excellente humeur. Tout comme nous.

– Damien, répondit joyeusement Cassie. Il a le profil idéal.

– Mark, dis-je. Il a admis qu'il était sur les lieux du crime. Et il a un semblant de mobile.

– O'Neill ?

– Damien. Je leur ai apporté à tous une tasse de thé. Il est le seul à avoir pris la sienne de la main gauche.

– Bien. Vous deux, vous le cuisinez. O'Neill, vous vous occupez de Hanly. Je chargerai des stagiaires d'interroger Hunt et les témoins confirmant les alibis. Ryan, Maddox, O'Neill, souvenez-vous : il nous faut des aveux.

Il se leva en faisant grincer sa chaise et s'en alla. Sam se tourna vers nous, nous serra la main avec chaleur.

– Bien joué, les potes. Bonne chance.

– Si Andrews a engagé l'un des deux suspects, dis-je à Cassie quand il fut parti retrouver Hanly, nous laissant seuls dans la salle des opérations, ça va être le foutoir du siècle.

Sans faire de commentaire, elle termina calmement son café. La journée serait longue et nous tenions tous grâce à la caféine.

– Comment veux-tu que nous procédions ? poursuivis-je.

– Tu mènes le jeu. Pour lui, les femmes sont des mères, des consolatrices. Je lui tapoterai la tête de temps à autre. Les hommes l'intimident. Donc vas-y en douceur. Ne le pousse pas dans ses retranchements. Sinon, il se fermera comme une huître et voudra partir. Joue sur son sentiment de culpabilité. Je crois toujours qu'il est bourré de remords. Si nous faisons appel à sa conscience, il s'effondrera. Il nous suffit d'être patients.

– Ça marche.

Nous avons lissé nos vêtements, rajusté nos coiffures. Et nous avons longé le couloir, épaule contre épaule, en direction de la salle d'interrogatoire.

Ce fut notre ultime collaboration. J'aimerais pouvoir décrire la beauté absolue d'un interrogatoire, sa cruauté plus exaltante qu'une course de taureaux, cet état de grâce qui, même en présence du suspect le plus borné, lie les deux enquêteurs interprétant chacun son rôle, sans le moindre faux pas. Je ne saurai jamais si Cassie et moi étions de grands inspecteurs. Pour tout dire, j'en doute. Mais je sais ceci : nous formions une équipe digne des vieilles ballades irlandaises et des livres d'histoire. Ce fut notre dernière danse, la plus belle. Elle eut lieu là, dans cette salle minuscule, alors que la nuit tombait et que la pluie frappait inlassablement le toit, sans autre public que les morts et ceux que le destin, d'avance, avait condamnés.

Damien était tassé sur sa chaise, les épaules raides, sa tasse de thé fumant sur la table. Lorsque je l'informai de ses droits, il me fixa d'un air hébété, comme si je m'étais adressé à lui en ourdou.

Depuis un mois, il avait maigri. Flottant dans son treillis et son chandail gris, il semblait avoir rapetissé, comme si des années s'étaient abattues sur lui. Des poches se formaient sous ses yeux, une ride verticale barrait son front.

L'interrogatoire commença par des questions banales, auxquelles il pourrait répondre sans inquiétude. Il vivait à Rathfarnham, faisait ses études au Trinity College, venait de terminer sa deuxième année. Exact ? Ses examens s'étaient-ils bien passés ? Il répondait par monosyllabes en tordant le col de son pull, se demandant visiblement pourquoi nous l'interrogions, mais terrifié à l'idée de l'apprendre. Cassie l'entraîna vers l'archéologie, ce qui l'apaisa. Il cessa de triturer son pull, consentit à boire son thé et à s'exprimer de façon intelligible. Cassie et lui eurent une longue conversation, très détendue, à propos des divers objets trouvés sur le site. Je les laissai papoter une bonne vingtaine de minutes avant d'intervenir avec un sourire engageant.

– Je m'en voudrais de vous interrompre, les amis, mais si nous ne voulons pas nous faire taper sur les doigts, nous devrions revenir au sujet de cet entretien.

– Allons, Ryan, encore deux minutes ! Je n'ai jamais vu de broche en bronze. À quoi ça ressemble ?

Damien rougit de fierté.

– Elle va sans doute aller au National Museum.

D'un doigt, il traça dans l'air une forme vague.

– Elle est à peu près de cette taille, avec un motif gravé à l'intérieur.

Cassie fit glisser jusqu'à lui, à travers la table, son carnet de notes et un crayon.

– Voudriez-vous la dessiner pour moi ?

Il s'exécuta docilement, en s'appliquant.

– C'est à peu près ça, dit-il en lui rendant son carnet. Je dessine très mal.

– Oh, là, là ! s'écria-t-elle avec un respect appuyé. Et c'est vous qui l'avez trouvée ! Si j'avais découvert une merveille comme celle-là, j'en aurais eu une crise cardiaque !

Je regardai par-dessus son épaule : un grand cercle, traversé par ce qui ressemblait à une aiguille et orné de deux courbes parallèles.

– Joli, dis-je.

Damien, effectivement, était gaucher. Ses mains paraissaient toujours trop grandes pour son corps, comme les pattes d'un chiot.

– Hunt est blanc comme neige, nous annonça O'Kelly dans le couloir. Il a passé la soirée de lundi, jusqu'à 23 heures, à regarder la télé avec sa femme, en buvant du thé. Ils ont vu des documentaires à la con, un sur les animaux et un autre sur Richard III. Il nous a accablés en nous les racontant par le menu. Sa femme dit la même chose, et les programmes télé confirment leurs déclarations. Leur voisin a un chien, un de ces roquets qui aboient toute la nuit. Il a entendu Hunt gueuler par la fenêtre, vers 1 heure du matin. Entre parenthèses, il aurait pu faire taire son cabot lui-même... Il est sûr de la date, parce qu'il y a eu ce jour-là des travaux dans la maison et que les ouvriers ont perturbé la pauvre bête. Je renvoie Einstein chez lui avant qu'il me rende cinglé. Il ne reste que deux chevaux dans la course, mes agneaux.

– Et Sam ? demandai-je. Il a obtenu quelque chose de Mark ?

– Que dalle. Hanly est toujours aussi teigneux et s'accroche à son histoire de coucherie. Sa nana confirme. S'ils mentent, ils ne craqueront pas de sitôt. En plus, il est droitier. Et votre gus ?

– Gaucher, dit Cassie.

– Alors, c'est notre favori. Mais ça ne suffira pas. J'ai parlé à Cooper. Position de la victime, position de l'agresseur, probabilités, je vous épargne les détails... Là où ça coince, c'est qu'il pense effectivement que notre homme est gaucher, mais qu'il refuse de se prononcer de façon catégorique. Un vrai politicard. Comment se comporte Donnely ?

– Nerveusement, répondis-je.

– Parfait. Maintenez-le dans cet état.

De retour dans la salle d'interrogatoire, nous sommes donc passés à la vitesse supérieure. J'attaquai le premier.

– Bien. Revenons à notre affaire. Parlons de Katy Devlin.

Damien opina, mais se raidit. Il but une gorgée de son thé, qui, à présent, devait être froid.

– Quand l'avez-vous vue pour la première fois ?

– Euh... Lorsque nous sommes presque arrivés au sommet de la colline. Plus haut que le cottage, en tout cas, et que les baraques...

– Non, coupa Cassie. Pas le jour où vous avez découvert le corps. Avant cela.

– Avant ?

Il but une autre gorgée.

– Non... Je ne l'ai jamais rencontrée. Pas avant ce... ce jour-là.

– Vous ne l'aviez jamais croisée auparavant ?

Le ton de Cassie n'avait pas changé. Toutefois, je sentais en elle la tension du limier à l'arrêt.

– Vous en êtes sûr ? Réfléchissez bien, Damien.

Il secoua la tête avec véhémence.

– Non. Je le jure. Je ne l'avais jamais vue de ma vie.

Je le considérai en silence. Je ne l'avais jamais pris au sérieux ; ni en tant qu'homme, ni en tant que témoin, et encore moins en tant que suspect. Je l'avais pris dès le début pour une lavette, un de ces pleurnicheurs sur lesquels il suffit de souffler pour qu'ils tombent en poussière. L'idée que tout un mois d'enquête puisse aboutir à quelqu'un comme lui avait quelque chose de scandaleux. Je ne cacherai pas que j'aurais préféré me mesurer à Mark. Quoi que nous pensions l'un de l'autre, c'était un adversaire bien plus coriace, une proie beaucoup plus intéressante.

Et pourtant... Le mensonge de Damien était si maladroit ! Les filles Devlin, cet été-là, avaient assez souvent arpenté le chantier pour ne pas passer inaperçues. Tous les autres archéologues se souvenaient d'elles. Mel, qui était pourtant restée éloignée du corps de Katy, l'avait tout de suite reconnue. Et Damien avait organisé des visites du site. Il avait eu, plus que n'importe qui, l'occasion de lui parler, de passer du temps avec elle. Il s'était penché sur son cadavre pour voir, avait-il affirmé, si elle respirait encore, courage qui, d'ailleurs, ne lui ressemblait en rien. Il n'avait aucune raison de nier l'avoir rencontrée auparavant. À moins de subodorer un piège que nous ne lui avions pas tendu... Ou alors, le fait d'avoir eu un lien avec elle le terrorisait au point de lui faire perdre tout sens commun.

– Bien, dit Cassie. Et son père, Jonathan Devlin ? Le connaissez-vous ? Êtes-vous membre de l'association « Non à l'autoroute » ?

Il but une troisième gorgée de thé froid et, de nouveau, acquiesça. Nous avons prestement abandonné le sujet, avant qu'il se rende compte de ce qu'il venait de répondre.

Vers 15 heures, je sortis avec Cassie et Sam pour aller acheter une pizza. De plus en plus hargneux, Mark réclamait à manger. Nous ne voulions surtout pas le contrarier. Damien et lui devaient se sentir à l'aise. Ni l'un ni l'autre n'étaient en état d'arrestation. Ils pouvaient, à tout moment, décider de quitter les lieux, et nous ne pouvions rien faire pour les en empêcher. Nous misions, comme souvent, sur le désir qu'ont la plupart des gens de plaire aux autorités, de se comporter en citoyens modèles. J'étais persuadé que cela maintiendrait indéfiniment Damien dans la salle d'interrogatoire. En ce qui concernait Mark, j'en étais moins sûr.

– Vous avancez, avec Donnely ? me demanda Sam à la pizzeria.

Accoudée au comptoir, Cassie plaisantait avec l'employé qui avait pris notre commande. Je haussai les épaules.

– Difficile à dire. Et Mark ?

– Il fulmine. Il clame qu'il a passé la moitié de l'année à travailler d'arrache-pied pour « Non à l'autoroute ». Pourquoi, argue-t-il, aurait-il pris le risque de tout faire capoter en tuant la fille du président de l'association ? Il est convaincu que toute l'affaire est politique... À propos de Donnely, ajouta-t-il à l'intention de Cassie qui revenait du comptoir, s'il est notre homme... Qu'est-ce qui a pu... A-t-il un mobile ?

– Nous n'en savons rien encore, dis-je.

Je n'avais pas l'intention d'aborder le sujet. Sam enfonça les poings dans ses poches.

– S'il vous fournit une information susceptible de m'intéresser, pourrais-tu m'appeler ?

Même si je n'avais rien avalé de la journée, la nourriture était le cadet de mes soucis. Je n'avais qu'une envie : reprendre l'interrogatoire de Damien. Et la préparation des pizzas semblait durer des heures.

– Bien entendu, répondis-je.

Damien accepta un soda. Il refusa la pizza, assurant qu'il n'avait pas faim.

– Vraiment ? s'étonna Cassie en essayant d'attraper avec deux doigts des filets de fromage. Quand j'étais étudiante, je n'aurais jamais dédaigné une pizza gratuite.

– En matière de nourriture, tu n'as jamais rien dédaigné, dis-je. Tu as un aspirateur en guise d'estomac.

Tout en mâchant, elle approuva gaiement, leva les pouces. Puis, sa bouchée engloutie :

– Allons, Damien, mangez-en un peu. Il vous faut prendre des forces. Nous sommes ici pour un certain temps.

Je lui tendis une part, qu'il repoussa d'un geste et que je gardai pour moi.

– Bon. Parlons de Mark Hanly. Comment est-il ?

– Mark ? Euh, il est bien. Un peu strict, mais c'est nécessaire. Nous n'avons pas beaucoup de temps.

– L'avez-vous déjà vu violent ? Perdre le contrôle de lui-même ?

J'agitai une main vers Cassie. Elle me passa une serviette en papier.

– Oui... Enfin, non. Je veux dire... Oui, il se met parfois dans une colère noire, mais je ne l'ai jamais vu agresser ou frapper quelqu'un.

– L'en croyez-vous capable, en cas de véritable fureur ?

Je m'essuyai les mains et feuilletai mon carnet de notes, en m'efforçant de ne pas graisser les pages. Cassie gloussa.

– Tu es un vrai cochon.

Je lui fis un bras d'honneur. Damien nous observait d'un air ahuri.

– Comment ? bredouilla-t-il enfin.

– Pensez-vous que Mark puisse devenir violent si on le provoque ?

– Peut-être. Je ne sais pas.

– Et vous ? Avez-vous déjà frappé quelqu'un ?

– Quoi... Non !

– On aurait dû acheter du pain à l'ail, dit Cassie.

– Je ne partage pas une salle d'interrogatoire avec deux personnes puant l'ail. À votre avis, Damien, qu'est-ce qui pourrait vous pousser à frapper quelqu'un ?

Sa bouche s'arrondit.

– Vous ne me semblez pas du genre violent, mais chacun a son point de rupture. Frapperiez-vous une personne qui aurait insulté votre mère, par exemple ?

– Je...

– Ou pour de l'argent ? Ou pour vous défendre ?

– Je ne... je ne sais pas. Je n'ai jamais... Mais j'imagine, comme vous dites, que chacun a son point de rupture. Je n'ai pas encore eu l'occasion d'en arriver là.

Je notai soigneusement sa réponse.

– Peut-être aimeriez-vous une autre sorte de pizza ? proposa Cassie. Au jambon et à l'ananas ? Ce sont celles que je préfère. Ou bien aux *pepperoni* ? Aux chipolatas ?

– Comment ? Euh, non, merci. Qui est... ?

Nous attendîmes en mastiquant.

– Qui est à côté ? Suis-je autorisé à le demander ?

– Bien sûr, répliquai-je. C'est Mark. Nous avons renvoyé Sean et le professeur Hunt chez eux, mais lui, nous n'avons pas encore pu le laisser repartir.

Damien pâlit un peu plus, tandis qu'il réfléchissait à cette information et à ce qu'elle impliquait.

– Pourquoi ? murmura-t-il enfin.

– Nous ne pouvons pas vous le dire, rétorqua Cassie en prenant une autre part de pizza. Désolée.

Je pointai un bout de croûte vers lui.

– Ce que je peux vous affirmer, c'est que nous prenons cette affaire très, très au sérieux. J'ai vu beaucoup d'abominations au cours de ma carrière, Damien, mais ça... Il n'y a pas de pire crime que le meurtre d'un enfant. On lui a ôté la vie de façon effroyable, son entourage est traumatisé, ses amis ne s'en remettront jamais, sa famille est anéantie...

– Brisée, précisa indistinctement Cassie, la bouche pleine.

Damien avala sa salive et se mit à triturer sa canette de soda.

– Quel que soit celui qui a fait ça...

Je croquai la croûte.

– ... je me demande comment il arrive encore à se regarder dans la glace.

– Trop de sauce tomate, conclut Cassie en se tamponnant d'un doigt le coin de la lèvre. Ça dégouline.

Nous avons fini la plus grande partie de la pizza. Je dus me forcer pour en venir à bout. Sa simple odeur me soulevait le cœur. Mais cette comédie perturbait Damien de plus en plus. Il finit par accepter une des dernières portions, grignota un peu d'ananas. Sa tête allait de Cassie à moi et vice versa, comme s'il suivait un match de tennis. J'eus une pensée pour Sam : Mark n'était pas du genre à se laisser amadouer par des *pepperoni* et un rab de fromage.

Mon mobile vibra dans ma poche. Je consultai l'écran : Sophie. Je sortis dans le couloir. Derrière moi, Cassie énonça : « L'inspecteur Ryan quitte la salle d'interrogatoire. »

– Salut, Sophie, dis-je.

– Salut. Voici les derniers développements. Aucune serrure n'a été forcée ni crochetée. Et la truelle est bien l'instrument du viol. On l'a lavée, mais nous avons relevé des traces de sang dans les fissures du manche. Nous en avons également une grande quantité sur l'une des bâches. Nous examinons toujours les gants et les sacs de plastique. Nous y serons encore à quatre-vingts ans ! Nous avons aussi trouvé une lampe torche sous les bâches. Elles est couverte d'empreintes, mais elles sont petites et la lampe s'orne de l'inscription : « Hello Kitty ». J'en déduis qu'elle appartenait à la victime et que les empreintes sont les siennes. Et chez vous, comment ça se passe ?

– Nous cuisinons toujours Hanly et Donnely. Callaghan et Hunt sont hors de cause.

– Merde ! Tu ne pouvais pas me le dire plus tôt ? Nous avons passé au peigne fin la voiture de Hunt ! Tu aurais pu nous éviter ça. Rien, en tout cas. Pas de sang dans celle de Hanly non plus. Un million de cheveux et de fibres. S'il a transporté la victime dans sa caisse, il n'était pas assez inquiet pour prendre la peine de la nettoyer. Nous pourrions éventuellement dégoter quelque chose. En fait, je doute qu'il ait jamais nettoyé cette poubelle. S'il dirige un jour des sites archéologiques, il pourra commencer par travailler sous son siège avant.

Je claquai la porte derrière moi, déclarai, face à la caméra : « Inspecteur Ryan pénétrant dans la salle d'interrogatoire » et commençai à débarrasser la table des restes de pizza. Je me tournai vers Cassie.

– C'était la police scientifique. Elle confirme que notre preuve correspond exactement à ce que nous escomptions. Damien, vous avez terminé ?

Sans lui laisser le temps de réagir, je jetai le morceau de pizza sans ananas dans sa boîte.

– Voilà une bonne nouvelle, dit Cassie en essuyant rapidement la table avec une serviette en papier. Damien, avez-vous besoin d'autre chose avant que nous reprenions ?

Toujours hagard, il fit non de la tête.

– Parfait ! lançai-je en fourrant la boîte de pizza dans un coin et en avançant une chaise. Commençons donc par vous informer de ce que nous avons découvert aujourd'hui. Selon vous, pourquoi nous avons-nous amenés tous les quatre ici ?

– À cause de cette fille, répondit-il faiblement. Katy Devlin.

– Bien sûr. Mais pourquoi seulement vous quatre ? Pourquoi pas le reste de l'équipe ?

– Vous avez dit...

Il s'adressait à Cassie, serrant à deux mains sa canette de soda, comme s'il avait peur que je ne la lui enlève aussi.

– Vous avez posé des questions sur les clés des baraques. Vous vouliez savoir qui les avait.

– Bingo ! Bien vu.

– Avez-vous, euh... avez-vous trouvé quelque chose dans une des baraques ?

– Affirmatif, dis-je. Dans deux locaux, assez proches l'un de l'autre. Nous ne pouvons pas entrer dans les détails, mais je vous révèle l'essentiel : nous avons la preuve que Katy a été tuée dans la baraque où l'on entrepose les trouvailles, puis cachée toute la journée de mardi dans la remise à outils. Aucune entrée n'a été forcée. Que peut-on en déduire, selon vous ?

– Je l'ignore.

– Cela implique que nous nous intéressons à ceux qui avaient la clé, c'est-à-dire à Mark, à Hunt et à vous. Et Hunt a un alibi.

Il leva la main, comme un écolier.

– Euh, moi aussi... Je veux dire... Un alibi.

Il nous jeta un regard plein d'espoir. Nous avons tous les deux secoué la tête.

– Désolée, dit Cassie. Votre mère dormait au moment qui nous intéresse et ne peut pas se porter garante. De toute façon, les mères... Je suis certaine que la vôtre est honnête. Toutefois, de façon générale, elles ne cherchent qu'à éviter des ennuis à leurs enfants. C'est pour ça que Dieu les aime, mais nous ne pouvons nous fier à leur parole dans des cas de cette importance.

– Mark a le même genre de problème, repris-je. Mel affirme qu'il était avec elle, mais c'est sa petite amie, et elles ne sont guère plus fiables que les mères. Un peu plus, mais pas beaucoup. Nous en sommes là.

– Et si vous avez quelque chose à nous dire, murmura Cassie, c'est le moment.

Damien but une gorgée de soda. Ses yeux bleus devinrent presque transparents. Silence. De toute évidence, il ne parlerait pas.

– Parfait. J'aimerais que vous regardiez quelque chose, Damien.

Je feuilletai le dossier, en sortis une pile de photos que je déposai devant lui, une par une, les étudiant d'abord longuement.

– Katy et ses sœurs. Noël dernier.

Sapin de plastique orné de lampes rouges et vertes. Rosalind au centre, vêtue de velours bleu, décochant à la caméra un petit sourire espiègle et entourant ses sœurs de ses bras. Katy très droite dans sa veste en fausse peau de mouton, Jessica souriant elle aussi dans une veste identique, mais beige, comme un reflet dans un miroir imparfait. Inconsciemment, Damien lui rendit son sourire.

– Katy sur une pelouse, dégustant un sandwich lors d'un pique-nique familial, il y a deux mois.

– Elle semble heureuse, n'est-ce pas ? ajouta Cassie près de moi. Elle était sur le point d'intégrer son école de danse. Pour elle, tout commençait. Il est bon de savoir qu'elle a été heureuse, avant...

Un des clichés Polaroïd des lieux du crime : Katy recroquevillée sur la pierre rituelle.

– Juste après que vous l'avez découverte. Vous vous rappelez ?

Il remua sur sa chaise, puis s'immobilisa.

Un autre cliché du lieu du crime, cette fois en gros plan : sang séché sur le nez et la bouche, un œil entrouvert.

– Même chose : Katy à l'endroit où son assassin l'a abandonnée.

Une des photos post mortem.

– Katy le lendemain.

Nous avions choisi l'image la plus affreuse : son visage écorché révélant son crâne, une main gantée désignant, avec une règle d'acier, la fracture située au-dessus de son oreille, ses cheveux collés par le sang coagulé, les éclats d'os.

– Pénible, non ? murmura Cassie presque pour elle-même, caressant d'un doigt, sur le papier, la joue de Katy.

– Très...

Il avait à peine chuchoté. Je me renversai sur ma chaise, tapotai la photo.

– Pour moi, seul un fou furieux, un animal sans conscience a pu faire ça à une fillette sans défense. Mais je ne suis que policier. Mlle Maddox, elle, a fait des études de psychologie. Savez-vous ce qu'est un profileur, Damien ?

Vague signe de tête. Même s'il fixait toujours les photos, j'étais sûr qu'il ne les distinguait plus.

– Un profileur relie les crimes au profil psychologique de leur auteur et désigne à la police le type d'individu qu'elle doit rechercher. Mlle Maddox est notre profileur attitré. Elle a sa propre théorie sur celui qui a fait ça.

– Damien, dit-elle, sachez une chose. J'ai été persuadée, dès le premier jour, que ce crime avait été perpétré par quelqu'un qui ne voulait pas le commettre. Quelqu'un qui n'est pas violent, qui n'est pas un tueur, qui ne prend aucun plaisir à faire souffrir. Un homme qui a tué Katy parce qu'il était obligé de le faire. Il n'avait pas le choix. Voilà ce que j'affirme depuis qu'on nous a confié cette affaire.

– C'est la vérité, approuvai-je. Nous avons tous cru qu'elle délirait, mais elle est restée ferme sur ses positions : il ne s'agissait pas d'un psychopathe, d'un tueur en série ou d'un violeur d'enfant.

Il tressaillit, serra les mâchoires.

– Qu'en pensez-vous, Damien ? À votre avis, avons-nous affaire à un malade, à un salopard ? Ou croyez-vous que cela pourrait arriver à quelqu'un de normal, à un type comme vous et moi, incapable de faire du mal à une mouche ?

Il se raidissait de plus en plus. Je me levai, contournai la table en prenant mon temps, allai m'adosser contre le mur, juste derrière lui.

– Nous ne le saurons jamais, à moins qu'il ne nous l'avoue lui-même. Mais admettons un instant que Mlle Maddox ait raison. Après tout, c'est elle l'expert. Admettons donc que nous nous trouvions en présence d'un non-violent, qui n'a jamais envisagé de devenir un assassin. J'ai connu des criminels de ce genre. Savez-vous ce qui leur arrive ensuite, Damien ? Ils tombent en morceaux. Ils ne se supportent plus. Nous avons vu ça des dizaines de fois.

– Ce n'est pas joli, continua Cassie. Nous savons ce qui s'est passé, le suspect sait que nous le savons, mais l'idée d'avouer l'épouvante. Il s'imagine que finir en prison est ce qui pourrait lui arriver de pire. Comme il se trompe ! Chaque matin, jusqu'à sa mort, il se réveillera hanté par son crime, comme la veille. Chaque nuit, il aura peur de s'endormir, terrorisé par les cauchemars qui hanteront son sommeil. Il n'arrêtera pas de se dire qu'il finira par oublier, mais cela n'arrivera jamais.

J'enfonçai le fer dans la plaie.

– Un jour ou l'autre, il s'écroule, victime d'une dépression nerveuse. Et il termine son existence dans une cellule capitonnée, en pyjama et drogué jusqu'aux yeux. Ou alors, il se pend, incapable d'affronter un autre matin.

Bien sûr, c'était de la foutaise. Sur les dix criminels que j'ai dû laisser sortir libres alors que j'étais convaincu de leur culpabilité, un seul s'est suicidé. Et il avait, depuis l'enfance, des problèmes mentaux qu'aucun psychiatre n'avait daigné soigner. Les autres ont continué à mener leur petite vie paisible, exerçant leur métier, allant au pub et emmenant leurs enfants au zoo. S'il leur est arrivé d'avoir un coup de cafard, ils l'ont gardé pour eux. Les êtres humains, je suis bien placé pour le savoir, s'habituent à tout. Avec le temps, même l'impensable trouve une petite niche au fond de leur cœur et devient un simple incident, dont le souvenir s'estompe. Mais Katy n'était morte que depuis un mois, et Damien n'avait pas encore eu le temps d'apprendre tout cela. Figé sur sa chaise, lorgnant son soda, il haletait comme si on l'avait frappé.

Cassie s'inclina vers lui, posa la main sur son bras.

– Vous savez quels sont ceux qui survivent, Damien ? Ceux qui avouent. Ceux qui purgent leur peine. Quelques années plus tard, tout est fini. Ils sortent de taule et repartent de zéro. Ils n'auront plus à voir le visage de leur victime chaque fois qu'ils fermeront les yeux. Ils n'auront plus, chaque jour, chaque seconde, à trembler à l'idée qu'ils vont être arrêtés dans la minute qui suit. Ils n'auront plus à claquer des dents chaque fois qu'ils apercevront un flic au coin de la rue ou que quelqu'un frappera à leur porte. Croyez-moi : sur le long terme, ce sont eux qui s'en sortent.

Il serra la canette avec une telle force qu'elle se fripa avec un craquement qui nous fit sursauter.

– Damien, demandai-je très calmement, est-ce que tout cela vous touche ?

Enfin, cela se produisit : cet affaissement imperceptible de la nuque, de la colonne vertébrale, puis de tout le corps. Après d'interminables secondes, de façon presque imperceptible, il acquiesça.

– Voulez-vous vivre de cette façon jusqu'à la fin de vos jours ?

Très lentement, sa tête oscilla de droite à gauche.

Cassie tapota une dernière fois son bras, puis retira sa main : pas de contrainte face à la caméra. D'une voix très douce, comme si, dehors, la neige s'était mise à tomber, elle déclara :

– Vous ne vouliez pas tuer Katy, n'est-ce pas ? C'est arrivé, c'est tout ?

– Oui.

Cet aveu, il l'avait lâché dans un souffle à peine audible. Je percevais presque les battements de son cœur.

– Oui, c'est arrivé, c'est tout.

La pièce parut se tasser sur elle-même, comme si une explosion trop forte pour être entendue venait d'aspirer l'air que nous respirions. Aucun de nous ne bougea. Damien lâcha la canette, qui tomba sur la table, roula, s'arrêta. Le néon grésillait, éclairant de stries ses cheveux bouclés. Toujours appuyé contre le mur, car je me sentais incapable de lui faire face, je prononçai la formule d'usage :

– Damien James Donnely, conformément à la loi, je vous arrête pour le meurtre de Katy Bridget Devlin, dont vous vous êtes rendu coupable aux alentours du 17 août de cette année, à Knocknaree, comté de Dublin.

Chapitre 21

Damien ne cessait de trembler. Nous avons enlevé les photos. Nous lui avons servi une tasse de thé. Nous lui avons proposé de lui apporter un autre pull, de réchauffer pour lui les restes de pizza. Il déclina nos offres, sans même nous regarder. La scène me semblait irréelle. Je n'arrivais pas à détacher mes yeux de lui : j'avais failli devenir fou en fouillant dans ma mémoire, j'avais risqué ma carrière et j'étais en train de perdre ma partenaire à cause de cet adolescent attardé.

Presque tendrement, comme s'il n'était impliqué que dans un malheureux accident, Cassie lui lut ses droits, cette fois de façon officielle. Il refusa l'assistance d'un avocat.

– Pour quoi faire ? Je l'ai fait, vous le saviez, tout le monde le saura. Un avocat servirait à quoi ? Je vais aller en taule, non ? Est-ce que je vais aller en taule ?

Il claquait des dents. Il lui aurait fallu un remontant bien plus fort que du thé.

– Ne vous inquiétez pas de ça pour l'instant, dit Cassie.

Affirmation risible au regard des circonstances, mais qui le calma un peu.

– Continuez à nous aider, poursuivit-elle, et nous ferons de notre mieux pour vous aider, vous.

Il s'adressa à elle comme si sa vie dépendait du crédit qu'elle accorderait à ses aveux.

– Comme vous l'avez dit, je jure devant Dieu que je ne me suis jamais montré violent avec quiconque. Je ne suis ni un psychopathe, ni un tueur en série, ni... Je ne suis pas comme ça. Je ne voulais pas lui faire de mal, je le jure sur, sur, sur...

– Je sais.

Elle avait de nouveau posé la main sur la sienne. Son pouce caressait son poignet.

– Chut, Damien. Tout ira bien. Le pire est derrière vous. Il ne vous reste plus qu'à nous raconter ce qui s'est passé, avec vos propres mots. Pouvez-vous faire cela pour moi ?

Le souffle court, il acquiesça bravement.

– Bien, dit Cassie.

Elle arrêta de le flatter de la main, comme un toutou. Je rapprochai ma chaise.

– Il nous faut toute l'histoire, Damien, étape par étape. Quand a-t-elle commencé ?

– Euh... Quoi ?

– Vous avez dit que vous n'avez jamais voulu la faire souffrir. Alors comment cela a-t-il fini par se produire ?

– Je... je ne m'en souviens pas. Ne pourrais-je pas commencer par... par cette nuit-là ?

Cassie me consulta en silence.

– D'accord. Commencez par le moment où vous avez quitté votre travail le lundi soir. Qu'avez-vous fait ?

De toute évidence, il ne voulait pas se remémorer ce qui avait précédé. Mais si nous le poussions dans ses retranchements maintenant, il se braquerait et finirait par réclamer un avocat.

– Bien, commença-t-il en serrant les mains sur ses genoux, comme un étudiant passant un oral. J'ai pris le bus pour rentrer chez moi. J'ai dîné avec ma mère. Ensuite, nous avons joué au Scrabble. Ma mère adore le Scrabble. Mais elle a le cœur fragile, ce qui la fatigue vite. Elle est allée se coucher à 22 heures, comme d'habitude. Je suis monté dans ma chambre et j'ai attendu. Je sais quand elle s'endort, car elle ronfle. J'ai essayé de lire, mais je n'arrivais pas à me concentrer. J'étais tellement...

Ses dents claquaient de plus belle.

– Chut ! répéta Cassie. C'est fini, maintenant. Vous faites ce qu'il faut.

– À quelle heure avez-vous quitté la maison ? demandai-je.

– Euh, à 23 heures. J'ai repris le chemin du chantier. À pied. Il n'est qu'à quelques kilomètres de chez moi, mais en bus c'est l'enfer : il faut aller jusqu'à Dublin, puis repartir en sens inverse. J'ai contourné le lotissement, pour ne pas longer les maisons. J'ai dû quand même passer devant le cottage. Toutefois, le chien me connaît. Quand il s'est levé, j'ai chuchoté : « Bon chien, Laddie », et il l'a bouclée. Tout était sombre, mais j'avais une lampe. Je suis entré dans la remise à outils. J'ai pris une paire de... de gants, je les ai enfilés et j'ai ramassé... j'ai ramassé un gros caillou. Par terre, à l'extrémité du chantier. Ensuite, j'ai pénétré dans la baraque des trouvailles.

– Quelle heure était-il ?

– Aux alentours de minuit.

– Quand Katy est-elle arrivée ?

– Elle était censée venir vers... vers 1 heure. Mais elle était en avance. Il devait être 0 h 45. Quand elle a frappé à la porte, j'ai presque eu une crise cardiaque.

– Vous l'avez donc laissée entrer.

– Oui. Elle tenait à la main des biscuits au chocolat, qu'elle avait dû chiper en quittant sa maison. Elle m'en a donné un. Je n'ai pas pu... Je ne pouvais rien avaler. Je l'ai mis dans ma poche. Elle a croqué le sien, puis m'a parlé de son école de danse. Ensuite, j'ai dit... j'ai dit : « Regarde cette étagère. » Elle s'est retournée. Et, euh... je l'ai frappée. Avec le caillou, sur l'arrière de la tête. Je l'ai frappée.

Sa voix exprimait une incrédulité presque scandalisée. Il avait les pupilles tellement dilatées que ses yeux semblaient noirs.

– Combien de fois ?

– Je ne... je... Mon Dieu, est-ce que je dois tout raconter ? Je vous ai avoué que je l'avais fait. Ça ne suffit pas ?

Ses ongles s'enfonçaient dans la table. Cassie intervint, doucement, mais fermement.

– Damien, il nous faut tous les détails.

– D'accord, d'accord.

Il s'essuya la bouche du dos de la main.

– Je l'ai frappée une seule fois. Mais je n'ai pas dû cogner assez fort. Elle est tombée en avant. Elle était encore... Elle s'est retournée et elle a ouvert la bouche comme si elle allait crier. Alors, je... je l'ai attrapée. J'étais terrifié. Vraiment terrifié. Si elle criait...

Il était carrément en transe.

– J'ai plaqué une main sur sa bouche et j'ai essayé de la frapper encore. Mais ses propres mains m'en empêchaient. Elle me griffait, me donnait des coups de pied... Nous étions par terre. Je ne voyais même pas ce qui se passait, parce que, même si je ne l'avais pas éteinte, ma lampe était sur la table... J'ai essayé de l'immobiliser, mais elle essayait de ramper jusqu'à la porte. Elle se tortillait. Et elle était d'une telle force ! Jamais je ne l'aurais crue si forte, alors qu'elle était si... si...

Sa voix se brisa. Livide, il respirait par le nez, penché sur la table.

– Si menue, achevai-je.

– Si vous voulez, nous pouvons faire une pause, coupa Cassie. Mais, tôt ou tard, il faudra que vous nous racontiez toute l'histoire.

Il secoua violemment la tête.

– Non. Pas de pause. Je veux... Ça va.

– Alors continuons, dis-je. Vous aviez plaqué une main sur sa bouche et elle se débattait.

– Oui. Ensuite, donc, elle s'est retournée et a commencé à ramper vers la porte. Et là, je... je l'ai frappée à nouveau. Avec le caillou, sur le côté de la tête. Cette fois, j'ai dû cogner plus fort, l'adrénaline, sans doute, parce qu'elle a perdu connaissance. Pourtant, elle respirait encore. Vraiment fort, comme si elle gémissait. Alors, j'ai compris que... je ne pouvais pas la frapper une troisième fois. Je ne pouvais pas. Je... je ne voulais pas qu'elle souffre.

– Qu'avez-vous fait ?

– Ces sacs sur les étagères, pour envelopper les vestiges... J'en ai pris un, j'en ai enveloppé sa tête et j'ai serré jusqu'à ce que...

– Jusqu'à ce que quoi ?

– Jusqu'à ce qu'elle ne respire plus, chuchota-t-il.

Il y eut un long silence. Le vent sifflait dans les bouches d'aération, la pluie tombait toujours.

– Et ensuite?

– Je l'ai prise dans mes bras. Impossible de la laisser là. Sinon, vous auriez tout découvert. Il fallait que je l'apporte sur le site. Elle était... Il y avait du sang partout, venant sans doute de sa tête. J'ai laissé le sac de plastique sur elle pour éviter qu'il ne s'écoule. Mais quand je suis sorti sur le site, j'ai aperçu... dans le bois, j'ai aperçu une lueur, un feu de camp ou quelque chose du même genre. Il y avait quelqu'un là-bas. J'ai eu tellement peur que j'ai failli la lâcher. Que se serait-il passé si on m'avait vu? Qu'allais-je faire d'elle?

Il ouvrit les paumes, comme pour s'en remettre à nous. Pas un mot sur la truelle.

– Qu'avez-vous fait?

– Je l'ai amenée dans la remise à outils, là où on entrepose, entre autres, les bâches destinées à recouvrir les endroits sensibles du site quand il pleut. En fait, nous ne les utilisons jamais. Je l'ai enveloppée dans l'une d'elles, pour que... Je ne voulais pas... Les insectes, vous comprenez... Et j'ai caché le corps sous la pile. J'aurais pu l'abandonner dans un champ. Mais il y a les renards, les rats... Et des jours auraient pu s'écouler avant qu'on la découvre. Et puis je ne voulais pas la jeter comme un sac. Je... je n'avais pas toute ma tête. Je pensais que le lendemain j'aurais retrouvé mes esprits et que je saurais quoi faire.

– Et vous êtes rentré chez vous?

– Non. J'ai d'abord nettoyé la remise. Le sang. Il imbibait le plancher, les marches, mes gants, mes pieds... J'ai rempli un seau d'eau avec le tuyau d'arrosage et j'ai lavé. Ça puait le sang partout. J'ai cru que je n'y arriverais jamais.

– Ça a dû être affreux, compatit Cassie.

Il se tourna vers elle avec gratitude.

– Oui. C'était horrible. J'ai cru que j'allais rester là indéfiniment. Le jour allait se lever, les autres seraient là d'une minute à l'autre. Il fallait que je me dépêche. Un cauchemar. Je ne voyais même plus ce que je faisais. J'avais ma torche mais, la moitié du temps, je n'osais pas l'allumer. Je m'imaginais que le type qui était dans les bois repérerait la lumière et viendrait voir ce qui se passait. Donc tout était sombre et il y avait du sang partout. Au moindre bruit, j'avais l'impression que j'allais mourir sur place... Et il y avait ces raclements contre les parois de la cabane. J'ai même cru entendre une bête renifler devant la porte. J'ai cru un instant que c'était Laddie, mais on l'enchaîne la nuit. Je suis presque... Mon Dieu, c'était...

– Vous avez quand même réussi à tout nettoyer, dis-je.

– Oui, autant que j'ai pu. J'ai mis le caillou derrière les bâches, avec la petite lampe de Katy. Une seconde, quand j'ai soulevé les bâches, les ombres m'ont donné l'impression qu'elle... qu'elle bougeait. Mon Dieu...

– Vous avez donc laissé le caillou et la lampe dans la remise à outils.

Il n'avait toujours pas mentionné la truelle. Je ne m'inquiétais pas trop. Toute omission de sa part devenait une arme que nous pourrions, plus tard, retourner contre lui.

– Oui. J'ai lavé les gants avant de les remettre dans le sac. J'ai refermé la remise et le baraquement. Et je suis rentré chez moi.

Calmement, sans se retenir, comme s'il en avait envie depuis longtemps, il fondit en larmes.

Il pleura longtemps, trop fort pour répondre à d'autres questions. Cassie s'assit près de lui. Elle tapota encore son bras, prononçant des paroles consolantes et lui passant des mouchoirs. Au bout d'un moment, mon regard croisa le sien. Elle hocha la tête. Je les laissai et allai trouver O'Kelly.

– Ce fils à maman ? s'exclama-t-il. Je n'en reviens pas. Jamais je n'aurais cru qu'il aurait les couilles de faire ça. J'avais misé sur Hanly. Il vient de partir, après avoir dit à O'Neill de se carrer ses questions où je pense. Heureusement que Donnely n'a pas fait la même chose. Je vais rédiger l'acte d'accusation pour le procureur.

– Il nous faudrait ses relevés téléphoniques et bancaires, le témoignage des autres archéologues, de ses copains de fac et de lycée, de tous ses proches. Il reste muet sur son mobile.

– Qu'est-ce qu'on en a à foutre, de son mobile ?

Son ton faussement irrité ne me trompa pas. Il était ravi. J'aurais dû l'être moi aussi. Pourtant, je me sentais presque déçu. Ce triomphe, dont j'aurais dû me réjouir et dont j'avais tant rêvé, arrivait trop tard.

– En l'occurrence, répondis-je, j'ai envie de le connaître.

Techniquement, O'Kelly avait raison. Tant qu'on peut prouver la culpabilité d'un suspect, on n'a pas à donner les raisons de son forfait. Mais les jurés, influencés par la télévision, exigent une explication. Il en allait de même pour moi.

– Un crime d'une telle brutalité, commis par un garçon charmant et sans le moindre antécédent... La défense aura beau jeu de plaider la folie. Si nous trouvons un mobile, nous lui couperons l'herbe sous le pied.

O'Kelly ricana.

– Très juste. Je mets mes gars sur les interrogatoires. Retournez là-bas et concoctez-moi un dossier en béton.

Alors que je m'apprêtais à m'en aller, il bougonna :

– Bien joué, Ryan. Bravo à tous les deux.

Cassie avait réussi à calmer Damien. Il tremblait encore un peu et se mouchait sans arrêt. Mais il ne sanglotait plus.

– Êtes-vous en mesure de continuer? lui demanda-t-elle en serrant sa main. Nous sommes presque au bout. Vous vous comportez de façon magnifique.

Il eut un sourire pathétique.

– Oui, dit-il. Désolé. Ça va.

– Parfait. Faites-moi simplement savoir si vous avez besoin d'une nouvelle pause.

À moi de reprendre.

– Bien, Nous en étions arrivés au moment où vous êtes rentré chez vous. Parlez-nous du lendemain.

– Oh... oui, le lendemain. La journée a été un vrai cauchemar. J'étais si fatigué que je ne voyais plus rien. Chaque fois que quelqu'un pénétrait dans la remise à outils, je pensais que j'allais m'évanouir. Il fallait que j'aie un comportement normal, vous comprenez, que je rie avec les gens, que j'agisse comme si rien ne s'était passé. Et je ne cessais de penser à... à elle. La nuit suivante, j'ai dû tout recommencer : attendre que ma mère s'endorme, me glisser dehors et regagner le site à pied. Si cette lueur avait toujours été là-bas, je ne sais vraiment pas ce que j'aurais fait. Heureusement, elle n'y était plus.

– Vous êtes donc retourné dans la remise.

– Oui. J'ai enfilé de nouveau les gants et je l'ai... je l'ai sortie. Je m'attendais à ce qu'elle soit raide... la rigidité cadavérique, vous savez, mais... En fait, elle ne l'était pas. Toutefois, elle était si froide ! Je ne voulais pas la toucher...

– Pourtant, il le fallait.

Il se mordit la lèvre, se moucha une nouvelle fois.

– Je l'ai apportée sur le site et je l'ai déposée sur la pierre rituelle. Là où elle serait hors d'atteinte des rats et des autres animaux. Là où on pourrait la trouver avant que... J'ai essayé de lui donner l'apparence du sommeil. J'ignore pourquoi. J'ai jeté le caillou. Ensuite, j'ai rincé le sac de plastique avant de le remettre à sa place, mais je n'ai pas retrouvé la lampe torche. Elle était quelque part derrière les bâches et... Je voulais rentrer chez moi.

– Pourquoi ne l'avez-vous pas enterrée ? Sur le site, ou dans le bois ?

– Je... je ne l'ai jamais envisagé. Je souhaitais simplement me libérer d'elle le plus rapidement possible. Et puis... La mettre dans un trou ? Comme un sac-poubelle ?

– Le jour suivant, vous vous êtes arrangé pour être un des archéologues découvrant le corps. Pourquoi ?

– Euh... Je portais des gants ; donc pas d'empreintes. Mais j'avais lu quelque part que si j'avais laissé sur elle un de mes cheveux, ou une fibre de mon chandail, vous pourriez l'identifier. Il fallait donc que ce soit moi qui la découvre... Mon Dieu, je ne voulais pas... Je ne voulais pas la voir, mais... Toute la journée, j'ai cherché un prétexte pour monter là-haut, mais j'avais peur que ça paraisse suspect. J'étais... Je n'arrivais même pas à penser. Je n'avais qu'un désir : que ce soit fini. Et puis Mark a demandé à Mel d'aller travailler sur la pierre rituelle. Dès lors, c'était bien plus facile, vous comprenez.

Pas étonnant qu'il ait paru choqué lors de son premier interrogatoire. Pas assez, cependant, pour nous mettre la puce à l'oreille... Pour un novice, il s'était très bien débrouillé.

– Et quand nous avons eu cet entretien avec vous...

Soudain, je me tus. Sans nous regarder, Cassie et moi avons eu le même déclic : une des raisons qui nous avaient fait prendre tellement au sérieux l'histoire de Jessica à propos de l'inconnu en survêtement, c'était que Damien prétendait lui aussi l'avoir aperçu, quasiment sur le lieu du crime.

– Lors de cet entretien, repris-je après une pause d'à peine quelques secondes, vous avez inventé un grand type en survêtement, pour nous orienter sur une fausse piste.

– Oui.

Il nous considéra avec inquiétude.

– Désolé pour ça. Je pensais simplement...

– Suspension de l'interrogatoire, annonça Cassie.

Elle sortit. Je lui emboîtai le pas, une oppression soudaine au creux de l'estomac, suivi par l'exclamation interloquée de Damien :

– Attendez ! Qu'est-ce qui se passe ?

D'instinct, au lieu de rester dans le couloir ou de gagner la salle des opérations, nous avons pénétré dans la salle d'interrogatoire voisine, où Sam avait cuisiné Mark. Des débris jonchaient encore la table : serviettes froissées, gobelets vides, une tache de liquide sombre là où quelqu'un avait tapé du poing ou renversé une chaise.

– Rob, on l'a eu ! s'écria Cassie.

Elle jeta son carnet de notes sur la table, passa un bras autour de mes épaules. Geste rapide, joyeux, sans préméditation aucune, qui me fit quand même grincer des dents. Nous avions travaillé avec la même complicité qu'autrefois, comme s'il n'existait aucun problème entre nous, mais c'était uniquement parce que l'affaire l'exigeait. J'espérais ne pas avoir à le lui expliquer.

– Apparemment, oui, répondis-je.

– Quand il a enfin avoué, j'ai cru que j'allais m'effondrer ! Champagne ce soir, quelle que soit l'heure à laquelle nous finirons. Des litres de champagne !

Elle reprit son souffle, s'appuya contre la table et passa une main dans ses cheveux.

– Il faudra sans doute que tu ailles voir Rosalind.

– Pourquoi ? rétorquai-je froidement.

– Elle ne m'aime pas.

– Je sais bien. Mais pourquoi faudrait-il aller la voir ?

– Rob, Damien et elle nous ont tous les deux mis sur la même fausse piste. Il doit y avoir un rapport.

– En fait, rectifiai-je, Jessica et Damien nous ont mis sur la même fausse piste...

– Tu crois que Damien et Jessica sont de mèche ? Allons...

– À mon avis, personne n'est de mèche avec qui que ce soit. Ce que je crois, c'est que Rosalind a souffert plus que n'importe qui au cours de toute une vie et qu'il n'y a pas l'ombre d'une chance pour qu'elle ait été complice du meurtre de sa sœur. Je ne vois donc pas l'intérêt de la mêler davantage à cette affaire et de la traumatiser un peu plus.

Cassie s'assit sur la table, me dévisagea avec stupeur.

– Penses-tu vraiment que cette petite andouille ait monté le coup tout seul ?

– Je n'en sais rien et je m'en moque. Il a peut-être agi pour le compte d'Andrews ou d'un de ses acolytes. Ça expliquerait son mutisme sur le mobile : il a peur qu'ils ne s'en prennent à lui s'il les balance.

– Ouais, sauf que nous n'avons pas le moindre lien entre Andrews et lui.

– Pas encore.

– Et nous en avons un entre lui et Rosalind.

– Tu es sourde ? J'ai dit : pas encore. O'Kelly s'occupe de son compte en banque et de ses relevés de téléphone. Quand nous les aurons, nous saurons à quoi nous en tenir et nous aviserons.

– Mais quand ces résultats arriveront, Damien aura retrouvé son sang-froid et appelé un avocat. Quant à Rosalind, elle aura appris son arrestation au journal télévisé et sera sur ses gardes. Il faut la faire venir tout de suite, les confronter jusqu'à ce que découvrions ce qu'il en est.

– Non. Nous ne le ferons pas. Cette fille est fragile ; ultra-sensible. Elle vient de perdre sa sœur et elle ignore pourquoi on l'a tuée. Je t'en prie, Cassie. Nous avons la responsabilité de nous occuper d'elle.

– Non, Rob. C'est le travail du soutien aux victimes. Nous, nous avons une responsabilité vis-à-vis de Katy : essayer de découvrir la vérité sur ce qui lui est arrivé, c'est tout. Le reste est secondaire.

– Et si Rosalind fait une dépression nerveuse parce que nous l'aurons harcelée ? Ce sera également du ressort du soutien aux victimes ? Nous pourrions la briser pour la vie, tu comprends ça ? Tant que nous n'aurons rien de mieux qu'une coïncidence mineure, nous la laisserons en paix.

– Une coïncidence mineure ? Rob, s'il s'agissait de quelqu'un d'autre que Rosalind Devlin, que ferais-tu, là, tout de suite ?

La fureur me submergea. Je réussis à me maîtriser et à répondre posément :

– Non, Maddox. Ne t'engage pas sur ce terrain. Tu n'as jamais aimé Rosalind. Tu meurs d'envie de la coincer depuis le début, et maintenant que Damien t'a donné ce prétexte ridicule, tu te jettes dessus comme un chien affamé sur un os. Mon Dieu, cette pauvre fille m'a dit que nombre de femmes la jalousaient, mais je n'aurais jamais pensé ça de toi. Je me suis trompé.

– Moi, jalouse de... nom de Dieu, Rob, tu deviens dingue ! Moi, je n'aurais jamais cru que tu couvrirais une suspecte uniquement à cause de ton béguin pour elle !

Elle perdait son sang-froid, ce que je constatai avec plaisir. Ma colère est froide, contrôlée. Quelqu'un explosant comme Cassie en cet instant ne peut que s'y fracasser.

– Tu devrais baisser le ton, dis-je. Ça devient gênant pour toi.

– Vraiment ? C'est toi qui deviens gênant pour cette putain de brigade.

Elle fourra brutalement son carnet dans sa poche en chiffonnant les pages.

– Je vais aller chercher Rosalind Devlin.

– Non, tu ne le feras pas. Pour l'amour du ciel, comporte-toi comme une inspecteur, et non comme une adolescente hystérique réglant une vendetta personnelle !

– Si, Rob, j'y vais. Damien et toi pouvez faire ce que vous voulez. Vous pouvez crever. Pour ce que j'en ai à foutre...

– Voilà un propos très professionnel.

– Mais qu'est-ce qui te passe par la tête ? hurla-t-elle.

D'un coup de pied, elle fit claquer la porte derrière elle. L'écho se répercuta de façon sinistre dans le couloir.

Je laissai à Cassie plus de temps qu'il ne lui en fallait pour s'en aller. Ensuite, je sortis fumer une cigarette. Damien pouvait très bien rester seul quelques minutes de plus, comme un grand. Il commençait à faire sombre, il tombait toujours des trombes d'eau. Je relevai le col de ma veste et me recroquevillai dans l'encadrement de la porte. Mes mains tremblaient. Bien sûr, Cassie et moi, nous nous étions déjà disputés. Des partenaires se déchirent avec autant de férocité que des amants. Un jour, je l'avais tellement exaspérée qu'elle avait cogné violemment sur la table et s'était foulé le poignet. Mais, même cette fois-là, ce n'était pas la même chose ; pas du tout.

Je jetai ma cigarette trempée et à moitié consumée, retournai à l'intérieur. Je mourais d'envie de confier Damien à la justice, de rentrer chez moi et de laisser Cassie se débrouiller comme elle pourrait quand elle ne trouverait personne à son retour. Je ne pouvais pas m'offrir ce luxe : il fallait que je découvre le mobile de Damien, et que je le fasse à temps pour empêcher Cassie de persécuter Rosalind.

Damien commençait à se rendre compte de sa situation. Fou d'angoisse, mordillant la peau de ses pouces, les genoux flageolants, il me saoula de questions. Qu'allait-il se passer ensuite ? Il irait en prison, n'est-ce pas ? Pour combien de temps ? Sa mère, qui avait le cœur fragile, allait avoir une attaque... La prison était-elle vraiment dangereuse, telle qu'on la décrivait à la télé ? J'espérais, pour sa santé mentale, qu'il n'avait pas vu *Oz*.

Cependant, chaque fois que j'abordais d'un peu trop près le sujet du mobile, il se fermait comme une huître, se détournait et invoquait des trous de mémoire. Mon algarade avec Cassie avait perturbé mon rythme. Tout me semblait déséquilibré, irritant. En dépit de mes efforts, je ne pus rien obtenir de Damien, qui s'obstinait à fixer la table en secouant la tête d'un air misérable.

– Bon, déclarai-je enfin. Parlons de votre entourage. Votre père est mort il y a neuf ans. Exact ?

– Oui. Presque dix, en fait. Dix ans fin octobre. Pourrai-je... Quand nous en aurons fini, pourrai-je être libéré sous caution ?

– Cette décision appartient au juge. Est-ce que votre mère travaille ?

– Non, je vous l'ai dit, elle a le cœur fragile. Elle touche une pension d'invalidité. Mon père nous a laissé un peu de...

Il bondit sur ses pieds.

– Mon Dieu, ma mère ! Elle va se faire un sang d'encre. Quelle heure est-il ?

– Calmez-vous. Nous l'avons prévenue. Elle sait que vous nous aidez dans notre enquête. Même avec l'argent que vous a laissé votre père, il ne doit pas être facile de boucler les fins de mois...

– Comment... ? Euh, nous y arrivons.

– Tout de même, si un homme vous proposait un gros paquet pour faire un travail à sa place, vous seriez tenté, non ?

Au diable Sam, au diable O'Kelly ! Si l'oncle Redmond avait engagé Damien, il fallait que je le sache tout de suite.

Il parut désorienté par mon insinuation.

– Comment ?

– Je pourrais vous nommer plusieurs individus qui avaient mille raisons de s'en prendre à la famille Devlin. Le problème, Damien, c'est qu'ils n'ont pas les tripes de faire le sale boulot eux-mêmes. Ils sont plutôt du genre à embaucher un homme de main.

Je me tus, lui laissant une chance de répondre. Il se contenta de me lorgner avec stupeur.

– Si vous avez peur de quelqu'un, repris-je le plus doucement possible, nous pouvons vous protéger. Et si on vous a engagé pour faire ça, vous n'êtes pas le véritable tueur. Le vrai coupable, c'est votre commanditaire.

– Quoi ? Vous croyez qu'on m'a payé pour... Mon Dieu, non !

Ses traits trahissaient une indignation sans mélange.

– Alors, si ce n'était pas pour de l'argent, pourquoi l'avez-vous fait ?

– Je vous l'ai dit ! Je n'en sais rien ! Je ne me souviens pas !

Pendant un court instant, extrêmement désagréable, j'envisageai qu'il ait pu avoir perdu un pan de mémoire. Je chassai aussitôt cette pensée. Les suspects nous débitent tout le temps ce genre de phrase, et j'avais remarqué son expression lorsqu'il avait omis de mentionner la truelle. Il l'avait fait de façon délibérée.

– Écoutez, je m'efforce de vous aider de mon mieux. Mais je ne pourrai rien pour vous si vous ne vous montrez pas honnête avec moi.

– Je suis honnête ! Je ne me sens pas bien...

– C'est normal, Damien. Et je sais pourquoi. Vous vous rappelez les photos que je vous ai montrées ? Vous vous souvenez de celle de Katy ? Ce cliché a été pris pendant l'autopsie. Et cette autopsie nous a révélé dans les moindres détails ce que vous avez fait à cette petite fille...

– Je vous ai déjà dit...

Je me penchai sur la table, à le toucher.

– Et ce matin, Damien, nous avons trouvé la truelle dans la cabane à outils. Vous nous prenez pour des cons ? Voici ce que vous nous avez caché : après avoir tué Katy, vous avez défait son pantalon, baissé ses sous-vêtements et introduit cette truelle en elle.

Il serra ses tempes à deux mains.

– Non, je n'ai pas fait ça...

– Et vous essayez de me faire croire que c'est « arrivé comme ça » ? Violer une petite fille avec une truelle, ça n'arrive pas comme ça, sans raison. Alors, arrêtez de vous foutre de moi et donnez-moi cette raison. À moins que vous ne soyez qu'un petit pervers minable, un malade... C'est ce que vous êtes, Damien ?

Je l'avais poussé trop loin. Après tout, sa journée avait été longue. Et l'inévitable se produisit : il fondit de nouveau en larmes.

Cela dura longtemps. La tête dans les mains, il sanglotait de façon convulsive. Je m'appuyai contre le mur, me demandant quoi faire. Chaque fois qu'il s'apaisait un peu, je remettais le mobile sur le tapis. Il ne répondit jamais. Je ne suis même pas certain qu'il m'entendit. Il faisait trop chaud dans la pièce, où stagnait encore cette odeur de pizza qui me donnait la nausée. Impossible de me concentrer. Je pensais à Cassie ; à Cassie et à Rosalind. Rosalind avait-elle accepté de venir ? Tenait-elle le coup ? Cassie allait-elle frapper à la porte pour la confronter avec Damien ?

Finalement, j'abandonnai. Il était 20 h 30, et m'obstiner n'aurait servi à rien. Damien avait eu son compte. Le meilleur inspecteur du monde n'aurait plus rien tiré de lui. J'aurais dû m'en apercevoir depuis longtemps.

– Bien, lui dis-je. Mangeons quelque chose et allons nous reposer. Nous reprendrons demain matin.

Il se redressa. Il avait le nez rouge, les yeux embués, à demi fermés.

– Je peux... Je peux rentrer chez moi ?

Je viens de t'arrêter pour meurtre, connard. Qu'est-ce que tu t'imagines ?

Je n'avais plus la force de me montrer sarcastique.

– Nous allons vous garder pour la nuit. Je vais demander à quelqu'un de vous emmener.

Lorsque je lui passai les menottes, il les contempla avec épouvante, comme s'il s'agissait d'un instrument de torture du Moyen Âge.

La porte de la salle de tapissage était ouverte. Devant le miroir, les mains dans les poches, O'Kelly se balançait sur les talons. Mon cœur bondit dans ma poitrine. Cassie se trouvait forcément dans la salle d'interrogatoire principale. Avec Rosalind. Je songeai un instant à les rejoindre, y renonçai aussitôt. Je ne tenais pas à ce que Rosalind m'associe, d'une façon ou d'une autre, à ce désastre. Je confiai Damien, blême, suffoquant comme un enfant qui a trop pleuré, aux policiers en tenue. Et je rentrai chez moi.

Chapitre 22

Le téléphone de l'appartement sonna à 23 h 45. Je me précipitai : Heather désapprouve fortement les coups de fil une fois qu'elle est au lit.

– Allô ?

– Désolée d'appeler si tard, dit Cassie. J'ai essayé de te joindre toute la soirée.

J'avais coupé le son de mon mobile ; mais j'avais vu plusieurs fois son numéro s'afficher sur l'écran.

– Je ne peux vraiment pas parler maintenant, répondis-je.

– Rob, je t'en prie, c'est très important.

– Navré, il faut que je raccroche. Je serai dans une des salles de la brigade demain matin. Ou tu peux me laisser un mot.

J'entendis sa respiration rapide, douloureuse. Je reposai le combiné.

– Qui était-ce ? s'enquit Heather devant la porte de sa chambre, dans un nuisette brodée au col, ensommeillée et de mauvaise humeur.

– C'était pour moi.

– Cassie ?

J'allai jusqu'à la cuisine, dénichai un bac à glace et bourrai un verre de glaçons.

Heather m'avait suivie.

– Oh, là, là, lança-t-elle d'un air entendu. Tu as fini par coucher avec elle...

Je remis le bac à glace dans le frigo. Heather me fiche la paix quand je le lui demande, mais ça ne vaut jamais le coup : sa présence est moins insupportable sur le moment que ne le sont, par le suite, ses récriminations et ses jérémiades sur sa sensibilité bafouée.

– Elle ne mérite pas ça, ajouta-t-elle.

Sa remarque me sidéra. Toutes les deux se détestent. Un soir, au tout début, alors que j'avais amené Cassie pour le dîner, Heather s'était montrée presque grossière pendant toute la soirée puis, après son départ, avait passé un temps fou à tapoter le divan, arranger les coussins et tirer les tapis en soupirant bruyamment. Cassie, elle, ne la mentionna plus jamais. Je m'interrogeai sur cette soudaine solidarité féminine. J'eus tout de suite l'explication.

– Pas plus que je ne l'ai mérité, conclut Heather en claquant la porte de sa chambre.

J'emportai les glaçons dans ma chambre et me servis une vodka bien tassée.

Comme prévu, je ne parvins pas à dormir. Lorsque le jour filtra à travers les rideaux, je renonçai. Je décidai d'arriver tôt au bureau, pour essayer d'apprendre ce que Rosalind avait dit à Cassie et préparer le dossier de Damien à l'intention du procureur. Il pleuvait encore des cordes, la circulation était déjà infernale. Bien entendu, ma Land Rover creva sur Merrion Road. Je dus changer la roue sous le déluge, insulté par tous les automobilistes qui klaxonnaient avec furie, comme si j'avais été le seul responsable des embouteillages. Je finis par caler mon gyrophare sur le toit, ce qui les fit taire.

Il était presque 8 h 30 lorsque j'arrivai enfin à la brigade. Comme par un fait exprès, le téléphone sonna à l'instant même où j'enlevai mon imper.

– Salle des opérations. Ryan, répondis-je d'une voix excédée.

J'étais gelé, trempé jusqu'aux os. Je ne rêvais que de rentrer chez moi, de prendre un bain bouillant en sirotant un whisky chaud. Je n'avais envie de voir personne.

– Rappliquez. Tout de suite, m'intima O'Kelly.

Il raccrocha.

Mon corps réagit le premier. Frissonnant des pieds à la tête, j'avais du mal à respirer. De toute évidence, j'étais dans de sales draps. Si O'Kelly souhaite simplement s'entretenir avec nous, il passe la tête par l'entrebâillement de la porte, aboie : « Ryan, Maddox, dans mon bureau ! » et disparaît, pour avoir le temps de s'installer devant sa table avant que nous arrivions. Les convocations par téléphone sont réservées aux fautes professionnelles graves. Bien sûr, il aurait pu s'agir de n'importe quoi : un tuyau capital que j'avais négligé, une plainte de Jonathan Devlin sur mon comportement vis-à-vis des familles de victimes, Sam harcelant le mauvais politicien. Pourtant, je savais que ce n'était pas ça.

O'Kelly, le dos à la fenêtre, avait les poings enfoncés dans les poches.

– Enfoiré d'Adam Ryan, grommela-t-il. Et il ne vous est jamais venu à l'esprit que c'était quelque chose que j'aurais dû savoir ?

Je rougis de honte. J'avais les joues en feu. Je n'avais pas ressenti une telle humiliation depuis le collège, lorsque, pris sur le fait, il m'était impossible de nier ni de m'expliquer. Les yeux rivés sur le bureau d'O'Kelly, je tentai de discerner des dessins dans le grain du faux bois, comme un écolier attendant les coups de baguette. J'avais pris mon silence pour une bravade à la Clint Eastwood, une preuve de fierté et d'indépendance. Pour la première fois, il m'apparaissait tel qu'il était : infantile, déloyal et, surtout, profondément stupide.

– Vous rendez-vous compte des dégâts que vous avez sans doute causés à l'enquête ? reprit froidement O'Kelly.

Il devient toujours plus éloquent quand il est en colère. C'est une des raisons pour lesquelles je le crois plus brillant qu'il ne veut bien l'admettre.

– Songez à ce qu'un avocat de la défense pourra en tirer, si, par miracle, nous allons jusqu'au procès. « L'enquêteur principal fut l'unique témoin et la seule victime survivante d'une affaire non résolue en rapport avec la nôtre... » Bordel ! Les avocats rêvent autant de flics dans votre genre que nous de nous envoyer en l'air avec Vénus en personne. Ils auront l'embarras du choix. Ils vous accuseront de partialité, allant même jusqu'à voir en vous un suspect dans les deux affaires. Les médias et les ennemis de la Garda s'en donneront à cœur joie. En moins d'une semaine, personne, dans ce pays, ne se souviendra de l'identité du prévenu.

Je restai pantois. Cela peut paraître incroyable, mais je jure qu'en vingt ans il ne m'était jamais venu à l'esprit que je pourrais être considéré comme suspect dans la disparition de Peter et Jamie. Rien de tel n'apparaissait dans le dossier. Strictement rien. L'Irlande de 1984 se rapprochait plus de Jean-Jacques Rousseau que de George Orwell. Les enfants étaient innocents, sortis tout droit de la main de Dieu. Les soupçonner de meurtre aurait paru un crime contre nature. Aujourd'hui, nous savons tous qu'on n'est jamais trop jeune pour tuer. J'étais grand pour douze ans, j'avais le sang de quelqu'un d'autre dans mes chaussures, la puberté est une période trouble... Soudain, je revis l'expression de Cassie après son entretien avec Kiernan : tout, dans son attitude, me disait qu'elle me cachait quelque chose. J'eus une envie folle de m'asseoir.

– Tous ceux que vous avez fait juger demanderont une révision de leur procès en jurant que vous avez dissimulé ou trafiqué des preuves. Félicitations, Ryan. Vous venez de foutre en l'air toutes les affaires dont vous vous êtes occupé.

– Donc on me retire celle-là, répondis-je stupidement.

J'avais la bouche engourdie. J'imaginai soudain des dizaines de journalistes se bousculant devant l'entrée de mon immeuble, me fourrant leurs micros sous le nez, m'appelant Adam et exigeant des détails saignants. Heather serait aux anges : de quoi alimenter son goût du mélodrame et du martyre pendant des mois. Seigneur...

– Non ! beugla O'Kelly. Vous restez en place, uniquement parce que je ne veux pas qu'un connard de plumitif enquête sur les raisons qui m'auraient poussé à vous foutre à la porte ! Désormais, vous faites profil bas et vous limitez les dégâts. Vous n'interrogez plus un seul témoin, vous ne touchez plus un seul indice, vous restez le cul sur votre chaise en essayant de ne pas rendre la situation plus désastreuse qu'elle ne l'est déjà. Nous ferons tout notre possible pour que l'information ne sorte pas d'ici. Et, dès la fin du procès de Donnely, s'il y en a un, vous serez suspendu de toutes les enquêtes en cours.

Je ne trouvai rien d'autre à dire que :

– Monsieur, je suis vraiment désolé.

Ce n'était guère brillant.

– Moins que moi, déclara O'Neill d'un ton neutre. Rassemblez tous les tuyaux que nous avons obtenus grâce à la ligne directe et mettez-les sur fichiers. Abstenez-vous de lire ceux qui font état de l'ancienne affaire et passez-les directement à Maddox ou à O'Neill.

Il se rassit, décrocha son téléphone et composa un numéro. Je restai là quelques secondes, pétrifié, avant de comprendre que l'entrevue était terminée.

Lentement, je regagnai la salle des opérations. Je n'avais aucune intention de m'occuper de la ligne directe. Assise devant le magnétoscope, les coudes sur les genoux, une main tenant mollement la télécommande, Cassie visionnait la cassette de l'interrogatoire de Damien. Elle était voûtée, comme épuisée.

Tout à coup, je ressentis un coup violent au creux de l'estomac. Je n'avais même pas eu l'idée de me demander par qui O'Kelly avait été mis au courant. À présent, l'évidence me sautait aux yeux.

J'étais tout à fait conscient de m'être mal comporté avec Cassie ces derniers temps, même si la situation était compliquée et si j'avais mes raisons. Mais rien de ce que je lui avais fait, rien au monde ne justifiait une telle trahison. Je sentis mes jambes se dérober sous moi.

Sans doute fis-je un mouvement involontaire. Cassie se retourna vivement, me regarda. Elle arrêta la cassette, reposa la télécommande.

– Qu'a dit O'Kelly ?

Elle savait. Elle savait déjà. Mes derniers doutes s'évanouirent.

– Dès l'affaire terminée, je serai suspendu, répondis-je sans émotion apparente.

J'avais l'impression d'entendre la voix de quelqu'un d'autre.

Horrifiée, Cassie écarquilla les yeux.

– Oh, merde ! Merde, Rob... Mais il ne... il ne t'a pas viré ?

– Non. Et ce n'est pas grâce à toi.

Le premier choc passé, une colère froide, mauvaise, me faisait trembler.

– Ce n'est pas juste, murmura Cassie, consternée. J'ai essayé de te prévenir. Je t'ai appelé hier soir, je ne sais combien de fois.

– Il était un peu tard pour t'inquiéter pour moi, non ? Tu aurais dû y penser avant.

Elle blêmit.

– Avant quoi ?

– Avant de balancer ma vie privée à O'Kelly. Maintenant, tu te sens mieux, Maddox ? La ruine de ma carrière compense-t-elle le fait que je ne t'aie pas traitée comme une princesse cette semaine ? Ou as-tu autre chose dans ta manche ?

Après un moment, elle chuchota, très calmement :

– Tu crois que je lui ai tout raconté ?

Je faillis éclater de rire.

– Oui, c'est ce que je crois. Seules cinq personnes au monde étaient au courant. Je doute que mes parents ou un ami de quinze ans aient choisi la journée d'hier pour téléphoner à mon patron et lui dire : « À propos, saviez-vous que Ryan s'appelait autrefois Adam ? » Ne me prends pas pour un imbécile. Je sais que tu lui as tout dit, Cassie.

Ses yeux n'avaient pas quitté les miens. Elle était aussi furieuse que moi. D'un geste vif, elle saisit une cassette vidéo sur la table et me la jeta violemment à la figure. Je me baissai. La cassette heurta le mur, là où s'était trouvée ma tête, rebondit et alla atterrir dans un coin.

– Regarde cette cassette, Ryan !

– Ça ne m'intéresse pas.

– Visionne cette cassette tout de suite ou, je le jure devant Dieu, dès demain matin, ta tronche fera la une de tous les journaux du pays.

Ce ne fut pas sa menace elle-même qui me frappa ; mais le fait qu'elle l'ait proférée, qu'elle ait abattu son joker. Son attitude suscita en moi une curiosité intense, mêlée d'un affreux pressentiment. Je ramassai la cassette, la glissai dans le magnétoscope. Les bras serrés autour de la taille, Cassie m'observa sans un mot. Je m'assis face à l'écran, lui tournant le dos.

Il s'agissait de l'enregistrement en noir et blanc, à l'image floue, de l'entretien entre Cassie et Rosalind, la veille au soir.

L'heure s'affichait en bas de l'écran : 20 h 27. Dans la salle d'à côté, je m'apprêtais à en finir avec Damien. Seule dans la salle d'interrogatoire principale, Rosalind se remettait du rouge à lèvres devant le miroir de son poudrier. Il y avait des bruits en arrière-fond. Il me fallut quelques secondes pour les reconnaître : sanglots rauques, désespérés, couverts par ma propre voix empreinte de lassitude : « Damien, il faut que vous m'expliquiez pourquoi vous avez fait ça. » Cassie avait déclenché l'Interphone. Rosalind redressa la tête, fixa le miroir sans tain d'un air hébété.

La porte s'ouvrit. Cassie entra. Rosalind ferma son tube de rouge, le glissa dans son sac. Damien sanglotait toujours.

– Merde ! s'exclama Cassie en s'avançant vers l'Interphone. Désolée.

Elle le coupa. Rosalind eut un petit sourire crispé. Cassie fit face à la caméra.

– Interrogatoire de Rosalind Devlin, effectué par l'inspecteur Maddox. Asseyez-vous.

Rosalind ne bougea pas.

– Je préférerais ne pas avoir affaire à vous, prononça-t-elle d'un ton glacial, presque méprisant, que je ne lui avais jamais entendu auparavant. En fait, j'aimerais parler à l'inspecteur Ryan.

– Désolé, c'est impossible, répliqua gaiement Cassie en s'asseyant à son tour. Comme vous avez pu le constater, il est occupé avec quelqu'un d'autre.

– Alors, je reviendrai quand il sera disponible.

Rosalind coinça son sac sous le bras et marcha vers la porte.

– Un instant, mademoiselle Devlin, dit Cassie, cette fois très sèchement.

Rosalind soupira, se retourna.

– Avez-vous une raison particulière, poursuivit Cassie, de vous montrer soudain si peu encline à répondre à des questions sur le meurtre de votre sœur ?

Rosalind cilla. Mais son petit sourire glacé persistait.

– Vous devez savoir, mademoiselle Maddox, si vous êtes honnête avec vous-même, que je souhaite de tout cœur être utile à l'enquête. Simplement, je ne veux pas vous parler. Je suis sûre que vous savez pourquoi.

– Admettons que je l'ignore.

– Oh, mademoiselle Maddox, il est évident depuis le début que vous ne vous souciez absolument pas de ma sœur. Vous ne songez qu'à séduire l'inspecteur Ryan. Coucher avec son coéquipier n'est-il pas contraire au règlement ?

Une vague de fureur me submergea.

– Nom de Dieu ! C'est ça, le nœud de toute l'affaire ? Uniquement parce que tu crois que je lui ai dit...

Rosalind avait tapé au hasard. Je ne lui avais jamais raconté ce qui s'était passé entre Cassie et moi, pas plus qu'à qui que ce soit. Mais que Cassie l'ait cru et ait décidé de prendre sa revanche sans même daigner m'en parler...

– Ferme-la, m'ordonna-t-elle froidement.

Sur l'écran, elle n'avait pas bronché. Elle balançait sa chaise sur deux pieds, l'air amusé.

– Désolée, mademoiselle Devlin, mais je ne me laisse pas distraire aussi facilement. L'inspecteur Ryan et moi ressentons exactement la même chose à propos de la mort de votre sœur. Nous voulons démasquer son assassin. Je répète donc ma question : pourquoi refusez-vous tout à coup d'en parler ?

Rosalind s'esclaffa.

– Exactement la même chose ? Oh, je ne crois pas, mademoiselle Maddox. Il a un lien très particulier avec cette affaire, n'est-ce pas ?

Même sur cette image floue, je distinguai le clignement de paupières de Cassie et l'expression de triomphe de Rosalind, qui venait de marquer un point décisif.

– Oh, minauda-t-elle, vous ne le saviez pas ?

Pour accentuer son effet, elle s'interrompit une fraction de seconde, qui me parut durer une éternité. Ce qu'elle allait dire, je le savais. L'inévitable allait se produire.

– Il est le garçon dont les amis ont disparu à Knocknaree il y a des années, poursuivit-elle d'une voix musicale, presque indifférente. Adam Ryan. Finalement, j'ai l'impression qu'il ne vous raconte pas tout. Je me trompe ?

Jamais je ne m'étais senti aussi mal. Sur l'écran, Cassie immobilisa sa chaise, se frotta une oreille. Elle se mordit la lèvre pour réprimer un sourire.

– Il vous a dit ça ?

– Oui. Nous sommes très proches.

– Vous a-t-il dit, également, qu'il avait perdu son frère à l'âge de seize ans ? Qu'il avait grandi dans un foyer pour enfants ? Que son père était alcoolique ?

Rosalind se figea. Son sourire avait disparu.

– Pourquoi ?

– Pour vérifier. Parfois, il fait aussi ce coup-là. Ça dépend, Rosalind, ajouta-t-elle en feignant l'embarras, vous révéler cela me gêne un peu. Quand un enquêteur cherche à établir une relation avec un témoin, il lui raconte des choses qui ne sont pas tout à fait vraies. Des choses qui le mettront en confiance et l'encourageront à livrer des informations. Vous comprenez ?

Rosalind ne bougeait toujours pas.

– Écoutez, reprit gentiment Cassie, l'inspecteur Ryan n'a jamais eu de frère. Son père est un homme charmant, sans le moindre penchant pour la boisson. Il a été élevé dans le Wiltshire, d'où son accent, très loin de Knocknaree. Et pas dans un foyer. Mais, quoi qu'il vous ait raconté, il cherchait simplement à vous aider à collaborer à l'enquête. Ne lui en veuillez pas.

La porte s'ouvrit brusquement. Cassie sursauta. Rosalind resta immobile, la fixant toujours. Le buste d'O'Kelly apparut, déformé par l'angle de la caméra, mais reconnaissable à sa chevelure en forme d'araignée, impeccablement peignée.

– Maddox, jeta-t-il d'un ton cassant. Un mot.

O'Kelly, alors que je faisais sortir Damien de la salle d'interrogatoire ; dans la salle de tapissage, se balançant sur les talons devant le miroir sans tain. Je ne pouvais en regarder davantage. Je cherchai la télécommande à tâtons, appuyai sur Stop. Et je restai là, les yeux braqués sur le bleu tressautant de l'écran.

Silence. Enfin, je chuchotai :

– Cassie...

– Il m'a demandé si c'était vrai, répondit-elle aussi posément que si elle lisait un rapport. Je lui ai juré que c'était faux et que, si cela avait été vrai, tu ne l'aurais jamais raconté à Rosalind.

– Je ne l'ai pas fait.

Il me paraissait important qu'elle le sache.

– Non, je ne l'ai pas fait. Je lui ai dit que deux de mes amis avaient disparu quand nous étions enfants, pour la persuader que je comprenais ce qu'elle endurait. Je n'aurais jamais cru qu'elle était au courant pour Peter et Jamie ni qu'elle ferait le rapprochement. Cela ne m'est jamais venu à l'esprit.

Elle me laissa terminer.

– Il m'a accusée de t'avoir couvert, dit-elle enfin. Il a affirmé qu'il aurait dû nous séparer depuis longtemps. Il a ajouté qu'il allait faire comparer tes empreintes à celles de l'ancienne affaire, même s'il lui fallait pour cela tirer un type du labo de son lit, même si ça prenait toute la nuit. Si elles correspondaient, nous aurions tous les deux de la chance de ne pas nous retrouver sur le trottoir. Il m'a ordonné de renvoyer Rosalind chez elle. Je l'ai refilée à Sweeney et j'ai commencé à t'appeler.

Un déclic minuscule se fit dans ma tête, comme si l'irrévocable venait de s'accomplir. Nous avons gardé très longtemps le silence. Le vent projetait des giclées de pluie contre les vitres. Cassie respira un grand coup. Croyant qu'elle allait pleurer, je me tournai vers elle. Aucune larme ne coulait sur ses joues. Son visage était pâle, très calme. Et infiniment triste.

Chapitre 23

Nous étions toujours muets lorsque Sam fit irruption dans la salle et alluma les lumières.

– On en est où ?

Cassie se tourna vers lui.

– O'Kelly veut que toi et moi fassions une dernière tentative pour découvrir le mobile de Damien. Les policiers en tenue vont l'amener d'un instant à l'autre.

– Magnifique. Une nouvelle tête le déstabilisera peut-être un peu.

Il nous observait du coin de l'œil. Avait-il deviné ? Pour la première fois, je me demandai s'il savait tout depuis le début sans juger utile d'en parler.

Il prit place près de Cassie. Ils commencèrent à discuter de l'attitude à adopter vis-à-vis de Damien. Ils n'avaient encore jamais interrogé quelqu'un ensemble et avaient besoin d'accorder leurs violons. Cassie lui montra des extraits de l'interrogatoire de la veille. Le fax crachota les relevés du téléphone portable de Damien. Ils se penchèrent sur les feuilles, un surligneur à la main.

Quand ils s'en allèrent, j'attendis dans la pièce vide, leur laissant le temps de commencer l'interrogatoire. Ensuite, je partis à leur recherche. Ils s'étaient installés dans la salle principale. Je me faufilai dans la salle de tapissage. Je savais que ce qui allait suivre me bouleverserait, mais je ne pouvais m'empêcher d'y assister.

Cassie et Sam avaient rendu la pièce aussi humaine que possible : manteaux, sacs et écharpes sur le dossier des chaises, café, sucre, téléphones portables sur la table, plus une carafe d'eau et des feuilletés achetés à la pâtisserie la plus proche. Flottant toujours dans son pull trop grand et le même pantalon, chiffonnés comme s'il avait dormi tout habillé, Damien entra d'un pas hésitant, examina le décor. Après l'obscurité glacée de sa cellule, cela devait lui paraître rassurant, presque familial. Une barbe clairsemée, pathétique, couvrait ses joues. Assis sur des coins de table, Cassie et Sam bavardaient, pestaient contre le temps. Des pas retentirent dans le couloir. Si c'était O'Kelly, il me jetterait dehors et me renverrait à la ligne directe. Mais ils passèrent sans ralentir et s'éloignèrent. J'appuyai mon front contre le miroir sans tain et fermai les yeux.

Cassie et Sam commencèrent par des détails sans importance. Leurs voix se mêlaient avec harmonie, comme dans une berceuse. Comment êtes-vous sorti de chez vous sans réveiller votre mère ? Ah, bon ? C'est exactement ce que je faisais quand j'étais adolescent... L'aviez-vous déjà fait ? Mon Dieu, ce café est infect. Vous voulez un Coca ou autre chose, à la place ?

Ils formaient un duo parfait. Damien se relaxait. Une fois, même, il rit.

– Vous êtes membre de « Non à l'autoroute », dit enfin Cassie. Exact ?

Personne d'autre que moi n'aurait décelé son imperceptible haussement de ton, signe qu'elle passait aux choses sérieuses. J'ouvris les yeux et me redressai.

– Quand vous êtes-vous engagé dans cette campagne ?

– Au printemps dernier, répondit Damien sans réticence. En mars. Il y avait une affiche sur le tableau d'annonces de Trinity College, à propos d'une manifestation. Comme j'allais travailler à Knocknaree pendant l'été, je me suis senti... comment dire ? concerné. Je m'y suis donc rendu.

– S'agissait-il de la manifestation du 20 mai ? s'enquit Sam en parcourant ses papiers et en se frottant la nuque.

Il jouait à merveille le flic de province, solide, amical et pas trop rapide.

– Oui, je crois. Elle a eu lieu devant le Parlement, si ça peut vous être utile.

Damien paraissait incroyablement détendu. Il se penchait par-dessus la table, jouait négligemment avec son gobelet de café, comme s'il passait un entretien d'embauche. J'avais déjà vu cela auparavant, surtout avec des criminels « débutants ». Ils n'ont pas encore pris l'habitude de nous considérer comme l'ennemi et, une fois passé le choc de l'arrestation, ils se montrent diserts, coopératifs, soulagés par la disparition subite d'une longue tension.

– Et c'est à ce moment-là que vous avez adhéré à l'association ?

– Oui. Knocknaree est un site de fouilles très important. Il n'a cessé d'être habité depuis...

– Mark nous l'a dit, vous pensez bien, coupa Cassie avec un grand sourire. Est-ce à cette époque que vous avez rencontré Rosalind Devin, ou la connaissiez-vous déjà ?

Silence.

– Comment ?

– Ce jour-là, elle était à la table des signatures. Était-ce la première fois que vous la voyiez ?

Nouveau silence. Puis :

– Je ne vois pas de quoi vous parlez.

– Allons, Damien. Jusqu'à présent, vous avez été super. Ne commencez pas à déconner maintenant, d'accord ?

Sam posa devant lui les pages soulignées au surligneur.

– Nous avons là vos coups de fil et les textos que vous avez envoyés à Rosalind depuis votre mobile.

Damien fixa les papiers d'un œil morne.

– Pourquoi vouloir nous cacher que vous étiez amis ? murmura Cassie. Il n'y a rien de mal à ça.

– Je ne veux pas qu'elle soit impliquée là-dedans.

– Nous n'essayons d'impliquer personne. Nous voulons simplement savoir ce qui s'est passé.

– Je vous l'ai déjà dit.

– Je sais, je sais. Un peu de patience. Nous souhaitons éclaircir certains détails. Est-ce à cette manifestation que vous avez fait la connaissance de Rosalind ?

Damien tendit le bras, frôla d'un doigt la pile de relevés.

– Oui. Quand j'ai signé. Nous avons parlé.

– Le courant a passé entre vous et vous êtes donc restés en contact ?

– Oui.

Alors ils firent marche arrière. Quand avez-vous commencé à travailler à Knocknaree ? Pourquoi avez-vous choisi ce chantier ? Oui, il me fascine, moi aussi... Damien se détendit de nouveau. D'épais rideaux de pluie glissaient le long des fenêtres. Cassie alla de nouveau s'approvisionner en café, revint, la mine faussement coupable, avec un paquet de biscuits fourrés barbotés à la cantine. Maintenant que Damien avait avoué, il n'y avait plus d'urgence. La seule chose qu'il pouvait faire, c'était exiger un avocat, et n'importe lequel lui conseillerait de leur révéler exactement ce qu'ils cherchaient à découvrir : une complice signifierait une responsabilité partagée, une situation confuse ; du pain bénit pour la défense. Sam et Cassie avaient toute la journée, toute la semaine, tout le temps qu'il fallait.

– Quand Rosalind et vous avez-vous commencé à sortir ensemble ? demanda-t-elle.

Damien venait de replier machinalement le bord d'un des relevés. Il tressaillit, subitement alarmé.

– Comment ?... Nous n'avons pas... Nous sommes simplement amis.

Sam tapota les pages. Puis, sur un ton de reproche :

– Damien, regardez ceci. Vous l'appelez trois ou quatre fois par jour, vous lui envoyez six SMS dans la journée, vous lui parlez des heures au beau milieu de la nuit...

– Moi aussi, j'ai fait ça, avoua Cassie avec nostalgie. Ce qu'on peut dépenser en téléphone quand on est amoureux...

– Vous n'appelez aucun de vos amis avec une telle constance. Vos coups de fil à Rosalind couvrent quatre-vingt-quinze pour cent de votre note. Il n'y a rien là que de très normal. C'est une fille ravissante, vous êtes un garçon charmant. Pourquoi ne vivriez-vous pas une belle histoire ?

– Minute ! s'exclama Cassie en se redressant sur sa chaise. Est-ce que Rosalind a été mêlée à tout ça ? C'est pour ça que vous refusez de nous parler d'elle ?

– Non ! Laissez-la tranquille !

Sam et Cassie se consultèrent en silence.

– Désolé, bredouilla Damien, rouge comme un coq. Je... elle n'a rien à voir là-dedans. Laissez-la en dehors de cette affaire.

– Alors, pourquoi ce secret ? s'enquit Sam.

Damien haussa les épaules.

– Parce que. Nous n'avons dit à personne que nous étions ensemble.

– Pourquoi ?

– Son père serait devenu fou.

– Il ne vous aimait pas ? lança Cassie avec une surprise qui se voulait flatteuse.

– Non, ce n'était pas ça. Elle n'a pas le droit de fréquenter des garçons.

Il leur jeta à chacun un coup d'œil anxieux.

– Pourriez-vous... pourriez-vous ne rien lui dire ? S'il vous plaît...

– Il serait devenu fou de quelle façon ? souffla Cassie.

Il porta son gobelet à ses lèvres. Mais il respirait trop vite. Il y avait quelque chose là-dessous.

– Des témoins, déclara Sam, nous ont dit que Jonathan Devlin avait peut-être frappé Rosalind, au moins une fois. À votre connaissance, est-ce vrai ?

Bref clignement de paupières.

– Comment le saurais-je ?

Après un signe furtif à Sam, Cassie fit de nouveau marche arrière.

– Bien. Comment vous arrangiez-vous pour vous rencontrer à l'insu de son père ?

– Au début, nous nous retrouvions le week-end à Dublin, dans des bars. Rosalind racontait à ses parents qu'elle allait voir sa copine de classe Karen. Ils ne s'en formalisaient pas. Plus tard, euh... par la suite, nous nous sommes donné parfois rendez-vous la nuit, sur le chantier. Je partais de chez moi et j'attendais. Une fois ses parents endormis, elle se glissait hors de sa maison. On s'asseyait sur la pierre rituelle. Ou alors on allait dans la baraque des vestiges quand il pleuvait. Et on parlait. C'est tout.

Je n'avais aucun mal à les imaginer, enveloppés dans une couverture, sous un ciel plein d'étoiles, la lune baignant le chantier d'une lueur féerique. Le secret, les obstacles rendaient leur idylle plus romantique encore, digne des anciennes légendes : le méchant papa, la princesse prisonnière dans sa tour appelant son chevalier au secours, les instants volés, la nuit complice. Ils avaient créé leur propre monde. Et Damien avait dû le trouver merveilleux.

– Certains jours, elle venait sur le chantier en compagnie de Jessica et je le leur faisais visiter. Nous ne pouvions pas vraiment parler, pour ne pas attirer l'attention... Mais, au moins, on se voyait. Et puis une fois, en mai, ajouta-t-il avec un sourire timide, alors que je travaillais à mi-temps... Je faisais des sandwiches dans un déli... J'avais mis assez d'argent de côté pour que nous partions tout un week-end. Nous avons pris le train pour Donegal. Nous sommes descendus dans un petit B & B. Nous avons signé comme si... comme si nous étions mariés. Rosalind avait dit à ses parents qu'elle passait le week-end avec Karen, pour préparer ses examens.

– Et alors, qu'est-ce qui n'a pas marché ? demanda Cassie avec de nouveau cette tension dans la voix que je connaissais si bien. Katy a tout découvert ?

– Quoi ? Mon Dieu, non. Nous faisions vraiment attention.

– Alors, quoi ? Elle a tourmenté Rosalind ? Les petites sœurs se montrent souvent pestes avec leurs aînées.

– Non...

– Rosalind était jalouse de toutes les attentions prodiguées à Katy ?

– Non ! Elle n'est pas comme ça. Elle était ravie pour sa cadette. Et je ne tuerais pas quelqu'un simplement parce que... Je ne suis pas fou !

– Et vous n'êtes pas violent non plus, dit Sam en tapotant une autre pile de dossiers posée devant Damien. Nous avons des témoignages à votre sujet. Vos professeurs affirment que vous évitiez les bagarres, que vous n'en provoquiez aucune. Vous confirmez ?

– Oui. Je...

Cassie l'interrompit.

– Après tout, vous l'avez peut-être fait par jeu, pour éprouver des sensations fortes, savoir ce que l'on ressent quand on tue quelqu'un ?

– Non ! Qu'est-ce que vous... ?

Sam fit prestement le tour de la table, se pencha à son côté.

– Les gars du chantier disent que Mark Hanly vous engueulait, comme il engueulait tout le monde, mais que vous avez été l'un des rares à ne pas perdre votre sang-froid face à lui. Alors, qu'est-ce qui vous a mis en colère au point d'assassiner une fillette qui ne vous avait fait aucun mal ?

Damien se tassa, le menton sur la poitrine. Ils étaient allés trop loin. Ils étaient en train de le perdre.

Sam fit claquer ses doigts à deux centimètres de son nez.

– Hé, regardez-moi ! Trouvez-vous que je ressemble à votre maman ?

– Quoi ? Non...

Surpris par la question, il baissa les yeux, l'air misérable.

– Bien vu. Parce que je ne suis pas votre maman et qu'il ne s'agit pas d'une bêtise que vous pourrez vous faire pardonner en boudant. C'est autrement plus sérieux. Vous avez attiré une fillette innocente hors de chez elle en pleine nuit, vous l'avez frappée à la tête, vous l'avez asphyxiée, vous l'avez regardée mourir, vous avez introduit une truelle en elle et vous nous dites que vous avez fait tout ça sans la moindre raison. Est-ce ça que vous allez déclarer au juge ? À votre avis, quelle sentence va-t-il vous infliger ?

– Vous ne comprenez pas ! hurla Damien, la voix plus haut perchée que celle d'un garçon de treize ans.

Cassie s'inclina de nouveau vers lui, prit ses deux mains dans les siennes.

– Je le sais, mais je veux comprendre. Aidez-moi, Damien.

– Vous ne comprenez pas. Une fillette innocente ? Tout le monde la prenait pour une sainte, la perfection incarnée. Elle n'était rien de tout ça ! Qu'elle n'ait été qu'une enfant ne signifie pas que... Si je vous racontais ce dont elle était capable, vous ne me croiriez pas !

– Si, je vous croirais. Quoi que vous vous apprêtiez à me dire, j'ai vu bien pire. Je vous croirai.

Damien était cramoisi, en larmes. Ses mains tremblaient dans celles de Cassie.

– Elle rendait son père furieux contre Rosalind et Jessica. Elles avaient peur d'elle. Elle lui disait n'importe quoi : que

Rosalind avait été méchante avec elle, que Jessica avait touché à ses affaires. Tout était faux, mais il la croyait. Un jour, Rosalind a tenté de lui dire qu'elle mentait. Elle essayait de protéger Jessica, mais il a, il a...

– Qu'a-t-il fait ?

– Il les a battues ! Il a brisé le crâne de Rosalind avec un tisonnier, il a projeté Jessica contre un mur et elle s'est cassé le bras. Voilà ce qu'il a fait ! Katy regardait et elle riait !

Il libéra ses mains de celles de Cassie, essuya violemment ses larmes. Il suffoquait.

– Insinuez-vous que Jonathan Devlin avait des relations sexuelles avec ses filles ?

– Oui. Oui. Il l'a fait à toutes les trois. Katy... Katy aimait ça. Est-ce qu'il ne faut pas être malade ? Comment peut-on... Voilà pourquoi elle était sa préférée. Il détestait Rosalind parce que... parce qu'elle ne voulait pas.

Il se mordit le dos de la main et pleura.

Je faillis vomir. Je m'appuyai contre le miroir glacé, respirai lentement. Sam passa un mouchoir à Damien.

Damien croyait chaque mot qu'il prononçait. Pourquoi pas ? Nous lisons chaque semaine les pires horreurs dans les journaux : nourrissons violés, enfants mourant de faim dans des caves, bébés écartelés. Alors pourquoi ne pas adhérer à la mythologie personnelle des filles Devlin ? Pourquoi ne pas croire à l'histoire de la méchante sœur martyrisant Cendrillon ?

Même si j'ai du mal à l'admettre, j'avais, moi aussi, envie d'y croire. Cela s'agençait si bien... Cela expliquait et excusait presque tout. Mais, à l'inverse de Damien, j'avais vu les dossiers médicaux et le rapport d'autopsie. Jessica s'était cassé le bras en tombant dans la cour de son école, devant cinquante témoins. Rosalind n'avait jamais eu de fracture du crâne. Katy était morte vierge. Une sueur froide coulait le long de mon dos.

Damien se moucha. Cassie revint à la charge.

– Ça n'a pas dû être facile, pour Rosalind, de vous confier tout cela. C'était très courageux de sa part. A-t-elle essayé d'en parler à quelqu'un d'autre ?

– Non. Il la menaçait de la tuer si elle révélait quoi que ce soit. J'ai été la première personne avec qui elle s'est sentie assez en confiance pour le faire.

Sa voix exprimait de l'émerveillement, une fierté qui, un instant, en dépit de ses larmes, de sa morve, illumina son visage. Pendant une seconde, il ressembla à un jeune chevalier partant à la conquête du Graal.

– Quand vous l'a-t-elle appris ? s'enquit Sam.

– Elle a procédé par étapes. Comme vous le dites, c'était très dur pour elle. Elle ne m'a rien confié avant le mois de mai.

Il devint tout d'un coup cramoisi.

– Nous étions, euh... en train de nous embrasser. J'ai essayé de... de caresser sa poitrine. Ça l'a rendue presque folle. Elle m'a repoussé en criant qu'elle n'était pas comme ça. J'ai été sidéré. Je ne voyais pas où était le mal. Après tout, nous sortions ensemble depuis un mois. Bien sûr, ça ne me donnait pas le droit de... mais... en tout cas, j'en suis resté abasourdi. Et Rosalind a eu peur que je sois furieux contre elle. C'est alors qu'elle m'a appris ce que son père lui faisait. Pour m'expliquer son attitude.

– Comment avez-vous réagi ? demanda Cassie.

– Je lui ai dit qu'il fallait qu'elle déménage. Que nous prenions un appartement ensemble. Nous aurions eu l'argent nécessaire. Je devais être embauché sur le chantier. Quant à Rosalind, elle aurait pu travailler comme mannequin. Le directeur d'une grosse agence l'avait repérée et n'arrêtait pas de lui promettre monts et merveilles. Mais son père s'y est opposé. Moi, je voulais qu'elle ne retourne plus jamais dans cette maison. Elle l'a fait quand même. Parce qu'elle refusait d'abandonner Jessica. Vous imaginez le caractère qu'il faut pour faire preuve d'une telle abnégation ? Elle est retournée là-bas uniquement pour protéger sa sœur. Jamais je n'ai connu quelqu'un d'aussi courageux.

S'il avait eu deux ans de plus, il se serait précipité au téléphone pour appeler la police, une association d'aide à l'enfance maltraitée, n'importe qui. Mais il n'en avait que dix-neuf : à ses yeux, les adultes n'étaient que des tyrans qui ne comprenaient rien, à qui on ne pouvait rien dire parce qu'ils détruisaient tout. Demander de l'aide ne lui était sans doute même pas venu à l'idée.

– Elle m'a même dit...

Il se détourna, de nouveau en larmes. Je pensai méchamment qu'il risquait d'avoir de gros ennuis en prison s'il ne cessait de geindre.

– Elle m'a dit qu'elle ne pourrait peut-être jamais faire l'amour avec moi. À cause des mauvaises associations d'idées. Elle ne savait pas si elle serait un jour capable d'avoir assez confiance en quelqu'un. Alors, a-t-elle ajouté, si je souhaitais rompre avec elle et trouver une petite amie normale, c'est le mot qu'elle a employé, normale, elle comprendrait. Elle me demandait simplement, si je décidais de partir, de le faire tout de suite, avant qu'elle s'attache trop à moi.

– Mais vous ne vouliez pas, souffla Cassie.

– Bien sûr que non. Je l'aime.

Ses traits dégagèrent un tel absolu, une telle pureté que je ne pus m'empêcher de l'envier. Sam lui tendit un autre mouchoir, puis bougonna d'un ton rassurant :

– Il y a une chose que je ne comprends pas. Vous cherchiez à protéger Rosalind. C'était louable de votre part. Tout homme aurait éprouvé le même sentiment. Mais pourquoi vous en prendre à Katy ? Pourquoi ne pas vous débarrasser de Jonathan ? C'est ce que moi, j'aurais fait.

– C'est également ce que j'ai proposé...

Il s'interrompit, comme s'il venait de proférer un aveu compromettant. Immobiles, Cassie et Sam attendirent la suite.

– Euh... ce soir-là, Rosalind avait mal au ventre. Elle ne voulait pas me dire pourquoi, mais j'ai réussi à la faire parler. Il l'avait frappée à coups de poing. Quatre fois. Uniquement parce que Katy s'était plainte de ce qu'elle refusait de changer de programme à la télé pour la laisser regarder une émission sur la danse. C'était complètement faux. Si Katy le lui avait demandé, Rosalind l'aurait fait volontiers. Je... je ne le supportais plus. J'y pensais toutes les nuits, je n'arrivais plus à dormir. Il fallait que j'intervienne ! Il le fallait !

Il reprit son souffle, retrouva un peu son calme. D'un geste, Cassie et Sam l'encouragèrent à poursuivre.

– J'ai dit : « Je vais le tuer. » Rosalind ne parvenait pas à croire que je ferais ça pour elle. En fait, je crois qu'il s'agissait de paroles en l'air. Je n'étais pas vraiment sérieux. L'idée de supprimer quelqu'un ne m'était jamais venue à l'esprit. Mais le seul fait que je l'aie dit l'a bouleversée. Personne n'avait essayé de la protéger auparavant. Elle était au bord des larmes. Or ce n'est pas le genre de fille à pleurer, c'est vraiment quelqu'un de fort.

– Je n'en doute pas, dit Cassie. Donc, pourquoi n'avez-vous pas réglé son compte à Jonathan Devlin, une fois que vous en avez accepté l'idée ?

Il agita anxieusement les mains.

– S'il mourait, leur mère n'aurait pas été capable de s'occuper d'elles, à cause de l'argent et aussi parce qu'elle est un peu déjantée. On les aurait envoyées dans un foyer et on les aurait séparées. Rosalind n'aurait plus été là pour veiller sur Jessica. Or Jessica a besoin d'elle. Elle est tellement perturbée que Rosalind doit tout faire pour elle, même ses devoirs. Quant à Katy, elle serait partie, elle aussi, et aurait martyrisé quelqu'un d'autre. Si seulement elle n'était plus là, tout irait bien ! Son père ne frappait Rosalind et Jessica que lorsqu'elle le montait contre ses sœurs. Rosalind m'a avoué, et elle s'en sentait coupable... Mon Dieu, qu'elle se sentait coupable ! Elle m'a avoué qu'il lui arrivait de souhaiter que Katy ne soit jamais née.

– Et c'est ce qui vous a donné une idée, dit calmement Cassie.

Je devinai, au frémissement de sa bouche, qu'elle était tellement en colère qu'elle avait du mal à parler.

– Vous avez proposé de tuer Katy à la place.

– C'était mon idée, répondit-il très vite. Rosalind n'avait rien à voir là-dedans. Elle n'a même pas... Au début, elle s'est récriée. Elle ne voulait pas que je prenne un tel risque pour elle. Elle avait survécu des années et pourrait en supporter six de plus, jusqu'à ce que Jessica ait l'âge de partir. Mais je ne pouvais pas la laisser dans cette situation. Quand il lui a fracturé le crâne, elle a passé deux mois à l'hôpital. Elle aurait pu mourir !

Soudain, je me sentis, moi aussi, furieux. Pas contre Rosalind, mais contre Damien : d'être un tel crétin, aussi demeuré qu'un personnage de dessin animé se plaçant docilement à l'endroit où l'enclume qui vacille au sommet d'une falaise lui tombera sur la tête. Je faillis me précipiter dans la salle d'interrogatoire, lui mettre sous le nez les dossiers médicaux en hurlant : « Regarde, connard ! Trouves-tu, là-dedans, la moindre référence à une fracture du crâne ? Tu n'as même pas songé à demander à voir la cicatrice avant de massacrer une gamine pour ça ? »

– Vous avez donc insisté, reprit Cassie, et Rosalind a fini par se ranger à vos raisons.

– C'était à cause de Jessica ! Rosalind se moquait de ce qui pouvait lui arriver, mais elle se faisait un souci monstre pour sa sœur. Elle avait peur qu'elle fasse une dépression nerveuse. À son avis, sa cadette n'aurait jamais tenu six ans de plus.

– Mais Katy aurait été absente la plupart du temps, intervint Sam. Elle était sur le point d'intégrer une école de ballet à Londres. Aujourd'hui, elle serait partie. Vous l'ignoriez ?

– Non ! Mais vous ne comprenez pas. Katy n'avait aucune envie de devenir danseuse. Elle ne s'intéressait qu'à tout le foin qu'on faisait autour d'elle. Elle ne serait jamais restée dans cette école, où elle n'aurait été qu'une élève parmi d'autres. Elle aurait laissé tomber dès Noël et elle serait rentrée !

De tout ce qu'ils lui avaient fait, ce fut ce qui me choqua le plus : l'adresse diabolique, la précision glacée avec laquelle ils avaient détruit le rêve de Katy Devlin. Je pensai à la voix profonde et calme de Simone dans le studio de danse : *Sérieuse.* De toute ma carrière, je n'avais senti avec une telle force la présence du mal. Mes cheveux se dressèrent sur ma nuque.

– C'était donc de la légitime défense, lâcha Cassie.

– Parfaitement ! Jamais nous ne l'aurions envisagé s'il avait existé un autre moyen.

– Je comprends, Damien. C'est déjà arrivé, vous savez : des femmes tuant leur mari violent, des choses comme ça. Les jurés, eux aussi, comprennent.

– Vraiment ?

Il les regarda, plein d'espoir.

– Bien sûr. Dès qu'ils auront appris toutes les épreuves subies par Rosalind... À votre place, je ne m'inquiéterais pas trop pour elle.

– Je ne veux pas qu'elle ait d'ennuis.

– Alors vous aurez la bonne attitude en nous racontant tous les détails. D'accord ?

Épuisé, il poussa un soupir de soulagement.

– D'accord.

– Parfait. Continuons donc. Quand avez-vous pris votre décision ?

– À la mi-juillet.

– Et quand avez-vous fixé la date ?

– Quelques jours avant que ça se produise. J'avais dit à Rosalind qu'il lui fallait un alibi. Parce que nous savions que vous alliez enquêter sur sa famille. Elle avait lu quelque part que les membres de la famille sont toujours les principaux suspects. Donc, un soir, je crois que c'était le vendredi, nous nous sommes retrouvés. Elle m'a dit qu'elle s'était arrangée pour que Jessica et elle aillent passer la nuit chez leur tante le lundi suivant. Elles resteraient éveillées, à bavarder avec leurs cousines, jusqu'à 2 heures du matin. Ce serait donc la nuit idéale. Il fallait que je m'assure que tout soit fait avant 2 heures. La... la police pourrait dire...

Sa voix tremblait.

– Comment avez-vous réagi ? demanda Cassie.

– J'ai... j'ai paniqué. Jusque-là, ça n'avait pas été réel, vous comprenez. Je crois que je n'avais pas pensé que nous le ferions pour de bon. Nous ne faisions qu'en parler. Mais Rosalind a dit : « Lundi prochain. » Ça m'a soudain paru complètement dingue. Je lui ai suggéré d'aller trouver les flics à la place. Alors elle s'est mise en colère. Elle criait : « Je te faisais confiance ! Je te faisais vraiment confiance ! »

– Elle vous faisait confiance. Mais pas assez pour faire l'amour avec vous ?

– Non. Enfin, si. Quand nous avons décidé, à propos de Katy. Que je m'apprête à faire ça pour elle a tout changé. Elle pensait toujours qu'elle ne pourrait pas, mais elle a voulu essayer. Comme je travaillais déjà sur le chantier, je pouvais m'offrir un bon hôtel. Elle mérite quelque chose de bien. La première fois, elle n'a... elle n'a pas pu. Mais nous sommes retournés là-bas la semaine suivante et...

Il se mordit la lèvre, essayant de ne pas pleurer encore une fois.

– Après cela, murmura Cassie, vous ne pouviez guère changer d'avis.

– C'était toute la question. Le soir où je lui ai proposé d'aller trouver la police, elle a cru que je ne lui avais promis d'agir que pour l'entraîner dans mon lit. Elle est si fragile, elle a tellement souffert... Je ne pouvais pas lui laisser penser que je m'étais servi d'elle. Imaginez-vous ce qu'elle aurait éprouvé ?

Nouveau silence. Damien s'essuya les yeux et reprit le contrôle de lui-même.

– Vous avez décidé d'aller jusqu'au bout.

Il acquiesça avec lassitude.

– Comment avez-vous attiré Katy sur le site ?

– Rosalind lui a dit qu'un de ses amis du chantier avait découvert un superbe objet : un vieux médaillon orné d'une petite peinture représentant une danseuse. Elle a ajouté que c'était vraiment un objet de valeur, très ancien, presque magique. Elle avait donc rassemblé tout son argent et l'avait acheté à cet ami : moi. Ce cadeau, assurait-elle, lui porterait chance dans sa carrière de ballerine. Il fallait seulement que Katy aille chercher le médaillon elle-même, parce que son ami trouvait qu'elle était une grande danseuse et souhaitait avoir son autographe pour le jour où elle deviendrait célèbre. Et elle devrait y aller la nuit, car il n'avait pas le droit de vendre des objets trouvés sur le site. Il fallait donc que ça reste un secret.

Je songeai à Cassie devant la porte du local à outils d'un jardinier et entendant : « Je te couronnerai. » « Les enfants ne réagissent pas comme les adultes », avait-elle murmuré. Katy était allée au-devant du danger exactement pour la même raison : par attrait pour le merveilleux.

– Vous voyez ce que je veux dire ? assena Damien, comme pour plaider sa cause. Elle était persuadée que tout le monde ne rêvait que d'avoir son autographe.

– Elle avait toutes les raisons de le croire, précisa Sam. Des tas de gens le lui ont demandé après la collecte des fonds.

Damien le considéra d'un air stupide.

– Que s'est-il passé lorsqu'elle est arrivée à la baraque des vestiges ? interrogea Cassie.

Il haussa les épaules, mal à l'aise.

– Ce que je vous ai déjà raconté. Je lui ai dit que le médaillon était dans une boîte posée sur une étagère, derrière elle. Quand elle s'est retournée pour la prendre, j'ai... j'ai ramassé le caillou et... C'était de la légitime défense, pour reprendre votre expression. Ou la défense de Rosalind. Je ne sais pas comment ça s'appelle.

– Et la truelle ? demanda pesamment Sam. C'était aussi de la légitime défense ?

Damien se figea, comme un lapin ébloui par des phares.

– La... oui. Ça. Je ne pouvais pas... vous savez quoi. Je ne pouvais pas lui faire ça. Elle était, elle avait l'air... J'en rêve encore. Il m'était impossible de le faire. Alors, j'ai trouvé cette truelle sur la table, et j'ai pensé...

– Vous étiez censé la violer ? Ça va, déclara doucement Cassie en le voyant submergé par la panique, nous comprenons ce qui s'est passé. Rosalind n'aura pas d'ennuis à cause de vous.

Il parut hésiter, mais elle le scruta fermement. Il redevint livide.

– Rosalind m'a... Elle m'a dit qu'elle l'avait supporté, mais qu'il n'était pas juste que Katy ne sache jamais ce que Jessica avait enduré. Alors, au bout du compte, j'ai... j'ai promis de... Pardon, je crois que je vais vomir.

– Respirez. Il vous faut un peu d'eau.

Elle trouva un gobelet propre, le remplit. Elle lui tapota l'épaule pendant qu'il le vidait, le serrant à deux mains et inspirant profondément entre chaque gorgée.

– Voilà, dit-elle lorsqu'il eut retrouvé un peu de couleurs. Vous vous comportez magnifiquement. Donc vous deviez violer Katy, mais, au lieu de cela, vous avez utilisé la truelle après sa mort ?

– Je me suis dégonflé, répond-il à voix basse, la bouche dans le gobelet. Elle avait fait des trucs encore plus dégueulasses, mais je me suis dégonflé.

– Est-ce pour cette raison, demanda Sam en montrant les relevés téléphoniques, que les appels entre Rosalind et vous ont cessé après l'assassinat ? Deux coups de fil le mardi, lendemain du meurtre ; un tôt le mercredi matin, un le mardi suivant, puis plus rien. Rosalind vous en voulait-elle de l'avoir laissée tomber ?

– Je ne sais même pas comment elle l'a su. J'avais peur de le lui avouer. Nous étions convenus de ne pas nous parler pendant une quinzaine de jours pour que vous, les flics, ne puissiez pas faire le rapprochement entre nous, mais elle m'a envoyé un SMS une semaine plus tard et m'a dit que nous ne devions plus reprendre contact parce que, de toute évidence, je n'avais aucun sentiment pour elle. Je l'ai appelée pour savoir ce qui n'allait pas. Bien sûr qu'elle était furieuse !

Sa voix monta d'un ton. Il se mit à bafouiller :

– Mon Dieu, elle avait tous les droits de l'être ! On n'a pas découvert Katy avant le mercredi parce que j'ai paniqué, ce qui aurait pu ruiner son alibi, et je n'avais pas... Je n'avais pas... Elle me faisait tellement confiance, elle n'avait personne d'autre, et j'ai agi n'importe comment parce que je suis une lavette.

Cassie garda le silence. Elle me tournait le dos. J'apercevais les frêles saillies de ses vertèbres. Le chagrin me recouvrit d'un coup comme un poids dans ma gorge. Je ne pouvais plus en entendre davantage. L'insinuation que Katy ne dansait que pour attirer l'attention m'avait ôté toute colère. Ce chef-d'œuvre de cynisme venait de m'anéantir. Je ne désirais plus qu'une chose : prendre un somnifère, dormir jusqu'à ce que cette journée finisse et que la pluie ait lavé tout cela.

– Vous savez quoi ? ajouta Damien juste avant que je m'en aille. Nous allions nous marier. Dès que Jessica irait assez bien pour que Rosalind puisse la quitter... Je suppose que, maintenant, ça n'arrivera pas ?

Ils restèrent avec lui toute la journée. Je savais plus ou moins ce qu'ils faisaient. Ils avaient l'essentiel de l'affaire. À présent, ils devaient la creuser, éclaircir les points de détail, les lacunes, les incohérences. Obtenir des aveux n'est qu'un début. Il faut ensuite les bétonner, tenir compte des avocats de la défense et des jurés, s'empresser de tout mettre par écrit tant que l'accusé reste disposé à parler, sans lui donner une chance de modifier sa version des faits. Sam ne laisse rien au hasard. Cassie et lui feraient du bon travail.

Sweeney et O'Gorman surgissaient dans la salle des opérations, disparaissaient, revenaient : relevés du téléphone portable de Rosalind, nouveaux entretiens de proximité sur elle et Damien. Je les envoyai à la salle d'interrogatoire. O'Kelly apparut brièvement, me jeta un regard mauvais. Je feignis d'être plongé dans les dossiers de la ligne directe. En milieu d'après-midi, Quigley entra pour exprimer ses idées sur l'affaire. Outre que je n'avais envie de parler à personne, encore moins à lui, c'était très mauvais signe : Quigley a un flair imparable pour repérer, tout en se mettant lui-même en valeur, les failles et les erreurs des autres. Il approcha sa chaise trop près de la mienne et commença à m'entreprendre sur la façon dont il aurait lui-même mené l'enquête, m'assurant qu'il l'aurait bouclée des semaines plus tôt. Constatant que je ne l'écoutais pas, il se renfrogna et me laissa tranquille. En dépit de sa présence dans la salle, je renonçai à faire mine de travailler et passai les heures suivantes devant la fenêtre, à contempler la pluie qui rythmait les bruits familiers de la brigade : le rire de Bernadette, la sonnerie des téléphones, des interjections d'hommes courroucés tout à coup étouffées par des claquements de porte.

Enfin, à 19 h 20, Cassie et Sam longèrent le couloir. Leurs paroles me parvinrent trop faiblement pour que j'en saisisse le sens, mais je reconnus leur timbre, notamment la gravité de celui de Sam que, bizarrement, je n'avais pas remarquée avant de l'entendre interroger Damien.

– Je veux rentrer chez moi, dit Cassie lorsqu'ils pénétrèrent dans la salle.

Elle s'affala sur une chaise et resta un instant immobile, les joues entre les paumes.

– C'est bientôt fini, répondit Sam.

Je me demandai s'il parlait de la journée ou de l'enquête. Il contourna la table jusqu'à son siège. Au passage, à ma grande stupeur, il posa brièvement et légèrement la main sur la tête de Cassie.

– Comment ça s'est passé ? demandai-je d'un air emprunté.

Cassie ne bougea pas.

– Magnifiquement, rétorqua Sam. Je crois que nous sommes arrivés au bout, du moins avec Donnely.

Le téléphone sonna. Je décrochai. Bernadette nous intimait de rester dans la salle d'interrogatoire ; O'Kelly voulait nous voir. Sam s'assit lourdement, les pieds écartés et bien à plat, comme un fermier rentrant d'une dure journée de labeur. Cassie se redressa et fouilla sa poche arrière, à la recherche de son carnet de notes.

Fidèle à son habitude, O'Kelly nous fit attendre un moment. Aucun de nous ne parla. Cassie griffonna sur son carnet un arbre nu, sinistre. Accoudé à la table, Sam fixait le tableau encombré de croquis et de photos. Appuyé contre la fenêtre, je me concentrais sur les coups de vent qui, en bas, secouaient les buissons sombres du parc. Nos positions dans la pièce, sous le clignotement et le bourdonnement des néons, avaient un côté théâtral, lugubre, comme si nous jouions chacun un rôle dans une pièce existentialiste, où l'horloge marquerait à jamais 19 h 38 et où il nous serait impossible de changer de pose. L'irruption d'O'Kelly dans la salle nous fit sursauter et nous ramena à la réalité.

– Commençons par le début, lâcha-t-il d'un air mécontent en s'asseyant et en jetant une pile de dossiers sur la table. O'Neill, rafraîchissez ma mémoire. Que comptez-vous faire avec ce bazar à propos d'Andrews ?

– Laisser tomber, murmura calmement Sam.

Il paraissait exténué. Il n'avait pas de poches sous les yeux, ni les traits tirés, et quiconque ne l'aurait pas connu l'aurait trouvé en forme. Pourtant, son teint rougeaud de robuste campagnard avait disparu. Il semblait terriblement jeune et vulnérable.

– Parfait. Maddox, je vous octroie cinq jours de congé.

Cassie leva à peine les yeux.

– Oui, monsieur.

J'observai Sam, pour voir si cela le sidérait ou s'il savait déjà de quoi il retournait. Il resta de marbre.

– Quant à vous, Ryan, vous êtes affecté à la paperasse jusqu'à nouvel ordre. J'ignore comment trois génies tels que vous ont réussi à coincer Damien Donnely, mais vous pouvez remercier votre bonne étoile. Sinon, votre carrière serait dans un état plus pitoyable encore qu'elle ne l'est déjà. Suis-je clair ?

Aucun de nous trois n'eut l'énergie de réagir. Je quittai la fenêtre et allai m'asseoir le plus loin possible des autres.

O'Kelly nous décocha un coup d'œil hargneux et décida de prendre notre silence pour un acquiescement.

– Bien. Où en sommes-nous avec Donnely ?

– Nous avons bien avancé, répondit Sam quand il se rendit compte que ni Cassie ni moi n'allions rien dire. Aveux complets, y compris des détails jusque-là ignorés et corroborés par l'autopsie. À mon avis, sa seule chance de s'en sortir serait d'invoquer la folie, ce qu'il ne manquera pas de faire s'il a un bon avocat. Pour l'instant, il est bourrelé de remords et tient à plaider coupable, mais ça changera après quelques jours de prison.

– Ces âneries sur la folie, c'est de la merde ! Ça devrait être interdit ! s'écria amèrement O'Kelly. Un guignol déclarant à la barre : « Ce n'est pas sa faute, Votre Honneur, sa maman l'a mis trop tôt sur le pot et il n'a pas pu s'empêcher de tuer cette pauvre gamine. » Mon cul ! Il n'est pas plus cinglé que moi. Demandez à l'un des nôtres de l'examiner et de le confirmer.

Sam prit note.

O'Kelly fourragea dans ses papiers, agita un rapport dans notre direction.

– Bon. C'est quoi, cette histoire de sœur ?

L'atmosphère, dans la pièce, se tendit.

– Rosalind Devlin, dit Cassie. Damien et elle se fréquentaient. D'après ses déclarations, c'est elle qui a eu l'idée du meurtre. Elle l'a poussé à le commettre.

– Ah bon ? Pourquoi ?

– Toujours selon Damien, Rosalind lui a raconté que Jonathan Devlin abusait sexuellement de ses trois filles, et frappait Rosalind et Jessica. Katy, qui était sa préférée, encourageait et, souvent, provoquait les mauvais traitements contre les deux autres. Rosalind prétendait que, si Katy était éliminée, les agressions cesseraient.

– Des preuves ?

– Aucune. Damien affirme que Rosalind lui a détaillé les sévices subis par elle et sa sœur. Devlin lui aurait fracturé le crâne et aurait cassé le bras de Jessica. Or rien, dans leurs dossiers médicaux, ne mentionne le moindre mauvais traitement. Et Katy, censée avoir eu des relations sexuelles régulières avec son père pendant des années, est morte *virgo intacta*.

– Alors, pourquoi perdez-vous votre temps avec cette histoire ? Nous tenons notre homme, Maddox. Rentrez chez vous et laissez les avocats s'occuper du reste.

– Parce que c'est Rosalind l'instigatrice, pas Damien, martela-t-elle, haussant le ton pour la première fois. Quelqu'un a rendu Katy malade pendant des années. Ce n'était pas Damien. La première fois qu'elle a été admise dans son école de ballet, bien avant qu'il connaisse son existence, quelqu'un l'a rendue si malade qu'elle a dû renoncer. Quelqu'un a fourré dans la tête de Damien l'idée de tuer une gamine qu'il avait à peine croisée. Et vous l'avez dit vous-même, monsieur : il n'est pas fou. Il n'a pas entendu des voix lui enjoignant de le faire. Rosalind est la seule responsable possible.

– Quel serait son mobile ?

– Elle ne supportait pas que Katy accapare l'attention et l'admiration de tous. Monsieur, je miserais gros là-dessus. Je pense qu'il y a des années, dès qu'elle s'est aperçue que sa cadette avait un vrai talent de danseuse, Rosalind a commencé à l'empoisonner. C'est très facile à faire : eau de Javel, émétiques, sel de table, il y a dans une maison des dizaines de produits qui peuvent provoquer chez une petite fille de mystérieux troubles gastriques si vous réussissez à la convaincre de les absorber, si vous lui dites, par exemple, qu'il s'agit d'un remède miracle grâce auquel elle se sentira mieux. Si elle n'a que huit ou neuf ans, si vous êtes sa grande sœur, elle vous croira sans doute. Mais le jour où Katy a eu une seconde chance d'intégrer son école, elle a cessé d'être convaincue. À ce moment-là, elle avait douze ans. Elle était assez âgée pour remettre en question ce qu'on lui disait. Elle a refusé de continuer à ingurgiter le produit. Cette dérobade, combinée avec les articles de journaux, la collecte de fonds et le fait que Katy devenait la gloire de Knocknaree, a été la goutte qui a fait déborder le vase. Elle avait osé défier ouvertement son aînée ; et Rosalind ne l'accepterait jamais. Lorsque Rosalind a rencontré Damien, elle y a vu une chance à ne pas manquer. Ce pauvre petit con est un pigeon-né. Il n'est pas très malin et il est prêt à n'importe quoi pour faire plaisir. Au cours des mois suivants, Rosalind a tout utilisé, le sexe, des histoires larmoyantes, la flatterie, la culpabilité, pour le persuader qu'il devait tuer Katy. Et il était tellement sous sa coupe, tellement fasciné qu'il a pensé, le mois dernier, qu'il n'avait plus le choix. En fait, à l'époque, il était sans doute vraiment un peu fou.

– Ne prononcez pas ce terme hors de cette salle ! aboya O'Kelly.

Cassie eut un geste fataliste et retourna à son dessin.

Un long silence suivit. L'histoire était horrible en elle-même, aussi ancienne que celle de Caïn et d'Abel. Mais Cassie l'avait racontée avec une telle fougue, de sa voix si belle, si basse, si musicale qu'elle semblait plus atroce encore.

– Vous avez des preuves ? dit enfin O'Kelly.

– Non. Rien de tangible. Nous pouvons prouver les relations entre Damien et Rosalind ; nous disposons des appels passés entre leurs deux mobiles. Et ils nous ont tous les deux mis sur la fausse piste d'un type imaginaire en survêtement, ce qui signifie qu'elle était complice par assistance. C'est tout. Nous n'avons pas la preuve qu'elle ait eu connaissance du meurtre avant qu'il ait été commis.

– Bien sûr que vous ne l'avez pas. Adhérez-vous tous à ce galimatias ? Ou s'agit-il simplement de la petite croisade de Maddox ?

– Je suis l'inspecteur Maddox, monsieur, répliqua-t-elle vertement. J'ai interrogé Donnely toute la journée et je crois qu'il dit la vérité.

O'Kelly soupira, exaspéré, puis m'interrogea d'un signe du menton. De toute évidence, il trouvait, pour l'heure, Cassie et Sam insupportables. Tout ce qu'il voulait, c'était boucler le dossier de Damien et déclarer l'affaire close. Toutefois, en dépit de ses efforts, ce n'est pas un despote dans l'âme et il ne s'opposerait jamais à l'opinion unanime de son équipe. Il me fit de la peine : j'étais sans doute la dernière personne dont il souhaitait rechercher le soutien.

Finalement, incapable de répondre à haute voix, je hochai la tête.

– Merveilleux, soupira-t-il avec lassitude. C'est tout simplement merveilleux. D'accord... L'histoire de Donnely ne suffit pas à accuser sa dulcinée, encore moins à la déclarer coupable. Il nous faut des aveux. Quel âge a-t-elle ?

– Dix-huit ans, dis-je.

J'étais resté muet depuis si longtemps que je m'entendis à peine. Je dus m'éclaircir la gorge avant de répéter :

– Dix-huit.

– Tant mieux. Au moins, nous pourrons nous passer de la présence de ses parents pendant son interrogatoire. Bien. O'Neill et Maddox, rentrez-lui dedans, enfoncez-la, terrifiez-la jusqu'à ce qu'elle craque.

– Ça ne marchera pas, fit Cassie. Les psychopathes ont des niveaux d'anxiété très bas. Il faudrait pointer un revolver sur sa tempe pour la terroriser.

– Psychopathe ! m'écriai-je après un instant de stupeur.

O'Kelly ne cacha pas son exaspération.

– Je vous en prie, Maddox. Nous ne sommes pas dans un film d'horreur. Elle n'a quand même pas mangé sa sœur.

– Je ne parle pas de psychopathes de cinéma. Rosalind correspond à une définition clinique bien précise : aucune conscience, pas la moindre empathie, menteuse pathologique, manipulatrice, charmeuse, intuitive, en quête d'attention, se lassant facilement, narcissique, très méchante quand on la contrarie. Je suis sûre d'oublier quelques symptômes. Mais est-ce que cela ne paraît pas exact, en ce qui la concerne ?

– En tout cas, il y en a assez pour continuer, dit Sam. Attendez... Donc, même si nous allons jusqu'au procès, elle sera considérée comme folle ?

O'Kelly grommela quelques mots dégoûtés, sans rapport avec la psychologie en général et avec Cassie en particulier.

– Elle est parfaitement saine d'esprit, assena-t-elle. C'est ce que déclarera n'importe quel psychiatre. Il ne s'agit pas d'une maladie mentale.

– Depuis quand le sais-tu ? demandai-je.

Elle se tourna vers moi.

– J'ai commencé à m'interroger sur son comportement la première fois que nous l'avons rencontrée. Cela semblait sans lien avec l'affaire. Le tueur n'était pas psychopathe, et elle avait un alibi imparable. J'ai envisagé de te le dire. Penses-tu sincèrement que tu m'aurais crue ?

Je faillis lui crier : « Tu aurais dû me faire confiance ! » Sam nous considérait tour à tour, perplexe et mal à l'aise.

– Quoi qu'il en soit, ajouta-t-elle en recommençant à dessiner, il est inutile d'essayer de lui arracher des aveux en l'effrayant. Les psychopathes ne connaissent pas vraiment la peur ; seulement l'agressivité, l'ennui ou le plaisir.

– Bon, coupa Sam. Admettons. Et l'autre sœur... Jessica, c'est ça ? Saurait-elle quelque chose ?

– C'est fort possible, répondis-je. Elles sont très proches.

À l'énoncé de ce mot, un coin de la bouche de Cassie se releva avec une ironie désabusée.

– Catastrophe ! gémit O'Kelly. Elle a douze ans, non ? Ça implique donc les parents.

– En fait, poursuivit Cassie sans interrompre son griffonnage, je doute que parler à Jessica ait la moindre utilité. Elle est totalement sous le contrôle de son aînée. Quoi que Rosalind lui ait fait, elle en est arrivée à un tel stade d'hébétude qu'elle est à peine capable de penser. Si nous trouvons un moyen de confondre Rosalind, alors oui, nous pourrons tôt ou tard obtenir quelque chose d'elle. Mais tant que Rosalind sera dans cette maison, elle aura tellement peur de commettre une bévue qu'elle ne dira rien du tout.

O'Kelly perdait patience. La tension qui régnait dans la pièce commençait à le mettre hors de lui, bien plus que l'affaire elle-même.

– Formidable, Maddox ! Merci pour tout ! Alors, bon Dieu, que suggérez-vous ? Allez, proposez-nous quelque chose d'utile au lieu de dégommer les idées de tout le monde !

Elle cessa de dessiner, maintint soigneusement son crayon en équilibre sur un doigt.

– Entendu. Les psychopathes prennent leur pied en exerçant leur pouvoir sur les autres, en les manipulant, en les faisant souffrir. Nous devrions essayer de miser là-dessus. Lui donner tout le pouvoir qu'elle désire et voir si elle se laisse entraîner trop loin.

– De quoi parlez-vous ?

– Hier soir, articula-t-elle lentement, Rosalind m'a accusée de coucher avec l'inspecteur Ryan.

Sam tourna brutalement la tête vers moi. Je gardai les yeux fixés sur O'Kelly, qui beugla :

– Oh, je ne l'ai pas oublié, croyez-moi ! Et il vaut mieux que ce ne soit pas vrai ! Vous êtes déjà, tous les deux, assez dans le pétrin comme ça.

– Non, répondit-elle presque tristement, ce n'est pas vrai. Elle essayait simplement de détourner mon attention, en espérant m'avoir piquée au vif. Cela n'a pas été le cas, mais elle n'en sait trop rien. J'aurais très bien pu dissimuler.

– Et alors ?

– Et alors, je pourrais aller lui parler, admettre que l'inspecteur Ryan et moi avons une liaison depuis longtemps et la supplier de ne pas nous dénoncer. Peut-être lui dire que nous la soupçonnons d'être impliquée dans la mort de Katy, lui proposer de lui révéler ce que nous savons en échange de son silence... Quelque chose comme ça.

O'Kelly ricana.

– Et vous croyez qu'elle va cracher le morceau ?

– Pourquoi pas ? Bien sûr, la plupart des gens détestent avouer qu'ils ont fait quelque chose d'horrible, même si on leur garantit l'impunité. Mais c'est parce qu'ils se sentent coupables et ne veulent pas que les autres les jugent mal. Pour cette fille, les autres n'ont pas plus d'existence que des personnages de jeux vidéo, et le bien et le mal ne sont que des mots. Il serait étonnant qu'elle éprouve la moindre culpabilité ou le moindre remords d'avoir poussé Damien à tuer Katy. En fait, je serais prête à parier qu'elle est enchantée d'elle-même. Cela constitue, jusqu'à présent, sa plus grande réussite, et elle n'a pas encore eu l'occasion de s'en vanter. Si elle est certaine de garder la main et si elle est sûre que je ne porte pas de micro, ce que je ne ferais en aucun cas, croira-t-elle, pour admettre que je couche avec mon partenaire, je pense qu'elle sautera sur l'occasion. L'idée de raconter à une femme inspecteur exactement ce qu'elle a fait, tout en sachant que moi je n'y pourrai rien parce que je saurai que cela causerait ma perte, la comblera. Ce sera la sensation la plus délicieuse de sa vie. Elle sera incapable de résister.

– Elle pourra dire tout ce qu'elle voudra, objecta O'Kelly. Si on ne l'informe pas de ses droits, rien ne sera recevable.

– Je le ferai donc.

– Et vous croyez qu'elle continuera à parler ? Ne m'avez-vous pas affirmé qu'elle n'était pas folle ?

– Je n'en sais rien, murmura Cassie, épuisée et excédée, ce qui la fit soudain paraître très jeune, comme une adolescente incapable de cacher sa frustration face à l'univers imbécile des adultes. Je crois simplement que c'est la meilleure façon d'agir. Si nous avons avec elle un entretien classique, elle restera sur ses gardes. Elle niera tout et nous aurons raté notre coup. Elle rentrera chez elle en sachant que nous n'avons aucun élément contre elle. Là, au moins, il y a une chance pour qu'elle s'imagine que je ne pourrai rien prouver, et qu'elle prenne le risque de parler.

D'un ongle, O'Kelly faisait grincer le plateau de la table. Visiblement, il réfléchissait.

– Si nous lançons cette opération, vous aurez un micro. Je ne veux pas risquer de me retrouver avec votre parole contre la sienne.

– Je ne l'aurais pas menée, autrement, dit-elle avec calme.

– Cassie, déclara Sam presque tendrement, en se penchant vers elle par-dessus la table, es-tu certaine d'être assez solide pour t'exposer à ce point ?

Je ressentis un accès de colère soudain, d'autant plus douloureux qu'il était injustifiable : c'était moi, et non lui, qui aurais dû poser cette question.

Elle eut un petit sourire.

– Tout ira bien. J'ai fait de l'infiltration pendant des mois et on ne m'a jamais coincée.

À mon avis, ce n'était pas ce que Sam venait de lui demander. Le seul fait de me raconter, un soir, son angoisse face au psychopathe qui l'avait harcelée l'avait laissée dans un état presque catatonique. À présent, elle avait le même regard fixe, distant, la même voix trop placide. Je me souvins de notre premier soir, devant sa Vespa en panne, me rappelai à quel point j'avais eu envie de l'entourer de mon imper, de la protéger, même contre la pluie. Ce désir revint en force, me bouleversa. Alors, je proposai :

– Je pourrai le faire. Rosalind m'apprécie.

– Non, aboya O'Kelly. Pas vous !

Cassie se frotta les yeux de deux doigts, se pinça la base du nez, comme si elle avait un début de migraine. Puis, parfaitement indifférente :

– Soit dit sans t'offenser, Rosalind Devlin ne t'aime pas plus que moi. Elle n'est pas capable d'éprouver ce genre de sentiment. Elle te trouve utile. Elle sait qu'elle te mène par le bout du nez ou qu'elle l'a fait. Et elle est persuadée que tu es le seul flic qui, si cela arrive, croiras qu'on l'aura accusée à tort et prendras son parti. Crois-moi, elle ne se privera jamais de cet atout pour se confesser à toi. Moi, je ne lui sers à rien. Elle n'a rien à perdre en me parlant. Elle sait que je ne l'aime pas, mais cela ne fera qu'augmenter son plaisir de me tenir à sa merci.

– Bien, conclut O'Kelly en rangeant ses dossiers en pile et en repoussant sa chaise. Faisons-le. Maddox, je prie le ciel pour que vous sachiez de quoi vous parlez. Demain matin, en premier lieu, nous vous équiperons. Je m'assurerai qu'on vous donne un appareil activé par la voix, ce qui vous évitera d'oublier d'appuyer sur la touche d'enregistrement.

– Non. Pas de magnéto. Je veux un émetteur, relié à un véhicule d'appui garé à moins de trois cents mètres.

– Pour interroger une gamine de dix-huit ans ? Un peu de nerf, Maddox. Vous n'allez pas affronter Al-Qaida.

– Non. Mais une psychopathe qui vient d'assassiner sa sœur.

– Elle n'a commis aucune violence elle-même, avançai-je.

Je n'avais pas voulu me montrer méchant. Pourtant, le regard de Cassie me frôla brièvement, sans expression aucune, comme si je n'existais pas.

– Émetteur et véhicule d'appui, répéta-t-elle.

Cette nuit-là, je ne rentrai pas chez moi avant 3 heures du matin, pour être sûr que Heather dormirait. Je roulai jusqu'à Bray, sur la côte, et restai assis dans la voiture. La pluie avait enfin cessé ; la nuit était noyée dans le brouillard. La marée montait. Je percevais le murmure et le souffle des vagues, mais je ne les distinguais que par intermittence, à travers la grisaille des nappes. Dans le lointain, une corne de brume égrenait inlassablement sa note mélancolique. Les gens longeant le front de mer se matérialisaient peu à peu, émergeant de nulle part, silhouettes flottant entre ciel et terre, tels de sombres messagers.

Je pensai à toutes sortes de choses, cette nuit-là. Je pensai à Cassie à Lyon, jeune fille en tablier servant du café sur des terrasses ensoleillées et bavardant en français avec les clients. Je pensai à mes parents s'apprêtant à aller danser ; aux cheveux lustrés et impeccablement coiffés de mon père ; au parfum entêtant de ma mère qui, dans sa robe à fleurs, passait la porte en coup de vent. Je pensai à Jonathan, à Cathal et à Shane, dégingandés, insolents, riant trop fort en jouant avec leurs briquets ; à Sam assis à une grande table au milieu de sept frères et sœurs turbulents ; à Damien remplissant, dans le silence d'une bibliothèque universitaire, une demande de candidature pour un emploi à Knocknaree. Je pensai au regard exalté de Mark, à ses propos : « Les seules choses auxquelles je croie sont là, sur ce chantier ! » Et enfin aux rebelles brandissant fièrement des bannières en lambeaux, aux réfugiés nageant, de nuit, contre des courants rapides ; à tous ceux qui ne redoutent rien, pas même le bûcher, qui attachent si peu de prix à leur vie qu'ils peuvent marcher sans crainte vers ce qui la leur ôtera ou la transformera, et dont la foi inflexible dépasse tellement notre entendement. J'essayai, pendant un long moment, de me souvenir de moi apportant à ma mère des fleurs sauvages.

Chapitre 24

O'Kelly a toujours été un mystère pour moi. Il n'aimait pas Cassie, méprisait sa théorie et, dans le fond, elle l'horripilait. Mais la brigade représente pour lui une entité presque sacrée. Quand il s'est résigné à soutenir un de ses membres, il le fait jusqu'au bout. Il accorda à Cassie son émetteur et son véhicule d'appui, même s'il n'y voyait qu'une perte de temps et de moyens. À mon arrivée, le lendemain matin très tôt, car nous voulions intercepter Rosalind avant qu'elle aille en classe, Cassie se trouvait déjà dans la salle des opérations, où le technicien spécialiste de la surveillance installait l'émetteur sur elle.

– Ôtez votre chandail, je vous prie.

Petit, impavide, il opérait avec dextérité. Cassie obéit docilement, comme un enfant chez le médecin. Elle portait, en dessous, un tricot de corps d'homme en Thermolactyl. Elle avait délaissé son maquillage un peu agressif des derniers jours ; des cernes sombres se creusaient sous ses yeux. Peut-être n'avait-elle pas dormi du tout et fumé jusqu'à l'aube, son tee-shirt tiré sur les genoux. Debout devant la fenêtre, Sam nous tournait le dos. O'Kelly s'acharnait sur le tableau, effaçant des lignes, puis les redessinant.

– Et, s'il vous plaît, placez l'émetteur sous votre tricot, ajouta le technicien.

– Vos dossiers vous attendent, me lança O'Kelly.

– Je veux aller avec vous, répondis-je.

Sam tressaillit. Cassie, la tête penchée sur le micro, ne réagit même pas.

– Quand il gèlera en enfer et que les poules auront des dents, rétorqua O'Kelly.

J'étais si fatigué que tout m'apparaissait à travers un brouillard. Je répétai :

– Je veux venir.

Cette fois, tout le monde m'ignora.

Cassie venait de remettre son chandail. Le technicien fixa la batterie à son jean, fit une minuscule incision à l'arrière du col de son tricot de corps et y glissa le micro. Puis il lui demanda de parler. Alors qu'elle restait muette, O'Kelly lui ordonna avec impatience :

– Racontez ce qui vous passe par la tête, Maddox, ce que vous comptez faire ce week-end ; n'importe quoi.

Au lieu de cela, elle récita un court poème : deux quatrains démodés, semblables à ceux qu'on apprend par cœur à l'école et que, bien plus tard, je retrouvai en fouinant dans une librairie poussiéreuse.

Anges, pour que vous m'exauciez,
Dis-je, la mort au fond du cœur
Quel présent dois-je apporter
Avant de pleurer et de partir ?

Prends, répondirent-ils, le chêne et le laurier
Prends nos larmes et puis va-t'en
Comme un amant prodigue. Nous ne voulons
Que le présent que tu ne peux offrir.

Elle le débita d'une voix lente, presque morne, que les haut-parleurs amplifièrent avec, en fond sonore, un écho fantomatique. Pendant ce temps, le technicien réglait délicatement la tonalité.

– Merci, Maddox, c'était très émouvant, railla O'Kelly lorsque le technicien fut satisfait. Bien, ajouta-t-il en frappant la carte de Sam du dos de la main. Voilà le lotissement. Nous serons dans le véhicule, garé dans Knocknaree Crescent, première rue à gauche après le portail d'entrée. Maddox, vous irez là-bas sur votre pétrolette, vous vous garerez en face de chez les Devlin et demanderez à la fille de venir faire un tour à pied. Vous marcherez jusqu'au bout du lotissement, franchirez le portail du fond. Vous tournerez à droite, loin du chantier de fouilles, puis à droite encore, en direction du portail d'entrée. Si, à un moment, vous déviez de ce trajet, annoncez-le au micro. Donnez votre position aussi souvent que possible. Quand vous informerez la fille de ses droits, si, par miracle, cela arrive, et si vous avez assez d'éléments pour la coffrer, arrêtez-la. Si vous estimez qu'elle vous a percée à jour ou que l'entretien ne vous mène nulle part, laissez tomber et foutez le camp. Si vous avez besoin que nous intervenions, dites-le et nous arriverons. Si elle est armée, informez-nous par une phrase : « Baissez votre couteau », quelque chose de ce genre. Vous n'aurez pas de témoin oculaire. Par conséquent, ne sortez votre feu que si vous n'avez plus le choix.

– Pas d'arme, dit-elle.

Elle enleva son holster, le tendit à Sam, puis leva les bras.

– Fouille-moi.

– Pourquoi ? bafouilla Sam, interloqué, en fixant le pistolet qu'il tenait à deux mains.

– Pour constater officiellement que je n'en ai pas. Si elle me révèle quelque chose, elle jurera que je le lui ai extorqué sous la menace d'un flingue. Fouille aussi mon scooter, avant que je monte dessus.

J'ignore encore comment je réussis à m'introduire dans le fourgon. Peut-être parce que, même en disgrâce, je restais le partenaire de Cassie, relation pour laquelle tout policier éprouve un respect instinctif et profondément enraciné. Ou alors parce que j'avais harassé O'Kelly, employant avec lui la technique que les enfants apprennent dès leur plus jeune âge : demander, demander encore, sans se lasser, jusqu'à ce que la personne que vous harcelez, occupée à autre chose, finisse par accepter pour vous faire taire. J'étais trop désespéré pour me soucier de l'humiliation qui en découlait. Et sans doute se rendait-il compte que, s'il avait refusé, j'aurais pris ma Land Rover pour me rendre là-bas par mes propres moyens.

Le véhicule d'appui était un de ces fourgons blancs, aveugles et d'aspect sinistre qu'on voit dans tous les reportages sur la police, ornés sur le côté du nom et du logo d'une entreprise fictive de carrelage. L'intérieur était encore moins engageant : gros câbles serpentant partout, clignotement et sifflement du matériel d'écoute, petite lumière glauque au plafond, parois d'isolation évoquant une cellule capitonnée. Sweeney conduisait. Sam, O'Kelly, le technicien et moi étions tassés à l'arrière, sur des banquettes inconfortables. Personne ne parlait. O'Kelly avait apporté une Thermos de café et une pâtisserie gluante dont il engloutissait méthodiquement de grandes bouchées, sans le moindre signe de plaisir. Sam grattait une tache imaginaire sur son pantalon. Je craquais mes phalanges de façon exaspérante, tentant de réprimer mon envie de fumer. Le technicien faisait les mots croisés de l'*Irish Times*.

Le fourgon se gara dans Knocknaree Crescent. O'Kelly appela Cassie sur son mobile. Elle avait branché son émetteur. Sa réponse, très calme, se répercuta dans les haut-parleurs.

– Maddox.

– Où êtes-vous ?

– En vue du lotissement. Je me suis arrêtée. Je ne voulais pas être en avance.

– Nous sommes en position. Repartez.

– Bien, monsieur.

Elle raccrocha. J'entendis la Vespa redémarrer, puis l'étrange effet stéréo lorsque, une minute plus tard, elle dépassa le bout de la rue, à quelques centaines de mètres de nous. Le technicien replia son journal et effectua un ultime réglage. O'Kelly sortit de sa poche un paquet de caramels.

Tintement de la sonnette à l'entrée de la maison. O'Kelly nous tendit son paquet de caramels. Constatant qu'il n'y avait pas d'amateurs, il haussa les épaules et en piocha un pour lui.

Cliquetis d'une porte qui s'ouvre. Rosalind, peu amène :

– Inspecteur Maddox... Nous sommes très occupés.

– Je sais, répondit Cassie. Je suis vraiment navrée de vous déranger. Mais pourriez-vous... pourriez-vous m'accorder un instant ?

– Vous avez eu l'occasion de me parler l'autre soir. Au lieu de cela, vous m'avez insultée et vous avez gâché ma soirée. Vraiment, je n'ai guère envie de perdre du temps avec vous.

– Encore une fois, je suis navrée. Je n'aurais pas dû agir de la sorte. Il ne s'agit pas de l'affaire. J'ai... j'ai simplement quelque chose à vous demander.

Silence. Je m'imaginai Rosalind tenant la porte entrouverte et jaugeant Cassie : ses traits tendus, ses mains enfoncées profondément dans les poches de sa veste de daim. En arrière-fond retentit une autre voix : celle de Margaret. Puis, de nouveau, celle de Rosalind.

– C'est pour moi, maman.

La porte claqua.

– Eh bien ? s'enquit Rosalind.

– Pourrions-nous... ?

Un frottement : Cassie bougeant nerveusement.

– Pourrions-nous faire un tour à pied ? C'est très privé.

Cela avait dû piquer la curiosité de Rosalind. Toutefois, son ton ne changea pas.

– En fait, je m'apprêtais à sortir.

– Juste cinq minutes. Nous pourrions aller jusqu'au bout du lotissement. Je vous en prie, mademoiselle Devlin. C'est important.

Rosalind soupira.

– Entendu. Cinq minutes.

– Merci. J'apprécie vraiment.

Elles descendirent l'allée. Je reconnus le pas rapide, décidé de Rosalind.

C'était un beau matin ensoleillé, doux et tiède. Quand nous étions montés dans le fourgon, quelques traînées de brume s'étiraient encore au ras du sol. À présent, les haut-parleurs magnifiaient le pépiement des merles, le grincement du portail qui, à l'extrémité du lotissement, s'ouvrait, se refermait ; et enfin, le bruissement de l'herbe mouillée que foulaient, à l'orée du bois, Cassie et Rosalind. Je songeai au ravissant spectacle que devaient offrir à ceux qui les croisaient ces deux belles filles marchant côte à côte en ce jour de septembre, sous les arbres aux feuilles déjà changeantes : Cassie les cheveux au vent, Rosalind svelte et tout en blanc ; et les lapins affolés détalant à leur approche.

– Puis-je vous demander quelque chose ? répéta Cassie.

Rosalind ne dissimula pas son agacement.

– Il me semble que nous sommes là pour ça.

– Très juste. Désolée.

Cassie prit une grande inspiration.

– Voilà. Comment vous avez appris que...

– Oui ?

– Que l'inspecteur Ryan et moi avions une liaison ?

– Oh, c'est ça ?

Rire de Rosalind : un son clair, sans émotion, pas même un infime frémissement de triomphe. Puis :

– À votre avis, mademoiselle Maddox ?

– Peut-être avez-vous deviné ? Peut-être n'avons-nous pas dissimulé autant que nous le pensions ?

– Effectivement, ça se voyait un peu. Vos espiègleries, vos querelles... Mais je n'y ai pas fait attention. Je ne passe pas mon temps à m'interroger sur vous et votre vie amoureuse.

Nouveau silence. O'Kelly enleva des restes de caramel de ses dents.

Soudain, question angoissée de Cassie :

– Alors, comment ?

Et la réponse, presque enjôleuse, de Rosalind :

– L'inspecteur Ryan me l'a dit, bien sûr.

Sam et O'Kelly se tournèrent brusquement dans ma direction. Je me mordis l'intérieur de la joue pour ne pas réagir.

Il ne m'est pas facile de l'admettre, mais j'avais gardé le faible espoir que tout cela n'avait été qu'un horrible malentendu. Un garçon avouant n'importe quoi parce qu'il pensait que c'était ce que nous voulions entendre, une fille rendue méchante par le traumatisme, et nous interprétant tout de travers. Cet espoir absurde venait de s'évanouir. Je compris en cet instant, devant l'impudence de son mensonge, que Rosalind, celle que j'avais connue, la jeune fille meurtrie, captivante et imprévisible avec qui j'avais ri au Central et dont j'avais tenu les mains sur un banc, n'avait jamais existé. Ce qu'elle m'avait montré n'était qu'un leurre, un costume de théâtre. Il n'en restait rien.

– Foutaises ! cria Cassie. Bordel, il n'aurait jamais...

– Ne jurez pas en ma présence !

– Désolée. Je... je ne m'attendais pas à cela. Je n'aurais jamais cru qu'il en parlerait à qui que ce soit. Jamais.

– Pourtant, il l'a fait. Vous devriez mieux choisir vos fréquentations. Est-ce tout ce que vous désiriez me demander ?

– Non. J'aimerais que vous me rendiez un service.

Mouvement : Cassie passant une main dans ses cheveux, ou sur ses joues.

– Fraterniser avec son partenaire est contraire au règlement. Si notre patron le découvre, nous pourrions être licenciés pour faute grave, ou rétrogradés. Or notre métier compte beaucoup pour nous. Pour nous deux. Nous avons travaillé comme des galériens pour entrer dans cette brigade. En être chassés nous briserait le cœur.

– Peut-être auriez-vous dû y penser plus tôt ?

– Je sais, je sais. Mais y aurait-il une chance pour que... pour que vous ne disiez rien ? À personne ?

– Couvrir votre petite idylle. C'est ça ?

– Euh... oui. C'est le mot, en effet.

– Je ne me sens pas vraiment d'humeur à vous rendre service, laissa froidement tomber Rosalind. Vous vous êtes montrée très grossière avec moi à chacune de nos rencontres. Et vous l'êtes encore maintenant, en essayant d'obtenir quelque chose de moi. Je déteste les gens intéressés.

– Je suis désolée d'avoir été désagréable, déclara Cassie avec un débit soudain trop rapide. Je crois que je me sentais, comment dire, menacée par vous. Je n'aurais pas dû vous faire sentir ma mauvaise humeur. Je vous prie de me pardonner.

– Effectivement, vous me devez des excuses. Toutefois, l'essentiel n'est pas là. Que vous m'ayez insultée me laisse indifférente. Mais, si vous m'avez traitée ainsi, je suis certaine que vous vous comportez de la même manière avec d'autres gens. Je me demande s'il serait bien raisonnable de ma part de protéger une personne à l'attitude si peu professionnelle.

– Petite garce, souffla Sam.

– Elle veut vraiment la faire virer, commenta O'Kelly, que la situation commençait à intéresser. Si j'avais fait preuve d'un tel culot devant quelqu'un de deux fois plus âgé que moi...

La supplique de Cassie se fit plus désespérée.

– Écoutez, il ne s'agit pas uniquement de moi. Songez à l'inspecteur Ryan. Lui ne s'est jamais montré grossier avec vous, n'est-ce pas ? Il est fou de vous.

Rire, cette fois modeste, de Rosalind.

– Vraiment ?

– Vraiment.

– Eh bien... Si c'est vous qui lui avez fait des avances, ce qui s'est passé ensuite n'est pas sa faute. Il ne serait pas juste de le faire souffrir pour ça.

– Oui. Je crois que... je crois que j'ai toujours fait les premiers pas.

Ce n'était plus du désespoir que je percevais dans les intonations de Cassie, mais une humiliation profonde, impossible à camoufler.

– Et ça dure depuis combien de temps ?

– Cinq ans... par intermittence.

Cinq ans plus tôt, Cassie et moi ne nous connaissions pas, n'avions jamais été en poste dans la même région. Je compris qu'elle envoyait, en mentant ainsi, un message à O'Kelly, au cas où il aurait encore eu l'ombre d'un doute à notre sujet. Je ne pus m'empêcher d'admirer l'habileté de ce jeu.

– Avant d'envisager de vous couvrir, dit Rosalind, il faudrait que je sois certaine que votre relation est terminée.

– Elle l'est. Je le jure. Il... il y a mis un terme il y a une quinzaine de jours. Pour de bon, cette fois.

– Ah ? Pourquoi ?

– Je ne tiens pas à en parler.

– Vous n'avez pas vraiment le choix.

– En fait, je ne sais pas vraiment. C'est la stricte vérité. J'ai essayé de le lui demander. Il s'est contenté de me répondre que c'était compliqué, qu'il se sentait mal dans sa peau, qu'il n'était pas capable d'avoir une relation suivie en ce moment. J'ignore s'il a quelqu'un d'autre, ou... Nous ne nous adressons plus la parole. Il ne me regarde même pas. Je ne sais plus quoi faire.

Sa voix tremblait de façon inquiétante. O'Kelly apprécia en connaisseur.

– Écoutez-moi ça... Maddox a raté sa vocation. Elle aurait dû faire du théâtre.

Mais elle ne jouait pas la comédie, et Rosalind le flaira.

– Cela ne me surprend guère, répliqua-t-elle avec condescendance. Il ne parle certes pas de vous comme d'une amante.

– Que dit-il de moi ?

Elle exprimait un désarroi réel. Elle baissait la garde pour recevoir les coups. Délibérément, elle laissait Rosalind la blesser, la lacérer, l'écorcher, se repaître de sa souffrance. J'en eus la nausée.

Rosalind marqua une pause, savourant son effet.

– Il dit que vous avez un besoin désespéré d'être aimée. Voilà pourquoi vous avez été tellement odieuse avec moi : parce que vous étiez jalouse des sentiments qu'il me porte. Il a fait de son mieux pour se montrer gentil. Il était désolé pour vous. Mais il avait du mal à supporter votre insistance.

– Ce sont des conneries ! sifflai-je avec fureur. Je n'ai jamais...

– La ferme ! dit Sam.

– Qu'est-ce qu'on en a à foutre ? ajouta O'Kelly.

Poliment, le technicien nous rappela à l'ordre.

– Silence, je vous prie.

– Oui, murmura Cassie très bas. J'ai été insistante.

– Oh, mon Dieu...

Petite note d'amusement.

– Vous êtes vraiment amoureuse de lui, n'est-ce pas ?

– Je ne sais pas.

Cassie se moucha. Je compris alors qu'elle pleurait. Je ne l'avais jamais vue pleurer.

– Je ne me suis jamais posé la question jusqu'à ce que... Je ne m'étais jamais sentie aussi proche de quelqu'un. Et maintenant, je suis complètement désemparée...

– Je vous en prie, inspecteur Maddox. Si vous ne pouvez pas être honnête avec moi, soyez-le au moins avec vous-même.

– Je ne sais plus, bredouilla Cassie. Peut-être que...

Les mots s'étouffèrent dans sa gorge.

L'intérieur du van devenait irrespirable. Ces voix désincarnées me donnaient l'impression d'écouter deux fantômes engagés pour toujours dans une lutte sans merci. Je faillis bondir vers la portière. O'Kelly me jeta un regard menaçant.

– Vous avez choisi d'être là, Ryan.

Je ne pouvais plus respirer.

– Il faut que j'y aille.

– Pour quoi faire ? Tout se déroule selon le plan, même s'il est complètement foireux. Ne bougez pas.

Un souffle court, terrible, dans les haut-parleurs.

– Elle fait son travail, dit Sam, les traits impénétrables sous la morne lumière jaune. Reste assis.

Le technicien leva un doigt : Rosalind parlait. Avec dédain.

– Vous devriez vous maîtriser. Il est très difficile d'avoir une conversation sensée avec une hystérique.

– Désolée.

Cassie se moucha de nouveau, avala sa salive.

– Je vous en prie... Tout est fini, l'inspecteur Ryan n'est responsable de rien et il ferait n'importe quoi pour vous. Il a eu assez confiance en vous pour tout vous raconter. Ne pourriez-vous pas... Oublier ? Ne rien dire à personne ? Je vous en supplie !

– Eh bien... à une époque, l'inspecteur Ryan et moi avons, effectivement, été très liés. Mais la dernière fois que je l'ai vu, lui aussi s'est montré très grossier à mon égard. Et il m'a menti à propos de ses deux amis. Je n'aime pas les menteurs. Non, inspecteur Maddox. Je ne vous dois rien, ni à l'un, ni à l'autre.

– D'accord, d'accord. Et si je vous offrais quelque chose en échange ?

Petit rire.

– Je ne vois pas ce que je pourrais désirer de vous.

– Si, il y a quelque chose. Accordez-moi encore cinq minutes. Traversons le lotissement jusqu'à la route. Je peux réellement faire quelque chose pour vous. Je le jure.

Rosalind soupira.

– Vous avez jusqu'au moment où nous arriverons devant chez moi. Mais vous savez, mademoiselle Maddox, certains êtres ont des valeurs morales. Si j'estime qu'il est de ma responsabilité de parler de cette affaire à vos supérieurs, vous n'achèterez pas mon silence.

– Il ne s'agit pas de vous acheter. Mais de vous aider.

– Vous ? M'aider ?

Ce rire encore, clair, frêle, que j'avais trouvé si enchanteur. J'enfonçai les ongles dans mes paumes.

– Hier, martela Cassie, nous avons arrêté Damien Donnely pour le meurtre de Katy.

Silence. Sam se pencha en avant, les coudes sur les genoux.

– Très bien ! Il est temps que vous cessiez de penser à vos déboires amoureux pour vous intéresser à l'assassinat de ma sœur. Qui est Damien Donnely ?

– Il nous a affirmé avoir été votre petit ami, jusqu'il y a quelques semaines.

– C'est faux. S'il avait été mon petit ami, je me souviendrais de son nom, vous ne croyez pas ?

– Nous avons les relevés de nombreux appels téléphoniques entre vos deux mobiles...

Rosalind devint glaciale.

– Si vous tenez à ce que je vous rende service, m'accuser d'être une menteuse ne me paraît pas le meilleur moyen d'y parvenir.

– Je ne vous accuse de rien. J'essaie simplement de vous expliquer de quelle façon je peux vous venir en aide... Damien a confiance en moi. Il m'a parlé.

Au bout d'un moment, Rosalind renifla.

– À votre place, je n'y verrais rien d'extraordinaire. Damien se confierait à la première personne qui l'écouterait. Cela ne fait pas de vous quelqu'un d'exceptionnel.

Sam hocha rapidement la tête, comme pour dire : « Nous y sommes. »

Cassie reprit :

– Je sais bien. Mais il m'a expliqué pourquoi il avait fait ça. Il m'a dit qu'il l'avait fait pour vous. Parce que vous le lui aviez demandé.

Rien, pendant très longtemps.

– C'est pour cela que je vous ai convoquée l'autre soir, précisa enfin Cassie. J'allais vous interroger à ce sujet.

– Allons, inspecteur Maddox, rétorqua Rosalind avec une intonation plus âpre, dont on ne pouvait dire si elle était de bon ou de mauvais augure, ne me prenez pas pour une idiote. Si vous et vos collègues aviez la moindre preuve contre moi, vous m'auriez arrêtée, au lieu de pleurnicher devant moi à propos de l'inspecteur Ryan.

– Les autres ne savent encore rien des déclarations de Damien. S'ils en prennent connaissance, alors, oui, ils vous interpelleront.

– Est-ce que vous me menacez ? C'est une très mauvaise idée, vous savez.

– Non. Mais il faut que vous soyez consciente d'une chose : pour inculper quelqu'un de meurtre, nous n'avons pas besoin de mobile. Damien a avoué. Ses aveux ont été retranscrits, enregistrés sur cassette vidéo. Cela suffit pour l'envoyer en prison. Nous n'avons nul besoin de connaître ses raisons. Et, je vous l'ai dit, il a confiance en moi. Si je lui conseille de garder son mobile pour lui, il me croira. Vous savez comment il est.

– Bien mieux que vous. Mon Dieu, Damien...

Elle avait prononcé son nom avec un mépris souverain, un rejet absolu, définitif, presque impersonnel.

– Il ne m'inquiète en rien. C'est un assassin, non ? Vous imaginez-vous que quelqu'un le croira ? Contre moi ?

– Je l'ai cru.

– Bien sûr. Et cela ne plaide pas en faveur de vos talents d'inspecteur. Damien, qui est à peine assez intelligent pour lacer ses souliers, vous raconte une histoire à dormir debout et vous prenez ses élucubrations pour argent comptant ? Avez-vous vraiment cru qu'un imbécile comme lui serait capable de vous raconter ce qui s'est réellement passé, même s'il l'avait voulu ? Damien ne peut appréhender que des choses simples, inspecteur Maddox. Or il ne s'agit pas d'une histoire simple.

– Les faits parlent d'eux-mêmes. Je ne veux pas en connaître les détails. Si je dois garder cela pour moi, je préfère en savoir le moins possible.

De nouveau le petit rire.

– Vraiment ? Pourtant, vous êtes enquêteur. Découvrir ce qui s'est réellement passé ne vous intéresserait pas ?

– J'en sais suffisamment. De toute façon, vos révélations ne me seraient d'aucune utilité.

– Oh, je le sais ! Vous ne pourrez pas vous en servir. Mais si l'idée d'entendre la vérité vous met dans une position inconfortable, ne vous en prenez qu'à vous-même. Vous n'auriez pas dû vous mettre dans cette situation.

Le débit de Cassie s'accéléra.

– Je suis, comme vous dites, enquêteur. Il m'est impossible de prendre connaissance des preuves d'un crime et...

Rosalind l'interrompit gaiement.

– Pourtant, il le faudra bien. Katy était une petite fille si délicieuse ! Mais, dès que ses dons de danseuse ont attiré toute l'attention sur elle, elle est devenue terriblement imbue d'elle-même. Cette Simone a eu une très mauvaise influence sur elle. Cela m'a fait beaucoup de peine. Quelqu'un devait la remettre à sa place. Pour son propre bien. J'ai donc...

– Si vous continuez à parler, dit Cassie en haussant la voix, je vais être obligée de vous informer de vos droits ! Sinon...

– Pour la dernière fois, ne me menacez pas, inspecteur !

Silence. Un doigt replié entre les dents, Sam regardait dans le vide.

– J'ai donc décidé, pour son bien, reprit Rosalind, de lui faire admettre qu'elle n'avait rien d'exceptionnel. Elle n'était pas très intelligente. Lorsque je lui ai donné quelque chose à...

D'une voix frémissante, Cassie récita :

– Vous n'êtes pas obligée de dire quoi que ce soit, à moins que vous ne le souhaitiez. Mais tout ce que vous direz sera consigné et pourra être utilisé comme preuve.

Rosalind réfléchit un long moment. Dans les haut-parleurs, les sons s'entremêlaient. Les pieds des deux femmes écrasaient les feuilles mortes, le chandail de Cassie frottait faiblement le micro à chaque pas. Une colombe roucoulait.

Sam me scrutait. Il me condamnait. Je pensai à son oncle et soutins son regard.

– Elle l'a perdue, dit O'Kelly en s'étirant. C'est à cause de ces putains de droits. À mes débuts, cette couillonnade n'existait pas. On leur foutait quelques baffes, ils nous balançaient ce qu'on voulait savoir et ça suffisait pour les envoyer devant le juge. Bon, je crois qu'on peut rentrer.

– Minute, coupa Sam. Elle va la récupérer.

– Écoutez, dit enfin Cassie, si vous allez trouver notre patron...

– Un instant, répliqua froidement Rosalind. Nous n'avons pas terminé.

– Si. En ce qui concerne Katy, nous avons fini. Je ne vais pas rester là et écouter...

– Je déteste qu'on cherche à m'intimider, mademoiselle Maddox. Je dirai ce que je voudrai. Et vous m'écouterez. Si vous m'interrompez encore, la conversation s'arrêtera là. Si vous répétez à qui que ce soit ce que je vais vous confier, je révélerai à vos supérieurs quel genre de personne vous êtes, et l'inspecteur Ryan le confirmera. Personne ne croira un mot de vos protestations, et vous perdrez votre précieux emploi. Vous comprenez ?

J'avais toujours la nausée.

– Quelle arrogance, chuchota Sam.

– Taisez-vous ! s'exclama O'Kelly. C'est le meilleur coup de Maddox.

– Oui, souffla Cassie. Je comprends.

– Bien.

J'imaginai le petit sourire compassé de Rosalind. Ses talons et ceux de Cassie martelaient le goudron. Elles venaient de s'engager sur la route et se dirigeaient vers l'entrée du lotissement.

– Donc j'ai décidé que je devais empêcher Katy de devenir trop prétentieuse. En principe, cette tâche aurait dû revenir à mes parents. S'ils avaient agi, je n'aurais pas eu à intervenir. Mais ils ne se rendaient compte de rien. Leur aveuglement me rendait très malheureuse. Une telle négligence me paraissait presque criminelle. J'ai donc conseillé à Katy d'arrêter la danse, qui avait un effet si désastreux sur elle. Elle ne m'a pas écoutée. Il fallait qu'elle reconnaisse qu'elle n'était pas, par une sorte de droit divin, un être unique au monde. Alors, de temps à autre, je l'ai empêchée de danser. Voulez-vous savoir comment ?

Cassie haletait.

– Non. Je n'y tiens pas.

– Je l'ai rendue malade, inspecteur Maddox... Mon Dieu, ne me dites pas que vos collèges et vous ne vous en êtes pas aperçus.

– Nous nous sommes interrogés. Nous avons même soupçonné votre mère...

– Ma mère ?

Ce mépris encore, incommensurable.

– Ma mère se serait fait prendre au bout d'une semaine, même si elle avait eu affaire à des gens comme vous. Je mélangeais les jus de fruits de Katy avec du produit à vaisselle, des détergents, n'importe quoi selon mon humeur du jour, et je lui affirmais qu'il s'agissait d'une recette secrète qui améliorerait sa façon de danser. Elle était assez bête pour me croire. J'étais curieuse de voir si quelqu'un s'en rendrait compte, mais personne ne s'est aperçu de rien. Incroyable, non ?

– Mon Dieu, lâcha faiblement Cassie.

– Va-t'en, murmura Sam. Il s'agit de coups et blessures. Va-t'en !

– Elle ne le fera pas, dis-je. Pas avant de l'avoir confondue pour meurtre.

– Nous arrivons en vue de l'entrée du lotissement, constata Cassie. Il nous reste peu de temps. J'ai besoin de savoir ce que vous comptez faire au sujet de...

– Vous le saurez quand je vous le dirai. Et nous rentrerons lorsque je l'aurai décidé. Nous devrions plutôt rebrousser chemin, pour que je puisse terminer mon histoire.

– Revenir jusqu'au portail du fond ?

– C'est vous qui avez demandé à me parler, inspecteur Maddox. Vous allez devoir apprendre à mesurer les conséquences de vos propres actes.

– Merde, dit Sam.

Elles s'éloignaient de nous.

– Elle n'aura pas besoin de soutien, O'Neill, grommela O'Kelly. Cette gamine est une salope, mais elle n'a quand même pas un Uzi sous sa jupe.

De nouveau Rosalind :

– Katy n'a rien appris. Elle a fini par découvrir ce qui la rendait malade. Mon Dieu, il lui a fallu des années... Elle est devenue folle de colère contre moi. Elle a juré qu'elle ne boirait plus jamais ce que je lui donnerais, et patati et patata, et a menacé de tout révéler à nos parents. Ils ne l'auraient jamais crue. Elle piquait des crises d'hystérie à propos de n'importe quoi. Mais tout de même... C'était vraiment une sale morveuse. Elle n'en faisait qu'à sa tête. Et quand elle n'obtenait pas ce qu'elle voulait, elle courait vers papa et maman et leur racontait des bobards.

– Elle voulait seulement devenir danseuse, murmura Cassie.

– Il n'en était pas question ! Si elle avait simplement accepté de se soumettre, rien ne serait arrivé. Mais elle m'a menacée, moi ! Voilà ce qu'avaient fait d'elle son école de danse, tous ces articles, cette collecte de fonds : une petite *prima donna*. Les mains sur les hanches, elle m'a crié : « Tu n'aurais pas dû me faire ça. Ne recommence jamais ! » Elle se prenait pour qui ? Elle était complètement hors d'elle. Son attitude était insultante, scandaleuse. Je n'allais quand même pas permettre ça !

Les poings serrés, Sam ne respirait plus. Moi, je transpirais : une sueur malsaine, glacée. Je ne parvenais plus à imaginer Rosalind. La tendre vision de la jeune fille en blanc avait volé en éclats, comme après une explosion atomique.

– Je suis rentrée dans le lard de ceux qui ont essayé de m'imposer leur volonté, dit Cassie. Je n'ai pas chargé quelqu'un de les tuer.

Les mots avaient du mal à sortir de sa bouche. Même si elle avait été la seule d'entre nous à envisager le pire, le récit de Rosalind la frappait de plein fouet.

Presque ravie, Rosalind poursuivit :

– Vous finirez par découvrir que je n'ai jamais demandé à Damien de faire le moindre mal à Katy. Qu'y puis-je, si les hommes rêvent tous d'accomplir des exploits pour moi ? Interrogez-le : c'est lui qui a eu cette idée. Et il lui en a fallu, du temps ! Il aurait été plus rapide de dresser un singe.

O'Kelly ricana.

– Lorsque l'idée a enfin jailli en lui, il a eu l'impression d'avoir découvert la pesanteur, d'être une sorte de génie. Ensuite, il n'a cessé d'avoir des doutes, de les ressasser. Quelques semaines de plus et j'aurais été obligée de le laisser tomber et de tout recommencer, avant de devenir folle.

– Au bout du compte, il a fait ce vous lui demandiez. Alors, pourquoi avoir rompu avec lui ? Il est désespéré.

– Pour la même raison qui a poussé l'inspecteur Ryan à vous délaisser. Je m'ennuyais tellement que j'avais envie de hurler. En plus, il n'a même pas agi comme je l'avais exigé. Il a fait n'importe quoi !

Elle restait toujours aussi glaciale. Mais sa fureur grandissait à chaque phrase.

– Paniquer et cacher le corps... Il aurait pu déclencher une catastrophe, me causer de sérieux ennuis. Il est désespérant ! Je lui ai même soufflé une histoire à dormir debout, à charge pour lui de vous la répéter, afin de vous mettre sur une fausse piste. Il n'en a même pas été capable !

– L'homme en survêtement ?

Une minute encore. Une petite minute...

– Il nous en a parlé. Simplement, ce n'était pas très convaincant. Nous avons cru qu'il faisait une montagne de pas grand-chose.

– Vous voyez ? Il devait la violer, lui fracasser le crâne avec une pierre, puis abandonner son corps sur le chantier ou dans le bois. Voilà ce que je voulais ! Dieu sait que c'était simple, même pour lui. Eh bien, non ! Il a tout raté. Il a de la chance que je me sois contentée de rompre. J'aurais dû vous orienter vers lui. Il mérite son sort.

Et voilà. Tout ce qu'il nous fallait. Je chassai l'air de mes poumons avec un petit bruit étrange, douloureux. Sam s'appuya contre la paroi du van, se lissa les cheveux. O'Kelly émit un très long sifflement.

– Rosalind Frances Devlin, énonça Cassie, conformément à la loi, je vous arrête pour le meurtre de Katharine Bridget Devlin, perpétré aux alentours du 17 août de cette année.

– Bas les pattes !

Suivirent un bruit de lutte, des craquements de brindilles. Et puis un sifflement, semblable à celui d'un chat en colère, un coup violent, une exclamation de douleur.

O'Kelly bondit sur ses pieds.

– Qu'est-ce que... ?

– Allons-y ! cria Sam. Allons-y !

J'avais déjà fait coulisser la portière. Nous nous sommes mis à courir, dérapant au coin de la rue en direction de l'entrée du lotissement. Ayant les jambes les plus longues, je distançai facilement Sam et O'Kelly. Tout semblait disparaître lentement derrière moi : clôtures de jardin, portes aux couleurs rutilantes, un gamin bayant aux corneilles sur son tricycle, un vieil homme en salopette se détournant un instant de ses rosiers. Aveuglant après la pénombre, le soleil matinal luisait comme du miel ; et l'écho de la portière du fourgon que quelqu'un venait de claquer se répercuta à l'infini.

Rosalind avait pu ramasser une branche acérée, une pierre, une bouteille cassée. Tant d'objets peuvent tuer... Je ne sentais plus mes pieds battre le goudron. Je contournai le pilier du portail, fonçai sur la route. Des feuilles me giflèrent lorsque je bifurquai vers le petit sentier qui longeait le vieux mur. Hautes herbes mouillées, traces de pas dans des flaques boueuses. J'avais l'impression de me dissoudre dans la brise d'automne, de voler.

Elles étaient tout au bout, au-delà du lotissement, là où les champs butent sur la lisière du bois. Je ne pus réprimer un cri de soulagement lorsque je les vis debout toutes les deux. Cassie serrait les poignets de Rosalind. Je me souvins de la force de ses mains, un certain jour, dans la salle d'interrogatoire. Rosalind résistait, luttait avec acharnement, non pour se dégager, mais pour tenter d'attaquer Cassie. Elle lui cracha à la figure. Je criai de nouveau. Aucune des deux ne m'entendit.

D'autres pas se rapprochaient de moi. Sweeney me dépassa, courant comme un rugbyman et sortant déjà ses menottes. Il attrapa Rosalind par l'épaule, la fit tournoyer, la plaqua contre le mur. Pour la première fois, avec un soulagement immense, je constatai à quel point, sans ses anglaises, avec son chignon et sans maquillage, elle était laide : joues creuses, petite bouche haineuse, avide, les yeux glacés comme du verre, plus vides que ceux d'une poupée. Elle portait son uniforme de collège, robe bleu marine informe, blazer de la même couleur orné d'un écusson. Ce déguisement me parut plus hideux encore que ses traits.

Cassie recula en titubant, se rattrapa à un tronc d'arbre, retrouva son équilibre. Elle se tourna vers moi. Je ne distinguai tout d'abord que ses yeux sombres, immenses, aveugles. Puis j'aperçus le sang, toile d'araignée pourpre étalée sur son visage. Elle vacilla dans l'ombre des feuilles, dont l'une, rouge vif, tomba à ses pieds.

– Cassie...

Je lui ouvris les bras. J'avais la poitrine en feu.

– Oh, Cassie.

Elle tendit la main. Je jure que son corps tout entier, un instant, suivit le même mouvement. Vers moi. Alors, elle se rappela. Sa main retomba et elle se détourna, son regard sans expression perdu dans le bleu éclatant du ciel.

Sam m'écarta sans ménagement. Lui aussi était hors d'haleine.

– Mon Dieu, Cassie... Qu'est-ce qu'elle t'a fait ?

Il sortit un pan de chemise de sa ceinture et lui tamponna doucement la joue en soulevant son menton.

– Ouille ! La garce ! gémit Sweeney, à qui Rosalind venait de donner un grand coup de talon sur le pied.

– Elle m'a griffée ! hurla Cassie. Elle m'a touchée, Sam. Cette chose m'a touchée. Et elle a craché ! Éloigne-la de moi ! Éloigne-la !

– Chut, fit Sam, chut. C'est fini. Tu as été magnifique. Chut.

Il la prit dans ses bras, la serra contre lui, pressa sa tempe contre son épaule. Une seconde, son regard rencontra le mien. Il tourna aussitôt la tête, la baissa vers ses doigts qui, doucement, caressaient les boucles en désordre de Cassie.

– Mais qu'est-ce qui se passe, nom de Dieu ? demanda O'Kelly qui venait d'arriver, bon dernier.

Il avait l'air écœuré.

Nettoyées, les blessures de Cassie se révélèrent moins sérieuses qu'au premier abord. Les ongles de Rosalind avaient laissé trois larges écorchures sur sa joue. En dépit de tout le sang, elles étaient peu profondes. Le technicien, qui était secouriste, déclara qu'il n'était pas nécessaire de faire des points de suture. Heureusement, ajouta-t-il, que Rosalind avait manqué l'œil. Il proposa de mettre du sparadrap sur les coupures. Cassie refusa. Elle voulait d'abord rentrer à la brigade et les désinfecter. Elle frissonnait de la tête aux pieds. Le technicien en conclut qu'elle était probablement en état de choc. O'Kelly, toujours dérouté et exaspéré par les événements de la journée, lui offrit un caramel.

– Vous avez besoin de sucre, dit-il.

Elle n'était pas en état de conduire. Elle laissa donc sa Vespa là où elle l'avait garée et rentra avec nous, sur le siège avant du fourgon. Sam prit le volant. Rosalind s'installa à l'arrière avec le reste de l'équipe. Elle retrouva une contenance dès que

Sweeney lui eut ôté ses menottes. Elle se tenait très droite, rigide, outragée et muette. Son parfum me soulevait le cœur. L'éclat de ses prunelles prouvait qu'elle réfléchissait intensément. Mais elle restait impassible : ni crainte, ni méfiance, ni colère. Rien.

Au moment de notre arrivée à la brigade, l'humeur d'O'Kelly s'était considérablement améliorée. Lorsque je les suivis, lui et Cassie, dans la salle de tapissage, il ne chercha même pas à me barrer le chemin.

– Cette fille me rappelle un de mes copains de classe, nous dit-il alors que nous attendions que Sam lise officiellement ses droits à Rosalind avant de la conduire dans la salle d'interrogatoire. Il nous martyrisait toute la semaine, puis réussissait à nous convaincre que tout était notre faute. Complètement frappé.

Cassie s'appuya contre le mur, cracha sur un mouchoir taché de sang et nettoya encore sa joue.

– Elle n'est pas folle, dit-elle.

Ses mains tremblaient toujours.

– Façon de parler, Maddox. Vous devriez aller à l'infirmerie.

– Ça va.

– En tout cas, bravo. Vous aviez raison à propos de celle-là.

Il lui tapota maladroitement l'épaule.

– Rendre sa sœur malade pour son bien... Vous pensez qu'elle le croyait ?

– Non. Le mot « croire » n'a aucun sens pour elle. Les choses sont vraies ou fausses, lui conviennent ou non. Le reste n'existe pas. Si on la soumettait au détecteur de mensonge, elle s'en sortirait à merveille.

– Elle aurait dû faire de la politique. Ah, la voilà.

O'Kelly s'avança vers le miroir sans tain. Sam introduisait Rosalind dans la salle d'interrogatoire.

– Voyons comment elle va essayer de s'en tirer. Ça risque d'être divertissant.

Rosalind examina la pièce et soupira.

– Je voudrais téléphoner à mes parents maintenant, dit-elle à Sam. Demandez-leur de me trouver un avocat, puis de venir ici.

Elle sortit un délicat petit crayon et un agenda de la poche de son blazer, griffonna sur une page, l'arracha et la lui tendit comme s'il était son portier.

– Voilà leur numéro. Merci beaucoup.

– Vous pourrez voir vos parents dès que nous aurons terminé, répondit-il. Si vous voulez un avocat...

– Je crois que je les verrai beaucoup plus tôt.

Elle lissa l'arrière de sa jupe et s'assit, avec une petite moue de dégoût pour la chaise de plastique.

– Les mineurs n'ont-ils pas droit à la présence d'un parent ou d'un tuteur lors d'un entretien ?

Elle croisa sagement les genoux et sourit à Sam avec effronterie.

– Interrogatoire suspendu, annonça-t-il d'un ton cassant.

Il débarrassa la table des dossiers et marcha vers la porte.

– Bordel, grommela O'Kelly. Ryan, ne me dites pas...

– Elle ment peut-être, murmura Cassie.

Elle fixait intensément le miroir. Sa main s'était refermée sur son mouchoir.

Mon cœur battait la chamade.

– Bien sûr qu'elle ment. Regardez-la. Il est impossible qu'elle ait moins de...

– Savez-vous combien d'hommes se sont retrouvés en prison pour avoir affirmé ce genre de chose ?

Sam poussa si brutalement la porte de la salle de tapissage qu'elle rebondit contre le mur. Il s'adressa directement à moi.

– Quel âge a cette fille ?

– Dix-huit ans, assenai-je. Elle m'a dit...

– Bon sang ! Et tu l'as crue sur parole ?

Je ne l'avais jamais vu perdre son sang-froid auparavant. C'était plus impressionnant que ce que j'aurais imaginé.

– Si tu demandais à cette fille l'heure à 2 h 30, elle te répondrait qu'il est 3 heures, uniquement pour t'embobiner ! Tu n'as même pas vérifié ?

– Visez-moi ce donneur de leçons ! aboya O'Kelly. Vous auriez tous dû vérifier !

Sam ne l'écouta même pas. Il éructait.

– Nous, nous t'avons cru sur parole parce que tu es censé être inspecteur ! Tu as envoyé ta propre partenaire au casse-pipe sans même te soucier de...

– J'ai vérifié ! J'ai vérifié dans le dossier !

Pourtant, avant même que les mots ne soient sortis de ma bouche, je savais. Un après-midi d'été, il y avait très longtemps... Je venais de parcourir le dossier, le téléphone coincé entre ma mâchoire et mon épaule, O'Gorman jacassant à mon autre oreille. J'essayais de parler à Rosalind, de m'assurer qu'elle était en âge de cautionner ma conversation avec Jessica.

Et j'avais dû deviner, songeai-je, j'avais dû sentir, même à ce moment-là, qu'on ne pouvait pas lui faire confiance. Sinon, pourquoi aurais-je pris la peine de vérifier un détail aussi infime ?

Je l'avais fait. J'avais trouvé la liste des membres de la famille, noté rapidement la date de naissance de Rosalind, soustrait les années...

Sam farfouillait fébrilement dans le dossier. Soudain, ses épaules s'affaissèrent.

– Novembre, dit-il très calmement. Elle aura dix-huit ans le 2 novembre.

– Félicitations, lâcha lourdement O'Kelly après un silence. À tous les trois. Bien joué.

Cassie poussa un énorme soupir.

– Irrecevable, gémit-elle. Chaque mot qu'elle a prononcé est irrecevable.

Elle glissa le long du mur, comme si ses jambes se dérobaient sous elle, s'assit à même le sol et ferma les yeux.

Un petit bruit aigu, insistant, sortit des haut-parleurs. Dans la salle d'interrogatoire, Rosalind s'ennuyait et s'était mise à fredonner.

Chapitre 25

Ce soir-là, nous avons, Sam, Cassie et moi, nettoyé la salle des opérations. Nous avons travaillé méthodiquement, en silence, enlevant les photographies et le fouillis multicolore du tableau, triant les dossiers et les rapports avant de les entasser dans des boîtes en carton aux estampilles bleues. La nuit précédente, quelqu'un avait mis le feu à un appartement de Parnell Street, causant la mort d'une immigrée nigériane et de son bébé de six mois. Costello et son partenaire avaient besoin de la salle.

O'Kelly et Sweeney interrogeaient Rosalind en présence de Jonathan. Alors que je m'étais attendu, de sa part, à des cris de fureur, et même à des tentatives d'agression contre nous, il resta très digne. Tout le problème vint de sa femme. Lorsque O'Kelly apprit aux Devlin, devant la salle d'interrogatoire, ce que Rosalind avait avoué, Margaret bondit sur lui et rugit :

– Non ! Non, non, non ! Elle était chez ses cousines. Comment pouvez-vous lui faire ça ? Comment pouvez-vous ? Elle m'avait prévenue ! Quant à vous, ajouta-t-elle en pointant vers moi un doigt épais et tremblant, vous l'avez appelée une dizaine de fois par jour pour lui demander de sortir avec vous ! Ce n'est qu'une enfant ! Vous devriez avoir honte... Et elle, poursuivit-elle en désignant Cassie, elle a détesté Rosalind dès le début ! Là aussi, elle m'avait prévenue. Elle m'avait dit que vous feriez tout pour lui nuire. Qu'est-ce que vous voulez ? La tuer ? Ça vous ferait plaisir ? Mon Dieu, mon pauvre bébé...

Jonathan n'intervint pas. Il laissa O'Kelly tenter de la calmer, tout en nous jetant des regards chargés de rancœur. Il portait encore sa tenue d'employé de banque. Son costume bleu foncé, aussi immaculé que sa cravate, mais lustré aux endroits où il avait été trop souvent repassé, me paraissait infiniment triste.

Rosalind était en état d'arrestation, pour meurtre et violences sur un officier de police. Elle n'avait ouvert la bouche qu'après l'arrivée de ses parents, pour clamer avec indignation que Cassie l'avait frappée au creux de l'estomac et qu'elle n'avait fait que se défendre. Nous comptions envoyer un dossier au procureur pour les deux chefs d'accusation. Les preuves du meurtre étaient plus que minces. Nous ne pouvions plus utiliser le pseudo-inconnu en survêtement pour démontrer sa complicité. Ma conversation avec Jessica ne s'était pas déroulée en présence d'un témoin majeur, et je n'avais même pas le moyen de prouver qu'elle avait vraiment eu lieu. Nous avions le récit de Damien, les relevés des téléphones portables. Et c'était tout.

Il devait être 8 heures. Tout était calme. Nos gestes, et le petit bruit de la pluie contre les fenêtres de la salle des opérations ; rien d'autre. Je détachai du tableau les photos de l'autopsie, de la famille Devlin, les portraits des suspects en survêtement, les vieux clichés de Peter et de Jamie. Cassie examinait le contenu de chaque boîte, les fermait, inscrivait le nom des dossiers sur le couvercle avec un marqueur noir qui crissait sur le carton. Sam fit le tour de la pièce, traînant un sac-poubelle où il fourra les gobelets de polystyrène, les papiers emplissant les corbeilles et les miettes répandues sur les tables. Des traces de sang séché souillaient sa chemise.

Je décrochai la carte de Knocknaree. Quelqu'un y avait projeté de l'eau, rendant l'encre baveuse. La caricature de promoteur dessinée par Cassie avait l'air d'avoir eu une attaque. Je me tournai vers Sam.

– On la met dans le dossier ?

Il l'examina avec moi : minuscules troncs d'arbres noueux, volutes de fumée s'échappant des cheminées des maisons, fragiles et mélancoliques, telles des maisons de contes de fées.

– Vaut mieux pas.

Il me la prit des mains, la roula et la glissa dans le sac-poubelle.

– Il me manque un couvercle, dit Cassie.

De vilaines croûtes sombres recouvraient ses écorchures.

– Il y en a un sous la table, répondit Sam. Voilà.

Il le lui lança. Elle ferma la dernière boîte, puis se redressa. Nous sommes restés là, sous les néons, au milieu des tables nues et des boîtes en désordre. Je faillis dire : « À mon tour de préparer le dîner. » Je devinai que la même pensée avait traversé l'esprit de Sam et de Cassie. Nous savions tous les trois que cela n'arriverait plus. Étaient-ils aussi consternés que moi ?

Cassie regarda une dernière fois la salle vide, s'essuya les mains sur son jean.

– Voilà, soupira-t-elle. Cette fois, je crois que c'est fini.

J'ai parfaitement conscience que cette histoire ne me montre pas sous mon meilleur jour. En un rien de temps, Rosalind m'avait mis à ses pieds, comme un chien bien dressé. Monter et descendre les escaliers pour lui apporter du café, la laisser, sans protester, déblatérer sur ma partenaire, me persuader, tel un adolescent exalté, que j'avais trouvé l'âme sœur : comment avais-je pu être aussi ridicule ? Qu'elle m'ait berné me remplissait de honte. Je suis sûr que Cassie m'aurait assuré que je n'avais pas à me reprocher ma crédulité, que tous les menteurs et les criminels que j'avais rencontrés n'avaient été, comparés à Rosalind, que des amateurs. Mais Cassie n'était pas là. Quelques jours après le dénouement de l'affaire, O'Kelly m'annonça que, jusqu'à l'énoncé des verdicts, j'étais affecté à l'unité centrale de Harcourt Street, « le plus loin possible de tout ce que vous pourriez faire foirer ». Je ne trouvai aucun argument à lui opposer.

Comme, officiellement, je faisais toujours partie de la brigade, personne ne savait très bien ce que je faisais au central. On me donna un bureau. O'Kelly m'envoyait parfois de la paperasse. Mais, la plupart du temps, j'avais tout le loisir d'errer dans les couloirs, écoutant des bribes de conversations et évitant les regards curieux, aussi immatériel, aussi indésirable qu'un fantôme.

La nuit, incapable de dormir, j'imaginais les pires supplices pour Rosalind. Je ne la voulais pas seulement morte. Je priais pour qu'elle disparaisse de la surface de la terre, qu'elle soit écrasée, broyée, pulvérisée par une déchiqueteuse, réduite en cendres. Chacune de nos conversations tournait inlassablement dans ma tête et je me rendais compte, avec une lucidité impitoyable, avec quelle habileté elle s'était jouée de moi. Elle avait flatté ma vanité, ravivé mes chagrins, mes peurs les plus secrètes pour me manipuler à sa guise. Et cela sans effort. Car je m'étais mis à sa merci de mon plein gré, courant à ma perte, provoquant mon propre naufrage. Elle s'était simplement contentée, comme un bon artisan, d'utiliser ce qu'elle avait sous la main. En un clin d'œil, elle nous avait jaugés, Cassie et moi. Elle en avait conclu que Cassie ne lui servirait à rien. Moi, elle m'avait percé à jour. Elle avait perçu ma faiblesse, mon désarroi. Et elle avait fait de moi sa chose.

Je ne témoignai pas au procès de Damien. Trop risqué, déclara le procureur Mathews, dont les cravates criardes et le « dynamisme » m'exaspéraient. Il y avait trop de chances, affirma-t-il, que Rosalind ait raconté à Damien mon « histoire personnelle ». Pourtant, elle n'avait pas remis le sujet sur le tapis. Apparemment, Cassie s'était montrée assez convaincante pour qu'elle décide d'employer des armes plus efficaces, et je doutais qu'elle ait révélé quoi que ce soit à Damien. Mais je n'avais nulle envie de discuter.

J'assistai quand même, assis au fond de la salle d'audience, à la déposition de Cassie à la barre. Fait inhabituel, le prétoire était bondé. Le procès avait fait les gros titres des journaux et des radios avant même d'avoir commencé. Ses boucles coiffées avec soin, Cassie portait un tailleur gris perle très sage. Elle paraissait plus mince, plus posée. Sa vivacité avait disparu. Ce calme nouveau rendait son visage, sa bouche, ses yeux plus émouvants encore. Tandis qu'elle se dirigeait vers la barre, je me souvins du duvet de sa nuque, de ses cheveux si doux, si chauds, au parfum de soleil. La vie m'avait accordé cette joie, ce miracle qui ne se reproduirait plus : j'avais, une fois, caressé ses cheveux.

Elle fut brillante. Elle a toujours été bonne dans le prétoire. Les jurés lui font confiance et elle retient leur attention, exploit plus difficile qu'il n'y paraît, surtout lors d'un long procès. Elle répondit calmement aux questions de Mathews, sans hésitation, les mains sur les genoux. Elle fit ce qu'elle put pour Damien. Oui, il lui était apparu agité et confus. Oui, il avait sans doute cru sincèrement que le meurtre de Katy était nécessaire à la protection de Rosalind et de Jessica. À son avis, oui, il était sous l'influence de Rosalind et avait commis le crime sous sa pression. Tassé sur son banc, il la fixait avec l'intensité d'un enfant qui regarde un film d'horreur, les prunelles écarquillées, emplies d'incompréhension. Il avait tenté de se suicider dans sa cellule, avec ses draps, quand il avait appris que Rosalind allait témoigner contre lui.

– Lorsque Damien a avoué son crime, demanda l'avocat de la défense, vous a-t-il donné ses raisons ?

– Non, pas ce jour-là. Mon partenaire et moi l'avons interrogé de nombreuses fois sur son mobile. Il refusait de répondre ou disait qu'il n'en était pas sûr.

– Dans la mesure où il avait avoué, expliquer son geste ne lui aurait nui en rien. Pourquoi, selon vous, s'est-il obstiné à ne rien révéler ?

– Objection : vous demandez au témoin une opinion personnelle.

« Mon partenaire »... Je savais, à son battement de paupières au moment où elle avait prononcé ce mot, au mouvement imperceptible de ses épaules, qu'elle m'avait vu. Mais elle ne se tourna jamais dans ma direction, pas même lorsque, les avocats en ayant fini avec elle, elle descendit de la barre et quitta la salle. Je pensai alors à Kiernan ; à ce qu'il avait dû éprouver lorsque, après trente ans de collaboration, McCabe avait succombé à sa crise cardiaque. Plus que tout ce que j'avais jalousé auparavant, je lui enviai cette douleur unique, indescriptible.

Rosalind fut le témoin suivant. Discrètement maquillée, elle marcha à petits pas jusqu'à la barre, au milieu des murmures et de l'effervescence des journalistes, gratifia Mathews d'un petit sourire innocent et timide. Je m'en allai. Le lendemain, je lus le compte-rendu de sa déposition dans la presse. Elle avait sangloté en évoquant Katy, tremblé en racontant comment Damien avait menacé de tuer ses sœurs si elle rompait avec lui. Lorsque l'avocat de l'accusé avait commencé à la presser de questions, elle avait crié : « Comment osez-vous ? J'adorais ma sœur ! », avant de s'évanouir, forçant le juge à interrompre la séance pour l'après-midi.

Elle n'avait pas eu de procès : décision de ses parents, j'en suis certain, plutôt que la sienne. Si elle avait eu le choix, elle n'aurait sûrement pas laissé passer cette occasion d'attirer toute l'attention sur elle. Mathews était parvenu à un arrangement avec son avocat. Les accusations de complicité sont difficiles à prouver. Il n'existait aucune preuve tangible contre Rosalind, ses aveux à Cassie étaient irrecevables. Bien entendu, elle s'était rétractée. Cassie, affirmait-elle, l'avait terrifiée en mimant plusieurs fois le geste de lui trancher la gorge. De toute façon, mineure au moment des faits, elle n'aurait risqué qu'une peine réduite, même si, par miracle, elle avait été reconnue coupable. Elle n'avait cessé de répéter aussi qu'elle et moi avions couché ensemble, ce qui avait mis O'Kelly au bord de l'apoplexie, moi encore plus, et porté la confusion générale à un niveau proche de la paralysie.

Mathews s'était donc résolu à se concentrer sur Damien. En échange de son témoignage contre lui, il avait offert à Rosalind une peine de trois ans avec sursis pour mise en danger de la vie d'autrui par imprudence et rébellion lors de son interpellation. J'appris par la rumeur qu'elle avait déjà reçu une dizaine de demandes en mariage, que les journaux et les éditeurs se livraient à des enchères acharnées pour obtenir l'exclusivité de son histoire.

En sortant du palais de justice, je tombai sur Jonathan Devlin. Appuyé contre le mur, il fumait une cigarette en contemplant les arabesques des mouettes au-dessus du fleuve. Il fit d'abord mine de ne pas me voir. Je sortis mon paquet de mon imper et m'avançai vers lui.

– Comment va ?

Il haussa lourdement les épaules.

– Ça pourrait aller mieux. Jessica a essayé de se tuer. Elle est allée au lit et s'est tranché les poignets avec mon rasoir.

– Navré de l'apprendre. Elle s'est remise ?

Il eut un petit sourire sans joie.

– Oui. Par chance, elle s'est ratée. Elle s'est coupée dans le mauvais sens.

J'allumai ma cigarette, la main en cornet devant la flamme. Le vent soufflait, charriant des nuages pourpres.

– Pourrais-je vous poser une question? Strictement entre nous...

Il me toisa d'un air sombre, désespéré, avec une pointe de mépris.

– Pourquoi pas?

– Vous saviez, n'est-ce pas? Vous avez toujours su...

Il garda le silence un long moment, si long que je crus qu'il allait ignorer ma question. Finalement, il soupira :

– « Savoir » n'est pas le mot. Elle ne pouvait pas l'avoir fait elle-même, puisqu'elle était chez ses cousins, et j'ignorais tout de ses relations avec ce gamin, Damien. Mais je m'interrogeais. Je la connais bien. Je m'interrogeais.

– Et vous n'avez rien fait.

Tout en m'efforçant d'employer un ton neutre, je laissai percer une inflexion de reproche. Dès le premier jour, il aurait dû nous décrire la véritable personnalité de Rosalind; il aurait dû, des années plus tôt, lorsque Katy avait commencé à être malade, avertir quelqu'un. Au bout du compte, cela n'aurait sans doute rien changé. Mais je ne pouvais m'empêcher de penser à tous les dégâts provoqués par ce silence, à ce naufrage.

Il jeta son mégot, plongea les mains dans les poches de son pardessus.

– Qu'aurais-je dû faire, selon vous? demanda-t-il sombrement. C'est aussi ma fille. J'en ai déjà perdu une. Margaret n'acceptera jamais qu'on la dénigre. Il y a des années, inquiet de la somme de mensonges qu'elle débitait, j'ai voulu l'envoyer consulter un psychologue. Margaret est devenue hystérique et a menacé de me quitter, d'emmener les filles avec elle. En ce qui concerne l'assassinat, je ne savais rien. Vraiment. J'ai gardé un œil sur elle, en priant pour que le coupable soit un des promoteurs. Qu'auriez-vous fait à ma place?

– Je ne sais pas, murmurai-je sincèrement. Probablement la même chose que vous.

Il continua à me dévisager, respirant par saccades. Je me détournai, tirai sur ma cigarette. Il poussa un grand soupir, s'adossa de nouveau au mur.

– À moi de vous demander quelque chose. Rosalind avait-elle raison quand elle affirmait que vous étiez ce garçon dont les amis ont disparu ?

Sa question ne me surprit pas. Il avait le droit de prendre connaissance de tous les interrogatoires de sa fille et je m'étais toujours attendu à ce que, tôt ou tard, il me la pose. Selon la version officielle, j'avais, ce qui était légal mais un peu cynique, inventé cette histoire de disparition pour gagner la confiance de Rosalind. J'aurais donc pu nier. Mais je n'en avais pas l'énergie. Et je n'en voyais pas l'utilité.

– Oui, répondis-je. Adam Ryan.

Il me scruta un long moment. Sans doute faisait-il un énorme effort de mémoire pour me reconnaître. Puis, avec une gentillesse et une compassion qui me stupéfièrent :

– Nous n'avions rien à voir là-dedans. Je tiens à ce que vous le sachiez. Rien du tout.

– Je sais. Je suis navré de vous avoir harcelé.

Il eut un geste fataliste.

– À votre place, j'aurais probablement agi de la même façon. Après tout, je ne suis pas un enfant de chœur. Vous avez vu ce que nous avons fait à Sandra... Vous étiez là.

– Oui. Elle n'engagera pas de poursuites.

Il grimaça, comme si cela le perturbait. Le fleuve était sombre, huileux. Quelque chose flottait à la surface : un poisson mort ou des détritus au-dessus desquels les mouettes tournoyaient avec furie en poussant des cris perçants.

– Qu'allez-vous faire ? ajoutai-je stupidement.

Il contempla de nouveau le ciel, qui s'obscurcissait. Il semblait épuisé. Il ne s'agissait pas d'une fatigue que dissipe une bonne nuit de sommeil, mais d'une lassitude accablante, permanente, qui fripait sa bouche et le coin de ses yeux.

– Déménager. On a brisé nos vitres à coups de pierres. Quelqu'un a peint à la bombe « Pédophile » sur ma voiture. Le type ne savait pas écrire, mais le message était clair. Je peux tenir encore jusqu'au début des travaux de l'autoroute. Ensuite...

Les accusations de viol d'enfant, même absurdes, doivent être vérifiées. Les déclarations de Damien à propos de Jonathan s'étaient révélées sans fondement, et les enquêteurs chargés des crimes sexuels s'étaient montrés aussi discrets, aussi humains que possible. Mais le voisinage sait toujours, et il y a toujours des gens pour croire au vieil adage : « Il n'y a pas de fumée sans feu. »

– Je vais faire suivre Rosalind par des spécialistes, ainsi que l'a ordonné le juge. J'ai lu pas mal de livres à ce sujet. Tous sont formels : pour des cas comme elle, ça ne sert à rien et on ne peut espérer aucune guérison. Je dois quand même essayer. Et je la garderai à la maison aussi longtemps que je pourrai, pour la surveiller et essayer de l'empêcher de nuire, de jeter son dévolu sur quelqu'un d'autre. Elle commence des études de musique au Trinity College en octobre. Je lui ai dit que je ne lui paierais pas de logement en ville, qu'elle rentrerait tous les soirs. Margaret est toujours persuadée qu'elle n'a rien fait, que vous et vos collègues vous êtes acharnés sur elle, mais elle est heureuse de l'avoir chez nous un peu plus longtemps. Elle dit que Rosalind est sensible.

Il se racla la gorge, comme si le mot lui écorchait la bouche.

– J'enverrai Jessica vivre chez ma sœur dès que les plaies de ses poignets seront cicatrisées, pour la mettre hors de danger.

Il eut un demi-sourire plein d'amertume.

– Danger... Sa propre sœur...

Je songeai à ce qu'avait dû être l'ambiance de cette maison au cours des dix-huit dernières années, à ce qu'elle devait être à présent. J'en eus la nausée.

– Vous voulez savoir ? poursuivit douloureusement Jonathan. Margaret et moi sortions ensemble depuis à peine deux mois lorsqu'elle est tombée enceinte. Nous étions tous les deux terrifiés. Je lui ai suggéré de prendre le bateau pour l'Angleterre... Mais elle est très croyante. Alors, elle a gardé le bébé. C'est une femme bien. Je ne regrette pas de l'avoir épousée. Pourtant, si j'avais deviné ce que serait Rosalind, que Dieu me pardonne, j'aurais traîné Margaret par les cheveux jusqu'au bateau.

« Quel dommage que vous ne l'ayez pas fait ! » eus-je envie de répondre. J'évitai cette cruauté gratuite et murmurai bêtement :

– Je suis désolé.

Il me considéra un instant en silence, serra son manteau sur ses épaules.

– Je ferais mieux de rentrer, pour voir si Rosalind a terminé.
– Elle risque d'en avoir pour un bout de temps.
– C'est probable.

Il gravit pesamment les marches du palais de justice. Gonflé par le vent, le bas de son manteau claquait derrière lui.

Le jury reconnut Damien coupable. Étant donné les preuves, il pouvait difficilement faire autrement. La question de sa responsabilité pénale avait entraîné des débats juridiques compliqués. Les psychiatres, au jargon incompréhensible, s'étaient lancés dans des supputations sans fin sur son état mental. J'appris tout cela par ouï-dire, captant au vol des bribes de conversation, ou par d'interminables coups de fil de Quigley, qui cherchait avec acharnement à découvrir pourquoi on m'avait relégué à Harcourt Street, au service de la paperasse. L'avocat de Damien tenta de faire valoir qu'il avait provisoirement perdu la raison et que, même si ce n'était pas le cas, il avait cru protéger Rosalind de mauvais traitements. Ce système de défense, destiné à troubler et à faire douter les jurés, se heurtait à l'évidence : nous avions recueilli des aveux complets ; plus important encore, nous avions les clichés d'autopsie d'une fillette assassinée. Damien fut reconnu coupable de meurtre et condamné à la réclusion à perpétuité, ce qui, en pratique, l'obligerait à passer entre sept et quinze ans derrière les barreaux.

Je doute qu'il ait apprécié l'ironie de la chose, mais la truelle lui sauva sans doute la vie et lui évita certainement, en prison, des expériences désagréables. À cause de ce viol post mortem, il fut considéré comme un criminel sexuel et incarcéré dans une unité spéciale, en compagnie des pédophiles, des violeurs et d'autres prisonniers tenus à l'écart de la population carcérale ordinaire. Dans un sens, c'était pour lui une bénédiction, même amère, qui augmentait ses chances de sortir de prison vivant et sans maladies sexuellement transmissibles.

Après la sentence, quelques dizaines de manifestants, qui attendaient dehors, hurlèrent des slogans hostiles dès qu'il apparut, titubant, en haut des marches. Je regardais le journal télévisé dans un petit pub miteux proche des quais. Un long murmure, hargneux, féroce, monta du groupe des habitués au moment où, sur l'écran, des policiers impassibles l'entraînaient vers le fourgon, qui démarra puis fendit lentement la foule, au milieu des poings levés et des cris de haine. « Qu'on rétablisse la peine de mort », grommela un buveur dans un coin. J'aurais dû avoir pitié de Damien, ce pauvre hère qui, dès qu'il s'était avancé vers la table de signature de « Non à l'autoroute », était tombé dans un piège mortel. S'il y avait un homme, dans ce pub, qui aurait dû murmurer quelques paroles de compassion à son endroit, c'était moi. Mais je ne pouvais pas. Je ne pouvais pas...

Je n'ai pas vraiment le courage de raconter dans le détail l'enquête disciplinaire qui décida de mon sort : les auditions tendues, interminables, les autorités sévères en costume étriqué ou en uniforme, mes explications embarrassées et humiliantes, l'impression pénible de me retrouver du mauvais côté du miroir. À ma grande surprise, O'Kelly me défendit avec véhémence, vantant les résultats de mes enquêtes, mes brillantes techniques d'interrogatoire et d'autres qualités qu'il n'avait jamais mentionnées auparavant. Bien sûr, je savais qu'il ne fallait pas voir dans ce soutien les marques d'une affection insoupçonnée, mais la préservation de ses propres intérêts. Ma faute professionnelle rejaillissait sur lui et il devait se justifier d'avoir hébergé si longtemps un renégat dans sa brigade. J'éprouvai quand même à son égard une telle reconnaissance que les larmes me montèrent presque aux yeux. Il semblait être mon dernier allié sur terre. J'essayai même, une fois, de le remercier après une des sessions. J'eus à peine le temps de bafouiller quelques mots. Il me toisa avec un tel dégoût que je reculai piteusement.

Finalement, mes juges décidèrent de ne pas m'exclure de la police, ni même de me rétrograder chez les agents en tenue. Là encore, je ne mets pas leur mansuétude sur le compte d'une estime particulière ou le sentiment que je méritais une seconde chance. Simplement, mon exclusion aurait pu intriguer un journaliste quelconque et susciter des questions gênantes. Bien entendu, ils me renvoyèrent de la brigade. Même dans mes moments d'optimisme les plus fous, je n'avais jamais osé espérer qu'ils ne le feraient pas. Ils me réintégrèrent dans l'équipe des stagiaires et précisèrent, en y mettant les formes, que je devais m'attendre à y rester longtemps, sinon jusqu'à ma retraite. Parfois, avec un raffinement dans la cruauté dont je ne l'aurais pas cru capable, Quigley fait appel à moi pour une permanence sur une ligne directe ou du porte-à-porte.

Ce processus prit des mois, durant lesquels je restais confiné dans mon appartement, hébété, regardant fondre mes économies. Ma mère m'apportait timidement des macaronis et du fromage pour s'assurer que j'aurais de quoi manger. Quant à Heather, elle me bassinait, comme d'habitude. Elle s'évertua à me faire prendre conscience de la source cachée de tous mes problèmes, liés, selon elle, à un manque de considération pour les sentiments d'autrui, les siens en particulier, et me donna le numéro de téléphone de son psychothérapeute.

Lorsque je repris le travail, Cassie n'était plus là. Elle était partie le jour de la condamnation de Damien. La rumeur, à son sujet, allait bon train. On lui avait offert une promotion pour l'inciter à rester, elle avait démissionné parce qu'elle était sur le point d'être exclue de la brigade, on l'avait vue dans un pub, main dans la main avec Sam, elle était retournée à Trinity College et étudiait l'archéologie. La morale de tous ces ragots se résumait en une phrase : les femmes n'avaient pas leur place à la brigade criminelle.

En fait, Cassie n'avait pas quitté la police. Elle s'était fait transférer à la section des violences domestiques et avait négocié son emploi du temps pour pouvoir décrocher son diplôme de psychologie. Dès lors, les potins ne m'étonnaient plus. Les enquêtes sur les violences domestiques sont dix fois plus pénibles que les autres : meurtres, crimes sexuels, on a droit au pire, comme dans les autres unités, mais sans la moindre gratification. Quitter une des brigades d'élite pour se lancer dans cette tâche obscure paraît inconcevable à la plupart d'entre nous. Toujours selon la rumeur, Cassie avait perdu la tête.

Personnellement, je n'en crois rien. Je ne pense pas non plus que son départ ait eu quelque chose à voir avec moi. Si son seul problème avait été son refus de supporter ma présence dans la même pièce qu'elle, elle aurait pris un autre partenaire et laissé le temps transformer nos liens en indifférence, ou attendu que je demande une mutation. De nous deux, elle a toujours été la plus têtue. À mon avis, elle a quitté la brigade parce qu'elle avait menti à O'Kelly, à Rosalind Devlin, et que tous les deux l'avaient crue ; et parce que, quand elle m'avait dit la vérité, je l'avais traitée de menteuse.

Je regrettai que cette histoire d'archéologie n'ait été qu'un boniment. J'adorais imaginer Cassie sur une verte colline, en treillis, appuyée sur une pioche, les cheveux dans les yeux, bronzée, couverte de boue et riant aux éclats.

Je gardai, pendant un certain temps, un œil discret sur la presse. Aucun scandale sur l'autoroute de Knocknaree ne fit jamais surface. Le nom de l'oncle Redmond apparut une fois en bas de liste, dans l'article d'un tabloïd relatant comment une partie de l'argent des contribuables finissait dans la poche de divers politiciens, mais ce fut tout. Le maintien de Sam à la brigade me laissa penser qu'il avait respecté l'injonction d'O'Kelly. Il est possible aussi qu'il ait remis sa bande à Michael Kiely et qu'aucun journal n'en ait voulu. Je n'en sais rien.

Sam ne vendit pas sa maison. J'appris qu'il l'avait louée pour une bouchée de pain à une jeune violoncelliste dont le mari était mort d'une rupture d'anévrisme, la laissant sans assurance vie, seule avec un bambin et une grossesse difficile. Ne touchant aucune indemnité de chômage, incapable de payer son loyer, elle avait été expulsée par son propriétaire puis elle avait vécu dans un B & B mis à sa disposition par une œuvre de charité. J'ignore comment Sam entra en contact avec elle. En tout cas, il s'installa dans un modeste appartement de banlieue. Les deux principales rumeurs le concernant prétendaient qu'il s'apprêtait à quitter la brigade pour devenir prêtre et qu'il était atteint d'une maladie incurable.

Je sortis deux ou trois fois avec Sophie. Après tout, je lui devais plusieurs dîners. Nous avons passé du bon temps ensemble. Elle ne me posa pas de questions indiscrètes, ce qui me parut de bon augure. Mais, après quelques rendez-vous, et avant que notre relation prenne un tour trop définitif, elle me laissa tomber. Elle avait assez d'expérience, me dit-elle, pour faire la différence entre un type mystérieux ou complètement tordu. « Tu devrais t'intéresser à des femmes plus jeunes, me conseilla-t-elle. Elles, elles confondent encore. »

Inévitablement, pendant ces longs mois passés dans mon appartement à jouer tout seul au poker en écoutant Leonard Cohen, mes pensées me ramenèrent à Knocknaree. J'avais pourtant juré de ne plus jamais laisser cet endroit me hanter. Mais les êtres humains sont curieux, à condition que cette curiosité ne leur coûte pas trop cher.

Imaginez ma stupeur lorsque je constatai que tout avait disparu. Tout ce qui s'était passé avant ma première année de collège avait été extirpé de mon esprit avec une précision chirurgicale, et cette fois pour de bon. Peter, Jamie, les gosses à vélo, Sandra, le bois, toutes les bribes de mémoire que j'avais si laborieusement reconstituées lors de l'opération Vestale s'étaient volatilisées. Je me souvenais de ce que j'avais ressenti en revivant ces scènes, mais elles m'étaient à présent aussi étrangères qu'un vieux film ou qu'une histoire qu'on m'aurait racontée : trois enfants bronzés, en short, crachant du haut des arbres sur la tête de Willy le petit, puis se cachant en ricanant. Et je savais qu'avec le temps ces images finiraient par se dissoudre. Elles ne m'appartenaient déjà plus. Je ne pouvais m'empêcher de penser que c'était justice, que j'avais perdu tout droit sur elles.

Un seul épisode surnageait. Un après-midi d'été, Peter et moi étions vautrés sur sa pelouse. Nous avions essayé de fabriquer un périscope d'après les indications d'un vieil illustré. Nous devions utiliser le tube de carton d'un essuie-tout. Or nous ne pouvions en demander un à nos mères, puisque nous ne leur adressions plus la parole. À la place, nous avions roulé du papier journal, mais il se gondolait et nous ne distinguions, dans le périscope, que la page des sports.

Nous étions tous les deux de très mauvaise humeur. C'était la première semaine des vacances. Il faisait beau. Nous aurions donc dû passer une journée merveilleuse, réparer notre cabane ou nous baigner dans la rivière. Mais le vendredi, dernier jour de classe, alors que nous quittions l'école, Jamie avait chuchoté, en fixant ses chaussures :

– Dans trois mois, je pars en pension.

– Tais-toi, avait répondu Peter. Tu ne t'en iras pas. Elle cédera.

Peine perdue. Cette menace ternissait le bonheur de nos vacances comme un gros nuage noir. Nous ne pouvions rentrer à la maison, puisque nos parents étaient tous furieux de notre mutisme. Nous ne pouvions pas aller dans le bois, parce que rien n'avait plus d'intérêt. Nous ne pouvions pas non plus aller chercher Jamie pour lui demander de venir jouer avec nous, car elle aurait secoué la tête en disant :

– À quoi bon ?

Nous étions donc allongés dans l'herbe, désœuvrés, agités, avec ce périscope qui ne fonctionnait pas et le monde entier conspirant contre nous. Peter arrachait des touffes d'herbe, en mordillait des bouts qu'il recrachait. Couché près de lui, transpirant au soleil, j'observais le va-et-vient des fourmis. *Cet été ne compte pas*, me disais-je. *Cet été est mort.*

Soudain, la porte de chez Jamie s'ouvrit avec fracas. Notre amie jaillit comme un obus. Peter se redressa en même temps que moi. Trente secondes plus tard, elle était entre nous et, nous prenant tous les deux par le cou, nous serrait contre elle.

– Je reste, je reste ! Je pars plus !

En un clin d'œil, l'été ressuscita. Abeilles, sauterelles, tondeuses à gazon, ces bruits que nous n'entendions plus carillonnèrent à nos oreilles. Le bois nous attendait, nous offrait de nouveau ses trésors, comme si nos vacances allaient durer un million d'années.

Nous nous sommes libérés de notre étreinte et nous sommes assis, pantelants et ravis.

– Sérieux ? demandai-je. Pour de bon ?

– Oui ! Je vais nulle part !

Hors d'haleine, incapable d'en dire davantage, elle me fit tomber à la renverse. Je roulai sur elle, la chatouillai à n'en plus finir. Je me sentais si heureux que j'avais l'impression que mon euphorie ne cesserait jamais.

Peter bondit sur ses pieds.

– Il faut fêter ça. Pique-nique au château. Allons chercher des provisions chez nous et retrouvons-nous là-bas.

Je me faufilai chez moi, jusque dans la cuisine. À l'étage, ma mère passait l'aspirateur.

– Maman ! Jamie reste ! Nous allons faire un pique-nique !

Je barbotai trois paquets de chips et des biscuits fourrés, glissai le tout sous mon tee-shirt, agitai la main en direction de ma mère, ahurie sur le palier. Quelques instants plus tard, je sautai par-dessus le mur.

Canettes de Coca pétillant et moussu. Nous avons trinqué sur le mur du château en criant :

– On a gagné !

Jamie clamait : « Je vais rester ici pour toujours ! » et dansait sur les pierres. « Pour toujours ! Pour toujours ! » Moi aussi, je hurlais d'allégresse. Le bois absorba nos cris, les répercuta dans les feuillages et sur la rivière, les transformant en une clameur immense qui réveilla les lapins, les scarabées, les rouges-gorges et tous les habitants de notre royaume.

Ce souvenir-là, je l'ai gardé intact, alors que tous les autres ont glissé entre mes doigts avant de s'évanouir. Il reste vivant et luit au fond de moi, telle une pièce lustrée au creux de ma paume, comme si le bois avait décidé, en dépit de tout, de m'offrir cet ultime cadeau.

Peu après avoir repris le travail, je reçus un coup de fil de Simone Cameron. Mon numéro de mobile figurait sur la carte que je lui avais laissée. Elle ne pouvait pas savoir que je m'occupais désormais des vols de voitures à Harcourt Street et que l'affaire Katy Devlin ne me concernait plus.

– Inspecteur Ryan, dit-elle, j'ai trouvé un objet. Je pense qu'il vous intéressera.

Il s'agissait du journal de Katy, celui dont, selon Rosalind, elle s'était lassée et qu'elle avait jeté. La femme de ménage de l'école de danse Cameron l'avait découvert, fixé avec du Scotch, au dos d'un poster encadré d'Anna Pavlova accroché dans le studio. Après avoir lu le nom inscrit sur la couverture, elle avait téléphoné, fébrile, à Simone. J'aurais dû donner à cette dernière le numéro de Sam et raccrocher. Au lieu de cela, j'abandonnai les rapports sur les vols de voitures et filai jusqu'à Stillorgan.

Il était 11 heures du matin. Simone était seule. Le soleil entrait à flots dans le studio. On avait retiré les photos de Katy du tableau d'annonces, mais le mélange d'odeurs qui imprégnait la pièce, résine, sueur, parquet ciré, me les remémora et me rappela ma première visite : les gamins en rollers s'interpellant dans la rue sombre en contrebas, les pas précipités et les bavardages dans le couloir, la voix de Cassie à mes côtés...

Le poster gisait sur le sol. Des feuilles de papier collées au dos du cadre formaient une poche de fortune, sur laquelle reposait un cahier d'écolier à la couverture orange et aux pages lignées.

– Paula, qui l'a trouvé, a dû partir faire le ménage chez quelqu'un d'autre, me dit Simone. Mais je peux vous donner son numéro de téléphone.

– Vous l'avez lu ? demandai-je en ramassant le cahier.

– En partie.

Elle portait un pantalon et un chandail noirs. Ses yeux extraordinaires avaient le même regard immobile que le jour où nous lui avions annoncé la mort de Katy.

Je m'assis. « Katy Devlin. Très privé ! Lecture interdite ! » lus-je sur la couverture. J'ouvris quand même le cahier. Il était aux trois quarts rempli. L'écriture ronde, soignée, commençait à peine à avoir une touche personnelle : fioritures sur les « y » et les « g », « S » majuscules tarabiscotés. Simone s'assit en face de moi et, les mains plaquées l'une sur l'autre entre ses genoux, m'observa tandis que je lisais.

Le journal s'étendait sur presque huit mois. Au début, Katy écrivait de façon régulière : une demi-page par jour environ. Après quelques mois, cela s'espaçait : deux pages par semaine, puis une. La plupart du temps, elle parlait de danse. « Simone dit que mon arabesque est meilleure, mais que je dois encore y penser comme venant de tout mon corps et non de ma jambe. » « On va apprendre une nouvelle chorégraphie pour le spectacle de fin d'année, avec la musique de *Giselle* + j'ai des fouettés. Simone dit souviens-toi c'est comme ça que Giselle dit à son petit ami qu'il lui a brisé le cœur + combien il va lui manquer c'est sa seule chance c'est ce que je dois montrer. » Suivaient quelques notations mystérieuses, évoquant un code musical. Le jour de son acceptation par la Royal Ballet School était signalé par une explosion de lettres capitales et de points d'exclamation : « J'Y VAIS J'Y VAIS J'Y VAIS VRAIMENT ! ! ! ! ! »

Certains passages racontaient ce qu'elle faisait avec ses amies. « Nous avons dormi chez Christina sa mère nous a servi une pizza bizarre aux olives + nous avons joué au jeu de la vérité Beth en pince pour Matthew. J'ai le béguin pour personne les danseuses ne se marient jamais avant la fin de leur carrière j'aurai donc trente-cinq ou quarante ans. Nous nous sommes maquillées ça a rendu Marianne très jolie mais Christina en a trop mis sur ses paupières elle ressemblait à sa mère ! ! » La première fois qu'elle fut autorisée à se rendre à Dublin avec ses amies : « On a pris le bus + fait du shopping chez Miss Selfrige Marianne + moi on a acheté le même haut mais le sien est rose avec des raies pourpres et le mien bleu et rouge. Jess n'a pas pu venir alors je lui ai rapporté une barrette en forme de fleur pour ses cheveux. Ensuite on est allées au McDo Christina a plongé son doigt dans la sauce de mon hamburger alors j'ai mis le mien dans sa glace on a bien ri le gérant est venu nous dire qu'il nous ficherait dehors si on n'arrêtait pas Beth lui a demandé voulez-vous un peu de glace à la viande ? »

Elle avait essayé les chaussons de Louise, détestait le chou et avait été exclue de la classe de gaélique pour avoir copié par texto sur Beth pendant un contrôle. Une enfant heureuse, à première vue, insouciante et rieuse. Pourtant, la terreur perçait entre les pages, comme une vapeur nauséabonde : « Jess est triste que j'aille à la Royal Ballet elle a pleuré. Rosalind dit que si j'y vais Jess se tuera + ce sera ma faute je ne devrais pas être tout le temps aussi égoïste. Je ne sais pas quoi faire, si je demande à papa et maman ils ne me laisseront pas partir. Je ne veux pas que Jess meure. »

« Simone dit que je ne peux plus être malade donc ce soir j'ai dit à Rosalind que je ne voulais pas boire ça. Rosalind a dit qu'il le fallait ou je ne pourrais plus danser. J'ai eu vraiment peur parce qu'elle était tellement en colère mais j'étais en colère aussi et j'ai dit non je ne crois pas je crois qu'elle fait exprès de me rendre malade. Elle dit que je le regretterai + Jess n'a plus le droit de me parler. »

« Christina est furieuse contre moi mardi elle est venue + Rosalind lui a dit qu'elle ne serait pas assez chic pour moi quand j'irai à la Royal Ballet + Christina ne m'a pas crue quand je lui ai dit que ce n'était pas vrai. Je déteste Rosalind JE LA HAIS JE LA HAIS. »

« Hier ce journal était sous mon lit comme toujours mais je ne l'ai pas retrouvé. Je n'ai rien dit mais quand maman a emmené Rosalind + Jess chez tante Vera je suis restée à la maison + fouillé la chambre de Rosalind le cahier était dans sa boîte à chaussures au fond de son armoire. J'avais peur de le reprendre parce qu'elle le saurait et deviendrait folle de rage mais je m'en fiche. Je vais le garder ici chez Simone je pourrai écrire quand je ferai mes exercices toute seule. »

Le dernier passage datait de trois jours avant sa mort. « Rosalind est désolée d'avoir été si méchante à propos de mon départ elle se faisait simplement du souci pour Jess + elle était triste de me voir partir je vais lui manquer à elle aussi. Pour se faire pardonner elle va m'offrir un porte-bonheur pour me porter chance à la Royal Ballet. »

J'avais l'impression d'entendre sa voix, menue et claire : Katy, morte depuis un an, Katy dont il ne restait que des os dans le morne cimetière de Knocknaree. J'avais très peu pensé à elle depuis la fin du procès. Même au cours de l'enquête, elle n'avait occupé qu'une petite place dans mon esprit. La victime est la seule personne qu'on ne connaîtra jamais, qui ne vit qu'à travers les propos des autres. Son assassinat avait éclipsé tout ce qu'elle avait été auparavant. Un instant, je l'imaginai à plat ventre sur ce plancher, ses frêles épaules remuant lentement tandis qu'elle écrivait, environnée par la musique.

– Cela aurait-il changé quelque chose si nous avions trouvé ce cahier plus tôt ? murmura Simone.

Je sursautai. J'avais presque oublié sa présence.

– C'est peu probable.

J'ignorais si c'était vrai, mais c'était ce qu'elle voulait entendre. J'ajoutai :

– Rien, dans ce journal, ne relie directement Rosalind à un crime. Katy raconte qu'elle lui a fait boire quelque chose, mais sa sœur aurait trouvé une explication ; elle aurait dit, par exemple, qu'il s'agissait de vitamines. Même chose pour le porte-bonheur. Cela ne prouve rien.

– Mais si nous avions découvert ce cahier avant sa mort, précisa calmement Simone, alors...

À cela, je ne pouvais rien répondre. Rien du tout.

Je glissai le journal et la petite poche de papier dans un sac d'indices que je fis parvenir à Sam, à la brigade. Ils finiraient au sous-sol, dans une boîte, à côté de mes vêtements d'enfant. L'affaire était close et Sam ne pourrait rien en faire, à moins – ou jusqu'à ce – que Rosalind s'en prenne à quelqu'un d'autre. J'aurais aimé envoyer le cahier à Cassie, en guise d'excuse muette et inutile, mais, comme moi, elle n'avait plus rien à voir avec l'affaire et, de toute façon, je n'étais pas certain qu'elle comprendrait à quel point cela m'importait.

Quelques mois plus tard, j'appris que Cassie et Sam venaient de se fiancer. Bernadette expédia un courriel à tout le monde, réclamant à chacun une participation au cadeau de mariage. Ce soir-là, je dis à Heather que l'enfant d'un collègue avait la scarlatine, m'enfermai dans ma chambre et bus lentement, mais avec obstination, de la vodka jusqu'à 4 heures du matin. J'appelai ensuite le mobile de Cassie.

Elle décrocha à la troisième sonnerie et bredouilla :

– Maddox.

– Cassie, bafouillai-je, Cassie, tu ne vas quand même pas épouser ce petit branleur ?

Elle retint son souffle, prête à répondre. Puis elle respira de nouveau.

– Je suis désolé, ajoutai-je. Pour tout. Je suis tellement désolé. Je t'aime, Cassie. Je t'en prie.

J'attendis encore. Après un long moment, un bruit sourd retentit dans l'appareil. Puis, en arrière-fond, la voix de Sam :

– Qui était-ce ?

– Faux numéro, dit Cassie, cette fois d'un peu plus loin. Un ivrogne.

– Alors, pourquoi as-tu été si longue ?

Il plaisantait, la taquinait. Je perçus un froissement de draps.

– Il m'a juré qu'il m'aimait. Alors, j'ai voulu savoir qui c'était, expliqua Cassie. En fait, il voulait parler à Britney.

– Comme nous tous.

Puis :

– Aïe !

Cassie gloussa.

– Tu m'as mordu le nez, gémit Sam.

– Bien fait.

D'autres rires, nouveaux froissements, un baiser. Sam chuchota :

– Mon ange.

Ensuite, plus rien, hormis leurs deux respirations qui, ensemble, s'apaisèrent jusqu'au sommeil.

Je restai immobile, à contempler le ciel par la fenêtre, réalisant que mon nom ne s'était pas inscrit sur le mobile de Cassie. La vodka faisait son effet dans mon sang, un début de migraine martelait mes tempes. Sam ronflait, très doucement. Je n'ai jamais su et je ne saurai jamais si Cassie pensait avoir raccroché, ou si elle voulait m'offrir un dernier présent, une dernière nuit passée à écouter son souffle.

Bien entendu, l'autoroute fut construite sur le trajet initialement prévu. L'association « Non à l'autoroute » livra une ultime bataille juridique, menaçant même de porter l'affaire devant la Cour européenne de justice. Des manifestants, parmi lesquels, j'en suis sûr, se trouvait Mark, campèrent sur le site pour empêcher les bulldozers d'avancer, ce qui retarda le début des travaux de quelques semaines, jusqu'à ce que le gouvernement obtienne à leur encontre une condamnation en bonne et due forme. De toute façon, ils n'avaient jamais eu la moindre chance. J'aurais voulu demander à Jonathan Devlin s'il avait vraiment cru, alors que tous les précédents historiques prouvaient le contraire, que, pour une fois, l'opinion publique ferait pencher la balance, ou s'il avait su dès le début que son action était sans espoir, tout en décidant d'essayer quand même. Dans les deux cas, je l'enviais.

Je me rendis sur le chantier le jour où j'appris par la presse que les travaux venaient de débuter. J'étais censé faire du porte-à-porte à Terenure, pour essayer de trouver quelqu'un qui aurait aperçu une voiture volée ayant servi à un casse, mais je ne manquerais à personne pendant une heure ou deux. Pourquoi allais-je là-bas ? Il ne s'agissait pas de mettre, de façon grandiloquente, un point final à toute cette histoire. Simplement d'une impulsion tardive. Disons que je souhaitais voir l'endroit une dernière fois.

Je ne m'étais pas attendu à un tel chambardement. J'entendis le rugissement des machines bien avant d'avoir atteint le sommet de la colline. Le site était méconnaissable. Des ouvriers casqués, en vêtements de protection fluorescents, s'agitaient comme des fourmis, hurlaient d'une voix enrouée, au milieu du vacarme, des ordres incompréhensibles. De gros bulldozers crasseux entassaient d'énormes masses de terre à côté des excavations, puis plongeaient lentement leur pelle, avec une délicatesse obscène, dans des débris de murs.

Je me garai sur le bas-côté de la route et sortis de ma voiture. Quelques protestataires inconsolables occupaient l'aire de stationnement, encore intacte, tout comme le châtaignier, d'où tombaient toujours des châtaignes. Ils brandissaient des pancartes : « Sauvons notre héritage », « L'Histoire n'est pas à vendre », en prévision de la venue d'hypothétiques journalistes. La terre retournée, mise à nu, semblait s'étirer beaucoup plus loin que les limites du site. Il me fallut quelques secondes pour comprendre pourquoi : ce qui avait subsisté du bois d'autrefois avait presque entièrement disparu. Il n'en restait que des troncs, des racines exhumées sous le ciel gris. Des tronçonneuses entaillaient les rares arbres survivants.

Mes souvenirs rejaillirent en force, me frappèrent en plein cœur. Je me revis escaladant le mur du château. Sous mon tee-shirt, le craquement de mes paquets de chips se mêlait au chahut lointain de la rivière. Juste au-dessus de moi, Peter cherchait ses prises. Au sommet, les cheveux blonds de Jamie flottaient au milieu des feuilles. Mon corps tout entier revécut cela, les pierres rugueuses sous mes doigts, la tension de mes muscles tandis que je me hissais jusqu'au vert des feuillages et l'explosion de la lumière. J'avais tellement pris l'habitude de considérer le bois comme un ennemi invisible, une ombre menaçante obscurcissant chaque recoin de ma mémoire, que j'avais oublié ce qu'il avait été pour nous : notre terrain de jeu, notre refuge. Et là, alors que les bûcherons achevaient de le détruire, il s'épanouit une dernière fois au fond de moi, dans toute sa beauté.

Au bord du chantier, près de la route, un des ouvriers venait de sortir un paquet de cigarettes de sa veste orange et fouillait ses poches à la recherche d'un briquet. Je trouvai le mien et m'avançai vers lui.

– Merci, fiston, me dit-il en mettant sa main en cornet autour de la flamme.

Âgé d'une cinquantaine d'années, il était petit, maigre, avec une tête de terrier agrémentée de sourcils broussailleux et d'une moustache en crocs.

– Ça se passe bien ? lançai-je.

Il tira une bouffée, me rendit mon briquet.

– J'ai vu pire. Le seul problème, ce sont ces grosses pierres disséminées partout.

– Peut-être celles du château. Cet endroit était un site archéologique.

– Je m'en serais douté, répondit-il en désignant les protestataires.

Je souris.

– Vous avez trouvé des choses intéressantes ?

Il me scruta avec méfiance, se demandant à qui il avait affaire. Un manifestant, un archéologue, un espion du gouvernement ?

– Quel genre ?

– Je ne sais pas ; des objets anciens, peut-être. Des os d'animaux. Ou des ossements humains.

Il fronça les sourcils.

– Vous êtes flic ?

– Non.

L'air sentait bon la terre retournée, l'herbe humide. La pluie ne tarderait pas.

– Deux de mes amis ont disparu ici, dans les années 1980.

Cela ne parut pas le surprendre.

– Je m'en souviens. Deux gamins. Vous êtes celui qui était avec eux ?

– Oui. C'est moi.

Il tira une nouvelle bouffée, me dévisagea avec sympathie.

– Désolé pour vos ennuis.

– C'était il y a longtemps.

– Non, reprit-il. À ma connaissance, nous n'avons pas trouvé d'ossements. On a peut-être déterré des squelettes de lapins ou de renards. Rien de plus gros. Si ç'avait été le cas, on aurait prévenu les flics.

– Je sais. Je ne faisais que vérifier.

Il se tourna un instant vers le site. Puis il plongea la main dans sa poche, en extirpa un objet.

– Mais un gars a trouvé ça. Qu'est-ce que c'est, à votre avis ?

Il déposa l'objet dans ma paume. Plat, étroit, long comme mon pouce, il avait la forme d'une feuille. Il était fait d'un métal poli, noirci par le temps. Une de ses extrémités était ébréchée. Il avait dû se briser contre quelque chose, il y avait très longtemps. L'homme avait tenté de le nettoyer, mais de petits morceaux de terre durcie avaient résisté par endroits.

– Je l'ignore, dis-je. Une pointe de flèche, peut-être, ou un morceau de pendentif.

– Le type l'a trouvé dans la boue de ses bottes, au moment de la pause. Il me l'a offert pour le mouflet de ma fille. Le môme est dingue d'archéologie.

L'objet était frais dans ma paume, plus lourd que je ne l'aurais cru. De fines rainures usées formaient un dessin sur un des côtés : un homme, à peine esquissé, la tête coiffée de bois de cerf.

– Vous pouvez le garder, si vous voulez. Le gosse ne regrettera pas ce qu'il n'a jamais eu.

Je refermai la main sur l'objet. Ses bords piquèrent ma paume. Je sentais, contre lui, battre mon pouls. Il aurait dû finir dans un musée. Mark aurait sauté de joie s'il l'avait découvert...

– Non, répondis-je. Merci. Il vaut mieux le donner à votre petit-fils.

Cette fois, l'homme sembla étonné. Je déposai l'objet dans sa main.

– Merci de me l'avoir montré.

– Ce fut un plaisir. Bonne chance.

– À vous aussi.

Il fourra l'objet dans sa poche, jeta son mégot dans une trace de pneu et retourna à son travail, en relevant son col.

Une petite pluie fine se mit à tomber. J'allumai à mon tour une cigarette et le regardai s'éloigner. L'objet de métal avait laissé des marques rouges sur ma paume. Deux enfants, de huit ou neuf ans, se balançaient sur le ventre au sommet du mur du lotissement. Les ouvriers levèrent les bras et poussèrent de grands cris qui dominèrent le fracas des engins, jusqu'à ce que les gamins disparaissent. Deux minutes plus tard, ils étaient de retour. Les manifestants ouvrirent leurs parapluies, distribuèrent des sandwiches. J'observai longtemps le chantier, jusqu'à ce que mon mobile vibre avec insistance au fond de ma poche et que la pluie s'accentue. Alors, j'écrasai ma cigarette, boutonnai mon imperméable et regagnai ma voiture.

Note de l'auteur

J'ai pris un certain nombre de libertés concernant le fonctionnement de la Garda Siochana, la police irlandaise. Pour citer l'exemple le plus évident, même si, en 1997, diverses unités ont été réunies au sein du Bureau national d'investigation criminelle, qui assiste les policiers locaux dans leurs enquêtes sur les crimes les plus graves, dont les meurtres, il n'existe pas en Irlande de brigade criminelle. J'ai dû en inventer une pour les besoins de mon roman. Je tiens à remercier tout particulièrement l'inspecteur principal David Walsh pour les renseignements qu'il m'a fournis sur des questions de procédure policière. Les erreurs qui ont pu se glisser dans mon livre ne lui sont pas imputables. J'en suis la seule responsable.

Remerciements

J'ai une dette immense envers Ciara Considine, dont l'instinct infaillible et l'enthousiasme n'ont cessé de me stimuler du début à la fin ; Darley Anderson, superagent et gentleman, qui m'a subjuguée plus souvent que quiconque ; sa fabuleuse équipe, spécialement Emma White, Lucie Whitehouse et Zoe King ; Sue Fletcher et Kandra Harpster, éditeurs extraordinaires, qui ont cru en ce livre et m'ont, toujours à bon escient, poussée à l'améliorer ; Helen Burling, qui m'a si gentiment fourni un havre pour l'écrire ; Oonagh « Bulrushes » Montague, Ann Marie Hardiman, Mary Kelly et Fildelma Keogh, qui m'ont tenu la main quand j'en avais le plus besoin et m'ont aidée à garder toute ma tête ; mon frère, Alex French, qui a assuré le bon fonctionnement de mon ordinateur ; David Ryan, aux conseils si désintéressés ; Alice Wood, préparatrice hors de pair ; le docteur Fearghas O'Coachlain, pour ses avis médicaux ; Ron et les Anonymous Angels, qui, comme par magie, se sont toujours trouvés là au bon moment ; Cheryl Steckel, Steven Foster et Deirdre Nolan, pour leur lecture et leurs encouragements ; tous les membres de la PurpleHeart Theatre Company, pour leur inlassable appui ; et enfin, honneur au soutien le plus précieux, Anthony Bretnach, dont la patience, l'aide et la foi se passent de mots.

Dépôt légal : mai 2008

ISBN : 978-2-7499-0856-4
LAF 932 A

Achevé d'imprimer au Canada
sur papier Quebecor Enviro 100% recyclé
sur les presses de Quebecor World Saint-Romuald